U0115446

大學叢書

新亞論叢

第十六期

《新亞論叢》編輯委員會
主編

學術顧問

王富仁（北京師範大學）　　　　　陶文鵬（中國社會科學院）

朱蔭貴（上海復旦大學）　　　　　陶國璋（香港中文大學）

何漢威（臺灣中央研究院）　　　　鄭永常（臺灣成功大學）

何廣棪（前華梵大學研究所所長）　廖伯源（臺灣中央研究院）

黃兆強（臺灣東吳大學）　　　　　傅璇琮（北京中華書局）

郭英德（北京師範大學）　　　　　聶石樵（北京師範大學）

張海明（北京清華大學）

編輯委員會

李　山（北京師範大學）　　　　　陳偉佳（香港浸會大學）

谷曙光（中國人民大學）　　　　　勞悅強（新加坡國立大學）

周國良（香港樹仁大學）　　　　　葉修成（天津財經大學）

林援森（香港樹仁大學）　　　　　楊永漢（香港樹仁大學）

林榮祿（臺灣中正大學）　　　　　過常寶（北京師範大學）

柳泳夏（韓國白石大學）　　　　　廖志強（香港新亞研究所）

張偉保（澳門大學）　　　　　　　黎志剛（澳洲昆士蘭大學）

張萬民（香港城市大學）　　　　　趙善軒（北京理工大學珠海學院）

程光敏（北京師範大學）　　　　　謝興周（香港新亞研究所）

黃熾森（臺灣東華大學）　　　　　魏崇武（北京師範大學）

本期主編

過常寶（國內）　　　　　　鄭潤培（澳門）　　　　　　楊永漢（香港）

稿　約

⑴本刊宗旨專重研究中國學術，以登載有關文學、歷史、哲學等研究論文為限，亦歡迎有關中、西學術比較的論文。

⑵來稿均由本刊編輯委員會送呈專家審查，以決定刊登與否，來稿者不得異議。

⑶本刊歡迎海內外學者賜稿，每篇論文以一萬五千字內為原則；如字數過多，本刊會分兩期刊登。

⑷本刊每年出版一期，每年九月三十日截稿。

⑸本刊有文稿刪改權。

⑹文責自負，有關版權亦由作者負責。

⑺若一稿二投，需先通知編輯委員會，刊登與否，由委員會決定。

⑻本稿請附若二百字中文提要。

⑼本稿請用 word 檔案，電郵至：socses@yahoo.com.hk

目次

編輯弁言

　　《新亞論叢》創刊至今，漸受學術界重視，編輯同仁，甚感欣慰。最近數期，更有論文引起學術界的爭議，故編輯部值此機會簡述選擇刊登論文的程序與方針。本刊有三位主編，分別在北京、香港及澳門，負責接受論文。如此安排，純屬方便作者提交論文，各主編是沒有分區接受論文的，例如北京或外國的論文，提交至香港，同樣接受。主編會先看論文的格式，是否合乎一般規格。基本上，只要合乎規格，已可進入評審階段。至於部分稿件，屬追憶前賢，或介紹著名學者，或簡述學術動態者，若有其價值，本刊將特別結集，於適當的時候，以附錄形式刊登。

　　評審是以匿名方式進行，由主編邀請對論文題目熟識的專家學者評審。評審結果只有通過和不通過兩項。論文若通過，則主要由主編作二審；不通過的論文，由主編作最後決定。一般來說，倘主編覺得論文有一定的學術價值，會要求作者作出修改或邀請第二學者評審，作者也可要求取回評語作參考。

　　我們很高興，每年均有數十篇來自不同國家、區域的論文投稿，相信是學術界對本刊的信任。我們沒有任何政治或學術門派的考慮，單從論文本身的價值作選擇標準。本刊的目的，是提供平臺給與研究學術的專家學者，互相交流研習心得及成果。本刊論文能引起學術界的討論，相信是交流學術心得的結果之一。

《新亞論叢》編輯委員會

二〇一五年十二月

儀式情境與殷商卜辭命辭句式
多樣性的可能[*]

陳春保

南通大學文學院

　　祭祀和占卜作為殷商甲骨文的重要內容，其本質是試圖通過奉獻祭品向神靈求助，了解命運，在實施某件事和達到某個目的之前，試圖控制命運的一種努力。這是任何神本社會的基本特點之一。雖然殷商人的祭禮和神事活動不一定都用占卜，但占卜和祭祀結合的程度相當緊密，而且兩者都必須借助程式化的儀式展現出來。但是迄今為止的甲骨刻辭研究，儀式對甲骨文文本研究的意義未得到足夠重視。在探討命辭句式時，如能充分考慮祭祀和占卜的儀式性特徵，會有一些新的認識。筆者不揣淺陋，試探此命題，以求教於學界方家。

一　卜辭命辭句式研究概況

　　命辭是卜辭的重要構成部分，命辭的句式究竟是疑問句，還是陳述句，或者是兩者兼而有之，一直是殷商甲骨卜辭文本與文化研究的核心問題之一。對於這一問題的研究，有多部論著進行過綜述。王宇信、楊升南兩位先生主編的《甲骨學一百年》說：「卜辭命辭為問句，過去早有定論」，「然而自七八十年代以來，美國吉德煒、倪德衛、司禮義、加拿大高島謙等一批學者對卜辭貞辭為問句提出了異議，中國如裘錫圭等一些學者也有回應的。」「然而卜辭貞辭非問句而是陳述句的追求新意之說，並不能為中國甲骨學者所廣泛接受」，所以其觀點是堅持成說，認為命辭為疑問句。[1]張玉金先生曾撰文綜述和評價過上世紀年以前這一問題研究的概況，將殷墟卜辭命辭語言本質及其語氣的研究概括為以下七種，即疑問質問說、命龜說、修被祝禱說、預言宣言說、魔力說、二元論魔力說和綜合說。其中的基本觀點是：「卜辭命辭的語言本質，絕大多數都是疑

* 國家社會科學基金重大項目「中國上古知識、觀念與文獻體系的生成與發展研究」（項目批准號：11 & ZD103）、教育部人文社會科學研究規劃基金項目「先秦對話研究──觀念世界關係建構的話語方式」（項目批准號：12YJA751002）階段成果。

1 王宇信、楊升南主編：《甲骨學一百年》北京：社會科學文獻出版社，1999年，頁277-280。

問，有一些是在疑問中有祈願；卜辭命辭的語氣基本上都是疑問語氣。」[2]趙誠、陳曦兩位先生也撰文綜述過這一問題[3]，還有其他一些論著對前一百年中甲骨學中的這一問題的研究進行過綜述，限於篇幅，本文不再一一列出。新世紀十數年來，還有學者關注這一問題。連劭名先生撰文探討師組卜辭中的否定詞「不」，認為「師組卜辭句尾的否定詞『不』屬於命辭中的內容，不是表示疑問的語辭。」[4]裘燮君先生也曾撰文涉及這一問題。[5]巫稱喜先生撰文〈甲骨卜辭的命辭〉，先總結了學術界關於這一問題的三派觀點，指出「甲骨卜辭命辭的語言本質的討論主要有三大學派：一為傳統學派，認為命辭為疑問句；一為革新學派，認為命辭為陳述句；一為兼有學派，認為命辭有一部分是疑問句，有一部分則不是。」文章的結論是支持甲骨卜辭命辭是陳述句的觀點。[6]其後巫稱喜先生還有〈再論甲骨卜辭的命辭〉（《漢字文化》2013年第6期）、〈三論甲骨卜辭的命辭〉（《漢字文化》2014年第2期）進一步申述己說。統觀上述殷商甲骨卜辭研究及其綜述，可見目前的命辭句式研究大多是從歷史與語言的角度展開，這樣的研究角度當然是甲骨卜辭性質決定的命辭句式研究的題中應有之義，也往往能獲得一些真知，但這些研究忽略了卜辭具有的儀式特徵對句式的影響，而從文化與文學的角度進行研究則可彌補此種不足。

在這一問題上，不囿於陳說而有所突破的是過常寶先生《先秦散文研究——早期文體及其話語方式的生成》一書的論述。過常寶先生首先指出：「命辭的表述方式關係到殷人的占卜姿態，也關係到甲骨卜辭的文體性質。」[7]在對前此諸家的研究進行評議的基礎上，過常寶先生提出：「命辭就是不帶任何條件地向神陳述一個或者幾個可能性，然後等待神的判斷，而不要求任何解釋。」又說：「從宗教思維來說，人不可能向神提出問題，更不可能讓神做選擇，所以，卜辭不應是疑問句。但卜辭又確實是卜疑的，所以不能被解釋為修祓、祝禱、魔力等。在原始宗教文化中，『疑』只是人的問題，他只能向神提出一個可能性，等待神的吉凶判斷。如果人可以向神提出疑問，那麼就有可能涉及到解釋等問題，而神對人是沒有解釋的義務的。所以命辭就是將人心中的疑問轉變為一種可能性，陳述出來。而這種陳述大部分應該反映人的意願，所以容易被看成是祈使句。可它確實是為決疑而發，所以，在占卜過程中，貞人往往也同時提出一個反面的陳述，以增加判斷的準確性。這種對貞命辭能說明它確實不是疑問句。」卜辭是「宗教

2　張玉金：《殷墟卜辭命辭語言本質及其語氣研究述評》，《古籍整理研究學刊》2001年第1期，頁12-19、22。

3　趙誠、陳曦：〈殷墟卜辭命辭性質討論述要〉，《古籍整理研究學刊》，2001年第1期，頁1-11。

4　連劭名：〈論殷墟師組卜辭中的否定詞「不」〉，《文物春秋》，2002年第5期，頁14-15。

5　裘燮君：〈商、周句尾語氣詞的發展（一）——也談殷商卜辭中語氣詞「抑」「執」的語氣詞性質〉，《河池學院學報》，2004年第5期，頁77-83。

6　巫稱喜：〈甲骨卜辭的命辭〉，《漢語學報》，2011年第3期，頁29-36、95。

7　過常寶：《先秦散文研究——早期文體及其話語方式的生成》北京：人民出版社，2009年，頁104。

背景下的儀式性語言」，「離開了宗教背景，離開了卜辭的載錄傳統，這種敘述方式是很難理解的。」[8]此前研究者對卜辭的宗教背景重視不夠，當然也未注意到其儀式性，這影響了對卜辭命辭句式的判斷。過常寶先生所說「向神陳述」，以及「命辭就是將人心中的疑問轉變為一種可能性，陳述出來」等等，實際上都與儀式活動的特徵相關，其中涉及宗教思維、原始文化中人與神的關係，如此探究人與神進行對話時的目的、姿態與心理，得出上述結論，確實合理，並有其獨到之處。

　　本文認為，作為一種儀式活動的記錄，殷商甲骨卜辭既保存了活動結果，也展現了儀式情境，如果能夠揭示卜辭基本句式的儀式語境，設身處地地體會殷商人的情感世界，從而辨識命辭的句式特徵，或許也是接近真相的一種辦法。

二　卜辭的基本句式與儀式的情感特徵

　　關於殷商卜辭句式結構類型，甲骨學界基本已經形成共識，如王蘊智先生總結認為：「殷墟卜辭見有三種基本句式，一是單辭句式，即用單獨一條卜辭來表達卜問的主題；二是對貞句式，即用正問和反問組成一對卜辭來表達所卜主題；三是選擇句式，即用一組選擇句來表達所卜問的主題。由於殷人習慣一事多卜，在實際占卜活動中，這三種辭式往往又演繹為單辭連卜、對貞連卜、選貞連卜等表現形式，連續用某一種或數種辭式反覆進行卜問。[9]」殷商人的一事多卜及辭式多樣化，導致卜辭的關聯性表現出複雜的形態，主要有一事同版連卜、一事異版連卜、同版對貞連卜、異版對貞連卜、同版選貞邊卜、異版選貞連卜等六種。[10]這啟發我們，對於卜辭基本句式的判斷不應該只著眼於若干單一卜辭，而應該從整體出發，進行關聯卜辭的整體判斷。卜辭的內容之所以具有其自身的價值，也正有這種種成熟形式帶來的影響，或者說形式的整體不可或缺，將這些形式割裂開來無法達到對其內涵的真正理解。

　　單辭句式是卜辭基本表達形式，是對貞句式和選貞句式的基礎。單辭句式的一次性卜問在卜辭佔有一定的比例，而單辭連續多次反覆卜問形式也不在少數。對貞句式除了一正一反之外，也還一正兩反、一反兩正等形式的反覆卜問。選擇句式則是兩種以上格式相同、中心詞不同的反覆卜問。如果把單辭句式作為一種元句式，則可見卜辭的基本句式是這種元句式為基礎，卻又不囿於此，而是由若干不同的元句式組合而成。從系統和整體的觀念出發，每一個元句式都是基本句式系統和整體的一部分，要認識某一基本句式的特徵必須從系統和整體出發；如果將元句式與基本句式的系統和整體割裂開來，只能得其句式特徵之一偏，導致要麼是疑問句，要麼是陳述句的，非此即彼的二元選擇。

8　同上註，頁106-107。

9　王蘊智：《殷商甲骨文研究》北京：科學出版社，2010年，頁84。

10　同上註，頁85-118。

　　句式是語氣的表現，而語氣受制於人的情感。殷商人自有其職官體系，卜辭是嚴格而有定制的巫史著錄體系的產物，這一點毫無疑問。那麼，這一體系化產物的形成，是否可以拋開任何情感、語氣甚至個人好惡等非體系化的情態因素呢？除了我們在記事刻辭中能夠體會到殷商人軍人戰勝的喜悅、獵人田獵的歡愉等等之外，占卜者也不能沒有情感。這一點早已有學者注意到。姚孝燧先生〈論甲骨刻辭文學〉一文認為，在甲骨刻辭中「既有與文學有關的資料，也有其本身就可以被看作是文學作品的」，「有著深厚的生活感情」。[11]姚先生還舉數個辭例，並著重闡釋了在這些作品中表現出來的失望、憎惡、情急懇求、懊喪失意、解嘲、喜悅、驕傲、趾高氣揚、躊躇滿志等神態與情感。這一點可以用關於巫術情感特點的論述予以參照，「巫術是一種再現，它所激發的情感是根據它在實際生活中的作用而給予重視的那種情感，激發這種情感為的是它可以釋放那種作用，並且由具有發動和集中效果的巫術活動把這種情感提供給需要它的實際生活。巫術活動是一種發電機，它供給開支實際生活的機構以情感電流。」[12]當代藝術哲學認為：「原始巫術並不是『理智的』的，而是『情感的』，是一種激發和呈現人類原始共同體情感的活動。」「原始人並沒有以為只要舉行一下巫術儀式就能讓大自然滿足人的需要。事實上，在巫術活動之後，他們立即投入緊張的勞動，投入與野獸的搏鬥，投入汗流浹背的耕作。如果以為原始人在巫術之外就不再關心自然的知識，不去提高在打制工具、土地耕作以及馴養牲口方面的技術與能力，那是對文明史的嚴重歪曲」，「（原始巫術的真正目的，）是為了表達和保存生存的情感與信念，因為這對於生產活動的成功和共同體的維繫至關重要。」[13]由此可以明確，殷商人的占卜活動也定有情感成份的參與，這應該與卜辭的儀式文本特性相聯繫。

　　更多情況下，我們經常在不經意之中只把卜辭看成了一種案頭文本，忽略了卜辭作為一種儀式產物的展演形態。只有對占卜和祭祀的儀式特徵給予足夠的關注才能體會到卜辭的情感特徵，那麼這種情感因素在卜辭儀式中究竟有著怎樣的作用呢？作為儀式展形態影響下形成的卜辭文本，其句式特徵會是單一的嗎？任何巫術儀式都不會只有一種情態，這種儀式特徵對卜辭句式的影響尚未引起足夠重視。所以，雖然「卜辭是儀式的記錄，既不反映情感，也不給出理由和解釋，在文辭上呈現一種惟命是從的姿態」[14]，只是道出了卜辭儀式的部分內涵。由於儀式活動是具有情感特徵的，作為活動記錄的卜辭實際上是有情感依托的，命辭當然也不會例外。

　　儀式是進行權力賦予的重要手段，政治儀式可以強化政治權力的合法性，是統治階

11　姚孝燧：〈論甲骨刻辭文學〉，《吉林大學社會科學學報》，1963年第2期，頁61-71。

12　〔英〕喬治‧柯林伍德著，王至元、陳華中譯：《藝術原理》北京：中國社會科學出版社，1985年，頁70。

13　王德峰：《藝術哲學》上海：復旦大學出版社，2005年，頁43。

14　過常寶：《先秦散文研究──早期文體及其話語方式的生成》，頁18。

層重要的權力技術。政治儀式因權力實踐的權威性需要而產生，其展演又是為了避免權力的過度「曝光」而走向其反面。在殷商時代，占卜和祭祀是宗教化的政治儀式，又是政治化的宗教儀式，其嚴肅性和權威性是無疑的。但是巫師作為「人」，其情感卻是多種多樣的。所以，占卜在本質上是一種展演性的精神、情感活動，儘管巫史制度保障著占卜的基本程序，確保其為體系化活動及產物，但每一次占卜都緣於具體事件限定的心態，營造出占卜事件的獨特氛圍，一定會有非體系化的因素影響著占卜過程及卜事記錄，這就導致了千差萬別的占卜情境，研究卜辭的句式也不能不考慮這一點。

三　命辭句式多樣性的可能

　　殷商人的一事多卜並不一定發生在某一個時間、地點，而可能是由不同的時間、地點。期間占卜參與人要經歷等待、期盼、重複、觀望等種種過程。從語言的效果來說，一事連卜意味著每增加一次占卜，都只是同樣語詞的重複，但其語詞表現出來的意蘊必定不會完全一樣，而是有某種「形式內涵」產生。「形式內涵」來自文藝心理學，其基本意義，是指形式在一定條件下也產生情感，並有其獨特的內涵。童慶炳先生認為：「一切藝術方式、藝術形式都對藝術內容具有征服、克服的作用。」「藝術創作中形式情感征服內容情感的心理學意義在於形成審美情感。」[15]從語詞形式的累積來說，每增加一次相同語詞的占卜並形成記錄，其表達的思想和情感程度可能會有略差異，或者說「相同語詞的占卜記錄」並非是毫無意義增殖的「簡單的重複」，重複的過程對所有卜事參與人都會產生某種心理暗示或期待，會因情境而不同。這種「形式內涵」包括懷疑、焦慮、惶恐、敬畏、欣喜、感喟、驚訝、痛苦等等，甚至於偶爾的命令也是有可能的。因為宗教情感與心理經常有相當程度的迷狂狀態。《禮記・郊特牲》載有一首古老的〈蠟辭〉：「土，反其宅！水，歸其壑！昆蟲，毋作！草木，歸其澤！」其中表現出的命令、咒語式的口吻是可以想見的。這種種情感影響了卜辭基本句式的性質。在考察卜辭句式，應當考慮占卜儀式情境的複雜性和「形式內涵」的意義。

　　既然占卜、祭祀是與神靈進行溝通的手段和交流方式，那麼我們不妨借鑒人際交流的相關觀念來認識占卜和卜辭。眾所周知，在人際交往中，一句話如果以不同的語氣表達出來當然會有不同的意義。以現代漢語的句式標記來說，如問號、句號、感嘆號的意義當然也不會相同。同樣的一句話用不同的語氣表達，反映出不同的心態與思想、情感。有些卜辭帶有表示疑問語氣的「不」、「乎」等詞，這些大致可以判定為疑問句。除此之外，則不是以某一種句式就可以概括的。所以也早已經有學者對卜辭中部分辭例標以感嘆號，較早的如姚孝燧先生在〈論甲骨刻辭文學〉一文中所做的那樣[16]。試圖以一

15　童慶炳：《藝術創作與審美心理》天津：百花文藝出版社，1992年，頁225、227。
16　姚孝燧：〈論甲骨刻辭文學〉，頁61-71。

種統一的句式來概括所有殷商卜辭是不切實際的，可能在無意之中忽視了殷商人情感世界的豐富性，以及千差萬別的「巫史活動的非體系化情境」。雖然我們無法探知絕大多數占卜和卜辭的生成情境，但不能無視這種生成情境的差異對卜辭文體造成的影響。因為從人與神交流角度來說，殷商甲骨卜辭展現的是一種重視過程、關心姿態、重在呈現的對話形態。這樣的過程理應包含人的心態變化、情緒起伏與情感狀態，這些因素在卜辭語氣上必定有所反映。如前已述，固然「從宗教思維來說，人不可能向神提出問題，更不可能讓神做選擇」（前引過常寶先生語），但是如果我們承認史官敘事有著一定的「實錄」因素，就必須認可卜辭情感的存在，只是由於書寫手段、表達形式等古代句式形態限制，今人無法直接觀察其心態和情緒。試看以下辭例：

HD401：

（1）乙卜，叀羊於母、妣丙。　一

（2）乙卜，叀小牢于母、祖丙。　三

（3）乙卜，𢦏彘母、二妣丙。　一

（4）乙卜，其㱿五牛妣庚。　一

（5）乙夕卜，歲十牛妣庚于呂。用。　一

（6）乙卜，其㱿三牛妣庚。　一

（7）乙卜，其㱿七牛妣庚。　一

（8）乙卜，叀今㱿妣庚。　二

（9）乙卜，於翌 [㱿] 妣庚。　二

（10）乙卜，叀今㱿妣庚。[才呂]。　二

（11）乙卜，於翌㱿妣庚，□。才呂。　一

（12）丙卜，丁乎多臣複，由非心，於不若，隹吉，乎行。　一

（13）丙卜，子其𡧊。[曰]：又 [希]，非𢆶。

（14）戊卜，其宜牛。　二

（15）戊卜，其先㱿歲妣庚。　一

（16）戊卜，其宜牛。　一

（17）戊卜，其㱿𤞨，肉入于丁。　一

　　我們所見的卜辭只是一種儀式的「展演儀式」的記錄文本，卜辭及其後的兆序表明了占卜過程的複雜性，一天之中有一事同卜多次，異卜多次；數日之內一事異卜多次；一日之內異事多卜，數日之內異事異卜，單調的重複再重複，難以揣摩的神意都使得在不同的時間內占卜情境可能有所差異，此種宗教性狀下巫者的情態可能有起伏變化，這樣形成的卜辭也就難以保證同一種腔調和情態。而且即使占問同一件事，也並非使用同

一種句式或語詞，其中多有變化。再如：

《合集》14201：

(4) 庚午卜，內，貞王乍邑，帝若。八月。　一　二　二告　三　四

(5) 庚午卜，內，貞王勿乍邑孖兹，帝若。　一　二　三　四

(6) 貞王乍邑，帝若。八月。　一　二　〔三〕　四

(7) 貞〔王〕勿乍邑，帝若。　一　二　三　〔四〕　五

　　上述辭例，或者使用完整句式，或者使用簡省句式，語詞使用上也不乏變化，句式或語詞的差異是語氣變化的反映對象。

　　卜辭是占卜和祭祀的記錄，或許有事先擬定的，但應以現場記錄或者事後追記為多，無論哪種情況，卜辭作為一種記載都是與事實拉開了一定距離的，或者說當話語及文本成為我們認識歷史的通道時，我們認識的只是一種「記錄的歷史」。而卜辭作為占卜和祭祀的事實呈現畢竟是以人的活動為主體的，從而留下了可以調整語言、句式甚至體會情感的空間，與神靈對話的姿態與方式在很大程度都體現在這種空間中。更何況占卜和祭祀所具有的宗教、巫術的不可言傳性，只有在祭祀活動現場才有意義，卜辭「記錄」的人神關係在「二次傳遞」中已經不再是人與神之間面對面的關係，可以說，神已經從人的信仰對象，轉化為一種話語對象。當然，由於古代巫史具有堅定的、超乎尋常的職業品格，或許他們對「實錄」的堅守和秉持，使得卜辭作為人神交往、對話的記錄還有大量的神性特質和神聖形態，不過因為卜辭記錄造成的「神性衰減」也是不爭的事實。所以對卜辭句式的認識應該更多地考慮從現場儀式展演、在場實錄、事後追記等各種不同的非同步「對話」情境。

　　綜上所述，儀式活動有豐富的情感表現，這決定著在不同的占卜與祭祀情境下，殷商時代巫者的情態呈現出多樣性；作為占卜與祭祀活動記錄的卜辭，無論事先、同時或者延後產生都與活動本身有一定的距離，這同樣影響著命辭句式語氣特徵多樣性的形成，這就是卜辭命辭句式多樣性的可能。

春秋時代八經卦取象說考

毛炳生

臺灣華梵大學

一 前言

　　春秋時代的易學，有所謂取象說與取義說，即《四庫全書總目提要》易類總序所稱的象數派與義理派。《左傳》、《國語》二書共載二十四則筮例，其中象數派最多，占十八例，餘下六例即為義理派，而義理派或多或少也有藉象說理的成分。筆者曾考察過這些筮例，將它們歸納為三類：筮而無義、筮而兼義與以辭申義，藉此探討春秋時代易學的發展過程。[1]筮而無義的筮例不觸及義理，純粹利用取象說預測人事吉凶；筮而兼義的筮例則既有起筮過程，解說時兼有取象與取義；以辭申義的筮例則沒有透過起筮過程，便直接利用《周易》卦象、爻辭申論義理。[2]筆者完成這篇論文後，覺得春秋時代的象數派易學仍值得探討，雖然研究的學者已經不少了。本文仍透過《左傳》、《國語》二書所載筮例，檢視春秋時代有關八經卦取象說的情形，並考究後人對這些取象說的理解是否完全符合原筮者的意思。

二 八經卦取象說分析

　　《易》本周初筮書，自南宋朱熹（1130-1200）後已成定論。在《左傳》、《國語》二十多則筮例中，可以進一步歸納出較現代的說法：即《周易》是一種預測術，筮人利用六十四卦的組合與卦象變化推測人事吉凶。因此，取象說實為易學的根本，在易學發展史上，據有源頭性的重要地位。周初的易學取象說情形已不可考，只能從《左傳》、《國語》二書中的筮例蠡測春秋時人的運用概況。六十四卦源於八卦的重疊，《周易》是以八卦卦象為基礎而發展出來的，八卦由是稱為經卦，六十四卦為別卦。因此，探究春秋時人有關八經卦的取象說尤須優先辨析清楚。戴璉璋（1932- ）先生《易傳之形成及其思想》一書曾將《左傳》、《國語》二書所載的筮例，歸納出春秋時人八經卦的取象情況，列出一表。該表頗為簡要，現迻錄於下，再依照他的順序逐一討論：[3]

---

1 毛炳生：〈春秋時代的易學發展——從《左傳》筮例考察〉，《新亞論叢》總第15期。臺北：萬卷樓圖書公司，2014年，頁23-33。

2 只有一例是醫和利用卦象說明病理，見於昭公元年（前541年）傳。

3 戴璉璋：《易傳之形成及其思想》臺北：文津出版社，1989年，頁31。

卦名	卦象	
	事物象徵	德性象徵
乾	天、天子、君、父、玉。	
坤	地（土）、母、馬、帛。	順
震	雷、長男、兄、侄、足、車。	
巽	風、女。	
坎	水（泉、川）、夫、眾。	勞
離	火、日、臣、公、子、言、牛。	
艮	山、男。	
兌	澤、妻、姑。	弱

　　表中將春秋時人八經卦取象的內容分為兩類，一類是事物象徵，另一類是德性象徵。所謂德性，乃指該卦所象徵的抽象概念。現以此表所列為序，逐卦討論如下。

《乾》☰ [4]

象徵天，見於《左傳》莊公二十二年、僖公二十五年及《國語・晉語四》。[5]

象徵天子，見於《左傳》僖公二十五年。

象徵君，見於《左傳》閔公二年及《國語・周語下》。[6]

象徵父，見於《左傳》閔公二年。

象徵玉，見於《左傳》莊公二十二年。

　　以上《乾》的五種卦象，又可分作四類。自然之象，如天；人事之象，如天子與君；人倫之象，如父；器物之象，如玉。由自然之象的天引申至人事之象的天子與君、人倫之象的父都可以作出合理的解釋，這些人物同具有政治或社會地位「最高」的特性，與「天」可以作類比。天子是在中央政府中地位最高者；君是在諸侯國中地位最高者；父是在家庭中地位最高者。但以《乾》徵象玉，卻缺乏這種邏輯根據，令人費解。考《左傳》莊公二十二年（前672）筮例，周史（生卒年不詳）利用《周易》為陳侯（厲公，生卒年不詳）的少子敬仲（陳完，前706-？）起筮，遇〈觀〉䷓之〈否〉䷋，

4　為免於論述卦名時產生混亂現象，本文特以《》表示八經卦名，〈〉表示六十四別卦名。

5　《左傳》文本，係據〔清〕阮元：《十三經注疏》江西南昌府刻本。臺北：臺灣藝文印書館，1973年。《國語》文本，係據王樹民、沈長雲點校，徐元誥撰：《國語集解》。北京：中華書局，2008年。《國語・晉語四》筮例發生於晉惠公十四年（前637年），即魯僖公二十三年。該筮例見於頁340至342。

6　《國語・周語下》筮例發生於晉靈公十四年（前607年），魯宣公二年。見於前揭書頁90。

即〈觀・六四〉爻變。〈觀・六四〉的爻辭是「觀國之光，利用賓于王」，周史分析說：

> 《坤》，土也；《巽》，風也；《乾》，天也。風為天於土上，山也。有山之材，而
> 照之以天光，於是乎居土上，故曰「觀國之光」。利用賓於王：庭實旅百，奉之
> 以玉帛，天地之美具焉，故曰「利用賓於王」。[7]

〈觀〉，《坤》下《巽》上；〈否〉，《坤》下《乾》上。由〈觀〉變〈否〉，是因〈觀〉的
上卦《巽》變成《乾》所致。周史對《乾》象的說法是：「《乾》，天也。」他並沒有
說：「《乾》，玉也。」由此可知以《乾》象徵玉，絕非出自周史。以《乾》象徵玉似乎
是後代注疏家的誤解。晉杜預（222-285）「庭實旅百，奉之以玉帛」注：

> 《艮》為門庭，《乾》為金玉，《坤》為布帛。諸侯朝王，陳贄幣之象。旅，陳
> 也。百，言物備。

〈觀〉與〈否〉的上下經卦都沒有《艮》卦，而杜注卻別出一《艮》卦。杜注「風為天
於土上，山也」時說：

> 自二至四有《艮》象；《艮》為山。

唐孔穎達（574-648）疏，即進一步指實「二至四」即為「互體」：

> 《巽》變為《坤》，六四變為九四，二至四互體，有《艮》之象，故言山也。

「互體」一詞，是西漢京房（漢元帝時人，生卒年不詳）的發明。[8] 杜注「二至四有
《艮》象」，分明襲自京房所創的概念，於是後代學者多以為「互體」源頭即在《左
傳》莊公二十二年筮例。[9] 杜預係取京房的互體概念作注，是否即為周史原意，很難證

7　《左傳正義》，頁164下。案：「利用賓於王」一語出現兩次，出現在前一次的，楊伯峻：《春秋左傳
　　注》北京：中華書局，2011年，頁223引劉用熙說認為是衍文，可從。本文將前一句「利用賓於
　　王」用冒號斷句，文意即無礙。

8　〔北宋〕朱震《漢上易傳》卷八〈繫辭下傳〉「若夫雜物撰德，辨是與非，則非中爻不備」注「中
　　爻」說：「崔憬所謂二三四五，京房所謂互體是也。」〔南宋〕王應麟《困學紀聞》卷一說：「京氏
　　謂二至四為互體，三至五為約象。《儀禮疏》云：『二至四、三至五，兩體交互各成一卦，先儒謂之
　　互體。』」由此可證，京房確有二至四為互體之說。

9　屈萬里：《先秦漢魏易例述評》臺北：學生書局，1969年，頁65卷上說：「周史說〈觀〉之〈否〉，
　　而有『風為天於土上山也』之語，殆即後世言互體之祖。」

實，只能就蛛絲馬跡推理而得出可能的答案，但這個答案未必便為周史本意。退一步說，就算答案符合周史本意，即互體為《艮》，所以有山之象，但周史沒有說「《艮》為門庭」。這一說法可能本於〈說卦傳〉，因為〈說卦傳〉有《艮》「為門闕」之語。但「門闕」不等於「門庭」；門是門，庭是庭，闕是闕，分屬三物。門闕指朝廷兩側楹柱，重點在「闕」，「門」是修飾語。而門庭一詞的結構與門闕不同，門跟庭是平列的，分別指稱二物，即門與庭，不宜作門前之庭或門後之庭解釋，屬於偏義複詞，即只有「庭」的意思，門義消失。杜預將「門闕」引申為「門庭」，似乎旨在於比附「庭實旅百」的「庭」字。《乾》為金玉，《坤》為布帛」，似乎也不是周史本意。周史所說的「庭實旅百，奉之以玉帛」，其實並非卦象，而是他針對爻辭「利用賓於王」的具體說明。「用賓於王」，是周代諸侯朝聘的禮儀。據《儀禮‧聘禮》，其中有「習享士，執庭實」之語。唐賈公彥（生卒年不詳）《儀禮疏》說：「享時，庭實旅百，獻國所有。……以其金、龜、竹、箭之等，皆列於地。」（卷第十九）[10]即諸侯向天子朝聘時，使者與隨行人員捧著貢品，貢品有金、龜、竹、箭等物；並把這些物品放置在庭中地上。庭中充滿貢品，即所謂「庭實」。而「旅百」的「旅」字，杜注為「陳也」，似乎也不是周史原意。《儀禮‧士冠禮》：「筮人還東面，旅占卒，進告吉。」（卷第一）東漢鄭玄（127-200）注：「旅，眾也。」[11]作眾人解釋。這裏「旅百」的「旅」字，似乎也應該作「眾人」解釋。出外之人又稱為旅人，這裡應指朝聘的「士眾」。他們捧著所貢之物，從他國而至，所以稱「旅」。百，指人數眾多，不是「物備」。「庭實」與「旅百」是一組對偶的詞語，「庭」為名詞，「旅」又怎能解釋為動詞的「陳」呢？至於「奉之以玉帛」，指士眾捧著貢品。由於所貢之物，各國不同，即賈疏所謂「獻國所有」；玉帛，可視為貢品的總稱，不應是以「《乾》為金玉，以《坤》為布帛」之意。[12]杜預想當然爾的注解，實不足為訓。〈說卦傳〉有《乾》「為玉、為金」，《坤》「為布」之語，杜注的附會或許來源於此。〈說卦傳〉，學者多疑為戰國後期或秦漢之間由儒家學者所整理出來的資料。但自一九七三年帛書《易傳》出土後，即有重新檢視的必要。前三章「性命之說」也見於帛書《易傳》中的〈易之義〉（又稱〈衷〉），而開頭多了「子曰」二字，而其他各章詳載八卦物象的內容則不見於〈易之義〉。筆者認為，〈易之義〉是戰國中期或更早的作品，前三章應為孔子語，以後各章帛書沒有抄錄。這些沒有被抄錄的八卦物象，卻在戰國後期或秦漢之間才成書的〈說卦傳〉中出現，而〈說卦傳〉卻將第一章開頭的「子曰」二字刪去。由此推想，在周史所處的春秋時代應還沒有這麼多複雜的說法[13]，

10　《十三經注疏‧儀禮注疏》，頁231上。

11　《十三經注疏‧儀禮注疏》，頁6上。

12　玉帛為貢品的總稱，猶如「管弦」為樂器或音樂的總稱一樣，屬修辭學中的借代格。

13　秦始皇統一六國後曾採李斯之議，焚書坑儒，而《易》是卜筮之書，獨不焚不禁。可能因為這樣，
　　部分儒者為了保存孔子易學的零星遺說，故意將〈說卦傳〉的前三章略去「子曰」二字，再揉合當

而是〈說卦傳〉的作者整理後人的資料而成，而杜預在為《左傳》作注時，因參考了〈說卦傳〉，再加上個人的推臆，於是作出附會的解釋。此一做法，便混淆了八經卦物象發展的先後，使後人以為這些物象都是同一時代的產物了。

《坤》☷

象徵地，見於《國語·晉語四》（二）。[14]

象徵土，見於《左傳》莊公二十二年、閔公元年及《國語·晉語四》（一）。

象徵母，見於《左傳》閔公元年及《國語·晉語四》（一）。

象徵馬，見於閔公元年。

象徵帛，見於《左傳》莊公二十二年。

象徵順的德性，見於《國語·晉語四》（一）。

《坤》的卦象也可以分為四類。自然之象是地；土、馬、帛是物象；母是人倫之象；順是德性之象。上述論《乾》時已分析過「玉帛」問題，認為「玉帛」只是貢品的總稱，《乾》「為玉、為金」，《坤》「為布」之說是〈說卦傳〉的說法，注家的誤用。周史時代既無《乾》象玉之說，也應無《坤》象帛之意。所以上表《坤》象徵帛一說可以略去。又：戴先生表中《坤》象徵土，用括弧表示，不知何意？《坤》象徵土是春秋時人明白說出的物象，如莊公二十二年的周史即說：「《坤》，土也。」所以筆者認為無須將「土」使用括弧附於「地」之後，用括弧即有附屬之意。土是泥土，屬於物象。至於其餘物象皆見於春秋時人語，可以確信為當時已有，不贅。

《震》☳

象徵雷，見於《左傳》僖公十五年（二）[15]、昭公三十二年及《國語·晉語四》（一）。

象徵長男，見於僖公十五年（二）、《國語·晉語四》（一）。

象徵兄，見於《左傳》閔公元年。

象徵侄，見於《左傳》僖公十五年（二）。（按：侄，原文作「姪」）

時民間卜筮已發展出來的八卦物象，湊成一篇〈說卦傳〉，掩人耳目。所以〈說卦傳〉第四章以後，都不宜視為春秋時代已產生的卦象。

14　《國語·晉語四》有兩則筮例，依出現的先後秩序，以（一）、（二）表示。（一），見於頁341-342；（二），見於頁345。

15　僖公十五年有兩則筮例，依出現的先後秩序，分別以（一）、（二）表示。（一），見於《左傳正義》，頁230；（二），見於頁232下至頁234。《震》為長男之說，只見於《國語·晉語四》（一），戴先生認為也見於僖公十五年（二）。詳以下討論。

象徵足，見於《左傳》閔公元年。

象徵車，見於《左傳》閔公元年、僖公十五年（二）及《國語・晉語四》（一）。

《震》的卦象也可分作三類。雷是自然之象；長男、兄與侄（姪）是人倫之象；足是人身之象，可歸類為物象；車也是物象。其中有兩點值得討論。一、「侄」的問題。《震》象侄似非當時的史官（史蘇）所說的卦象，而是注疏家的比附；二、「武」可列為《震》的德性。《國語・晉語四》筮例，司空季子（胥臣，前？-前622）解釋《震》時說：「……車有震，武也。……」古人所謂車，多指兵車而言。兵車在出動時產生震動，有動武、威武的意象。所以「武」可列為《震》的德性象徵。至於侄的問題，見於僖公十五年（二）（前645）傳。《左傳》記載說，當初晉獻公（前？-前651）考慮將其妹伯姬（生卒年不詳）嫁給秦穆公（前？-前621）時[16]，曾起一筮，遇〈歸妹〉䷬之〈睽〉䷥，即〈歸妹・上六〉爻變。史蘇（生卒年不詳）認為不吉，但晉獻公並不採納，仍將伯姬嫁了。史蘇當時分析說：

> 不吉。其繇曰：「士刲羊，亦無衁也；女承筐，亦無貺也。」西鄰責言，不可償也。〈歸妹〉之〈睽〉，猶無相也。《震》之《離》，亦《離》之《震》。為雷為火，為嬴敗姬。車說其輹，火焚其旗，不利行師，敗于宗丘。歸妹睽孤，寇張之弧。侄其從姑，六年其逋，逃歸其國，而棄其家。明年，其死於高梁之虛。[17]

這段分析十分複雜。史蘇所解說的爻辭（繇），既引用〈歸妹・上六〉，又引用〈睽・上九〉。王弼（226-249）本〈歸妹・上六〉爻辭是：「女承筐無實，士刲羊無血，無攸利。」[18]與史蘇所引的文字略異，意思尚沒有太大改變。「睽孤，寇張之弧」，則屬於〈睽・上九〉爻辭。王弼本作「睽孤。見豕負塗，載鬼一車。先張之弧，後說之弧。匪寇婚媾。往，遇雨則吉。」[19]這一段與史蘇所用的爻辭不同，差別也很大，似不是原文，而是斷章取義。[20]其中「匪寇婚媾」一語，高亨（1900-1986）注解為「非寇也，乃婚媾也」。[21]而史蘇則以秦為寇，落實了這個「寇」字的本義。就八經卦取象來說，

16　晉獻公嫁妹於秦事，發生於魯僖公五年（前655），即晉獻公二十二年。

17　《左傳正義》，卷14，頁232下至234上。

18　樓宇烈：《王弼集校釋・周易注》下經。臺北：華正書局，2006年，頁489。

19　同上註，頁407。

20　史蘇只取「睽孤」與「張之弧」二語，然後將「寇」字嫁接到「張之弧」前，成「寇張之弧」。史蘇所引爻辭與王弼本不同，或許王弼本為戰國後學者所刪訂，而史蘇則為原獻；或許史蘇只是概略引用爻辭，只取其需要部分，不需要部分則省略。

21　高亨：《周易古經今注》北京：清華大學，2010年，頁236。

史蘇但言「為雷為火」，即《震》為雷，《離》為火之意。而「《震》之《離》，亦《離》之《震》」，是說，不管《震》或《離》，既然相通（之），它們的性質（卦象）也可以相通。但「為雷為火」，何以是「為嬴敗姬」？則令人費解。[22]嬴是秦姓，姬是晉姓。「為嬴敗姬」即晉國敗給秦國。「車說其輹」：說，即「脫」字，是取去之意。輹，是固定車輪的器具，作用是不使車輛滑動。這種器具又稱伏兔。把伏兔拿掉，表示秦國的戰車要出動了。「火焚其旗」：《離》為火，可以理解；但何以「焚其旗」，則費解。《離》下為《兌》，不管是《離》是《兌》，都沒有旗象。「火焚其旗」是晉國戰敗之象，何以至此？史蘇亦無說明。至於《震》為侄，史蘇也沒有明說，只說「侄其從姑」而已。《震》何以為侄？杜注：

> 《震》為木，《離》為火。火從木生，《離》為《震》妹，於火為姑。謂我侄者，
> 我謂之姑。

「《震》為木」，不見於〈說卦傳〉，〈說卦傳〉只說「震，東方也。」東方於五行為木，是戰國後期的說法，不見於春秋人語。[23]「火從木生」，杜預以五行相生的觀念來解釋，似乎也與春秋時人不合，因為當時尚無五行相生的觀念。[24]「《離》為《震》妹」，是從〈說卦傳〉引伸的。《離》為中女，《震》為長子，故「《離》為《震》妹」，尚有道理可說，而「於火為姑」便莫名其妙了。《離》既為《震》之妹，則《震》應為《離》之兄了。戴先生將「姑」的象徵列於《兌》，不列於《離》，可見他也不認同杜預「於火為姑」的注釋。〈歸妹〉與〈睽〉的下卦皆為《兌》，據〈說卦傳〉，《兌》為少女。以當時候的情況來說，晉獻公嫁女於秦，以《兌》為少女，《震》為長男，二者應為兄妹關係。兄指晉獻公之子晉惠公（生卒年不詳），妹指伯姬。（但事實上，伯姬是晉惠公之姊）而史蘇卻預言晉惠公之子晉懷公（侄，生卒年不詳）逃亡的事，實在有點不可思議。史蘇何以有此占斷，應屬於筮法內部的推演問題[25]，而就八經卦取象來說，春秋時人並沒有明顯取《震》為侄的說法，是相當肯定的。《周易》以預測人事吉凶為目的，任何卦象的解釋最後必扣著當時的人事來說，作模擬推斷。不同的時空與人事狀況又有

---

22 楊伯峻《春秋左傳注》，頁364認為「為雷為火」至「明年，其死於高梁之虛」為繇辭，理由是文辭有用韻的現象。如姬、旗、丘為韻；孤、弧、姑、遄、家為韻。（家宜讀作姑）但考其內容，是預言性質，之卦沒有固定形式繇辭之例，故楊說不可從。。

23 〈說卦傳〉於《離》卦說：「其於木也，為科上槁。」

24 春秋時代只有五行相勝、相合之說，尚未產生相生、相剋的觀念。說見孫廣德：《先秦兩漢陰陽五行說的政治思想》臺北：嘉新水泥公司文化基金會，1969年，頁18-19。

25 王引之《經傳述聞》臺北：鼎文書局，1973年，頁326以為《震》以陽爻為主，而陽爻在下；《離》以陰爻為主，而陰爻在中。《離》之陰爻高於《震》之陽爻一位，故《震》以男而為侄，《離》以女為而姑。似有道理，但這種穿鑿的說法，筆者無法理解。

不同的模擬推斷，所以以《震》為侄，《離》為姑的說法，應為後起的附會，不宜列入春秋時代即已有的八經卦取象。

《巽》☴

象徵風，見於《左傳》莊公二十二年、僖公十五年（一）、襄公二十五年、昭公元年。
象徵女，見於昭公元年。

以上二說均見於春秋時人語，應為當時的八經卦物象。分作兩類：風為自然之象，女是人之象。可討論的是《巽》象徵女的問題。如依〈說卦傳〉，該女應為長女。〈說卦傳〉有「乾坤生六子」之說[26]，除《震》為長男，明確見於春秋時人的說辭外，其餘如《巽》為女，《艮》為男，都沒有明確說明長幼的人倫秩序。如見於昭公元年（前541）醫和（生卒年不詳）分析〈蠱〉卦時說：「女惑男，風落山謂之〈蠱〉。」[27]〈蠱〉☶，《巽》下《艮》上。《巽》為長女，《艮》為少男，男上女下。卦象是由下而上相疊的，先下後上，所以醫和認為是女惑男之象。如依〈說卦傳〉的說法，更應說明是長女惑少男。但醫和並沒有這樣說，推測可能的理由有二：一、〈說卦傳〉那套完整的說法當時還沒有形成；二、在技術上，醫和但取男女的意象分析晉侯好色的病理已足，長幼不是問題的重點，毋須點出。但鑑於只有《震》為長男之說見於春秋時人語，而不見其餘五卦，為謹慎起見，我們實在不宜將乾坤生六子之說的先後順序即判定為春秋時人即已存有的觀念。[28]《巽》為女也見於醫和之說，而「侄其從姑」的「姑」，亦有暗示《兌》為女性之意，順理推測，《震》、《坎》、《艮》分別象徵男，《巽》、《離》、《兌》分別象徵女，應為當時已有的八經卦之象。

26　乾坤生六子，即〈說卦傳〉第十章第一節所說的：「《乾》，天也，故稱乎父。《坤》，地也，故稱乎母。《震》，一索而得男，故謂之長男。《巽》，一索而得女，故謂之長女。《坎》，再索而得男，故謂之中男。《離》，再索而得女，故謂之中女。《艮》，三索而得男，故謂之少男。《兌》，三索而得女，故謂之少女。」

27　《左傳正義》，卷40，頁709下。

28　近年國內清華大學所藏戰國竹簡（簡稱清華簡）資料陸續發表，易學有筮法的材料，李學勤教授將之整理為《筮法》一篇。其中有「娶妻」一條，卦象為《艮》下《坤》上與《兌》下《羅》（離）上。占辭說：「凡娶妻，三女同男，吉。」（資料取自林忠軍：〈清華簡《筮法》筮占法探微〉，《周易研究》，2014年第2期，頁5-11）《坤》、《兌》、《羅》為陰，故稱「三女」，《艮》為陽，故稱「男」。又如另一條「得」，卦象為《巽》下《震》上與《震》下《勞》（坎）上。占辭說：「三男同女，乃得。」（資料取自程浩：〈清華簡《筮法》與周代占筮系統〉，《周易研究》，2013年第6期，頁11-16）這兩條資料顯示占法與春秋時人不同。而在八卦取象方面，陰卦為女、陽卦為男的基本原則卻與春秋時人是一樣的；但〈說卦傳〉乾坤生六子之說卻不見於這篇《筮法》。取人倫之例的只見於《左傳》，而僅以《乾》象父，《坤》象母，《震》象長男、兄，《坎》象夫，《離》象子，並沒有〈說卦傳〉所載的全面性。

《坎》☵

象徵水、泉、眾、勞，均見於《國語・晉語四》（一）。

象徵眾，又見於《左傳》閔公元年、宣公十二年。

象徵夫，見於《左傳》襄公二十五年。

象徵川，見於《左傳》宣公十二年。

《坎》象可分四類。自然之象為水、泉、川；夫是人倫之象；眾是物象；勞是德性。在戴先生的表列中，《坎》象徵泉、川皆有括弧，也沒有說明原因。泉、川等物象雖由「水」的意象衍生而來，但均見於春秋時人語，可視為當時已有的八經卦物象，不必使用括弧。又：《國語・晉語四》載司空季子（前637年）說：「《坤》，土也。……《坎》，勞也，水也，眾也。」韋昭（204-273）注：「《易》以《坤》為眾，《坎》為水，水亦眾之類，故云。」[29]按「《坤》為眾」為〈說卦傳〉語（第十一章），司空季子並沒有說「《坤》為眾」，只說「《坤》，土也」，韋昭係以〈說卦傳〉強作解釋，與司空季子的原意不符。水有「眾」的意象，應與《坤》無關。春秋時人所說的水，意指黃河、長江的支流，為「河水」之意，如渭水、漢水等。水之所以有「眾」的意象，疑亦與河水有關。孔子（前551-前479）在川上，曾說：「逝者如斯夫，不舍晝夜。」（《論語・子罕》）河水流動不息，源源不絕，就物象的多寡來說，可衍伸有「眾多」的意象；就事象的流動不息來說，也可衍生為「勤勞」或「勞動」的德性。《秦簡歸藏》坎作「勞」，清華簡的《坎》也作「勞」，坎勞之別，應為南北易學不同的關係。《周禮・春官》「大卜掌三易之法，一曰《連山》、二曰《歸藏》、三曰《周易》。」[30]疑《歸藏》為南方易學。

至於《坎》象徵夫，見於襄公二十五年（前548）傳。齊國的崔杼（前？-前546）欲娶剛過世的齊棠公（生卒年不詳）之妻，筮得〈困〉☷之〈大過〉☱，〈困・六三〉爻變。〈困〉，《坎》下《兌》上；〈大過〉，《巽》下《兌》上。〈困〉的下卦由《坎》變《巽》。大夫陳文子（生卒年不詳）說：

　　夫從風，風隕妻，不可娶也。

杜預注：

　　《坎》為中男，故曰夫。變而為《巽》，故曰從風。」[31]

---

29 《國語集解》，頁341。

30 《周禮正義》，頁370上。

31 《左傳正義》，卷36，頁618上。

「中男」為〈說卦傳〉語，杜預以〈說卦傳〉解釋稱「夫」的原因，但陳文子沒有說《坎》為中男。《巽》，據〈說卦傳〉為「少女」，也可以因此理解稱「妻」的原因，但陳文子也沒有說《兌》為少女。〈大過〉《巽》下《兌》上，即風下妻上。易學原則為：由內卦往外卦發展，故風下妻上有風把妻吹倒（風隕妻）之象。但這種推演的說法，並不等於說《坎》象夫、《兌》象妻，而是將《坎》男《兌》女推演在人事上，作出「風隕妻」的預測。因此，《坎》夫《兌》妻並不宜視作八經卦的基本物象。

《離》☲

象徵火，見於《左傳》僖公十五年（二）、昭公五年。

象徵日，見於《左傳》僖公二十五年。

象徵臣，見於《左傳》閔公二年。

象徵公，見於《左傳》僖公二十五年。

象徵子，見於《左傳》閔公二年。

象徵言，又象徵牛，見於《左傳》昭公五年。

　　《離》象可分作五類。火、日為自然之象；臣、公為人事之象；子為人倫之象；言為事象；牛為物象。以上《離》的各種事物象徵，值得討論的有臣、公、子、言與牛等。

　　先討論臣、子問題。《離》象徵臣與子，均見於《左傳》閔公二年（前660）筮例。魯桓公（生卒年不詳）的幼子成季（友，前？-前644）將要出生，楚丘之父（生卒年不詳）為他筮了一卦，遇〈大有〉☲ 之〈乾〉☰。說：「同復于父，敬如君所。」杜預注：

　　《乾》為君、父，《離》變為《乾》，故曰「同復于父」，見敬與君同。

孔穎達疏：

　　《離》是《乾》子，變遷為《乾》，故云「同復于父」，言其尊與父同也。國人敬之，其敬如君之處所，言其貴與君同也。[32]

高亨則進一步解釋說：

　　〈大有〉卦是上《離》下《乾》，〈乾〉卦是上《乾》下《乾》。《乾》為父，《離》為子，那末，〈大有〉上卦的《離》變為《乾》，是象徵子與父同德，「無

32　《左傳正義》，卷11，頁190下。

改于父之道」，所以說：「同復于父。」（復，行故道也）《乾》又為君，《離》又
為臣，那末，〈大有〉上卦的《離》變為《乾》，又象徵臣與其君同心，常在君的
左右，所以說：「敬如君所。」（如，往也。所，處也。）[33]

　　杜、孔、高三人的解釋都是很合理的，後說更詳於前說。《乾》為君為父，由此即可推
衍出其餘七卦為臣為子（子是子女的總稱）了。臣與子都是在解析者決定《乾》、《坤》
的屬性後才被推衍出來的，因此，這裡說《離》為臣為子，並不是《離》的特有卦象，
沒有個別性、殊相性。這與《坤》為地又可為土或《坎》為水又可為川為泉的性質截然
不同。這些物象始終不離《坤》或《坎》的特性，因此筆者建議，將臣與子這類的象徵
含意列於表中備註即可。

　　至於《離》象公之例，載於僖公二十五年（前635）傳。狐偃（生卒年不詳）勸晉
文公（前697-628）出兵勤王，筮了一卦，遇〈大有〉☰之〈睽〉☲。他說：

　　　　吉。遇公用享于天子之卦也。

何以是「公用享于天子」呢？杜注：

　　　　〈大有・九三〉爻辭也。三為三公而得位，變而為《兌》。《兌》為悅。得位而
　　　　悅，故能為王所宴饗。

〈大有〉之〈睽〉，是〈大有・九三〉爻變。杜預是說〈大有・九三〉的爻位為「三
公」之位，而不是說《離》為公，這是誤解狐偃的解釋的。「公用享于天子」既然是
〈大有・九三〉的爻辭。狐偃即是將這對卦象的變化與〈大有・九三〉爻辭綜合解析
的。他說：

　　　　天為澤以當日，天子降心以逆公，不亦可乎？

〈大有〉下卦為《乾》，象徵天子。第三爻變而成《兌》，《兌》為澤，有愉悅之象，所
以，卦變之象是「天子降心」。〈睽〉上卦為《離》，《離》雖為日，但狐偃並沒有順著這
個意象推衍。如前所述，《乾》既已被定位為「天子」，其餘各經卦都是臣了，不管
《兌》上的經卦是否為《離》，只要不是《乾》，都可以作臣子的象徵。晉文公是周天子

33　高亨：《周易雜論・左傳、國語的周易說通解》。《高亨著作集林》北京：清華大學出版社，2004年，
　　卷1，頁507。

之臣，卦位的發展先下後上，所以有「逆公」之象。逆，迎也。當，也是逆之意。公，指晉文公，不是三公之公。狐偃綜合〈大有・九三〉爻辭「公用享于天子」的「公」字立說，不是採九三爻位為公位立說，是十分清楚的。爻位說是戰國後發展出來的分析法，為《彖傳》、《象傳》所採用。

　　《離》象徵言與牛，相信也是後人的誤解。此說見於昭公五年（前537）傳。魯國的莊叔（得臣，生卒年不詳）在他的次子叔孫穆子（豹，前？－前538）出生的時候，用《周易》筮了一卦，遇〈明夷〉䷣之〈謙〉䷎，即〈明夷・初九〉爻變。〈明夷・初九〉爻辭是「有攸往，主人有言」。卜楚丘（生卒年不詳）說：

> 是將行，而歸為子祀。以讒人入，其名曰牛，卒以餒死。

意思是，這個孩子將有遠行，最後會回來繼承父位。但他帶了一個愛講是非的讒人回來，這個人的名字叫牛。這個孩子最終餓死。這個預言是準確的，穆子離開魯國後，回來時即與一個名叫「豎牛」（前？-前537）的人一起，並繼承了莊叔的爵位。卜楚丘是如何推衍出這個結果的？〈明夷〉，《離》下《坤》上。〈謙〉，《艮》下《坤》上。〈明夷〉之〈謙〉，即〈明夷〉初爻變，下卦由《離》變《艮》。卜楚丘（生卒年不詳）分析說：

> 〈明夷〉，日也。日之數十，故有十時，亦當十位。自王已下，其二為公，其三為卿。日上其中，食日為二，旦日為三。〈明夷〉之〈謙〉，明而未融，其當旦乎？故曰「為子祀」。日之〈謙〉，當鳥，故曰「明夷於飛」。明之未融，故曰「垂其翼」。象日之動，故曰「君子於行」。當三在旦，故曰「三日不食。」《離》，火也。《艮》，山也。《離》為火，火焚山，山敗。於人為言，敗言為讒，故曰「有攸往，主人有言」。言必讒也。純〈離〉為牛，世亂讒勝，勝將適《離》，故曰「其名曰牛」。謙不足，飛不翔，垂不峻，翼不廣，故曰「其為子後乎」。吾子，亞卿也，抑少不終。[34]

這一大段解析十分複雜，除以卦變的兩個經卦卦象、卦變的變象及〈明夷〉的初爻爻辭釋義外，還運用了當時文化制度上的配置觀念作出比附，進行交叉解析（唯獨沒有使用兩卦的經卦《坤》）。撇開這些繁瑣的分析不談，就以卦象言之，《離》為火，《艮》為山，但沒有說《離》為言。卜楚丘所說的「於人為言」是比附爻辭「主人有言」的「言」字說的，並不是說《離》為言。這是將卦變的變象「火焚山」落實於人事來說。卜楚丘以「火焚山」作為毀家滅國的象徵，於是將「言」進一步推斷為「讒言」，因為

---

34 《左傳正義》，卷43，頁743下-744下。

唯有「讒言」，才可能會毀家滅國。卜楚丘運用了模擬推斷法，預言這個名叫牛的人，是一個讒臣，將來會令穆子毀家滅國，所以穆子會以「餓（餒）死」收場。

　　至於《離》何以象徵牛？卜楚丘似乎也沒有這個意思。他只是說「純〈離〉為牛」。所謂「純〈離〉」，指六十四別卦的〈離〉，不是八經卦的《離》。八經卦的《離》並無牛的象徵，〈說卦傳〉也沒有。何以純〈離〉可以象徵牛呢？杜注：

　　　　《易》，《離》上《離》下。〈離〉：畜牝牛吉。

杜注過於簡略，解釋尚未清晰。「畜牝牛吉」，是〈離〉卦辭中的一部分。孔穎達疏：

　　　　純〈離〉者，言上體下體皆是《離》也。《易》〈離〉卦云：「畜牝牛吉。」故言純〈離〉為牛。〈明夷·初九〉無此牛象。但〈明夷〉初卦下體是《離》，故轉於純〈離〉之卦求牛象也。

孔疏解說得比較明白，說出象徵牛的原因是來源於〈離〉的卦辭。但他還是沒有針對重點解說。〈明夷〉下卦只有一《離》，何以又會重疊一《離》，變成純〈離〉呢？這要回到卜楚丘的說辭來理解。他於「純〈離〉為牛」後說：「世亂讒勝，勝將適《離》。」卜楚丘是扣著事理來說的。他認為在亂世之中，讒言必勝正言，以致「適《離》」。適，至也。〈明夷〉下卦的《離》本來已變成《艮》，但被火燒毀（山敗）後，剩下的還是火，所以又回到《離》上來了。二《離》重疊之象，由此產生。這是卜楚丘的特殊解釋法，不見於其他卦例。但純〈離〉為牛，不等於《離》為牛，以《離》為牛乃是後人的誤會罷了。

　　《艮》☶
象徵山，見於《左傳》僖公十五年（一）、昭公元年及五年。
象徵男，見於《左傳》昭公元年。

　　《艮》象徵山，已分別在上述討論《乾》與《離》時交代過了。象徵男，也已見於醫和之說，不再討論。

　　《兌》☱
象徵澤，見於《左傳》僖公二十五年、宣公十二年。
象徵妻，見於《左傳》襄公二十五年。
象徵姑，見於《左傳》僖公十五年（二）。
德性象徵為弱，見於《左傳》宣公十二年。

　　《兌》象徵澤，已見於前述《離》的討論。象徵妻，已見於《坎》的討論，這個取象基本上不能成立。象徵姑，已見於《震》的討論，這個取象基本上也不成立。至於德性象徵為弱，見於宣公十二年（前597）傳。晉國的知莊子（荀首，生卒年不詳）沒有透過起筮的過程，便直接以《周易》的〈師·初六〉爻辭「師出以律，否臧凶」占斷，認為副帥彘子（先縠，前？-前596）不聽號令，擅自率兵進攻楚軍必敗。但知莊子仍離不開取象說的技術。〈師〉䷆，《坎》下《坤》上。初爻變，由《坎》變成《兌》。知莊子說：「眾散為弱。」杜注：

　　　　《坎》為眾，今變為《兌》，《兌》柔弱。

孔疏進一步解釋：

　　　　《易·說卦》：「《兌》為少女。」故為柔弱。[35]

少女是三女（長女、中女）中最少的，弱作為她的德性象徵，在舊社會的時空背景下來衡量，應該是可以被接受的。

　　另外，前面討論《離》時，曾提到狐偃「天子降心以逆公」一段話。「降心」的意思，是從《乾》變《兌》而來的。《兌》為說（悅），是春秋時人已有的意象，那麼，也宜將它列為《兌》的德性之一。

三　結論

　　經過以上針對《左傳》與《國語》的筮例分析後，有關春秋時人八經卦取象的情形已能管窺其大概。《易傳》中記錄八經卦物象的主要作品是〈說卦傳〉，它成書時期的問題一直為近代易學者所關注。[36]歸納來說他們的討論約有兩種觀點：一說成書於戰國初期；一說成書於秦末漢初。這些學者的論證雖都言之有據，但他們存在著一個共同的難題，就是單一的論據無法一一化解其他疑點。筆者深信，不管象數派還是義理派易學，都有其發展歷程。周朝八百年的歷史，不論政治、經濟、禮樂等文化，其間不知道經過了多少劇烈的變革，何況是易學呢？歷史進程乃是立體的發展，過程是複雜的，而文本卻是單一的個體，狀態卻是平面的。企圖將平面的內容恢復它的立體構造，是一項非常浩大的解析工程，在材料的缺乏下，幾乎不可能。因此，盲人摸象，掛一漏萬實屬難

35　《左傳正義》，卷23，頁392上。

36　近代參與討論的知名學者如李鏡池、高亨、屈萬里、朱伯崑、戴璉璋、劉大鈞、李漢三等。

免。本文無意再參與〈說卦傳〉成書問題的討論，以免陷入同樣的困境；只是實事求是地從《左傳》、《國語》二書中所見筮例，考察當時人們有關八經卦象的運用情況。二書的筮例有限，勢必不能一一滿足〈說卦傳〉內所載物象。或許我們可以作另一推測：即八經卦象的歷史發展也是立體的，不同年代與不同地域，不同的占筮者也有不同的解析方法，因此也有不同的取象思考。而〈說卦傳〉的作者只是綜合了這些取象說，壓縮成一張平面的紙本作品。具體地說：〈說卦傳〉所載的八經卦物象不是一時一地一人之說，而是周初至戰國後期各國占筮者的說法的綜合成果。有些卦象是原來所有，如八經卦的基本卦象，即象徵自然物象部分；有些是後來新增的，如以八經卦定方位部分；有些則是後人的附會，如《乾》為玉、《坤》為帛之說等。後代注疏家沒有細察，誤認為這些卦象都是在同一時空下出現的物象，以致誤用了某些說法來解釋筮例。本文旨在釐清春秋時代取象說的情形，於探討過程中如真的發現這些注疏家的錯誤，純屬意外的收穫。現將上述探討後所得的結果，將春秋時代已出現的八經卦取象情形重新列表如下，以供學者參閱。

春秋時代八經卦取象表					
八卦	卦象				
	自然	人事	人倫	物象	德性
《乾》	天	天子、君	父		
《坤》	地		母	土、馬	順
《震》	雷		長男、兄	車、足	武
《巽》	風				
《坎》	水、川、泉			眾	勞
《離》	火、日				
《艮》	山				
《兌》	澤				悅、弱
備註	第一：當《乾》為君時，餘卦皆為臣；當《乾》、《坤》為父母時，餘六卦皆為子。 第二：陽卦：《乾》《震》《坎》《艮》，為男；陰卦：《坤》、《巽》、《離》、《兌》，為女。				

試論先秦耆老的文化職責

張朋兵

北京師範大學文學院

《國語・晉語八》云：「吾聞國家有大事，必順於典型，而訪諮於耆老而後行之。」[1]又《禮記・文王世子》云：「凡祭與養老乞言，合語之禮，皆小樂正詔之於東序。」[2]這兩處均說到王者向耆老「乞言」與「諮政」的事情。此外，《春秋公羊傳》、《管子》、《墨子》、《禮記》等篇章還提及了「父老」、「長老」之職。以上材料雖說法不一，但都表明在先秦時期，確實存在著「養老乞言」、「諮政」的傳統。新近清華簡〈殷高宗問於三壽〉的公佈，為我們進一步探討古代乞言與諮政制度提供了新的證據。本文擬在此基礎上，對這一禮儀制度及耆老的文化職責進行梳理。

一 耆老之職

「耆老」在先秦不僅指年歲高壽者，如《禮記・曲禮》所云：「六十曰耆……七十曰老」[3]，也指經驗豐富或德高望劭者。〈內則〉篇引鄭註曰「養老乞言者，養老人之賢者，因從乞善言可行者也。」又《管子・五輔》有「養長老，慈幼孤」[4]的記載。但多數情況下，「耆老」指有經驗之談，從事德政教化之人。《春秋公羊傳》說：「選其耆老有高德者，名曰父老，……父老比三老孝弟官屬。」[5]「父老」比之「三老」，則說明他們的職事相差無幾。又《禮記・祭義》云：「士、庶人有善，本諸父母，存諸長老，祿爵慶賞，成諸宗廟，所以示順也。」[6]而在〈禮運〉篇則云：「三公在朝，三老在學。」[7]這裡，「三公」又與「三老」對舉，「三公」是《尚書・周官》所謂太師、太傅、太保三職，他們輔佐天子分掌軍政大權和禮儀製作等諸事。那「三老」指什麼呢？《禮記・樂記》云：「食三老、五更于大學」，鄭玄註：「三老五更，互言之耳，皆老人更知三德五

---

1 徐元誥：《國語集解》北京：中華書局，2002年，頁424。

2 李學勤主編：《禮記正義》北京：北京大學出版社，2000年，頁733。

3 同上註，頁22。

4 黎翔鳳：《管子校註》北京：中華書局，2004年，頁195。

5 〔漢〕何休：《春秋公羊傳》北京：中華書局，1998年，頁117-118。

6 李學勤主編：《禮記正義》，頁1567。

7 同上註，頁822。

事者也。」唐孔穎達《禮記正義》云：「三德，謂正直、剛、柔。五事謂貌、言、視、聽、思也。」[8]可知「三德五事」主要指為政所需要的道德品行。又《尚書・洪範》云：「三德，一曰正直，能正人之曲直。二曰剛克，剛能立事。三曰柔克，和柔能治。」[9]通過文獻的比較來看，「老」是對有美德賢智、兼聽明察之長者的敬稱，但在等級上與「三公」有所差別。

早期社會對高壽老人普遍存在著「長老」、「耆艾」、「三壽」等不同稱呼。《管子・四時》有「論孤獨，恤長老」[10]之語。《莊子・寓言》說：「重言十七，所以已言也，是為耆艾。」郭象註引《釋名・釋詁》曰：「耆、艾，長也。」[11]而「三壽」當指年齡不同的三位長者，《莊子・盜跖》云：「人上壽百歲，中壽八十，下壽六十。」[12]又《左傳・僖公三十二年》有「中壽，爾墓之木拱矣。」[13]清華簡〈殷高宗問于三壽〉託名彭祖為上壽，《世本》謂其是顓頊後人，「姓籛，名鏗，……在周為柱下史，年八百歲。」[14]彭祖為高壽之人，被養生家格外推崇。《莊子・刻意》云：「吹呴呼吸，吐故納新，熊經鳥申，為壽而已矣；此道引之士，養形之人，彭祖壽考者之所好也。」[15]劉向也將其寫入《列仙傳》裡，馬王堆漢墓醫書《十問》有〈王子巧父問于彭祖〉故事等，均是將彭祖作為長壽之人看待的，表明彭祖作為高壽的象徵兼及道家養生之士的說法已經深入人心。此外，《詩・魯頌・閟宮》云：「三壽作朋，如岡如陵。」毛傳作「壽，考也。」而考、老互訓，則「三壽」當與前引「三老」互通，故馬瑞辰《通釋》說：「據下言如岡如陵，是祝其壽考，則壽從傳訓考為是。考猶老也，三壽，猶三老也。」[16]先秦時代對高壽老人還有稱「杖朝」、「黃耇」、「鮐背」者，但年齡段各有所指。以上材料表明，先秦時代人們對耆老是相當重視的，雖然對老者的稱呼時有差異，但在社會認同上是非常近似的。

社會上除了對耆老年齡上的高壽表示重視之外，還認為他們的德行言語對於治國理政、德行教化、日常生活有某種借鑒意義。從前文所引《禮記》和《管子》來看，耆老有為王者服務，教化子弟之責。《禮記・王制》云：「耆老皆朝於庠。」[17]同篇又云：「夏后氏養國老於東序。」鄭玄註：「東序、東膠亦大學，在國中王宮之東。」孔穎達

8　同上註，頁1325-1327。

9　〔漢〕孔安國傳，〔唐〕孔穎達正義：《尚書正義》上海：上海古籍出版社，2002年，頁465。

10　黎翔鳳：《管子校註》，頁855。

11　〔清〕郭慶藩：《莊子集解》北京，中華書局，1959年，頁949。

12　同上註，頁1000。

13　楊伯峻：《春秋左傳註》北京：中華書局，2009年，頁491。

14　〔漢〕宋衷註，〔清〕秦嘉謨等輯：《世本八種》北京：中華書局，2008年，頁3。

15　〔清〕郭慶藩：《莊子集解》，頁535。

16　〔清〕馬瑞辰：《毛詩傳箋通釋》北京：中華書局，1989年，頁1147。

17　李學勤主編：《禮記正義》，頁471。

疏曰：「〈文王世子〉云：養老必在學者，以學教孝悌之處，故於中養老。」[18] 夏代有養老之事，養耆老的目的之一是為了推行王政、教化諸侯子弟，這與春秋時期的樂太師掌管禮樂教化之職有些相似。〈王制〉又云：「養耆老以致孝，恤孤獨以逮不足。」直到漢晉時期，「養老乞言」禮儀還在社會上流傳，如《晉書·王祥傳》載：「天子幸太學，命祥為三老。祥南面幾杖，以師道自居。天子北面乞言，祥陳明王聖帝君臣政化之要以訓之，聞者莫不砥礪。」[19] 而當孔子死後，魯哀公誄孔子曰：「天不遺耆老，莫相予位焉。」[20] 是說上天不留這樣美德老成之人，再也沒有輔佐我王位的了。這些話說明先秦時期視耆老為擁有美德與智慧之人，他們所具有的教化能力已經成為社會共識。

　　《禮記·文王世子》云：「天子視學，大昕鼓徵，所以警眾也。眾至，然後天子至，乃命有司行事，興秩節，祭先師先聖焉。有司行事反命，始之養也。適東序，釋奠於先老，遂設三老五更群老之席位焉。適饌省禮，養老之珍具，遂發詠焉，退，修之以孝養也。反，登歌〈清廟〉，既歌而語，以成之也。言父子君臣長幼之道，合德音之致，禮之大者也。下管象，舞大武，大合眾以事，達有神，興有德也。正君臣之位，貴賤之等焉，而上下之義行矣。有司告以樂闋，王乃命公侯伯子男及群吏曰：『反，養老幼於東序』，終之以仁也。是故，聖人之記事也，慮之以大，愛之以敬，行之以禮，修之以孝養，紀之以義，終之以仁。是故古之人一舉事，而眾皆知其德之備也。古之君子，舉大事，必慎其終始，而眾安得不喻焉？〈兌命〉曰：『念終始典於學。』」[21] 同書又云：「凡祭與養老乞言合語之禮，皆小樂正詔之於東序。」[22] 這兩段話說的是周代有一種「養老乞言」禮，這種儀式貫穿於整個祭祀與宴、射活動中，目的是向耆老故舊祈求善言。這些向天子進諫的「善言」多是關乎「君臣之位、貴賤之等、上下之義」的經驗之談，《詩經·小雅》的〈棠棣〉、〈鹿鳴〉、〈伐木〉等篇即是針對長老對天子與世子的「嘉言」而創作的。[23] 例如〈鹿鳴〉：

> 呦呦鹿鳴，食野之苹。我有嘉賓，鼓瑟吹笙。
> 吹笙鼓簧，承筐是將。人之好我，示我周行。
> 呦呦鹿鳴，食野之蒿。我有嘉賓，德音孔昭。
> 視民不恌，君子是則是效。我有旨酒，嘉賓式燕以敖。

18　同上註，頁497。

19　〔唐〕房玄齡等：《晉書》北京：中華書局，1974年，頁988。

20　李學勤主編：《禮記正義》，頁292。

21　同上註，頁758-764。

22　同註20，頁733。

23　祝秀權：〈周代「養老乞言」禮與《詩經·小雅》部分詩篇創作的關係〉，《晉中學院學報》，2011年第2期，頁2。

> 呦呦鹿鳴，食野之芩。我有嘉賓，鼓瑟鼓琴。
>
> 鼓瑟鼓琴，和樂且湛。我有旨酒，以燕樂嘉賓之心。

《毛詩傳箋通釋》云：「《傳》訓『周行』為『至道』，即善道也。」[24] 詩中的「嘉賓」（即長者）是一位能向天子行至善之道的尊者，他們具備「德音孔昭……君子是則是效」的特殊才能。我們今天看到的〈鹿鳴〉雖然遠非「乞言」原貌，但也說明耆老向王者進言的職責所在。

二　耆老與巫事

耆老能向天子進言「嘉言善語」，為王者服務，教授貴族子弟，除了年歲高壽、有豐富經驗之外，一定還有其他原因值得追尋，那麼這種原因又是什麼呢？

上古社會生產力水平低，物質資料十分有限，人的壽命也相對較短，孔子所謂「五十而知天命」，就表現出了對生命壽夭的感悟。西周青銅器銘文裡曾出現過大量的祈壽辭，如「萬年」、「眉壽」、「永令（命）」等[25]，這也說明周人已認識到生命有限，希望通過祭祀先王的方式獲得生命的延續。《尚書》時代已將長壽置於其他四福之前，〈洪範〉云：「五福：一曰壽，二曰福，三曰康寧，四曰攸好德，五曰考終命」[26]，也表明當時人們對壽命重要性的認識。

樂生惡死的觀念古已有之，長壽不易，而能活出生命的極限，被當作是擁有某種特殊的神秘能力。商周時期，擁有神秘能力的人其實就是巫祝。那麼擁有長壽的老人與巫史人員又有什麼關係呢？這還得從字形上進行解釋。在《說文解字》裡，「老」、「考」、「壽」、「眉」等字上半部大體相似，金文作 ，像老者稀疏的毛髮垂落下來。「 」究竟和年壽有什麼關係，許慎語焉不詳，但釋「壽」云「久也。從老省，疇聲」[27]，又釋「禱」云「告事求福也，從示壽聲」[28]。其實，許慎已經注意到「壽」與「禱」在某種意義上存在著關聯。金文「壽」字有多種寫法，戎生鐘作 ，秦公石盤作 ，善夫克鼎作 。它們都有一個相同的 字。馬敘倫釋「 乃搗字也。」[29] 學者葉玉森認為「 卜辭或云 亡尤。或云 索亡尤。或云 彤亡尤。 即古禱字。殷人用為祭名。」[30] 古無舌上

24　〔清〕馬瑞辰撰：《毛詩傳箋通釋》，頁493。

25　孫孝忠：〈周代的祈壽風與祝嘏辭〉，《廈門大學學報（哲學社會科學版）》，2012年第6期，頁58。

26　〔漢〕孔安國傳，〔唐〕孔穎達正義：《尚書正義》，頁478。

27　〔清〕段玉裁：《說文解字註》北京：中華書局，2013年，頁402。

28　同上註，頁6。

29　《古文字詁林》編纂委員會：《古文字詁林》上海：上海教育出版社，1999年，冊7，頁654。

30　同上註，冊1，頁175。

音，則「壽」從「禱」來，「壽」應讀為禱。這樣一來，則「壽」最初就是「禱」了，而「禱」與古代巫祝祭祀的關係不言自明。

這樣的例子還有很多，我們還可從西周青銅銘文中的祈壽嘏辭裡找到某些證據，諸如「眉壽」、「萬年」、「無疆」之語。「眉」在金文中也有多種寫法，陳逆簋作𥷆，齊侯盤作𥷆，齊縈姬盤作𥷆。從字形來看，是把頭放在水裡，即洗頭之意。[31] 聯繫到前面的「壽」字原為「禱」，則「眉壽」合起來看為「沐禱」。「沐禱」其實就是用滕器沐浴、祭祀之義。周人給出嫁女子會送一種滕器，器皿上一般刻有祈壽嘏辭，像原氏仲簋云：「原氏仲作淪母、㝈母、家母滕簠。用祈眉壽，萬年無疆，永用之」。[32] 三女用一器，則表明三女是用來陪嫁的滕妾。而這種滕器的用途，除了生活沐浴之外，還有祭祀之用。而耆壽老人與古代巫職之間的關聯似乎到這裡就更加明晰了。只是後來隨著社會文明的發展，耆老從宗教蒙昧的氛圍中分化出來，逐漸顯現出理性的光芒，因此才有《禮記・禮運》所云「宗祝在廟，三公在朝，三老在學」相互對舉，各司其職的情況，職業分工越來越細，技藝專業化傾向愈加明顯，耆老也從巫史人員轉化為專門從事「獻言」的魅力之人了。

在文獻中，這樣的關係或隱或現。《禮記・王制》云：「有虞氏皇而祭，深衣而養老。夏后氏收而祭，燕衣而養老。殷人冔而祭，縞衣而養老。周人冕而祭，玄衣而養老。凡三王養老皆引年。」[33] 這裡說的雖是養老事宜，但都與祭祀之事相關。一般情況下，耆老由於生活經歷豐富，「多才多藝」而又富於經驗，往往參與禮儀、祭祀等相關事情。《周禮・夏官・司馬》云：「羅氏，掌羅烏鳥。蠟，則作羅襦。中春，羅春鳥，獻鳩以養國老，行羽物。」[34] 古人祭祀時常用鳥羽飾其冠，《周禮・春官・樂師》云：「凡舞，有帗舞，有羽舞，有皇舞」，鄭玄注曰：「皇舞者，以羽冒覆頭上，衣飾翡翠之羽。」[35] 則皇就是用禽羽裝飾成的高冠，使用皇的人通常是古代巫師。向國老獻鳩，「行羽物」當然就是指祭祀之事了。從這裡可知，國老有跟巫師相似的職責。

《禮記・王制》云：「夏后氏養國老於東序。」鄭玄註：「東序、東膠亦大學，在國中王宮之東。」孔穎達疏曰：「《文王世子》云：學干戈羽籥於東序。以此約之，故知皆學名也。養老必在學者，以學教孝悌之處，故於中養老。」[36] 東序不僅是養老之處，亦是耆老教太學子弟干戈羽籥之禮的場所。干戈，即武舞，《尚書・大禹謨》所謂：「舞干、羽於兩階」[37]，干羽主要用於宗廟祭祀和朝賀、宴享禮儀。「羽籥」即「羽籥」，古

---

31 同註29，冊9，頁220。

32 劉雨、盧岩編：《近出殷周金文集錄》北京：中華書局，2002年，頁530。

33 李學勤主編：《禮記正義》，頁498。

34 〔漢〕鄭玄註，〔唐〕賈公彥疏：《周禮正義》上海：上海古籍出版社，2007年，頁1183-1184。

35 同上註，頁863。

36 李學勤主編：《禮記正義》，頁497。

37 〔漢〕孔安國傳，〔唐〕孔穎達正義：《尚書正義》，頁140。

人祭祀或宴饗時表演的舞蹈，《周禮‧春官‧鑰師》所謂「祭祀，則鼓羽鑰之舞。賓客、饗食，則亦如之。」[38]這兩種舞蹈都與古代巫師祭祀鬼神有關，這也是先秦時期巫史最重要的職責，則耆老之責也可略知一二。直到漢代，老者負責祭祀的事情還有顯見，如《春秋繁露‧止雨》云：「令縣鄉里皆掃社下。縣邑若丞合史、嗇夫三人以上，祝一人；鄉嗇夫若吏三人以上，祝一人；里正父老三人以上，祝一人，皆齋三日。」[39]由此看來，耆老在某些職事上與巫史是相通的，而耆壽老人的神秘性其實就來源於其溝通天人的巫術技藝和巫職背景。相應地，這種以巫職為背景的技藝，自然也會演化為一種話語資源和根據，成為評判社會價值的標準矢的，也常為人所徵引而有話語權力。

三　耆老的諮政與德言

《逸周書‧皇門解》引周公語云：「嗚呼！下邑小國克有耆老據屏位，建沈入，非不用明刑。維其開告於予嘉德之說，命我辟王小至於大。我聞在昔有國誓王之不綏於恤，乃維其有大門宗子勢臣，內不茂揚肅德，訖亦有孚，以助厥辟，勤王國王家。乃方求論擇元聖武夫，羞於王所，其善臣以至於有分私子。苟克有常，罔不允通，咸獻言在於王所，人斯是助王恭明祀、敷明刑。」[40]這句話說古代聖哲的功績無不來自臣下的「獻言」，而「獻言」傳統又與「耆老」有關。另外，《國語‧晉語四》云：「及其（指周文王）即位也，詢於八虞，而諮於二虢，度於閎夭，而謀於南宮，諏於蔡、原，而訪於辛、尹，重之以周、邵、畢、榮，憶寧百神，而柔和萬民。」[41]同書〈周語上〉又云：「故天子聽政，使公卿至於列士獻詩……瞽史教誨，耆艾修之，而後王斟酌焉，是以事行而不悖。」[42]《詩經‧大雅‧蕩》云：「雖無老成人，尚有典刑。」[43]這些材料表明耆老有獻言，商討朝政，對公卿列士的勸諫意見進行修改、完善的職責，天子也有訪諸四野耆老諮政的需要，這樣方能使王政順利施行。

其實，養老諮政、訪問諸賢的行為在先秦是非常普遍的社會現象。《尚書‧洛誥》載成王言：「公其以予萬億年敬天之休。拜手稽首誨言。」[44]此「公」為周公無疑，「誨言」當指教誨之言，于省吾釋為「謀言，猶云諮言、問言」。[45]古代社會耆老對王帶有訓誡性質的「謀言」，即「謨」，這在其他文獻中也有載錄。如《左傳‧襄公四年》錄穆

---

38 〔漢〕鄭玄註，〔唐〕賈公彥疏：《周禮正義》，頁906-907。
39 蘇輿：《春秋繁露義證》北京：中華書局，1992年，頁437。
40 黃懷信等：《逸周書匯校集註》上海：上海古籍出版社，1995年，頁582-586。
41 徐元誥：《國語集解》，頁361-362。
42 同上註，頁11-12。
43 程俊英：《詩經註析》北京：中華書局，1991年，頁853。
44 〔漢〕孔安國傳，〔唐〕孔穎達正義：《尚書正義》，頁595。
45 于省吾：《雙劍誃群經新證雙劍誃諸子新證》上海：上海書店，1999年，頁98。

叔云：「臣聞之：『訪問於善為諮，諮親為詢，諮禮為度，諮事為諏，諮難為謀。』臣獲五善，敢不重拜？」杜注曰：「訪問於善為諮，問善道也，諮親為詢，問親戚之義也，諮禮為度，問禮宜也，諮事為諏，問政事也；諮難為謀，問患難也。」[46]也即穆叔所謂「五善」：諮、詢、諏、謀、度。《國語・魯語下》也有相似的記錄：「臣聞之曰：『懷和為每懷，諮才為諏，諮事為謀，諮義為度，諮親為詢，忠信為周。』」[47]這說明先秦不僅有訪問制度，而且還對不同情形下出現的諮議有具體規定。巧合的是，《左傳・昭西元年》記鄭國子產語云：「僑聞之，君子有四時：朝以聽政，晝以訪問，夕以修令，夜以安身。」杜預注曰：「朝以聽政，聽國政。晝以訪問，問可否。夕以修令，念所施。夜以安身，於是乎節宣其氣，宣，散也。」[48]《尚書》中有一類「典謨」性質的文獻就與古代這種諮議政治有關，《禮記・內則》所謂：「凡養老，武帝憲，三王有乞言……既養老而後乞言，亦微其禮。皆為惇史。」[49]〈皋陶謨〉即屬於此種文獻，它再現了周人對王政諮議傳統的構想，是皋陶對舜進行教誨的重要依據。全篇分兩大段：前半部是皋陶與舜關於以德治國的對話，皋陶提出「九德」：「寬而栗，柔而立，願而恭，亂而敬，擾而毅，直而溫，簡而廉，剛而塞，強而義」，並輔之以禮刑；後半部從上下相親、君臣相協、九族和睦等方面討論了天下共治的理想。全篇以問答體為主，論述的內容皆是關乎「邦國成敗」的「嘉言善語」。

　　清華大學藏戰國竹簡〈殷高宗問於三壽〉，也有類似於〈皋陶謨〉問答體形式與諮政問詢的內容。簡文是商王武丁向上壽老人彭祖諮政，探討的問題主要涉及王政理想與美德教化之類，也屬於向耆老乞言的範疇。全文有兩大部分，前一部分列舉殷世亂象以警戒商王武丁，用譬喻的方式分述長、險、厭、惡四種思想；後一部分從（恙）祥、義、德、音、聖、知、利、信等九個理念出發論述王者美政，例如：

衣備（服）慌（美）而好信，丂（巧）志（才）而家（哀）眾（矜），血（恤）遠而愿（謀）新（親），惪神而膩（柔）人，寺（是）名曰愳（仁）。[50]

這種以王者向耆老諮政的行為雖然不算典型，但至少說明一種向賢者、老人諮言的傳統在當時已經存在。在這種傳統的影響下，關乎國家治亂的「言語」一度曾在社會上受到青睞，有的被載錄成冊，像《國語》、《論語》、《春秋事語》等，但大多數是零散流布於社會上的，口耳相傳，並未被整理。過常寶先生認為「語」都是關於預言、訓誡、經驗

46 李學勤主編：《春秋左傳正義》北京：北京大學出版社，2000年，頁833。

47 徐元誥：《國語集解》，頁180。

48 李學勤主編：《春秋左傳正義》，頁1162-1163。

49 李學勤主編：《禮記正義》，頁995-996。

50 轉引自李學勤：〈新整理清華簡六種概述〉，《文物》，2012年第8期，頁70。

性質的內容，它們多出於具有魅力人格的先哲、耆老，常被後人當作律令來加以徵引。[51]
這話是很有道理的，因為它們都具有警示和訓誡作用，是先哲與耆老智慧的結晶，故常
被直接引用。

這些曾在社會上廣泛流傳的「嘉言善語」，也即莊子所說的「重言」。《莊子・寓
言》篇云：「重言十七，所以已言也，是為耆艾。年先矣，而無經緯本末以期年耆者，
是非先也。」[52]饒宗頤解釋說：「『重言』是為人所（尊）重之言，是先前老輩（耆艾）
所說的話，為一般人所尊重而具有『經緯本末』作用的格言。」[53]耆艾之言在社會上之
所以廣泛流傳，是因為具有「經緯本末」的訓誡或警示作用。如《僖公五年》所記「諺
所謂『輔車相依，唇亡齒寒』」[54]，《墨子・非攻中》則曰：「古者有語：『唇亡則齒
寒』」[55]，《戰國策・韓策二》云：「唇揭者則齒寒」[56]，《呂氏春秋》又作：「先人有言
曰：『唇竭而齒寒』」。[57]這類重言性質的「語」不止於此，其實還有很多。它們在當時
社會上普遍流傳，雖然現已難考作者了，但它們已經成為了公共話語資源，能夠徵引它
們就意味著某種神聖話語權力。

具有「經緯本末」性質的耆老、先賢之「語」，在先秦也是有它自身的價值和功能
的。楚大夫申叔討論教育太子的九門功課時，其一就是「教之語，使其明德，而知先王
之務，用明德於民也。」[58]「語」不僅用於教育太子，有「明德」之用，還可「知先王
之務」，其中就蘊含著前人的德政理念。實際上，社會上大量存在的「語」類資料已經
表現出明顯的「明德」與教化色彩。正是由於它的實際教化價值，才能在貴族子弟的教
育中發揮具體效用。執政者通過向前哲、耆老問詢、諮政的方式學習到了為政之德，以
作萬民表率，使德化播遷四方。這種「德言」的產生不是孤立的文化現象，其實是和先
秦時期普遍流傳的德政理念融為一體的，《論語・顏淵》云：「君子之德風，小人之德
草。草上之風，必偃」[59]，《禮記・中庸》所謂「君子篤恭而天下平」[60]，就已表明新興
君子階層的崛起以及對社會道德價值的重新調適。

此外，耆老之所以與諮政有關，是因為古人還把能否妥善安置老幼孤寡看作是王者

---

51 過常寶：《先秦散文研究——早期文體輯話語方式的生成》北京：人民出版社，2009年，頁195。

52 〔清〕郭慶藩：《莊子集解》，頁949。

53 饒宗頤：〈從新資料追溯先代耆老的「重言」——儒道學派試論〉，《中原文物》，1999年第4期，頁61。

54 李學勤主編：《春秋左傳正義》，頁342。

55 〔清〕孫詒讓：《墨子閒詁》北京：中華書局，2001年，頁139。

56 范祥雍箋證：《戰國策箋證》上海：上海古籍出版社，2006年，頁1540。

57 許維遹：《呂氏春秋集釋》北京：中華書局，2009年，頁365。

58 徐元誥：《國語集解》，頁485-486。

59 楊伯峻：《論語譯註》北京：中華書局，1980年，頁137。

60 李學勤主編：《禮記正義》，頁1707。

德政施行的重要標準。《孟子‧梁惠王上》云：

> 五畝之宅，樹之以桑，五十者可以衣帛矣。雞豚狗彘之畜，無失其時，七十者可
> 以食肉矣。百畝之田，勿奪其時，八口之家可以無饑矣。謹庠序之教，申之以孝
> 悌之義，頒白者不負戴于道路矣。老者衣帛食肉，黎民不饑不寒，然而不王者，
> 未之有也。[61]

梁惠王向孟子諮政，孟子順勢提出自己的「仁政」觀念和「保民而王」思想，以便使老
有所養，幼有所教，這樣才是王道的體現。《孟子‧離婁上》又云：「伯夷辟紂，居北海
之濱，聞文王作，興曰：『盍歸乎來！吾聞西伯善養老者。』太公辟紂，居東海之濱，
聞文王作，興曰：『盍歸乎來！吾聞西伯善養老者。』二老者，天下之大老也，而歸
之，是天下之父歸之也。天下之父歸之，其子焉往？諸侯有行文王之政者，七年之內，
必為政於天下。」[62]伯夷和姜太公都是當時著名的賢老，二位賢老的歸化被看作是王者
德政是否施行的標誌，這在當時已經成為普遍的社會認識。

四　先秦文獻中的耆老形象

　　見諸文獻最早的耆老是伊尹。《史記》引《帝王世紀》云：「伊尹名摯，為湯相，號
阿衡，年百歲卒，大霧三日，沃丁以天子禮葬之。」[63]尹為湯右相，歷事商湯、外丙、
仲壬、太甲、沃丁五代，是一位名副其實的高壽老人。《墨子‧尚賢》云：「伊尹為莘氏
女師僕。」[64]他曾教湯效法堯舜以德治天下，「而說之以伐夏救民」[65]之方略。在甲骨文
中有商湯和伊尹並祀的記載，這些載錄說明耆老伊尹在殷商統治集團中的地位十分顯要。
　　《尚書‧伊訓》是關於伊尹德言最著名的文獻，他是作為訓誡者形象出現的，其
辭云：

> 「敢有恆舞於宮、酣歌於室，時謂巫風；敢有殉於貨色、恆於游畋，時謂淫風；
> 敢有侮聖言、逆忠直、遠耆德、比頑童，時謂亂風。惟茲三風十愆，卿士有一於
> 身，家必喪；邦君有一於身，國必亡。臣下不匡，其刑墨，具訓於蒙士。」嗚
> 呼！嗣王祗厥身，念哉！聖謨洋洋，嘉言孔彰。惟上帝不常，作善，降之百祥；

---

61 楊伯峻：《孟子譯註》北京：中華書局，1988年，頁5。

62 同上註，頁174。

63 〔漢〕司馬遷：《史記》北京：中華書局，1982年，頁99。

64 〔清〕孫詒讓：《墨子閒詁》，頁68。

65 楊伯峻：《孟子譯註》，頁255。

作不善，降之百殃。爾惟德罔小，萬邦惟慶；爾惟不德罔大，墜厥宗。[66]

在這個載錄裡，伊尹從「三風十愆」警示太甲天命不常，如果不施行德政，上天就會降下災禍。殷人普遍率民以事神，尹借天命、人事、禍福等對太甲進行申誡，則是「神道設教」思想的體現。另外，在〈太甲〉篇中伊尹還提出「天作孽，猶可違；自作孽，不可逭（逃）」[67]，強調修養德性的重要性。在〈咸有一德〉篇他進一步申誥說「天難諶，命靡常。常厥德，保厥位。厥德匪常，九有以亡。……漫神虐民，皇天弗保」。[68]這樣合起來看，則是「敬天—修德—保民」系列思想觀的呈現，它是伊尹勸誡太甲的核心，也是商周時期普遍流行的德政理念。

　　文獻載錄的周朝耆老是姜尚。《史記·齊太公世家》云：

　　　　呂尚蓋嘗窮困，年老矣，……西伯將出獵，卜之，曰「所獲非龍非，非虎非羆；
　　　　所獲霸王之輔」。於是周西伯獵，果遇太公于渭之陽，與語大說，曰：「自吾先君
　　　　太公曰『當有聖人適周，周以興』。子真是邪？吾太公望子久矣。」[69]

這個記載當有傳說的成分，不太可信，但姜尚出身低微，年老之時還在做商販和屠夫，卻是有據可循的。〈尉繚子〉云：「太公望年七十，屠牛朝歌，賣食盟津。」[70]《韓詩外傳》云：「呂望行年五十，賣食棘津，年七十，居於朝歌。」[71]自被周西伯尊為「師尚父」之後，姜尚輔助武王伐紂，很多軍政謀略皆出自他手，姜尚還是齊國文化的締造者，故《史記》說：「周西伯昌之脫羑里歸，與呂尚陰謀修德以傾商政，其事多兵權與奇計，故後世之言兵及周之陰權皆宗太公為本謀。」[72]作為武經七書之一的〈尉繚子〉相傳出自姜尚之手，後代儒、法，兵、縱橫家皆追溯姜尚為自家人物，被尊為「百家宗師」。

　　春秋時期被載錄的耆老是齊國管仲。他經鮑叔牙舉薦，而為齊相。通過一系列變法和改革，輔助齊桓公稱霸，孔子稱賞其德行說：「桓公九合諸侯，不以兵車，管仲之力也。如其仁，如其仁」。[73]周襄王七年，齊桓公還曾向年已古稀的管仲問政：

66　〔漢〕鄭玄註，〔唐〕賈公彥疏：《周禮正義》，頁305-307。

67　同上註，頁314。

68　同註66，頁321-322。

69　〔漢〕司馬遷撰：《史記》，頁1477-1478。

70　劉仲平註譯：《尉繚子今註今譯》臺北：臺灣商務印書館，1984年，頁105。

71　〔漢〕韓嬰：《韓詩外傳》北京：中華書局，1980年，頁244。

72　〔漢〕司馬遷：《史記》，頁1478-1479。

73　楊伯峻：《論語譯註》，頁159。

管仲有病，桓公往問之，曰：「仲父病，不幸卒於大命，將奚以告寡人？」管仲曰：「微君言，臣故將謁之。願君去豎刁，除易牙，遠衛公子開方。易牙為君主味，君惟人肉未嘗，易牙蒸其子首而進之；夫人情莫不愛其子，今弗愛其子，安能愛君？君妒而好內，豎刁自宮以治內；人情莫不愛其身，身且不愛，安能愛君？開方事君十五年，齊、衛之間不容數日行，棄其母，久宦不歸；其母不愛，安能愛君？臣聞之：『矜偽不長，蓋虛不久。』願君去此三子者也。」管仲卒死，而桓公弗行。及桓公死，蟲出屍不葬。[74]

《呂氏春秋》對此事也有相關記載，情節大同小異。管仲勸諫齊桓公遠離易牙、豎刁、常之巫、衛公子啟方等幾位阿諛之臣，舉薦隰朋為相，但桓公不納，終釀下慘劇而後悔莫及。我們看到，春秋之際王者向耆壽賢人諮政的傳統在齊國還有延續，只是形式上已經脫離了西周時期嚴肅的禮儀場合，而更加世俗化了，這與春秋時期禮崩樂壞的時代大背景密不可分。

晏嬰是管仲之後齊國又一位賢臣耆老，歷仕齊靈公、莊公、景公三朝，輔政達四十餘年之久。他對王者的申勸主要以譎諫的方式進行，收到了良好的成效。《左傳·昭公三年》記云：

初，景公欲更晏子之宅，曰：「子之宅近市，湫隘囂塵，不可以居。請更諸爽塏者。」辭曰：「君之先臣容焉，於臣侈矣。且小人近市，朝夕得所求，小人之利也。敢煩里旅！」公笑曰：「子近市，識貴賤乎？」對曰：「既利之，敢不識乎？」公曰：「何貴何賤？」於是景公繁於刑，有鬻踊者，故對曰：「踊貴屨賤」。[75]

再如《晏子春秋》云：

景公築長庲之台，晏子侍坐。觴三行，晏子起舞曰：「歲已暮矣，而禾不獲，忽忽矣若之何！歲已寒矣，而役不罷，惙惙矣如之何？」舞三，而涕下沾襟。景公慚焉，為之罷長庲之役。[76]

晏子分別以舉例子和諷諫舞的方式對齊景公進行啟發式勸誡，表明當時的諷諫藝術已經

────────────────

74 〔清〕王先謙：《韓非子集解》北京：中華書局，2003年，頁351-352。

75 李學勤主編：《春秋左傳正義》，頁1185。

76 吳則虞：《晏子春秋集釋》北京：中華書局，1982年，頁463。

講求策略了。《晏子春秋》中關於其諷諫的故事不勝枚舉，在今八卷本《晏子春秋》裡，語類的「諫」和「問」就占了四卷，這也說明了晏嬰在當時作為敢諫老臣的形象。

　　蹇叔是秦國的一位耆老賢人。《左傳·僖公三十二年》載秦穆公欲偷襲鄭國時：

> 穆公訪諸蹇叔，蹇叔曰：「勞師以襲遠，非所聞也。師勞力竭，遠主備之，無乃
> 不可乎！師之所為，鄭必知之。勤而無所，必有悖心。且行千里，其誰不
> 知？」……蹇叔哭之，曰：「孟子，吾見師之出而不見其入也。」公使謂之曰：
> 「爾何知？中壽，爾墓之木拱矣。」[77]

結果，秦軍被晉軍伏擊，全軍覆沒，秦穆公深悔不已。年過「中壽」的耆老蹇叔未必真有未卜先知、料事如神的能力，而是根據實際經驗做出的理性判斷，充分發揮了他「智者盡其慮」的先賢智慧。

　　此外，蹇叔的朋友百里奚亦是一位擁有賢才美智的老者。據《史記·秦本紀》載：

> 五年，晉獻公滅虞、虢，虜虞君與其大夫百里奚，以璧馬賂於虞故也。既虜百里
> 奚，以為秦繆公夫人媵於秦。百里奚亡秦走宛，楚鄙人執之。繆公聞百里奚賢，
> 欲重贖之，恐楚人不與，乃使人謂楚曰：「吾媵臣百里奚在焉，請以五羖羊皮贖
> 之。」楚人遂許與之。當是時，百里奚年已七十餘。繆公釋其囚，與語國事。謝
> 曰：「臣亡國之臣，何足問！」繆公曰：「虞君不用子，故亡，非子罪也。」固
> 問，語三日，繆公大說，授之國政，號曰五羖大夫。[78]

秦繆公任用百里奚時，百里奚已經是一位年過七十的高壽老人了，繆公認為「古之人謀黃髮番番，則無所過」[79]，故才授百里奚以國政，這主要是就其擁有的經驗和智慧而言的。

　　另外，剛剛發佈的清華簡〈殷高宗問於三壽〉中的彭祖亦是這樣一位壽人，彭祖獻言於商王武丁，提及的均是治國修政的德言。《論語·述而》云「子曰：『述而不作，信而好古，竊比於我老彭』。」[80]則彭祖已經具有如孔子「述而不作」的聖人智慧，所以《荀子·勸學》才說「則後彭祖」，表明人們對彭祖耆老之人的認識已經超越了養生轉向了思想認識領域。另外，上博簡有〈彭祖〉篇，也是託名彭祖，表達其理政治國觀念的。李均明說：「這種託名高壽老人的論說，實則是對實踐經驗的重視，作者顯然已將

77　李學勤主編：《春秋左傳正義》，頁470-471。

78　〔漢〕司馬遷撰：《史記》，頁186。

79　同上註，頁194。

80　楊伯峻：《論語譯註》，頁170。

彭祖作為經驗之談的形象代表展現給世人。」[81]

以上關於耆老賢人的載錄主要是商周和春秋時期的情況，也是當時人們對耆老形象的普遍認識。另外，文獻中還有其他耆老故事，如《尚書·洪範》云：「惟十有三祀，王訪於箕子」[82]，但由於文獻記錄過於簡單，不能反映事實細節，故本文略而不論。

綜合而言，耆老是先秦時期出現的一群具有魅力人格的文化階層，類似於西方的「克里斯瑪（charisma）」。一方面他們由於年齡高壽，所以被賦予了某種神秘力量，其實質是巫職身分的某種延續。後來由於職業分工越來越明晰，耆老逐漸從巫術氣氛中分化出來，更偏重於王政教化。另一方面，由於富於經驗，所以有向王者獻言之責，王者也有主動納言以諮政的需要，這在當時已經成為普遍的社會現象。耆老獻言源於先秦「養老乞言」制度，這種訪問制度也直接導致了社會上「嘉言善語」的流行，王者諮政往往也是出於「明德」的需要，故而今天所見先秦文獻中有大量的關乎興亡成敗的「語」類文獻。在這些文獻中，有很多關於耆老獻言、諫誡時政的載錄，如伊尹、姜尚、管仲、晏嬰、百里奚等。新近清華簡〈殷高宗問於三壽〉的發佈，也從一個側面表明了先秦諮政制度對於文獻文本的影響情況。

---

81 李均明：〈清華簡〈殷高宗問于三壽〉概述〉，《文物》，2014年第12期，頁85。
82 〔漢〕孔安國傳，〔唐〕孔穎達正義：《尚書正義》，頁446。

從文學角度淺析《詩經》中「君子」與「貴族」的關聯

孫聖鑒

中國人民大學國學院

　　《詩經》是我國第一部詩歌總集，收集了從西周初年至春秋中葉五百多年的三百○五篇詩歌，它是對上古時期的詩歌進行的整理和彙編。在這些詩中，「君子」一詞出現次數較多，足以見得「君子」在《詩經》中的重要程度。正因為《詩經》中的詩歌創作於不同時期，所以其「君子」指代的含義也會有所不同。而「貴族」則是一個國家或地區特有的群體，通過血緣、姓氏等某種特有的制度來繼承知識、權力、財富而形成的傳統。《詩經》中「君子」和「貴族」在某種程度上是有一定關聯的，並通過詩歌的分析研究亦可以看到「君子」一詞的發展過程。

　　何謂「君子」，許慎的《說文解字》解釋「君」字說：「君，尊也，從尹，發號，故從口。」[1]先秦文獻中的「君子」中，《尚書》中的君指政者，與「小人」詞義相對；《周易》中的「君子」主要指為政者，上到君主，下到公卿諸侯。此時「君子」詞義已發生變化，指重德行的為政者，尤其當「君子」與「小人」對舉時，德行的因素被強調和突出，未修德行之為政者被視為寡德「小人」；《左傳》、《國語》中「君子」主要是指賢者、有識者，在高位者；《論語》中「君子」的意義基本指有道德的人和身居高位的人，雖仍重其位，但在高位的人被賦予了更強烈的道德行為規範。現代的學者認為：「『君子』本義為『君之子』乃是階級社會中貴族一部分的通稱。古代『君子』與『小人』對稱，君子指士以上的上等社會，小人指士以下的小百姓……後來封建制度漸漸破壞，『君子』、『小人』的區別，也漸漸由社會階級的區別，變為個人品格的區別。孔子所說君子，乃是人格高尚的人，乃是有道德，至少能盡一部分人道的人。」[2]無論是從字面還是時代角度來看，「君子」是一個褒義詞，是對人的尊稱，指代當時地位比較尊貴的人。

　　何謂「貴族」，《現代漢語詞典》對「貴族」解釋是：「奴隸社會或封建社會以及現代君主國家裡統治階級的上層，享有特權。」而在古代一些書籍也提到「貴族」，《漢書·匈奴傳下》記載：「復株絫單于復妻王昭君，生二女，長女云為須卜居次，

1　〔東漢〕許慎：《說文解字》北京：中華書局，2009年，頁32。

2　胡適：《中國哲學史大綱》北京：東方出版社，1996年，頁100。

李奇曰：『居次者，女之號，若漢言公主也。』文穎曰：『須卜氏，匈奴貴族也。』」[3]
《史記·高祖本紀》記載：「九年，趙相貫高等事發覺，夷三族。廢趙王敖為宣平侯。是歲，徙貴族楚昭、屈、景、懷、齊田氏關中。」[4]

　　通過文獻的分析可以看出，「貴族」一詞運用很早，可以追溯到漢代，結合「君子」的含義，明顯地二者有一定的關聯。《詩經》共三百〇五篇，有六十一首詩歌出現了「君子」一詞，共有一百八十二次，每篇詩歌中「君子」都有特定的含義。[5]筆者通讀後試列舉其中的幾篇，通過文學的角度來分析「君子」一詞的指代和其發展的衍變。

一　「君子」即「貴族」

　　「君子」與「貴族」的關聯，首先，「君子」是「貴族」，但是「貴族」亦可分為兩個方面，一是單純的貴族統治者，有一定的權力，只注重權力而忽略其他方面；二是有德行的貴族，這裡的「貴族」除了有權力還擁有「德行」，思想上有所提升，這是與普通的貴族統治者是不同的。貴族統治者包括諸侯、大夫和士等各級貴族，如朱東潤所說：「君子二字，可以上賅天子諸侯，下賅卿大夫士，殆為統治階級之通稱。」[6]

（一）「君子」是貴族統治者

　　《詩經》中的一些涉及「君子」的詩歌通過分析很容易知道「君子」是貴族統治者，且單純的貴族統治者，沒有其他的情感色彩。如〈魯頌·有駜〉：

> 有駜有駜，駜彼乘黃。夙夜在公，在公明明。
> 振振鷺，鷺于下。鼓咽咽，醉言舞。于胥樂兮。
> 有駜有駜，駜彼乘牡。夙夜在公，在公飲酒。
> 振振鷺，鷺于飛。鼓咽咽，醉言歸。于胥樂兮。
> 有駜有駜，駜彼乘駽。夙夜在公，在公載燕。
> 自今以始，歲其有。君子有穀，詒孫子。于胥樂兮。[7]

3　〔東漢〕班固撰，〔唐〕顏師古注：《漢書》北京：中華書局，1999年，頁2813。
4　〔西漢〕司馬遷：《史記》北京：中華書局，1999年，頁272。
5　董治安：《詩詞經典》濟南：山東教育出版社，1989年，頁132。
6　朱東潤：《詩三百篇探故·國風出自民間論質疑》上海：上海古籍出版社，1981年，頁11。
7　毛亨撰，鄭玄箋，孔穎達疏：《十三經注疏·毛詩正義》北京：北京大學出版社，1999年，頁1393。

這是《詩經》「三頌」中唯一的一篇提及「君子」的詩，朱熹《詩集傳》：「魯於是乎有頌，以為廟樂。其後又自作詩以美其君，亦謂之頌。舊說皆以為伯禽十九世孫僖公申之師，今無所考。獨閟宮一篇為僖公之詩無疑耳。」[8] 亦可以推斷出〈魯頌〉就是歌頌魯僖公，這是歌頌魯僖公和群臣宴會飲酒的樂歌。《毛序》：「〈有駜〉，頌僖公君臣之有道也。」[9] 據史書記載，魯國多年饑荒，到僖公時採取了一些措施，克服了自然災害，獲得豐收，此或為〈序〉所據。詩的最後四句有涉及「君子」二字，描寫詩人的祈禱，希望從今以後有好的收成，並把這福澤傳之子孫。「穀」是有福善之意的，詩人不僅希望魯君把收穫的糧食傳給後代，更希望魯國福澤綿長。《史記・魯周公世家》記載「成王乃命魯得郊，祭文王」[10]，郊祭對於魯國顯示出在諸侯中的崇高地位，所以詩人極力讚揚，每一章節均以「于胥樂兮」為結束。朱熹《詩序辨說》：「此但燕飲之詩，未見君臣有道之意。」[11] 朱熹的意思是詩中表達了喜慶豐收，宴飲歡樂，君臣醉舞的情景。從詩中「在公飲酒，在公載燕」可知，詩為燕飲詩，朱說可從。通過這句，則可以判斷「君子」或指魯僖公，或指魯僖公宴請的賓客，自然是地位很高的人。

再如〈大雅・瞻卬〉：

> 瞻卬昊天，則不我惠。孔填不寧，降此大厲。邦靡有定，士民其瘵。蟊賊蟊疾，靡有夷屆。罪罟不收，靡有夷瘳。人有土田，女反有之。人有民人，女覆奪之。此宜無罪，女反收之。彼宜有罪，女覆說之。
>
> 哲夫成城，哲婦傾城。懿厥哲婦，為梟為鴟。婦有長舌，維厲之階。亂匪降自天，生自婦人。匪教匪誨，時維婦寺。鞫人忮忒。譖始竟背。豈曰不極？伊胡為慝？如賈三倍，君子是識。婦無公事，休其蠶織。
>
> 天何以刺？何神不富？舍爾介狄，維予胥忌。不弔不祥，威儀不類。人之云亡，邦國殄瘁。天之降罔，維其優矣。人之云亡，心之憂矣。天之降罔，維其幾矣。人之云亡，心之悲矣。觱沸檻泉，維其深矣。心之憂矣，寧自今矣？不自我先，不自我後。藐藐昊天，無不克鞏。無忝皇祖，式救爾後。[12]

這首詩是一首諷刺周幽王亂政亡國的，痛斥了周幽王荒淫無道，禍國殃民的罪惡，抒發了詩人憂國憫時的情懷和嫉惡如仇的憤慨，在一定程度上反映了西周末年的黑暗現實和

8　〔宋〕朱熹注：《詩集傳》北京：中華書局，2011年，頁317。

9　毛亨撰，鄭玄箋，孔穎達疏：《十三經注疏・毛詩正義》北京：北京大學出版社，1999年，頁1392。

10　〔西漢〕司馬遷：《史記》北京：中華書局，1999年，頁1266。

11　〔宋〕朱熹：《詩序辯說》明崇禎刻本。

12　毛亨撰，鄭玄箋，孔穎達疏：《十三經注疏・毛詩正義》北京：北京大學出版社，1999年，頁1256。

統治階級內部的爭鬥。涉及到「君子」的是「如賈三倍，君子是識。婦無公事，休其蠶織」。《毛詩正義》記載：「箋云：識，知也。賈物面有三倍之利者，小人所宜知也。君子反知之，非其宜也。今婦人休其蠶桑織紝之職，而與朝廷之事，其為非宜亦猶是也。孔子曰：『君子喻於義，小人喻於利。』」[13]同樣朱熹說：「夫商賈之利，非君子之所宜識，如朝廷之事，非婦人之所宜與也。今賈三倍，而君子識其所以然。」[14]雖然不清楚作者是誰，但寫詩的人一定是對周幽王統治下的社會黑暗、政治腐敗及倒行逆施是深惡痛絕的，全文筆法犀利，所以此處的「君子」可以辨析出是指執政的貴族，從作者的語氣來看並不喜歡這個「君子」，有反諷的語氣。

除了所列舉的兩首詩以外，〈大雅·抑〉中「君子」是指被周王優待的貴族，〈小雅〉和〈國風〉中的貴族範圍比較廣，有〈小雅·蓼蕭〉中的周王，〈小雅·庭燎〉中朝見周王的諸侯，〈鄘風·君子偕老〉中的衛宣公，〈小雅·采薇〉中的將軍，〈小雅·魚麗〉、〈小雅·南有嘉魚〉、〈小雅·瓠葉〉用好酒款待賓客的主人，也有〈小雅·雨無正〉中的大夫，〈鄘風·載馳〉中的許國大夫，以及很多不能確認具體身分的貴族，如〈小雅·大東〉等等。

（二）有德行的貴族統治者

《詩經》中還有一些涉及「君子」一詞的詩通過對文本的分析，讓筆者能感受到這些「君子」是有情感的，不僅只是貴族統治者，而是品德高尚，令人敬仰的統治者。例如〈小雅·車攻〉：

> 我車既攻，我馬既同。四牡龐龐，駕言徂東。田車既好，四牡孔阜。東有甫草，駕言行狩。之子於苗，選徒囂囂。建旐設旄，搏獸于敖。駕彼四牡，四牡奕奕。赤芾金舄，會同有繹。決拾既佽，弓矢既調。射夫既同，助我舉柴。四黃既駕，兩驂不猗。不失其馳，舍矢如破。蕭蕭馬鳴，悠悠旆旌。徒御不驚，大庖不盈。之子于征，有聞無聲。允矣君子，展也大成。[15]

周王朝在厲王時期，社會動盪不安，各種禮儀制度遭到破壞，諸侯也心離王室。周宣王繼位後，志在復興王室，一面治亂修政，一面加強軍事統治。宣王在東都會同諸侯田獵，一則和合諸侯聯絡感情，二則向諸侯顯示武力。方玉潤在《詩經原始》中說：「蓋

13 毛亨撰，鄭玄箋，孔穎達疏：《十三經注疏·毛詩正義》北京：北京大學出版社，1999年，頁1259。
14 〔宋〕朱熹注：《詩集傳》北京：中華書局，2011年，頁292。
15 毛亨撰，鄭玄箋，孔穎達疏：《十三經注疏·毛詩正義》北京：北京大學出版社，1999年，頁647。

此舉重在會諸侯，而不重在事田獵。不過藉田獵以會諸侯，修復先王舊典耳。昔周公相成王，營洛邑為東都以朝諸侯。周室既衰，久廢其禮。迨宣王始舉行古制，非假狩獵不足以懾服列邦。故詩前後雖言獵事，其實歸重『會同有繹』及『展也大成』二句。」[16]所以，詩的最後一句指出，都是因為有才能的君王領引，狩獵才能完滿結束。「之子」，指周天子及其屬下。「大庖」，周天子之庖廚，根據《毛詩故訓傳》中所說，古人們狩獵，獵物則其善而分成三種用途：乾豆，為祭品；賓客，指的是招待賓客；充君之庖。根據這三個詞義，文中指的當是為周天子所用。宣王能對內修政事，對外抵禦蠻夷，恢復先前失去的領土。整頓軍備，和諸侯狩獵於東都。宣王時代是邊患嚴重的時期，對於諸侯來說，周王不僅是最高的統治者，而且是每個邦國的保護者。狩獵的目的則是為了戰備，詩寫周宣王復古，君子當為周王。這裡體現出「君子」的重要性，是為了國家的發展角度考慮，是一位有才能、有策略的統治者。

再如〈曹風·鳲鳩〉：

鳲鳩在桑，其子七兮。淑人君子，其儀一兮。其儀一兮，心如結兮。
鳲鳩在桑，其子在梅。淑人君子，其帶伊絲。其帶伊絲，其弁伊騏。
鳲鳩在桑，其子在棘。淑人君子，其儀不忒。其儀不忒，正是四國。
鳲鳩在桑，其子在榛。淑人君子，正是國人。正是國人，胡不萬年。[17]

鳲鳩，即布穀鳥，古人認為布穀鳥養子平均而沒有偏愛。《毛詩正義》：「鳲鳩，秸鞠也。鳲鳩之養其子，朝從上下，莫從下上，平均如一。」[18]同樣，朱熹《詩集傳》記載：「詩人美君子之用心均平專一。故言鳲鳩在桑，則其子七矣。淑人君子，則其儀一矣。」二者均說詩人讚美君子「用心均平而專一」。[19]騏，是指周天子所戴的皮冠。國人，是相對於野人，住在國家首都的人。從衣服的飾帶到恭祝萬年的祝詞，可以看出人們希望有個聖明的君主來改變自己的生活和命運。全詩以布穀鳥起興作比，讚美人們心目中的淑人君子。君子應該是威武莊嚴，堅貞不二，秉政公平，做事井井有條，可以作為國人的典範。這首詩當是對周敬王的讚頌之詞，由此可知此君子一詞的含義當為周王。更為突出的是，這裡的「君子」是有德行貴族的詩呈現出與其他的詩不同的特點，在描述時除了直言讚美，更多的通過對貴族服飾和儀表的讚美來表現。

除此之外，通過分析，從這些詩的詞義中明顯地表現出了作者對君子德行的讚賞、褒揚之情，在指代貴族地位的同時，增加了德行的要素，詞的情感色彩已經從中

16 〔清〕方玉潤：《詩經原始》北京：中華書局，1986年，頁367。
17 毛亨撰，鄭玄箋，孔穎達疏：《十三經注疏·毛詩正義》北京：北京大學出版社，1999年，頁476。
18 毛亨撰，鄭玄箋，孔穎達疏：《十三經注疏·毛詩正義》北京：北京大學出版社，1999年，頁476。
19 〔宋〕朱熹注：《詩集傳》北京：中華書局，2011年，頁114。

性詞變為褒義詞。如〈大雅〉中的〈旱麓〉、〈泂酌〉、〈卷阿〉，詩中稱「君子」為「豈弟君子」，〈假樂〉為「假樂君子」。〈小雅〉中稱君子為「允矣君子」、「顯允君子」、「淑人君子」，比〈大雅〉對君子德行上的限定性描述更明晰和具體。〈南山有台〉中朱熹《詩集傳》解釋其詩旨「美其德而祝其壽也」[20]，稱頌君子「德音不已、德音是茂」，由此成為「邦家之基、邦家之光」；〈湛露〉「顯允君子，莫不令德」、「豈弟君子，莫不令儀」，大力誇讚君子的「令儀」、「令德」；〈角弓〉「君子有徽猷，小人與屬」，「徽猷」，朱熹釋為「徽，美；猷，道」[21]，君子品德高尚，所以對下層民眾起到示範和表率。所以，這些「君子」貴族們是會得到人們的稱讚和學習的。

二　「君子」非「貴族」

《詩經》中仍有大量涉及「君子」的詩歌表面上是與「貴族」有聯繫，但通過文本的分析可以推斷出這些「君子」已經脫離了貴族的層面，「君子」的詞義範圍比之前有所擴大，不是「貴族」的人亦可稱為「君子」，在這裡「君子」一詞大致分為兩種，一是有德行的普通人，二是婦人對丈夫的尊稱。

（一）有德行的普通人

《詩經》是寫於西周初年至春秋中葉的時間裡，隨著時間的衍變，「君子」一詞也會有衍化，有些詩中就不僅僅特指「貴族」，還可以指代一些平常的人，產生了更廣闊的含義。例如〈衛風‧淇奧〉：

> 瞻彼淇奧，綠竹猗猗。有匪君子，如切如磋，如琢如磨，瑟兮僩兮，赫兮咺兮。有匪君子，終不可諼兮。
> 瞻彼淇奧，綠竹青青。有匪君子，充耳琇瑩，會弁如星。瑟兮僩兮。赫兮咺兮，有匪君子，終不可諼兮。
> 瞻彼淇奧，綠竹如簀。有匪君子，如金如錫，如圭如璧。寬兮綽兮，猗重較兮。善戲謔兮，不為虐兮。[22]

詩中的內容為對君子美德和才華的讚美，讚美他寬容而又具有風度，說明了君子之美不僅在於外表、服侍等外在表現，而且在於內在的修養、高尚的品格和所具有的涵養。我

20　〔宋〕朱熹注：《詩集傳》北京：中華書局，2011年，頁144。
21　〔宋〕朱熹注：《詩集傳》北京：中華書局，2011年，頁221。
22　毛亨撰，鄭玄箋，孔穎達疏：《十三經注疏‧毛詩正義》北京：北京大學出版社，1999年，頁215。

們可以看到的君子是爽朗而清舉，謙虛且辦事公道。君子的品格是像潔白的玉石一般，讓人感到溫潤，感到親近。全詩的一個主要特點就是運用了很多比喻，讓君子這一形象更加豐滿，特點更加突出。詩中所用的喻體，寓示君子的德性在於深厚的修為、內省。詩中的詞，「竹」、「玉」、「金」，包含有「有匪君子」的內秀之美，才高德重。《毛詩故訓傳》：「〈淇奧〉，美武公之德也。既有文章，又能聽臣友之規諫，以禮法自防閑，故能入相于周為卿士，由此故美之而作是詩也。」[23]這個武公是衛國的武和，生於西周末年，曾經擔任過周平王的卿士。史傳記載，武和晚年九十多歲了，還是謹慎廉潔從政，寬容別人的批評，接受別人的勸諫，因此很受大家的尊敬，故作了這首〈淇奧〉來讚美他。武公文采斐然，能虛心聽取別人的意見，對於自身嚴格要求，遵循禮法的規範，由此成為周的卿士。在這裡完全淡化了「貴族」統治者的意味，給人們展現出一個內心修養和外表都很優秀的純「君子」的形象，也可以推斷出武公是位有德性的君子，真正受人愛戴，與貴族統治者的形象相差較大。

再如〈小雅‧菁菁者莪〉：

> 菁菁者莪，在彼中阿。既見君子，樂且有儀。
> 菁菁者莪，在彼中沚。既見君子，我心則喜。
> 菁菁者莪，在彼中陵。既見君子，錫我百朋。
> 泛泛楊舟，載沉載浮。既見君子，我心則休。[24]

此詩的主旨，二家有不同的觀點。《毛詩正義》說是「樂育材」[25]，朱熹《詩集傳》則批評《毛詩正義》「全失詩意」，認為「此亦燕飲賓客之詩」[26]，現在多以為是古代女子喜逢愛人之歌。由於詩的境界的空泛性和意象的可塑性，對詩的主題，不同的理解可以並存，似不必存此沒彼。這首詩的主題，愛情說更有道理，證據之一是人們公認為〈小雅〉中典型描寫男女相悅之情的〈隰桑〉一篇，同〈菁菁者莪〉不論章法、句式都非常相似；前三章中「既見君子」句式一般無二，第四章都變換聲調，各自成章。詩以茂盛且香美的蘿蒿起興，不僅引起下文，更是以這種美好的植物比喻君子。從詳細描述見到君子後「樂且有儀」、「我心則喜」、「我心則休」，欣喜之情逐步加深判斷，這裡的「君子」應是有美好儀表且品德高尚的人。

---

23 毛亨撰，鄭玄箋，孔穎達疏：《十三經注疏‧毛詩正義》北京：北京大學出版社，1999年，頁214。
24 毛亨撰，鄭玄箋，孔穎達疏：《十三經注疏‧毛詩正義》北京：北京大學出版社，1999年，頁629。
25 毛亨撰，鄭玄箋，孔穎達疏：《十三經注疏‧毛詩正義》北京：北京大學出版社，1999年，頁628。
26 〔宋〕朱熹注：《詩集傳》北京：中華書局，2011年，頁150。

（二）女子對丈夫的稱謂

「君子」一詞還衍化成女子對丈夫的稱謂，例如〈邶風・雄雉〉：

雄雉于飛，泄泄其羽。我之懷矣，自詒伊阻。

雄雉于飛，下上其音。展矣君子，實勞我心。

瞻彼日月，悠悠我思。道之云遠，曷云能來？

百爾君子，不知德行。不忮不求，何用不臧？[27]

《毛詩故訓傳》：「〈雄雉〉，刺衛宣公也。淫亂不恤國事，軍旅數起，大夫久役，男女怨曠，國人患之，而作是詩。」[28]當時兵禍連年，男子出兵在外不能歸家，導致男女分離已久，漸生幽怨。朱熹《詩集傳》記載：「婦人以其君子從役于外，故言雄雉之飛，舒緩自得如此，而我之所思者，乃從役于外，而自遺阻隔也。」[29]是說男女因不能見面而相思而想念，按照這個解釋，本詩最後一章「百爾君子，不知德行。不忮不求，何用不臧」就能得知這首詩是怨婦思夫之作。「大夫久役，男女怨曠」，顯然，夫妻長久分居兩地導致幽怨從此而生。全詩用「瞻」字涵蓋了思婦所見。思婦與所見的日月構成意象空間，讓人想見思婦正在佇立遙望的情景，加以前文所見雄雉的點染，便傳遞出強烈的畫面感。「道之云遠」，道遠路阻，丈夫無法回來，這也深深透露出對當時現實的無奈。所以，這裡面「君子」所產生的變化就是女子稱呼丈夫的一種尊稱。除了本詩，〈周南・汝墳〉、〈召南・殷其雷〉、〈召南・草蟲〉、〈王風・君子于役〉等詩中的「君子」，也是這個含義，這是源於「貴族統治者」這個最初的詞義，只是變換了話語的角度，但由此可以看出「君子」詞義地位色彩的弱化和使用的廣泛。

三　小結

通過以上分析，筆者認為，「君子」詞義是有一個衍變的過程，即由開始的貴族統治者到有德行的貴族統治者，再到有德行的普通人，最後還可以是稱呼。「君子」一詞指代地位的色彩逐步減弱，德行的因素得到強化，詞性也由中性詞逐步變為褒義詞。班固《白虎通義・號篇》對「君子」的定義更為明確，並一直沿用至今：「或稱

---

27 毛亨撰，鄭玄箋，孔穎達疏：《十三經注疏・毛詩正義》北京：北京大學出版社，1999年，頁136。

28 毛亨撰，鄭玄箋，孔穎達疏：《十三經注疏・毛詩正義》北京：北京大學出版社，1999年，頁135。

29 〔宋〕朱熹注：《詩集傳》北京：中華書局，2011年，頁27。

君子者何？道德之稱也。君之為言群也。子者，丈夫之通稱也……何以知其通稱也，以天子至於民。」[30]現代學者也對這樣的變化作出了見解：「孔子實際相信，曾經有過一個『君子』德、位相稱的時代，這樣的『君子』身上所煥發出的光彩，正是孔子塑造新『君子』議型。換言之，孔子『君子』的內涵來自舊貴族……他提純和昇華了舊的東西，使其獲得了普遍的人生理想意義。因此，孔子在中國文化史上的最大貢獻，不是歷年人們所說的，他改變了『君子』一語的固有含義，其真正的貢獻是在『損益』中改造了『君子』的含義，並將『君子』理想賦予全社會。」[31]筆者在論述時雖然進行了認真的梳理和探討，但也會有所疏漏，接觸的材料不夠全面，同時也缺乏一些出土文獻的考證，只是利用了傳世文獻進行的分析。接下來，筆者也會在其他地區文獻中查閱是否有關於《詩經》中「君子」與「貴族」關聯的問題，同時也需關注其他學者對其的研究和發現，逐步完善自己的思路，做到精益求精。

---

30 〔清〕陳立：《白虎通疏證》北京：中華書局，1994年，頁48。

31 李山：《中國文化史》北京：北京師範大學出版社，2007年，頁232。

論墨子「天志」與「明鬼」的關係

周淳鈞、馮君朗、黃鳳微

香港樹仁大學

先秦諸子隨人文化的思潮趨勢下均著重人的價值，當中只有墨子發揚殷周的鬼神信仰。探其原因，在於其承殷周鬼神文化而提出「天志」、「明鬼」思想，是為墨子獨特所創。本文將探討殷周鬼神觀與墨子鬼神學說的差別，並分析墨子言下之鬼神的獨特之處，引申至「天志」、「明鬼」矛盾與弱點之處，說明整套墨子鬼神學說。

墨子為魯人屬近代學者主流意見，賤人出身。若以魯人論說，墨子習周禮堯舜之道之說法更具說服力。魯為姬姓國，行周禮，墨子學之，並授孔子儒學之業，再自成一家。傅斯年先生〈周東封與殷遺民〉論魯地獨有祖先崇拜，是承於商之宗教文化[1]，在這種文化背景下則成為墨子所創的「天志」、「明鬼」鬼神觀的淵源關係。

一　「天志」是墨子十論的系統，以為統一

「天志」是墨子所創的名詞，意旨天意、天神，是形成於殷周「人格天」概念[2]：

> 〈天志上〉：我有天志，譬若輪人之有規，匠人之有矩。輪匠執其規矩，以度天下之方圓。
>
> 〈天志中〉：子墨子之有天之意也，上將以度天下之王公大人之為刑政也，下將以量天下之萬民為文學、出言談也。[3]

墨子形容「天志」為規範人的行為，與儒家「禮」相若。至於天的形象，則具有賞善罰惡的實際功能，是從「人格天」推衍出來的另一種概念，具實際性的，有別於殷周「人格天」奉天意旨而行事，其目的乃導人向善，〈天志下〉：「天子有善，天能賞之；天子有過，天能罰之。」[4]為善之因，墨子歸咎於以「天志」的賞善罰惡作為依據，行善而

1　傅斯年：〈周東封與殷遺民〉，收入胡適：《說儒》陝西：師範大學出版社，2005，頁66。

2　殷周時期最高及最有權威的是「天」，祭祀祖先而求事於上帝，上帝亦非單以降福於人或聽於人所求的。按郭沫若考證殷商稱之為「上帝」，西周稱為「天」。轉引自陳夢家：《殷虛卜辭綜述》北京：中華書局，1988，頁59。

3　孫詒讓：《墨子閒詁》北京：中華書局，1986年，頁179及188。

4　同上註，頁198。

賞，行惡而罰。天意善惡的本質，墨子稱之為「義」，這個「義」應是針對當時過分的利己主義而產生。士者為了自己的理想或富貴，擇君而事之，風氣僕僕，無非理想和富貴。物欲與天理，就成為士者心中的矛盾，故墨子說：「列德而尚賢，雖在農與工肆之人，有能則舉之，高予之爵，重予之祿」（墨子·尚賢上》），強調品德與才幹爭取富貴名祿，這就是義。萬物生而行事有其「義」，引申至人事處世，順天志的是義政（善）；不順的是力政（惡）。[5]

「天志」是墨子十論的系統，是其餘九論背後支持的理據。若「天志」不成立，其九論則失去影響力，不能推行於當時社會：

天志

明鬼、兼愛、節用、節葬、尚賢、尚同、非攻、非樂、非命

蔡仁厚先生主張「天志」為超越的統一[6]，他指出「兼愛」雖然是諸觀念的中心，但它與諸觀念之間的關聯是橫的，它只表示一個平面的統一；唐君毅先生更指出「天志」是為兼愛犧牲精神提出動力。[7]其實墨子九論是與當時社會不契合的，難以推行及實踐。舉例說，「尚賢」所提倡的是不分貴賤、不分階級的任賢能之士，所謂「不黨父兄，不偏富貴，不嬖顏色」[8]，立三公而成賢人政府。春秋末年，為政用人依然著重階級觀念，儒家之說亦講舉賢，尊尊親親；戰國時，是任用「能者」而不是「賢者」，故此「尚賢」普遍不被接受。若要實行則需要以「天志」作為推動力，以「天志」威嚇為政者，不推行「尚賢」的會受到天鬼所懲罰。

「天志」的目的是要將人類行為宗教化，即有超越性的相信，相信冥冥中有神靈執掌人的生命，並以此理念驅使人向善。墨家組織，具有自己的理論、行為準則及超自然體──「天志」，幾相同於宗教組織。馬焯榮解釋宗教是：

> 宗教是一個社會的、歷史的動態概念。自原始社會以來，宗教在人類發展的各個歷史階段經歷了許多不同形態。諸如原始自然崇拜、人格化的自然崇拜、鬼靈崇拜、圖騰崇拜、巫術、占卜、前兆迷信……。[9]

5　《墨子·天志中》：「觀其行，順天之意，謂之善意行。反天之意，謂之不善意行。觀其言談，順天之意，謂之善言談。反天之意，謂之不善言談。觀其刑政，順天之意，謂之善刑政。反天之意，謂之不善刑政。」〈天志下〉：「兼之為道也義正，別之為道也力正。」同上註，頁188、193。

6　蔡仁厚：《墨家哲學》臺北：東大圖書公司，1983，頁66。

7　唐君毅：《中國哲學原論》香港：人生出版社，1966，頁521。

8　〈尚賢中〉，見孫詒讓：《墨子閒詁》，頁45。

9　馬焯榮：《中國宗教文學史》北京：中國社會科學出版社，2014年，頁1。

墨子選擇「天」作為自然崇拜的對象，並賦予賞善罰惡的能力，主要原因是自商周開始，天即被視作至高無上的神，如「巍巍乎！唯天唯大！」（《論語·泰伯》）對日、月、星辰，亦特別的崇敬，如「效之祭也，迎長日之聖也，大報天而主日也」等。馬氏又解釋，自然神人格化的過程：

> 至上神崇拜乃是對天與上帝的崇拜。……這一自然神逐漸人格化而成上帝。商、周兩朝帝為了神化其王權，以天和上帝為至上神，而把他們自己說成天和上帝的元子。[10]

墨子即是以此理念創立天志思想，使墨家思想在先秦十家中，唯一具有宗教意識的思想流派。

二　「兼愛」是追求社會平等的理想

　　「兼愛」是同等的愛，「兼相愛」而沒有等差的，〈兼愛中〉：「視人之國若視其國，視人之家若視其家，視人之身若視其身。」[11]「兼愛」意思是無差別的愛，錢穆先生解釋得更詳細，意旨「平等」，是實際生活上的真平等，而非單指「博愛」。[12]因其不合於人情的理念，背後需以「天志」為推動力，實踐於現實社會，〈天志上〉：「順天意者，兼相愛，交相利，必得賞；反天意者，別相惡，交相賊，必得罰。」「行兼」是符合天意，人能相愛便是順天之意。近人項退結謂：「墨子『兼愛』，孔子『仁』，須透過自由抉擇而能實現……『兼愛』屬於『仁』的存在實現，只是現實的方式與儒家不同而已。」[13]然而，「兼愛」理論背後的理據為「天志」，非行兼的則會受到天的懲罰，當中帶有權威性，或非出於人的本心，這就是仁與兼之別。

　　另外，若了解「兼愛」為平等之意思，則會發現墨子「節用」、「節葬」、「非攻」諸等理論都是由「兼愛」推演出來的。舉例說，由於兼相愛而平等，喪葬之禮的規模故須統一[14]，貴賤不應有別，因而提出「節葬」；小大之國應平等共存，因而提出「非攻」。

　　「兼愛」不但利人，而且利天利鬼，〈天志下〉：「若事（指人行兼愛）上利天，中

10　同上註，頁5。

11　同上註，頁98。

12　錢穆：《講堂遺錄：中國思想史六講》北京：九州出版社，2010年，頁42。

13　項退結：《仁的經驗與仁的哲學》，頁55。收入牟宗三等主編：《中國哲學思想論集》臺北：牧童出版社，1976年。

14　〈節葬下〉：「棺三寸，足以朽骨；衣三領，足以朽肉。」孫詒讓：《墨子閒詁》，頁172。

利鬼，下利人；三利而無不利，是謂天德。」[15]「兼愛」不只限於人倫，亦關係至敬天事鬼神，引申至鬼神的重要性。

三　「明鬼」的獨特性──有賞罰實際能力與判斷力

〈明鬼下〉先點明了墨子提出鬼神之因乃針對當時天下之亂：天下之人「疑惑鬼神之有與無」、「不明乎鬼神之能賞賢罰暴」。[16]時人質疑鬼神之存在，故墨子承當時典籍記載鬼神的文化，保留當時的神話色彩，〈明鬼下〉舉出多個古今鬼神之例以證明鬼神之實有。須注意的是墨子是以其所創的三表法來記載鬼神之事[17]。其意思是抽取以前聖王典籍關於鬼神的記載及記錄當時社會流傳的鬼神之說，加以論證鬼神的實有，提出了有力的論據，析述如下：

鬼	杜伯	句芒	莊子儀	宋文公臣子祏觀辜	齊莊公臣子中里徼	三代聖王，特舉周武王例
故事	周宣王殺杜伯	賜壽命給秦穆公	燕簡公殺莊子儀	不敬慎對待祭祀	有罪發誓而被死羊折其腳	立國先立宗廟
性質	報仇	賞善	報仇	罰惡	罰惡	保佑後代
註	《國語》有載[18]	《山海經》有載句芒[19]	／	孫貽讓：史料有誤[20]	／	祭祀文化

〈明鬼下〉指出世上有三種鬼：「天鬼」、「山水鬼神」、「人死而為鬼神者」，並且有階級之分：

天鬼（天神／天志）→山水之鬼／人死而為鬼→人（包括聖人／天子）

「天鬼」為至上，「山水之鬼」及「人鬼」是奉「天鬼」意旨的使者，聖人天子亦須臣服於鬼神之下。至於墨子所言的鬼神有其獨特性，擁有賞善罰惡的判斷力，這是有別於

15　同上註，頁193。

16　〈明鬼下〉。同上註，頁201。

17　〈非命上〉：「上本之古者聖王之事、下原察百姓耳目之實、廢以為刑政，觀其中國家百姓人民之利。」同上註，頁241。

18　《國語‧周語》：「周之興也，鸑鷟鳴于岐山；其衰也，杜伯射王于鄗。是皆明神之志者也。」

19　郭璞、郝懿行注：《山海經》臺北：臺灣古籍出版社，1997年。「東方句芒，鳥身人面，乘兩龍。」郭璞注：「木神也，方面素服。」，頁303。

20　《史記‧魯世家》云「成王少在強葆之中」。鮑何與識焉。此云在荷繈之中，則非春秋時宋文公也⋯⋯案：宋世家無兩文公，且不當名謚并同。此蓋墨子傳聞之誤，不得謂宋別有文公鮑也。

商周或春秋典籍（《左傳》、《國語》）所載的鬼神事蹟。兩者相同的是描述鬼神是從天降於人間，下達天鬼的意志，人積善行希望得到鬼神保佑，是形成於「人格天」概念。然而，只有墨子所載的鬼神有其實質能力，能夠賞善罰惡，諸如杜伯罰周宣王、月令春神句芒賜壽命予秦穆公。又東吳韋昭引《周春秋》，曰：殺杜伯而不辜，三年後杜伯以朱弓、朱矢射宣王。文與墨子同。可見墨子是參閱百國《春秋》文獻而抄鬼神事套用於自身學說，擇優而取，由是增強其鬼神學說的說服力。由是觀之，墨子是承商周鬼神觀而另創自身一套鬼神學說，鬼神有能力賞善罰惡，目的乃導人向善。我們可理解墨子所言的善的根源源於「天志」，符合「天志」要求的便能得善報，所謂「順天之意，謂之善意行；反天之意，謂之不善意行。」[21]其中「賞善罰惡」的必然性則反映出與「天」獨立意志的矛盾，論文後部分將加以探討。

　　以下再以《國語》鬼神例子與《墨子》作比較。《國語・晉語》載虢公夢見月令秋神蓐收，蓐收報夢告知虢公晉人將入侵虢國，結果虢國最終被滅。[22]蓐收之事《山海經》亦有載。[23]《左傳》、《國語》多載鬼神之事，反映了當時的鬼神文化，所描述的鬼神多以報夢或戲弄人類的形式出現，諸如子產治鬼之事等，但當中絕大部分沒有講述鬼的實際能力，鬼沒有善惡判斷，只有子產治鬼事指伯有報夢咒詛二人而死，沒有明確描述如何殺人。相比之下，可見墨子所言的鬼被形容得更加具體，是執行「天志」的使者，故須以墨子整套學說以看「明鬼」的意義，墨子非單是繼承及發揚商周的鬼神文化，而是應用鬼神之說於「天志」、「兼愛」論之中。

　　然而，以上墨子言鬼實有的史事可信性亦存有疑點。春秋戰國屬「造史時代」，百家對以前史料各有取捨、各取所需並加以發揮，用以加強自己學說理論的說服力。儒墨兩家亦如是。舉例說，諸子對商湯推翻夏桀的史實各有解說：孟子將湯伐桀理解成桀不盡君之道而稱之謂「一夫」，應用於其「民貴君輕」學說[24]；墨子訴諸於其「天志」，桀不聽天命而鬼神下凡向湯下達伐桀的天旨，湯伐桀是得「天志」而行「義戰」。[25]儒墨

21　〈天志中〉。孫詒讓：《墨子閒詁》，頁186。

22　「虢公夢在廟，有神人面白毛虎爪，執鉞立於西阿，公懼而走。神曰：『無走！帝命曰：使晉襲於　爾門。』公拜稽首，覺，召史嚚占之，對曰：『如君之言，則蓐收也，天之刑神也，天事官　成。』……六年，虢乃亡。」左丘明：《國語・晉語二》上海：上海古籍出版社，1988年，頁295。

23　《山海經》：「西方蓐收，左耳有蛇，乘兩龍。」郭璞注：「金神也；人面、虎爪、白毛，執鉞。」　頁273。

24　《孟子・梁惠王下》：「（湯放桀），聞誅一夫紂矣，未聞弒君也。」；〈離婁上〉：「桀紂之失天下也，　失其民也；失其民者，失其心也……為湯武毆民者，桀與紂也。」楊伯峻：《孟子譯注》香港：中　華書局，1997年，頁42，171。

25　《墨子・非攻下》：「天乃命湯于鑣宮，用受夏之大命，夏德大亂，予既卒其命于天矣，往而誅之，　必使汝堪之。湯焉敢奉率其眾，是以鄉有夏之境，帝乃使陰暴毀有夏之城……湯奉桀眾以克有，屬　諸侯於薄，薦章天命，通于四方，而天下諸侯莫敢不賓服。」孫詒讓：《墨子閒詁》，頁137。

兩家之說均把湯伐桀說成「順乎天而應乎民」，但當中理由則各自圓其說，增強學說說服力。然按上博簡〈容成氏〉所載則有另一種角度，強調商湯逐殺桀的殘暴[26]，譴責他的暴行和侵擾百姓：

> 湯於是乎徵九州之師，以伐四海之內，於是乎天下之兵大起，於是乎亢宗戮族殘群焉服。當是時，強弱不辭聽，眾寡不聽訟，天地四時之事不修。湯乃博為征籍，以征關市。民乃宜怨，虐疾始生。[27]

可見，古帝史料並無統一記載，諸子百家或美化聖王之事，尤以儒家整理傳統文獻，有別於春秋典籍俱以記載鬼神的文化。反觀墨子〈明鬼下〉所載之鬼神事，是反映春秋間鬼神迷信風盛的文化，但未必是真確的史料。誠如韓非子亦有類近的批評：

> 「孔子、墨子俱道堯、舜，而取舍不同，皆自謂真堯、舜。堯、舜不復生，將誰使定儒、墨之誠乎？殷、周七百餘歲，虞、夏二千餘歲，而不能定儒、墨之真，今乃欲審堯、舜之道于三千歲之前，意者其不可必乎！無參驗而必之者、愚也，弗能必而據之者、誣也。」[28]

同樣地，諸子對待古史的態度亦然，擇優而取，刪改史料用以配合其學說，〈明鬼下〉所引的鬼神事只為證明鬼神的實有藉以使人信服。

四　「明鬼」與祭祀的關係

　　墨子強調祭祀的好處，但有別於儒家以祭祀發揮人的自覺與責任，崇德報功。他指出祭祀可使倫理和諧，團結鄉里。[29]這是以社會實際效益衡量祭祀意義，是停留於春秋時代的祭祀文化，例如《詩經・小雅・楚茨》是描述西周末的祭祀文化觀，六章描述西周祭祀過程，其中末二章為祭祀後的饗尸活動。[30]朱熹注第五章：「祭畢，既歸賓之

---

26 簡文三次稱「從而攻之」，表示桀逃往厲山氏、南巢氏及蒼梧之野，湯均緊追而不捨。

27 參見近人邱德修：《上博楚簡〈容成氏〉注釋考證》臺北：古籍出版有限公司，2003年。

28 《韓非子・顯學》。近人劉乾先：《韓非子譯注》哈爾濱：黑龍江人民出版社，2003年，頁474。

29 〈明鬼下〉：「今絜為酒醴粢盛，以敬慎祭祀，若使鬼神請有，是得其父母姒兄而飲食也……非特注之汙壑而棄之也，內者宗族，外者鄉里，皆得如具飲食之。雖使鬼神請亡，此猶可以合驩聚眾，取親于鄉里……是故子墨子曰：今吾為祭祀也，非直注之汙壑而棄之也，上以交鬼之福，下以合驩聚眾，取親乎鄉里。」孫詒讓：《墨子閒詁》，頁225。

30 「禮儀既備，鍾鼓既戒。孝孫徂位，工祝致告……諸父兄弟，備言燕私。」「樂具入奏，以綏後祿。爾殽既將，莫怨具慶。」

俎，同姓則留與之燕，以盡私恩。」[31]第六章：「爾殽既進，與燕之人無有怨者，而皆歡慶醉飽」[32]，同族燕飲是當時貴族在祭祀祖先之後的禮儀活動，燕饗賓朋。是故團結鄉里的功用是西周至春秋的祭祀文化觀念，墨子之時則因禮樂崩壞，學術往下移，祭祀活動已不限於貴族階級，故墨子稱「下以合驩聚眾，取親乎鄉里」、「得吾父母弟兄而食之」。由是觀之，墨子在祭祀的文化態度只承於殷周之禮，未能像儒家更為發揮祭祀意義的，推動於人文的傾向。

　　然而，墨子指出祭祀並非必然會得到天志的獎賞，但不可不祭祀，是為對鬼神的崇敬之意：〈魯問〉載曹公子謹慎祭祀鬼神，卻遭到不祥而問於墨子，墨子回答鬼神希望人處於高位能夠讓賢，財物分予窮人，不只是貪圖攫取祭品。[33]又魯祝用一頭小豬祭祀卻請求鬼神賜予百福。墨子批評其慾望不切實際，「則其富不如其貧也」。[34]同樣地墨子提出「節葬」、「節用」，卻不代表不葬不用，是恰如其分，需合乎天之「義」的意思。反觀在祭祀的觀點上，墨子強調祭祀有其用處，但並非必然得到回報，祭祀並非獲得天鬼獎賞的必然條件，須實踐十論才是墨子「天志」之旨，故墨子所言的祭祀是承於殷周鬼神文化，祭祀證明祭祀者對鬼神存在的信念，正如〈明鬼下〉所引三代聖王與周武王立國先立宗廟而行祭祀之例。然祭祀不是得到「天志」獎賞的必然條件，墨子十論亦沒有關於祭祀一項，行兼才是墨子關注之焦點。

五　「明鬼」是「天志」系統下的手段

　　墨子十論中心思想為「興天下之大利」，目的乃解除當時禮樂崩壞，列國兼併的社會問題。十論背後的理據為「天志」，而「明鬼」就是「天志」的手段，以下將以從政治觀闡述「天志」與「明鬼」的關係。

　　　　天志 ←天子（尚賢）←君 ←家長 ←個人（尚同）
　　　　〔明鬼（天志的手段）〕

以政治架構來看，墨子提出的「尚同」、「尚賢」是針對為臣之道、為君之道，由「尚

---

31 朱熹：《詩集傳》北京：中華書局，1958年，頁204。

32 同上註。

33 〈魯問〉：子墨子曰：夫鬼神之所欲於人者多。欲人之處高爵祿則以讓賢也，多財則以分貧也。夫鬼神豈唯攫泰掛肺之為欲哉？今子處高爵祿而不以讓賢，一不祥也。多財而不以分貧，二不祥也。今子事鬼神，唯祭而已矣。」孫詒讓：《墨子閒詁》，頁437。

34 「魯祝以一豚祭，而求百福於鬼神。子墨子聞之，曰：是不可。今施人薄而望人厚，則人唯恐其有賜於己也。今以一豚祭，而求百福於鬼神，唯恐其以牛羊祀也。古者聖王事鬼神，祭而已矣。今以豚祭而求百福，則其富不如其貧也。」同上註，頁438。

同」下而往上推，背後支持的理據實為「天志」。墨子認為「一人一義，十人十義」各持其「義」而未能平息紛爭，故在為臣之道上提出「尚同」，旨在建立共同的標準，在下者須服從於在上者，由是建立統一領導之事，統一全民之意志。至於為君者上承「天志」下以「尚賢」。這是承繼於殷周「人格神」政治概念，舉《尚書・洪範》為例，君主為政依九疇，其中皇極：「曰皇極之敷言，是彝是訓，於帝其訓」，指出五行、五事、八政、五紀皆受制於天，為君之道須依天道而行事。今墨子提出「天志」而君主能下以「尚賢」，不論親疏貴賤而選賢任能，反對當時「王公大人骨肉之親，無故富貴、面目美好者，則舉之。」[35]

至於「尚同」、「尚賢」的理念，實以「兼愛」為大前提，「尚賢」提倡的是平等性。若不以「兼愛」為一切行為的大前提，則上同於上司，上同於天會出現自私自利的決定，「尚同」則不能出現。其實這種態度具有前瞻性，歷史的演變證明了政治層面不應只限於血緣關係。墨子所說的是不切合於當時的社會政治實況，孔孟講的依然是舉賢，著重於氏族血緣關係。由於其不近人情的學說難以推行於社會現實，故須提出「天志」，再以「明鬼」的手段使人信服，鬼神之說用以威嚇。可見「明鬼」只是「天志」系統下的手段，促使墨子學說得以實踐。這種概念具有宗教迷信的意識及宗教的意義——導人向善。然而這不代表墨家是宗教，梁啟超首以論說墨家是宗教，近代學者已對此多作反駁。我們認為墨家不可能成為宗教，最主要的原因是墨家學說的沒有脫離現實人生界，墨子十論是針對現實而提出的，沒有超越性的空間觀念（第二個世界），即天界與地獄界。較中肯的說法是墨家思想具有宗教特性，卻難以成為廣為人接受的宗教。

六　墨子鬼神論的矛盾與弱點

（一）「天志」的弱點

「天志」矛盾之處在於賞善罰惡的必然性促使天鬼根本沒有其獨立的意志力，人的價值比「天志」更高。「天志」意旨行善必賞，行惡必罰。例如墨子指出得到上天獎賞的是三代聖王堯舜禹湯文武，因其從事兼；遭到天懲罰的是桀紂幽厲，因其從事別。[36]總的來說，只要是符合兼愛之義（節用、節葬、尚賢、尚同、非攻、非樂）的則必然得到獎賞，這是必然性的天人關係，引申出「天」完全地沒

35　〈天志下〉。同上註，頁61。

36　〈天志中〉：「兼者，處大國不攻小國，處大家不亂小家，強不劫弱，眾不暴寡，詐不謀愚，貴不傲賤。……夫愛人利人，順天之意，得天之賞者，既可得留而已……別者，處大國則攻小國，處大家則亂小家，強劫弱，眾暴寡，詐謀愚，貴傲賤……聚斂天下之醜名而加之焉……憎人賊人，反天之意，得天之罰者也。」同上註，頁185。

有其獨立的判斷力，「天志」只是機械化的屬性，執行著賞善罰惡的任務。不管
人的行為是發其本心的「行善」或「偽善」，只要符合「天志」善的條件，天則
必然會給予獎賞。是故人的意志比「天志」更強大，「天志」亦根本沒有其獨立
的天格，有別於殷周「人格天」的概念，是墨子獨創的，卻成為其整套學說系統
唯一難以解釋之處。故把墨子的「天」理解成「人格天」，仍存有討論的空間。

〈天志上〉：

> 天下有義則生，無義則死；有義則富，無義則貧；有義則治，無義則亂；然則天
> 欲其生而惡其死，欲其富而惡其貧，欲其治而惡其亂，此我所以知天欲義而惡不
> 義也。

天之欲生、欲富、欲治，惡死、惡貧、惡亂之原則，可惜墨子未作解釋，中間以「義」
作為行為的依據，即以有義則生、富、治，無義則死、貧、亂，就得出「天欲義而惡不
義」。這裡，令人費解的是，為什麼「天」是好義，其基本理論從何而來。就如基督
教，上帝是依自己的形象而創造人類，故是善，於伊甸園偷食蛇果後逐漸遠離神，即離
棄善。可惜，墨子沒有這樣的理論。

（二）上博簡《鬼神之明》與〈明鬼下〉比較

按近代學者考證上博簡《鬼神之明》或為墨子〈明鬼〉佚文，這是研究墨子鬼神論
的新的方向。《鬼神之明》要旨為鬼神有明、有不明之處，質疑鬼神的存在。學者按簡
文的詞彙及其問答體形式與《墨子》及〈明鬼下〉作比較；又以《墨子》所引的聖賢及
暴君例子與簡文「鬼神不明」之例作對照[37]，皆有類近的地方。可是，現階段的材料未
能完全肯定是為〈明鬼〉佚文，但無疑的是《鬼神之明》反映了當時社會鬼神文化思
想，對鬼神存有提出質疑。

《鬼神之明》提出「鬼神之明」與「鬼神不明」，源於對鬼神能力來源的懷疑：

> 其力能至焉而其力能至焉而弗為乎；意其力固不能至致焉乎。

意思為鬼神有能力但不成功；鬼神能力不足使其不成功，這是對鬼神能力來源及對鬼神
能力的影響力作出提出疑問，有別於〈明鬼下〉只提出「鬼神之明」的單向論點。[38]

---

37 參見淺野裕一：《上博楚簡與先秦思想》臺北：萬卷樓圖書公司，2008年，頁92。
38 「故鬼神之明，不可為幽間廣澤，山林深谷，鬼神之明必知之。」

《鬼神之明》以堯、舜、禹、湯、桀、紂、幽、厲為「鬼神之明」的例子，與《墨子》相同[39]；至於「鬼神不明」之例有二，伍子胥不得善終、榮夷公為天下之亂但壽終而亡：

> 及五（伍）子疋（胥）者，天下之聖人也，鴟（夷）而死。榮夷公者，天下之（亂）人也，長年而沒。

伍子胥、榮夷公之例是由鬼神能力的懷疑引申至對「命」的看法，可以「有命」去解釋伍、榮二人的壽命長短，而非墨子所倡的「非命」。勞思光先生以「知客觀限制之領域」[40]解釋「有命」說，即孔子所言萬物背後有種神秘而不可解釋的力量決定事之成敗，是唯一解釋伍、榮二人生命不合理的差別，屬不可思、不可議的。至於墨子所說的「非命」，是因「天志」而提出，若「有命」則「天志」系統不成立，知命而不當以行善。以墨子「非命」解釋伍、榮二人的差別在於伍子胥力不足而遭禍，實欠缺說服力。當中「命」的差別，則有如孔子所說的「天命」，曰：「君子有三畏，畏天命，畏大人，畏聖人之言。」[41]「天命」不可測，是對生命的承擔感，聖人所畏也。故《鬼神之明》點出墨子鬼神觀的弱點，善惡非有報，則有違「天志」系統的意旨。

同樣地〈明鬼下〉亦有對鬼神提出質疑的語句：

> 若使鬼神請有，是得其父母姒兄而飲食之也，豈非厚利哉！若使鬼神請亡，是乃費其所為酒醴粢盛之財耳……上以交鬼之福，下以合驩聚眾，取親乎鄉里。若神有，則是得吾父母弟兄而食之也。[42]

當中質疑的是「若鬼神有」，則享受祭祀的是父母兄嫂，「若鬼神沒有」，通過祭祀活動也可團結鄉里。這裡存有鬼神不存在的主張，鬼神的作用亦非導人向善，而是維繫倫理之關係，非墨子「天志」之所旨，可見與《鬼神之明》同樣地提出鬼神存有的疑問。

（三）社會實況與墨子鬼神說的關係

墨子推行鬼神學說目的乃解決現實問題，「興天下之大利」，針對及企圖改變社會之歪

---

39 例如〈天志上〉：「子墨子言曰：『昔三代聖王 禹、湯、文、武，此順天意而得賞也；昔三代之暴王桀、紂、幽、厲，此反天意而得罰者也。』〈節葬下〉：『上稽之堯、舜、禹、湯、文、武之道，而政逆之，下稽之桀、紂、幽、厲之事，猶合節也。』」

40 勞思光：《中國哲學史》香港：友聯出版社，1980年，頁70。

41 《論語・季氏》，楊伯峻：《論語譯注》，頁363。

42 孫詒讓：《墨子閒詁》，頁226。

風。然而墨子之時列國兼併、禮樂崩壞依然，墨子自身經歷季孫專魯，魏斯篡晉，越滅吳（公元前473年）、楚滅蔡（前447年）、楚滅杞（前445年）、楚滅莒（前431年）等，他的鬼神學說未能得到國君推行，鬼神無以能助，不能賞善，更不能罰暴，必定動搖其能力。當學說不能解決現實問題則為理論，因而不能久傳。

〈公孟〉、〈魯問〉載有人對墨子鬼神提出疑問及刁難，足見社會及墨家後學自身亦對鬼神論存懷疑。二篇推斷為墨學弟子所記的言論輯集，記錄墨子逸事，形式與《論書》類同。其中「先生以鬼神為明知」、「鬼神不明乎」、「鬼神何遽不明」等，都向墨子提出疑問，而墨子多以推論的手法回答，諸如跌鼻問墨子若鬼神為明，墨子既為聖人則為何也會得病。墨子以人體「百門而閉一門」回答，其實當中沒有必然的邏輯關係，正如孟子所言「人性之善，猶水之就下」，人性皆善與水向下流沒有根本的必然關係。

七　結語

墨子鬼神說有其獨特性的宗教意識，以「天志」系統為超越性的概念而實踐墨家十論。故墨子之徒視死如歸，尤如現代之宗教狂熱者。刑兆良評墨子是「表裡如一，不僅是一種道德自我內省體驗，而更是一種實踐的磨練」。[43] 然而，「天志」的最大問題乃限制了人的自由意志，不符合春秋戰國之際的人文精神趨勢思想，「天志」自身亦存弱點，「人志」比「天志」更為強大。「天志」與「明鬼」的關係需從墨子十論綜合以看，是實踐墨子整套追求人格完美的學說的推動力，「尊天、事鬼、愛人」。最後，以刑兆良的評語作結：墨子一生「摩頂放踵，利天下而為之」，是以身赴義，以天為己任的典型；墨子力倡「兼相愛，交相利」，有財相分，有利相交，有力助人，倡導助人為樂的社會道德；墨子對人格修養的要求，磨練和儒家相通，強調言行一致。[44]

---

43 刑兆良：《墨子評傳》南京：南京大學，1995年，頁368-369。
44 同上註，頁368。

論孟子「性善論」的推理過程與知識依據[*]

劉全志

北京師範大學文學院

　　孟子的「性善說」自古以來都是學界討論的焦點，話題涉及「性善說」的內涵、來源及其影響。就探討孟子的知識結構與知識資源來說，前人的這種論述也是筆者所無法避開的。孟子的「性善說」主要見於〈公孫丑〉、〈告子〉、〈盡心〉等篇，與荀子論「性惡」相比，孟子的持論稍嫌分散，特別是〈告子上〉記載孟子通過反駁告子的「性無善無不善」進而證明「人性善」[1]，這種情形讓人覺得孟子的性善說可能與辯論行為存在莫大的關聯：如果性善說僅用於辯論活動，顯然不能說是孟子學說的核心。然而，據〈滕文公上〉記載孟子在宋，與滕國世子問對，「孟子道性善，言必稱堯舜」[2]，並且取得世子的信賴。由此可見，孟子論「性善」乃是他的常規話語，代表著他的學問旨向，並非僅用於一時的激辯。於此，筆者將進一步辨析孟子所持「性善論」的基本思路及其知識依據。

一　「人性善」的起點

　　在總結前人論孟子「性善說」的內容時，劉學智指出，學界主要通過三方面的命題來解讀孟子的性善論：一是：「人皆有不忍人之心」（〈公孫丑上〉），「此天之所與我者」（〈告子上〉），「人之所以異於禽獸者幾希，庶民去之，君子存之」（〈離婁下〉）；二是：「惻隱之心，仁之端也；羞惡之心，義之端也；辭讓之心，禮之端也；是非之心，智之端也」，「仁義禮智，非由外鑠我也，我固有之也，弗思耳矣」（〈告子上〉），「盡其心者，知其性也。知其性，則知天矣」（〈盡心上〉）；三是：「乃若其情，則可以為善矣，乃所謂善也。若夫為不善，非才之罪也」（〈告子上〉）。[3]在此基礎上，他進一步認為：「上述命題中，前兩方面的話語旨在回答人的本性是什麼，其本性從何而來；後一方面

---

* 國家社科基金重大項目「中國上古知識、觀念與文獻體系的生成與發展研究」（批准號11 & ZD103）；中國博士後科學基金資助項目（Project fund by China Postdoctal Science Foundation）

1 阮元：《十三經注疏·孟子注疏》北京：中華書局，1980年，頁2747-2749。
2 同上註，頁2701。
3 劉學智：〈善心、本心、善性的本體同一與直覺體悟──兼談宋明諸儒解讀孟子「性善論」的方法論啟示〉，《哲學研究》，2011年第5期，頁30。

則旨在解釋人性皆善，而不善的行為其原因在『人』而不在『性』。」[4]其實，這三方面的命題都指向「人性善」的內涵是什麼：第一方面的命題是用「不忍人之心」來表示「人性善」，並強調這種「性善」來源於天賦，且是人與禽獸區別的根據，但為什麼這樣說，卻依賴於「人性善」的內涵；第三個方面重在強調人的「不善」不在於本性，至於持論的依據又指向了「人之四端」。這也是在〈公孫丑上〉、〈告子上〉中孟子分別由第一方面、第二方面的命題延伸至「人之四端」的內在理路。所以，孟子「人性善」的起點在於第二個方面的命題，即「四端」。按〈公孫丑上〉、〈告子上〉中的解釋，「四端」即仁義禮智之「四端」，分別是「惻隱之心」、「羞惡之心」、「恭敬之心」、「是非之心」。與「四端」相配的則是「四德」，即「仁義禮智」，因為「四端」是人之所本有，所以「四德」也是「我固有之也，弗思耳矣」。當然，孟子在這裡主要強調的是「四端」之於「四德」的源頭性，而並非指「四德」是人人都具備的，這一點正如朱熹所言：「前篇言是四者為仁義禮智之端，而此不言端者，彼欲其擴而充之，此直因用以著其本體，故言有不同耳。」[5]於此，這裡強調的還是「擴而充之」的起點「四端」。這「四端」之心，孟子稱之為「不忍人之心」，並舉「乍見孺子將入井」加以說明。可見，孟子的「四端」之心來源於經驗世界，即他通過對生命體驗的感悟，得出了「四端」之心。這正如楊澤波所指出的那樣：「孟子特別重視通過生命體驗啟發人們對自己體內良心本心的體悟，儘管這些方法有不合乎邏輯要求的地方，但確實起到了誘導啟發作用，使人們終於懂得仁義禮智我固有之，由此相信其性善論來。這就是孟子以生命體驗論性善的奧秘所在。」[6]然而，這只是對「惻隱之心」、「羞惡之心」、「恭敬之心」、「是非之心」來源的追溯，而孟子為什麼又將「四德」即仁、義、禮、智與「四端」之心相配呢？他的內在依據和推理過程又是什麼？顯然，這一問題又涉及到孟子所說「仁、義、禮、智」的具體對象，即承載「四德」的理想人格。

　　許多論者認為孟子「性善」說的起點是人與禽獸的區別，從孟子所論來看，這種推斷看似有依據，但實際上卻是對《孟子》的誤讀。因為孟子在論人性時，儘管說到「人之所以異於禽獸者幾希」，但其中的「禽獸」與其說實指動物，不如說是具有道德價值判斷的一個概念。這一點在孟子的話語中實為常見，如他批評楊朱、墨子「無君無父」是「禽獸」[7]，〈滕文公上〉又說「人之有道也，飽食、煖衣，逸居而無教，則近於禽獸」[8]，其中的「禽獸」顯然是對「異端學說」及無信仰、無追求生活方式的一種具有價值觀的評論和概括。

4　同上註，頁30-31。

5　朱熹：《四書集注》，北京：中華書局，1983年，頁328-329。

6　楊澤波：《孟子性善論研究》（修訂版）北京：中國人民大學出版社，2010年，頁125。

7　阮元：《十三經注疏‧孟子注疏》，頁2714。

8　同上註，頁2705。

　　更為重要的是，孟子在提到「人性善」時往往強調「君子」與「庶民」的差別，如〈離婁下〉「人之所以異於禽獸者幾希，庶民去之，君子存之」[9]，其中「庶民」所去、「君子」所存正是仁義禮智之四性。所以，〈盡心上〉記載孟子云「君子所性，仁義禮智根於心」，即仁義禮智為「君子」之性。至於〈梁惠王上〉孟子對齊宣王所云「無恆產而有恆心者，惟士為能。若民，則無恆產，因無恆心。苟無恆心，放辟邪侈無不為已」，也是對「庶民」與「君子」之性差異的概括與判定。對此，〈盡心下〉中的一段文字說得更為明確：

孟子曰：

> 「口之於味也，目之於色也，耳之於聲也，鼻之於臭也，四肢之於安佚也，性也，有命焉，君子不謂性也。仁之於父子也，義之於君臣也，禮之於賓主也，知之於賢者也，聖人之於天道也，命也，有性焉，君子不謂命也。」[10]

孟子在這段語錄中將「性」與「命」對舉，即在一種情況下君子選擇了「命」，在另一種情況下君子又選擇了「性」。對於其中的原因，趙岐解釋說：

> 口之甘美味，目之好美色，耳之樂五音，鼻之喜芬香。……四肢懈倦，則思安佚不勞苦。此皆人性之所欲也，得居此樂者，有命祿，人不能皆如其願也。凡人則有情從欲而求可身，君子之道，則以仁義為先，禮節為制，不以性欲而苟求之也，故君子不謂之性也」；「仁者得以恩愛施於父子，義者得以義理施於君臣，好禮者得以禮敬施於賓主，知者得以明知知賢達善，聖人得以天道王於天下，此皆命祿，遭遇乃得居而行之，不遇者不得施行。然亦才性有之，故可用也。凡人則歸之命祿，在天而已，不復治性。
> 以君子之道，則修仁行義，修禮學知，庶幾聖人亹亹不倦，不但坐而聽命，故曰君子不謂命也。[11]

　　趙岐的這種解釋被孫奭、程頤、朱熹、焦循等人所繼承，足見此說是自古以來的共識。簡而言之，耳目口鼻以及四肢各有本能的追求，這是「性」，但可得不可得卻依賴於命運，「君子」不會把這些「性」當作終生的追求，所以「君子」認為它們是「命」；而仁義禮智聖，是否能夠遇人而行之，這是命運，但其中「有性」，「君子」把這種

「命」當作終生的追求，所以「君子」認為它們是「性」。也就說，在孟子看來，「君子」所認為的「性」和「命」正好與「庶民」相反：「君子」之「性」是仁義禮智聖，而「庶民」之「性」則是口目耳鼻及四肢的需求；至於「命」，「君子」把耳目口鼻之欲可得不可得視為命運，而「庶民」把父子、君臣、賓主等是否相得看作命運。

二　「人性善」的知識資源

　　這裡需要指出的是，孟子將「庶民」與「君子」相對，其意並非指社會階層上的身分，而是指道德修養的高低，與「君子」相比，「庶民」重點指一般人、眾人。由此看來，「庶民」與「君子」之「性」的差距是顯而易見的。孟子的這種觀念也見於〈告子上〉：「口之於味也，有同耆焉；耳之於聲也，有同聽焉；目之於色也，有同美焉。至於心，獨無所同然乎？心之所同然者何也？謂理也，義也。聖人先得我心之所同然耳。故理義之悅我心，猶芻豢之悅我口。」[12]這裡所說的「聖人」是指道德修養的最高境界，「君子」儘管與「聖人」存在著重大的差距，但「聖人」的境界必然是「君子」應該追求的目標，特別是在「理義」的要求方面。與聖人的「心之理義」相比，口耳目的欲望顯然屬於一般的「庶民」，「理義」之所以能夠「悅我心」，是因為「庶民」或孟子對「君子」、「聖人」人格的主動追求。〈告子上〉還記載孟子云：「耳目之官不思，而蔽於物。物交物，則引之而已矣。心之官則思，思則得之，不思則不得也。此天之所與我者。先立乎其大者，則其小者不能奪也，此為大人而已矣。」[13]這是孟子回答公都子「小人」「大人」區別的問題，追求耳目之欲者「蔽於物」，「識小體」，因而是「小人」，即「庶民」，也就是眾人、一般的人；而通過「心思」而得「天之所與我者」則「識大體」，因而是「大人」，即「君子」乃至「聖人」。其他如「生，亦我所欲也；義，亦我所欲也，二者不可得兼，舍生而取義者也」（〈告子上〉）[14]、「雞鳴而起，孳孳為善者，舜之徒也。雞鳴而起，孳孳為利者，跖之徒也」（〈盡心上〉）[15]等也是重在說明「君子」與「庶民」的差別，當然其中的「舜之徒」並非舜本人，而是指那些以舜為榜樣的道德君子；而「跖之徒」也並非指像跖一樣的盜賊，而是指以利益為重的庶民。所以，仁義禮智是君子之「性」，而非「庶民」之「性」。

　　這樣理解孟子的「君子之性」與「庶民之性」的差異似乎否定了「性本善」的普遍性，其實如此推斷還只是依據孟子所云的「君子所性，仁義禮智根於心」，也就是說相對於「庶民」來看，「君子」已經擁有了「仁義禮智」之心。而對於「庶民」，卻只有

---

12 同上註，頁2749。

13 同上註，頁2753。

14 同上註，頁2752。

15 同上註，頁2768。

「仁義禮智」之「四端」。如此，孟子才會說「人之所以異於禽獸者幾希，庶民去之，君子存之」。[16]那麼，在孟子看來，「庶民」如何努力才能成為「君子」呢？這就要我們重新審視「四端」的意義與功能了。關於「四端」，李明輝指出：「所謂『四端之心』之『端』亦是就良知之呈現而說，故此『端』是『端倪』或『端緒』之義，謂良知於此呈露也。故每個人心中呈現的惻隱之心即是聖人之天心（羞惡之心等亦同），在質上原無差別。」[17]但需要明確的是，這種端緒只是良知的開始，它走向成熟的「仁義禮智」還有一段很長的距離，這正如李山所指出的那樣：「『乍見』之心是良知的端緒，將此端緒引而申之，強而大之，使之翻上來為人生做主，最終成就道德人生，還得需要很大、很艱難的修養功夫。」[18]在這裡儘管李明輝、李山兩人分析的角度有別，但他們都強調了「四端」乃是培養良知的起點。而在孟子看來，需要從這種良知的起點進而前行到「仁義禮智」的人，顯然不是「君子」，而是「庶民」。這也是孟子總是將「君子之性」與「庶民之性」加以對比的原因或前提。也就是說，孟子在說「人之有是四端也，猶其有四體也」（〈公孫丑上〉）[19]、「聖人與我同類」（〈告子上〉）[20]、「人皆可以為堯舜」（〈告子下〉）[21]時，強調的是「庶民」走向「君子」的可能性，這也是孟子提倡「性善說」的直接目的。換言之，一般人通過「求其放心」能夠成為「君子」，即擁有仁義禮智的「君子之性」。如此看來，孟子「性善說」的核心內涵是「君子之性」，而它又指向「庶民」。就功能效果而言，孟子的「性善說」既為「庶民」提供了走向「君子」乃至「聖人」的依據，又是對「庶民」行為的要求和規約：即對「庶民」而言，「求其放心」可以為「君子」，而「放其心而不知求」則近於禽獸。

至此，我們可以總結出孟子「性善」論的主要內涵：「惻隱之心」、「羞惡之心」、「恭敬之心」、「是非之心」之「四端」是孟子「性善」論的起點，它的目標是蘊含「仁義禮智」的「君子之性」，方法是「求其放心」，而實施的主體則是「庶民」。「性善」論主要內涵的確認有助於我們探討孟子「性善」論的思想來源與知識依據。

而對於孟子「性善」論的思想來源，許多論者都特別強調子思、曾子的影響，認為子思、曾子的心性之學被孟子直接繼承。在郭店簡公佈之後，這種認識又有所加強。如李亞彬結合《中庸》「天命之謂性，率性之謂道，修道之謂教」以及〈性自命出〉的「好惡，性也」，認為「天命之謂性，率性之謂道，修道之謂教」「是子思學派思想的總

---

16 同上註，頁2727。

17 李明輝：《康德論理學與孟子道德思考之重建》臺北：中央研究院中國文哲研究所，1994年，頁114。

18 李山：《先秦文化史講義》，北京：中華書局，2008年，頁333。

19 阮元《十三經注疏·孟子注疏》，頁2691。

20 同上註，頁2749。

21 同上註，頁2755。

綱」,「它以天為最高範疇,無論是性還是道、教,都來自於天」,並指出「天有德、天賦人德及天賦人性」;在此基礎上,他推斷「子思及其後學的思想為孔孟之間的過渡環節,其中包含了性善論所有必要的前提和觀點」。[22]判定孟子的「性善」論上承於子思,當然是正確的,然而這一判斷卻忽略一個事實,即在子思之外的其他儒家也有人性的討論,如世碩、公孫尼子等。更為重要的是,孟子上承子思的說法無法明晰地回答孟子在「性善」學說方面的創新空間和創新思路,而要回答這一問題,就需要我們具體、明晰地呈現出「性善論」由無到有的推理過程。

如前所言,在孟子之前的時代,除了子思,其他七十子及其後學也有人性善惡的討論,如王充在《論衡・本性》中說:「周人世碩以為人性有善有惡,舉人之善性,養而致之,則善長;性惡,養而致之則惡長。如此,則性各有陰陽,善惡在所養焉。故世子作〈養性書〉一篇。宓子賤、漆雕開、公孫尼子之徒亦論性與世子相出入,皆言有善有惡。」[23]對於世碩、宓子賤、漆雕開、公孫尼子等人,《漢書・藝文志》儒家類均著錄其著述,如「《漆雕子》十三篇,孔子弟子漆雕啟之後;《宓子》十六篇,名不齊,字子賤,孔子弟子;……《世子》二十一篇,名碩,陳人,七十子之弟子;《公孫尼子》二十八篇,七十子之弟子」[24],另有「《景子》三篇,說宓子語,似其弟子」[25],此也應屬論性情之作。如此看來,孔門弟子中論性有善有惡者不在少數,再加上子思、孟子、告子等人的性情論,可知在孟子時代,關於人性的討論已成為儒家內部的熱點話題。他們的持論儘管各有不同,但大致可分為三種:一是持性有善有惡者,如世碩、宓子賤、公孫尼子、漆雕開、景子等人;二是持性善者,如子思、孟子等人;三是持性無善無惡者,如告子。至於郭店簡〈性自命出〉,一些論者認為它主張性善說,依據是「性自命出,命自天降」同於《中庸》的「天命之謂性」。[26]其實,與《中庸》「率性之謂道」不同的是,〈性自命出〉認為「道始於情,情生於性」[27],而「情」指人的情感,如喜怒哀樂等。[28]顯然,從「性」到「情」,再由「情」到「道」,中間還需要很多的環節,這與《中庸》由「性」而「道」的觀點是有很大差異的。其實,關於人性的善惡問題,〈性自命出〉已有明確的說明,如「好惡,性也。所好所惡,物也。善不(善,性也)。所善所不善,勢也」[29],這是說好惡、善惡都是人之「性」,它們通過外在的事物

22　李亞彬:〈子思為孔孟之間的過渡環節——以孟子性善論的形成為例〉,《哲學研究》,2007年第4
　　期,頁39-44。

23　黃暉:《論衡校釋》北京:中華書局,1990年,頁132-133。

24　班固:《漢書》北京:中華書局,1962年,頁1724-1725。

25　同上註,頁1724。

26　阮元:《十三经注疏・孟子注疏》,頁1625。

27　李零:《郭店楚簡校讀記》北京:北京大學出版社,2002年,頁105。

28　同上註,頁117。

29　同上註,頁105。

和環境加以呈現。另外，〈性自命出〉又說「情出於性，愛類七，唯性愛為近仁；智類五，唯義道為近忠；惡類三，唯惡不仁為近義」[30]，這是說由「性」生出之「情」，可分為愛類、智類、惡類等，可生出仁、義、忠等好的品德，但也能生出不仁、不義、不忠等壞的品德。如此看來，〈性自命出〉與世碩、宓子賤等人一樣都是主張性有善有惡者。無論如何，對於孟子的「性善論」來說，這三種人性觀的討論都可謂是他的知識資源。而面對這些思想資源時，孟子依據現實的經驗，通過生命體驗式的感悟，最終堅定不移地選擇了「人性善」一途。

然而，需要我們注意的是，孟子「性善說」的內涵即仁、義、禮、智在上述材料中都沒有明確涉及。這種現象不得不使我們再次思考孟子「性善說」內涵的推理過程。

三 「人性善」的推理過程

在兩漢以後的傳統社會中，人們熟悉的「五行」是指金木水火土，即使限定於道德倫理領域，「五行」也通常是指仁義禮智信。但這只是兩漢時期經學思想演進的結晶，而具體到戰國時期，早期儒家的「五行」卻另有所指，如郭店簡〈五行〉中的「五行」即指「仁義禮智聖」。於此，值得我們關注的是，孟子的「人性善」與這種「五行」存在著怎樣的關聯？

李銳結合郭店簡〈五行〉、馬王堆帛書〈五行〉等材料，認為孟子仁義禮智的「四端說」是「依據〈五行〉作解說」。[31]這種判定不但能夠聯繫〈五行〉與孟子學說的關係，還能夠解釋荀子為什麼批評思孟學派「案往舊造說，謂之五行」[32]，因此對於我們的探討具有啟發性，但其所論主要的目的在於說明思孟「五行」學說的淵源，而對「性善說」並未作過多的分析。郭店簡〈五行〉是強調「仁義禮智聖」五種品德的運行，這與孟子的「仁義禮智」為「君子所性」的確存在一致性。至於「聖」為什麼沒有與「四端」相配？郭店簡〈五行〉云「德之行五和，謂之德。四行和，謂之善。善，人道也。德，天道也」，馬王堆帛書〈德行〉也云「四行成，善心起，四行形，聖氣作」。[33]對此，李銳又結合《中庸》「唯天下至聖」一段，認為「聖就是與仁義禮智並列而又超越其上的」。[34]「聖」的超越性質在《孟子》中也有體現，如前引「聖人之于天道」，除此之外，還有更為明確的說明，如〈盡心下〉孟子在評價樂正子時說「可欲之謂善，有諸己之謂信，充實之謂美，充實而有光輝之謂大，大而化之之謂聖，聖而不可知之之謂

30 同上註，頁107。
31 李銳：《新出土簡帛的學術探索》北京：北京師範大學出版社，2010年，頁169。
32 王先謙：《荀子集解》北京：中華書局，1988年，頁94。
33 李零：《郭店楚簡校讀記》，頁78。
34 李銳：《新出土簡帛的學術探索》北京：北京師範大學出版社，2010年，頁165。

神」[35]，善、信、美、大、聖、神六種品格境界逐漸提升，而「聖」僅次於「不可知」的「神」之下，可見「聖」對「善」的超越。當然，「聖人」之「聖」、「大而化之」之「聖」，無疑又與郭店簡〈五行〉之「聖」存在差異，因為〈五行〉之「聖」也只是「德之行」的一種。

更為重要的是，在〈五行〉中「天道」與「人道」相對，而「德」與「善」相對。馬王堆帛書〈五行〉與郭店簡〈五行〉的相繼現世，說明在戰國中期至秦漢間的一段很長時間內，儒家的「五行」學說一直在社會上廣為流傳，這也是荀子之所以把「五行」認定為思孟學派一種標誌的原因。因此，既然孟子的「性善」論是「依據〈五行〉作解說」，那麼「聖」無論是否具有超越性都不應該被排除在「人道」之外。也就是說，「五行」既然是「性善論」背後的理論根基，它使孟子將仁、義、禮、智與「惻隱之心」、「羞惡之心」、「恭敬之心」、「是非之心」相配的同時，也應該給予「聖」一個位置。

按照這種思路，我們再次反觀孟子的「性善」論，會發現他已經給「聖」設置了一個重要的位置，即「心」。孟子說「人之有是四端也，猶其有四體也」（〈公孫丑上〉）[36]，而在「四體」之中無疑又有「心」的位置，所以孟子又說：「耳目之官不思，而蔽於物。物交物，則引之而已矣。心之官則思，思則得之，不思則不得也。」（〈告子上〉）[37]至於孟子要求「求其放心」，並一再強調「求則得之，舍之失之」，以此才能「盡其心者，知其性也。知其性，則知天矣」（〈盡心上〉）[38]，更能證明「性善」論中存在「心」的重要位置。這一點在郭店簡〈五行〉中也有說明，如「耳目鼻口手足六者，心之役也。心曰唯，莫敢不唯；諾，莫敢不諾；進，莫敢不進；後，莫敢不後；深，莫敢不深；淺，莫敢不淺。和則同，同則善」。[39]郭店簡〈五行〉將「心」與耳目手足等器官比喻成人世間的主僕關係，形象化地說明了「心」的重要地位。

當然，在郭店簡〈五行〉中「聖」儘管沒有直接與「心」對應，但「聖」的特殊位置已經有所凸顯，如依據第三十、三十一簡的內容，所謂「四行和謂之善」中的「四行」指的就是仁、義、禮、智。而「四行」加上「聖」便成「五和謂之德」[40]，於此「聖」的特殊性便加以顯現。郭店簡〈五行〉還說「聞君子之道而不知君子之道，謂之不聖……聞而知之，聖也」「聖，知禮樂之所由生也，五行之所和也」[41]等，可見「聖」的特性在於「知君子之道」、「知禮樂之所由生」，而主體「知」的依據無疑是「心之官則思」。

---

35 阮元：《十三經注疏·孟子注疏》，頁2775。

36 同上註，頁2691。

37 同上註，頁2753。

38 同上註，頁2764。

39 李零：《郭店楚簡校讀記》，頁80。

40 同上註，頁78。

41 同上註，頁79。

直接記述「心」與「聖」相通的是《孔叢子·記問》子思與孔子的對話：

> 子思問於夫子曰：「物有形類，事有真偽，必審之，奚由？」子曰：「由乎心，心之精神是謂聖，推數究理不以疑，心誠神通則數不能遁。周其所察，聖人難諸。」[42]

孔子所云的由心「審」「物之形類」、「事之真偽」，如同孟子所說的「心之官則思」，這又與孔子所說的「心之精神是謂聖」同義，因為「心誠神通」能審「物之形類」、「事之真偽」，還能「推數究理」而「數不能遁」。關於《孔叢子》一書，一般認為晚出。但「心之精神之謂聖」一語，也見於《尚書大傳》[43]；另外鄭玄在《尚書大傳注》中也引孔子之語說「聖者，通也。兼四而明，則所謂聖。聖者，包貌、言、視、聽而載之以思心者，通以待之。君思心不通，則臣不能心明其事也」。[44]可見，《孔叢子》所云「心之精神之謂聖」乃是戰國舊說，即使不能追溯於子思、孟子，至少也能說明「心」與「聖」相通的觀念早就存在。

如此看來，孟子的「性善」論背後的理論依據是「五行」學說：仁義禮智之四行，猶人之四體；而「聖」猶人之「中心」，於此構成「五行」。對於君子而言，「五行皆形於內而時行之，謂之君子」，即君子能「存「仁義禮智之性」，且又「求其放心」而得之。當然，孟子的這種心性學說的「五行」原理最終又指向「天」的依據，這正如馮友蘭所說的：「孟子言義理之天，以性為天之部分，此孟子言性善之形上學的根據也。」[45]所以，孟子的「性善」論生成的思路是：首先由經驗世界的生命體驗總結出「人皆有不忍人之心」，即「惻隱之心」、「羞惡之心」、「恭敬之心」、「是非之心」；然後按「五行」原理使仁、義、禮、智配於四種「不忍人之心」，進而提出良知的「四端」；接著便將「聖」與人之「中心」相通，進而提出「求其放心」，使「庶民」或一般的志士由此走向「君子」，乃至聖人。

值得一提的是，在這種推進的過程中，孟子的創新便是將「五行」與經驗世界的生命體驗加以結合，進而提升出「惻隱之心」、「羞惡之心」、「恭敬之心」、「是非之心」分別是仁、義、禮、智的「端緒」；在此基礎上，他向一般人提供了由「庶民」走向「君子」乃至「聖人」的理論依據，並指出了具體的方法和途徑，即「求其放心」。與子思以及其他儒家的人性論者相比，孟子的「性善」論不但擁有深厚的理論依據，也有精細地生命體驗，更有系統化的脈絡。當然，這種「五行+生命體驗」式的心性論無疑又給人以神秘性的感覺，至少它需要生命的靈性才能體悟到良知的「四端」，至於仁義禮智

---

42 傅亞庶：《孔叢子校釋》北京：中華書局，2011年，頁96。

43 王闓運：《尚書大傳補注》上海：上海古籍出版社，1994年，卷7，《續修四庫全書》，頁842。

44 同上註，頁836。

45 馮友蘭：《中國哲學史》（上冊）上海：華東師範大學出版社，2000年，頁217。

聖之「五行」最終又如何與「金木水火土」之「五行」相配，更具有神秘感。這也許是荀子之所以批評子思、孟子的學說「甚僻違而無類，幽隱而無說，閉約而無解」（《荀子‧非十二子》）[46]的原因所在。

46　王先謙：《荀子集解》，頁94。

《莊子》故事性文本的結構方式與優語

高建文

山西師範大學文學院

從文本形式來看，《莊子》文章大致可分為論述性文本和故事性文本兩類。前者主要由解釋性的文字組成，通過直接論述來闡明思想，所佔篇幅也很少；後者以故事的形式闡釋思想，它們的結構方式也最能體現《莊子》文章的結構特點，因為《莊子》中大部分篇章都是以故事性文本為主體構成的。

一　《莊子》故事性文本的結構方式概說

從結構方式上看，《莊子》一篇中各故事性文本（以下簡稱「故事」）之間並非都是「意接而詞不接」（方東樹《昭昧詹言》卷十二）的。在大部分篇章中，它們不僅圍繞主題編連，而且故事之間在情節、人物等故事要素上都存在微妙聯繫，這種現象甚至在篇與篇之間也存在著。

《莊子》中有數篇或本身不以故事[1]為主體，或整篇僅一則故事，如〈外篇〉的〈駢拇〉、〈馬蹄〉、〈胠篋〉、〈刻意〉，〈雜篇〉的〈說劍〉、〈漁父〉、〈天下〉等七篇。還有〈應帝王〉篇，全篇由七則故事構成，但故事之間僅是以「為政當無治」[2]的主題編連，故事要素之間找不到明顯聯繫，是典型「意接而詞不接」。除以上八篇之外，《莊子》全三十三篇中，故事之間可以找到連接點的篇目達到二十五篇之多。具體可歸納為如下幾種情況：

（一）

以故事主角為連接點。這種聯繫又常圍繞著某一個人物，形成故事間的連接點。以〈大宗師〉篇為例：

1　《莊子》中有很多大故事套小故事的例子，由於大故事中的小故事多是通過大故事中的人物之口說出來，可以看作是大故事的有機組成部分。因此本文所舉例子一般不包括這類小故事。

2　陳鼓應：《莊子今注今譯》北京：中華書局，2009年，頁230。

南伯子葵問乎女偊……子祀、子輿、子犁、子来四人相與為友——子桑戶、孟子
反、子琴張三人相與友——顏回問仲尼以孟孫才居喪——意而子見許由——顏回
語仲尼以坐忘——子輿與子桑友而霖雨十日[3]

南伯子葵故事與後面故事僅以主題相接。接下來兩則故事中的子祀、子輿、子犁、子
来、子桑戶、孟子反、子琴張等七個人物中「有五位有歷史原型可考」,「這五位角色的
名字與相關歷史人物一致,出於相同的歷史階段,都以魯國為活動舞臺」[4]:「子輿」形
象係由曾子(字子輿)生病的典故與「畸人」形象結合而成;子犁即司馬牛;子桑戶即
《論語・雍也》中的子桑伯子,孔子在與仲弓對話中曾提及此人);孟子反是與孔子大
約同時的魯國將領孟之側;子琴張在《左傳》中曾因弔唁宗魯而為孔子所批評。這幾個
人物不僅均以魯國為活動舞臺,而且均與孔子有關。其中第三則故事中,又加入了「子
貢」和「孔子」,這兩個人物同樣是以魯國為活動舞臺且與孔子有關。這兩個故事要素
就成為編連此兩則故事的連接點。同樣,第四、六、七三則故事也都是對孔門人物及事
蹟的改造或虛構。這樣,〈大宗師〉中的這幾個故事,就通過「魯國」這一活動舞臺和
「孔子」這一歷史人物而連接起來。而第五則「意而子見許由」故事中的許由是「堯之
師」,而堯又是孔門、儒家所宗,且該故事中意而子「庸詎知夫造物者之不息我黥而補
我劓」與〈德充符〉中叔山無趾批評孔子「天刑之,安可解」的話相近,所以這則故事
也可以與「孔子」建立聯繫。除〈大宗師〉外,〈人間世〉、〈天地〉、〈天道〉、〈天運〉
等篇均是以此類連接方式為主。

(二)

　　第二種情況與第一種相似,不過連接故事的不是主人翁本身,而是其所屬國別。如
〈田子方〉篇:

田子方侍坐於魏文侯(魏)——溫伯雪子舍於魯(魯)——顏淵問仲尼以亦步亦
趨(魯人、孔子)——孔子見老聃,老聃新沐(魯,孔子)——莊子見魯哀公
(魯)——宋元君將畫圖(宋)——文王見丈夫釣(周)……列禦寇為伯昏無人
射(鄭)……肩吾問於孫叔敖(楚)——楚王與凡君坐(楚)

本篇故事以得道之士與諸侯(王或大臣,象徵世俗高位及價值觀念)交談故事、孔子故

3　文中所列故事之間明顯存在連接點的用「——」號連綴,沒有明顯連接點的用「……」號連綴。
4　賈學鴻:〈《莊子》方外之友的歷史原型和藝術生成〉,《學術研究》,2009年第4期,頁147-152。

事為主。它們情節類似，而其中人物所屬國別如魯、魏、宋、周、楚、凡等以及「孔子」作為連接點將幾個故事連綴在一起。此外，〈讓王〉、〈列禦寇〉等篇也存在這種情況。

（三）

還有一種相似的情況，作為連接點的人物並非主人翁，而只是雙方對話時所談論的人或物，雖然它們與前兩類要素相比，在充當連接點時並不是一望可見，而是需要辨識的，但說理功能與前者相同，均僅是充當故事要素，與主旨干係不大，換成他人他物亦無不可。如〈逍遙遊〉篇中「堯讓天下于許由」、「肩吾問連叔」兩則，許由、連叔均是「古之懷道之人」[5]，且連叔兩度言及堯，這兩點尤其是後者，成為這兩個故事的連接點。這種情況在〈在宥〉（前二則）、〈天地〉（三、四則）等篇中均可以找到例子。

（四）

故事之間以某類主題意象為連接點，同時這些主題意象在故事中多數時候充當主人翁。以〈德充符〉為例：

魯有兀者王駘——兀者申徒嘉與鄭子產同師于伯昏無人——魯兀者叔山無趾見仲尼——魯哀公問仲尼以哀駘它——闉跂支離無脣說衛靈公——甕㼜大癭說齊桓公……惠子謂莊子人固無情

本篇中的故事除最後一則外，其他均為「畸人」[6]系列故事。由於「畸人」形象象徵了「道」的理念——這也正是本篇話題的切入點，這些故事正是圍繞「畸人」及其所寓含理念而設置，因此在涉及此話題的故事群落之間，以他們的類別屬性作為故事間的連接點也是理所當然的；而且這些故事中的次要人物依次是仲尼、子產、仲尼、魯哀公和仲尼、衛靈公、齊桓公，均是「賢人」或者「國君」，他們不僅是世俗價值觀念所推崇的「賢」和「權勢」的象徵，而且在人物、國別等要素上也可以找到連接點。此類情況可以在〈人間世〉（「不材之木、畸人主題故事」）、〈大宗師〉（「死喪主題故事」）、〈達生〉（「技匠主題故事」）等篇中找到例子。

5　〔清〕郭慶藩：《莊子集釋》北京：中華書局，1961年，頁27。

6　「畸人」一詞在《莊子》中原意謂「方外而不耦於俗者」（郭象注，見〔清〕郭慶藩：《莊子集釋》，頁273），本文僅用此詞來代指「形體或心智有虧殘的人」。

（五）

作為連接點的主題意象（人或物）僅是作為談論的對象存在，但是它們闡發故事主旨方面的功能卻與（四）同等重要——這一點與上述第（三）種情況在表面上很相似，但實質上則截然不同。如〈齊物論〉最後三則故事中，「瞿鵲子問長梧子」涉及「夢」意象，它在故事中就只是一個譬喻，但闡釋意義極重要，同時也是此則與「莊周夢蝶」故事間的連接點。[7]

以上五類情況是從文體形式和話語功能兩個維度綜合考慮所歸納出的，實際上在《莊子》這二十五篇中，它們通常是被數種綜合起來使用的。

這種故事之間既能保證「意接」，同時又能維持「詞接」的現象，竟廣泛出現在二十五篇中，這就很值得玩味了：為什麼會產生這種現象？背後是否有特定文化傳統？

二　「意接＋詞接」結構方式的原因探析

首先，這是關於故事性文本「使用」（如結構、編連等）的問題，但與「生成」（創作、改造等）問題密切相關。之前筆者曾嘗試按說理方式之異將《莊子》故事性文本分為三類：一、象徵型故事，此類故事中的主人翁往往是某種哲學理念的形象化，如「不材之木」、「畸人」、「技匠」等，整個故事中其他人物、情節等場景都是圍繞主人翁及其所象徵的理念而設定和展開；二、訓誡型故事，這類故事中的對話內容尤其是得道方的訓誡性的哲理闡述是核心所在。故事人物、情節等要素的設定也只是為人物的對話提供場景。並以「某見某」、「某問某」等具模式化情節的故事居多，它們無論從數量、體例還是功能上，在故事性文本中都堪稱大宗；三、啟示型故事，這類故事與其他諸子寓言故事相比，題材相近——以歷史故事、民間俗傳故事及傳說等為主、話語功能相似——通常不放在論述性材料之前，而放在其中間或之後，來對其所闡明的道理作進一步的啟發和論證，有時為避免故事多義性闡釋而導致誤讀，還會在故事末尾加解釋性的話。其中前兩類故事在《莊子》故事中的最具代表性，它們在體式上有「代言」體特點，生成方式上則以「移花接木」、「同題衍生」、「同事衍生」、「改頭換面」、「改造歷史記載及傳說」等「衍生」方式為主。[8]

7　中間「罔兩問景」一則中「罔兩」、「景」與「夢」一樣，均是虛幻之物，也可以視作是同類意象的連接。

8　高建文：〈論《莊子》故事性文本衍生的生成方式與優語的關係〉，《新亞論叢》，2013年總第14期，頁26-34。

　　上文所列五類情況中，後二類多與象徵型故事有關。正由於此類故事中「主題意象」具有特殊的闡釋意義，因此在涉及特定哲學理念的時候，圍繞相應主題意象而設計的象徵型故事自然就會連類出現。此外，此類象徵型故事的連類出現不僅限於一篇，而常會在不同篇章之間出現，這在客觀上就將不同篇章在題材與主題上都聯繫起來，如以「畸人」題材相連的〈養生主〉、〈人間世〉與〈德充符〉，以「不材之物」題材相連的〈逍遙遊〉、〈德充符〉、〈大宗師〉、〈山木〉，等等。

　　而前三類情況則多與訓誡型和啟示型故事有關——尤其是前者。這就涉及到另一個問題：既然我們說訓誡型故事中「故事人物、情節等要素的設定也只是為人物的對話提供場景」，也就是說就說理的功利目的而言，這些「故事人物、情節等要素」本身意義並不大，然而為何像〈大宗師〉、〈人間世〉等篇那樣，仍可以在作為說理框架的故事要素之間尋得連接的痕跡？一個重要原因就是「衍生」的故事生成方式。「衍生」本質上就是因「一」而生發出「多」，這自然就會形成一叢叢在故事要素之間有連接點的故事群。

　　但這仍不是造成「意接＋詞接」結構方式的充分條件。仍以〈大宗師〉為例，其第二、三、四、七則關於「子祀」等人的四則故事乃是「同題（死喪題材）衍生」的訓誡型故事群，而五、六兩則（雖然也是訓誡型故事）則不然。然而本篇在結構故事之時並不僅僅是編排「同題衍生」的這幾則，而是在中間摻入了其他故事（第五、六則），最後形成的結構竟然不是以「死喪題材」、而是以「孔子」為連接點的一叢故事。

　　由此看來，若單從「生成」的角度來找原因顯然還是不夠的，還需要將視野擴展到《莊子》背後的文化傳統。對此，前輩學者如聞一多、洪之淵、過常寶等先生對於《莊子》與「優語」文化傳統關係的研究，恰可以對此現象作出解釋，筆者對此觀點也曾撰文附議——其中，《莊子》「衍生」的故事生成方式，即是源於優語的文化傳統。[9]

　　因為這裡探討的是《莊子》話語方式的淵源的問題，所以有一個文獻上的問題還需要提前辨明：今本《莊子》並非其生成之初的原貌，而是經歷了後人或不止一次的加工。一九八八年江陵張家山一百三十六號漢墓出土〈盜跖〉篇簡文僅相當今本第一章的事實可以證明這點，廖名春先生對此已有介紹。[10]但今本《莊子》是保留著最初文本形態的，僅以張家山漢簡〈盜跖〉篇例無法否定這點。茲以〈逍遙遊〉中前三個有關鯤鵬的故事為例分析之：

> 北冥有魚，其名為鯤。鯤之大，不知其幾千里也。化而為鳥，其名為鵬。鵬之背，不知其幾千里也。怒而飛，其翼若垂天之雲。是鳥也，海運則將徙於南冥。南冥者，天池也。

9　高建文：〈論《莊子》故事性文本衍生的生成方式與優語的關係〉，頁26-34。
10　廖名春：《出土簡帛叢考》武漢：湖北教育出版社，2003年，頁196-216。

〈齊諧〉者，志怪者也。〈諧〉之言曰：「鵬之徙於南冥也，水擊三千里，摶扶搖
而上者九萬里，去以六月息者也。」……蜩與學鳩笑之曰：「我決起而飛，搶榆
枋，時則不至而控於地而已矣，奚以之九萬里而南為？」適莽蒼者，三湌而反，
腹猶果然；適百里者，宿舂糧；適千里者，三月聚糧。之二蟲又何知！……湯之
問棘也是已：窮髮之北，有冥海者，天池也。有魚焉，其廣數千里，未有知其修
者，其名為鯤。有鳥焉，其名為鵬，背若泰山，翼若垂天之雲，摶扶搖羊角而上
者九萬里，絕雲氣，負青天，然後圖南，且適南冥也。斥鴳笑之曰：「彼且奚適
也？我騰躍而上，不過數仞而下，翱翔蓬蒿之間，此亦飛之至也，而彼且奚適
也？」（〈逍遙遊〉）

從表面看，「鯤化為鵬」的故事被用了三次：第一次是引自《齊諧》的一則記載[11]，具
故事性但無對話；在插入了「南冥者，天池也。《齊諧》者，志怪者也」之類的針對故
事及其寓意的講解性語句後，又為鵬設置了一個對手——「蜩與學鳩」，以此構成對
話，這是第二次使用；第三次使用是在插入「小知不及大知，小年不及大年」等講解性
語句之後，又借「湯問棘」的故事引出不同出處。[12]而情節略異的另一個關於鯤鵬的
（「湯問棘」中並未提及鯤化為鵬）故事，並仿照第二次使用時的手法為鯤鵬又設計了
一個與前文不同而實際上又無多大區別的對手——「斥鴳」。[13]因此，這三個故事可以
看作是通過為兩個出處不同的相似故事虛構論敵、形成對話而創作的。那麼，「鯤鵬」
就成了將這三個故事連綴起來的連接點，而且三個故事之間的確有「《齊諧》者，志怪
者也」、「湯之問棘也是已」之類的過渡語。過常寶先生在分析〈逍遙遊〉的文體結構時
曾指出：「『《齊諧》者，志怪者也』這樣講解性的語例，說明了在教學過程中。」[14]既
是「教學過程」，反映的當然是《莊子》產生之時的話語方式。

---

11 成玄英釋《齊諧》云：「齊國有此（排）〔俳〕諧之書也。」（見〔清〕郭慶藩：《莊子集釋》，頁5）
12 俞樾認為「鯤鵬及冥靈大椿，皆〈湯問〉篇文」，郭慶藩認同此說：「《列子·湯問篇》殷湯問夏
　　革，張注：夏革即夏棘，字子棘，湯時賢大夫。革棘古同聲通用。《論語》棘子成，《漢書·古今人
　　表》作革子成。《詩》匪即我欲，《禮·坊記》引作匪革其猶。《漢書》煮棗侯革朱，《史記·索隱》
　　革音棘。皆其證。」陳鼓應先生等亦主此說（見〔清〕郭慶藩：《莊子集釋》，頁15；陳鼓應：《莊
　　子今譯今注》，頁15）。
13 《列子·湯問》載鯤鵬事曰：「終北之北有溟海者，天池也，有魚焉。其廣數千里，其長稱焉，其
　　名為鯤。有鳥焉，其名為鵬，翼若垂天之雲，其體稱焉。」（見楊伯峻：《列子集釋》北京：中華書
　　局，1985年，頁156-157）並未言及「斥鴳」；如果把前面所引〈大宗師〉中的幾則故事與〈逍遙
　　遊〉鯤鵬故事作一比較，則可以發現，二者均採用了改造既有材料的方式創作故事。因此，筆者認
　　為，「蜩與學鳩」、「斥鴳」形象未必是〈齊諧〉、「湯問棘」傳說所本有，而是莊子在鯤鵬形象的基
　　礎之上虛構的一個與之對立的形象。
14 過常寶：《先秦散文研究——早期文體及話語方式的生成》北京：人民出版社，2009年，頁323。

此說尚可以從〈人間世〉「顏闔將傅衛靈公太子」故事中「蘧伯玉」的話中尋得證據：

> 顏闔將傅衛靈公太子，而問於蘧伯玉曰：「有人於此，其德天殺。與之為無方則危吾國，與之為有方則危吾身。其知適足以知人之過，而不知其所以過。若然者，吾奈之何？
>
> 蘧伯玉曰：「……汝不知夫螳螂乎？怒其臂以當車轍，不知其不勝任也，是其才之美者也。戒之，慎之，積伐而美者以犯之，幾矣！
>
> 汝不知夫養虎者乎？不敢以生物與之，為其殺之之怒也；不敢以全物與之，為其決之之怒也。時其饑飽，達其怒心。虎之與人異類，而媚養己者，順也；故其殺者，逆也。
>
> 夫愛馬者，以筐盛矢，以蜃盛溺。適有蚊虻僕緣，而拊之不時，則缺銜毀首碎胸。意有所至而愛有所亡。可不慎邪？

蘧伯玉使用的三則故事之間係用「汝不知夫……」、「夫……」等過渡語連接起來，且三則故事結構相近且均以動物為題（尤其是後二則）。這兩個特點恰好與上引〈逍遙遊〉鯤鵬故事系列一樣。此外，此二例作為《莊子》「代言體」故事的例子，其一個特點就是全篇的話語特色與其寓言人物（尤其是代莊子言說的故事主角）話語特色是一致的，因為「代言體」即「作人姓名，使相與語，是寄辭於其人」，[15] 也即模擬現實語境。因此〈人間世〉例可以作為《莊子》原初話語方式的一個影像來看。同時通過這個「影像」也可以看到，原本與今本《莊子》在文本形態上應該是沒有根本性的變化的。

這種以或隱或顯地以「過渡語」來連接一類故事群的話語方式，很容易讓我們聯想到《戰國策·楚策四·莊辛謂楚襄王》[16]：

> 莊辛對曰：「……王獨不見夫蜻蛉乎？六足四翼，飛翔乎天地之間，俯啄蚊虻而食之，仰承甘露而飲之，自以為無患，與人無爭也。不知夫五尺童子，方將調飴膠絲，加己乎四仞之上，而下為螻蟻食也。蜻蛉其小者也，黃雀因是以。俯噣白粒，仰棲茂樹，鼓翅奮翼，自以為無患，與人無爭也。不知夫公子王孫，左挾彈，右攝丸，將加己乎十仞之上，以其類為招。晝遊乎茂樹，夕調乎酸醎，倏乎之間，墜于公子之手。

---

15 《史記·老子韓非列傳第三》司馬貞索隱引劉向《別錄》語（〔漢〕司馬遷：《史記》北京：中華書局，2005年，頁1704）。

16 見〔漢〕劉向：《戰國策》上海：上海古籍出版社，1985年，頁555-561。

夫雀其小者也，黃鵠因是以。遊於江海，淹乎大沼，俯喙鱔鯉，仰嚙菱衡，奮其六翮，而凌清風，飄搖乎好翔，自以為無患，與人無爭也。不知夫射者，方將休其廬，治其矰繳，將加己乎百仞之上。彼礛磻，引微繳，折清風而抎矣。故晝遊乎江河，夕調乎鼎鼐。

夫黃鵠其小者也，蔡聖侯之事因是以。南遊乎高陂，北陵乎巫山，飲茹溪流，食湘波之魚，左抱幼妾，右擁嬖女，與之馳騁乎高蔡之中，而不以國家為事。不知夫子發方受命乎宣王，系己以朱絲而見之也。

蔡聖侯之事其小者也，君王之事因是以。左州侯，右夏侯，輩從鄢陵君與壽陵君，飯封祿之粟，而戴方府之金，與之馳騁乎雲夢之中，而不以天下國家為事。不知夫穰侯方受命乎秦王，填黽塞之內，而投己乎黽塞之外。

對此，趙逵夫先生說道[17]：

> 〈諫楚襄王〉的第二個特徵是，作為全文主體的議論部分由幾個形式上並列、內容上同類的段落所組成。蘇張之詞中，在有東如何、西如何、南如何、北如何的鋪排敘述，但只是作為議論中加進的排比句而存在，並不是作為整個議論的結構方式。〈諫楚襄王〉一文，則作為全文主要部分的敘述議論提問，皆章侔義類，駢如編鐘；並列的極端在表現的內容和事理上並列，程度上不斷推進（由昆蟲至小鳥、再至大鳥、再至小國之君，再至頃襄王本人）。

所論極當。我們也注意到，在莊辛所說的幾則故事之間，還有類似於蘧伯玉所用的那種過渡語，如「王獨不見夫蜻蛉乎」、「蜻蛉其小者也，黃雀因是以」、「夫黃鵠其小者也，蔡聖侯之事因是以」、「蔡聖侯之事其小者也，君王之事因是以」之類，也與《莊子‧逍遙遊》「湯之問棘也是已」的過渡語用法相同。而且，更重要的是，這幾則故事在「形式上並列、內容上同類」，這種「同類」、「並列」也可以看作是幾則故事之間的連接點，這正與《莊子》故事的編連方式相似。

　　此外，趙先生認為這個特點與「由問對引起全文」、「語言上駢散結合」一同，是「繼承了楚文的風格」，是說猶可商榷。因為在《史記‧滑稽列傳》中記載的淳于髡諫長夜飲[18]故事也具備了上述三個特點：

17 趙逵夫：〈莊辛——屈原之後楚國傑出的散文作家〉，《西北民族學院學報（哲學社會科學版）》，1990年第4期，頁89-98。

18 〔漢〕司馬遷：《史記》，頁2424。

威王大悅，置酒後宮。問曰：「先生能飲幾何而醉？」對曰：「臣飲一鬥亦醉，一石亦醉。」威王曰：「先生飲一鬥而醉，惡能飲一石哉！其說可得聞乎？」髡曰：「賜酒大王之前，執法在傍，御史在後，髡恐懼俯伏而飲，不過一鬥徑醉矣。若親有嚴客，髡卷鞲鞠跽，侍酒於前，時賜餘瀝，奉觴上壽，數起，飲不過二鬥徑醉矣。若朋友交遊，久不相見，卒然相睹，歡然道故，私情相語，飲可五六鬥徑醉矣。若乃州閭之會，男女雜坐，行酒稽留，六博投壺，相引為曹，握手無罰，目眙不禁，前有墮珥，後有遺簪，髡竊樂此，飲可至八鬥而醉二參。日暮酒闌，合尊促坐，男女同席，履舄交錯，杯盤狼藉，堂上燭滅，主人留髡而送客，羅襦襟解，微聞薌澤。當此之時，髡心最歡，能飲一石。故曰酒極則亂，樂極生悲，萬事盡然。」言不可極，極之而衰。以諷諫焉。

齊王曰：「善。」乃罷長夜之飲，以髡為諸侯主客。宗室置酒，髡嘗在側。

且不論其「由問對引起全文」、「語言上駢散結合」的特點，在故事場景的連綴方式上，二文也很相似：淳于髡所言「一鬥徑醉」、「二鬥徑醉」、「五六鬥徑醉」、「八鬥而醉二參」、「能飲一石」五種場景不僅在程度上是遞進的，而且各個場景之間也有「若」、「若乃」、「當此之時」等過渡語將其連綴起來。不僅如此，這幾個場景描寫之間也是「形式上並列、內容上同類」，這同樣成為連接幾個場景描寫的連接點。

《古文苑》中保存有傳為宋玉所作的〈大言賦〉和〈小言賦〉兩篇，學者多認為其與銀雀山漢墓〈唐勒〉一樣均係先秦作品[19]：

> 楚襄王與唐勒、景差、宋玉遊於陽雲之台。王曰：「能為寡人大言者上座。」王因唏曰：「操是太阿剝一世，流血沖天，車不可以屬。」至唐勒，曰：「壯士憤兮絕天維，北斗戾兮太山夷。」至景差曰：「校士猛毅皋陶嘻，大笑至兮摧罘罳。鋸牙裾雲晞甚大，吐舌萬里唾一世。」至宋玉，曰：「方地為車，圓天為蓋，長劍耿介，倚乎天外。」
>
> 王曰：「未也。」玉曰：「併吞四夷，飲枯河海；跨越九州，無所容止；身大四塞，愁不可長。據地盼天，迫不得仰。若此之大也，何如？」王曰善。（〈大言賦〉）
>
> 楚襄王既登陽雲之台，令諸大夫景差、唐勒、宋玉等並造大言賦，賦畢而宋玉受賞。
>
> 王曰：「此賦之迂誕，則極巨偉矣，抑未備也。且一陰一陽，道之所貴；小往大來，剝復之類也。是故卑高相配，而天地定位。三光並照，則小大備。能高而不

---

19 王澤強：《簡帛文獻與先秦兩漢文學研究》北京：中國社會科學出版社，2010年，頁154-165。

能下，非兼通也；能粗而不能細，非妙工也。然則上坐者，未足明賞賢人。有能
小言者，賜雲夢之田。」景差曰：「載氛埃兮乘飄塵，體輕蚊翼，形微蚤鱗，聿
遑浮踴，凌虛縱身。

經由針孔，出入羅巾。縹緲翩綿，乍見乍泯。」唐勒曰：「析飛糠以為輿，剖秕
糟以為舟。泛然投乎杯水中，淡若巨海之洪流。蠅蚋睞以顧盼，附螻蟻而遨遊。
寧隱微以無准，渾存亡而不憂。」又曰：「館於蠅須，宴於毫端，烹蝨腦，切蟻
肝，會九族而同嚌，猶委餘而不殫。」宋玉曰：「無內之中，微物潛生，比之無
象，言之無名。濛濛滅景，昧昧遺形。超於太虛之域，出於未兆之庭。纖於毫末
之微蔑，陋於茸毛之方生。視之則眇眇，望之則冥冥，離朱為之歎悶，神明不能
察其情。二子之言，磊磊皆不小，何如此之為精？」王曰善，賜以雲夢之田。
（〈小言賦〉）

這兩篇文章實際上是用賦的形式記載了楚襄王與唐勒、景差、宋玉等人在陽雲之台進行
的一場大小言遊戲。由於這場遊戲是多人參與的，參加者按楚王的要求每人輪流賦大言
或小言至少一則。如果我們拋開主客問答的結構、韻散結合的語言特點、大小言誇張技
巧等問題暫且不談，而僅僅關注文章各部分的連綴方式，可以總結出以下特點：首先，
從宏觀上看，〈大言賦〉云：「楚襄王與唐勒、景差、宋玉遊於陽雲之台。」而〈小言
賦〉緊承〈大言賦〉而來，說：「楚襄王既登陽雲之台，令諸大夫景差、唐勒、宋玉等
並造大言賦，賦畢而宋玉受賞。」在此基礎上又命幾人再各賦小言以爭勝，兩篇文章記
載的實際上是同一件事的兩個環節——大言遊戲和小言遊戲，因此這兩篇賦可以看作是
由一篇賦拆分成的。兩篇賦之間的過渡語與《晏子春秋·內篇諫下第二》中的幾則故事
過渡語很相似——「晏子使於魯，比其返也，景公使國人起大台之役，歲寒不已，凍餒
之者鄉有焉，國人望晏子」（〈景公冬起大台之役晏子諫第五〉）、「景公為長庲，將欲美
之，有風雨作」（〈景公為長庲欲美之晏子諫第六〉）、「景公築路寢之台，三年未息；又
為長庲之役，二年未息；又為鄒之長塗」（〈景公為鄒之長塗晏子諫第七〉）「景公為台，
台成，又欲為鐘」（〈景公為台成又欲為鐘晏子諫第十一〉）、「景公為泰呂成」（〈景公為
泰呂成將以宴饗晏子諫第十二〉）等。當然，《晏子春秋》中的這幾則故事之間通過過渡
語來建立聯繫的方式，一方面說明了這幾則故事是系統地創作而成的，彼此之間存在關
聯；從另一個方面說，假若它們被像莊辛說楚襄王時那樣付諸使用時，同樣可以通過過
渡語連綴起來，形成故事系列來成套使用（《莊子》中的〈列禦寇〉篇等也是如此）。從
微觀的角度看，大小言賦中，每個人所賦的大言或小言之間，尤其是一人賦兩言的情況
下，兩言之間的連綴方式也是有跡可循的：如〈大言賦〉中，儘管該賦的主題是「大
言」，但由於楚王的親自發端中實際上隱含了其大言所描寫的對象是一個「大人」，因此
後面唐勒的「壯士」、景差的「校士」所描寫的都是「大人」，宋玉所賦雖然沒有明說是

人，但從車乘、配飾、動作看，描寫的也是「大人」；而且楚王誇張大人之大，是從「劍」、「車」以及破壞力的角度去說的，唐勒、景差二人的大言著眼於破壞力，而宋玉的大言則也提到了「劍」和「車」。因此，我們可以把「大人」、「劍」、「車」、破壞力等看作是連接這幾則大言的連接點。

上面所引材料的言說者莊辛、淳于髡和宋玉三人均頗有優風：「莊辛是一個廣聞博志、滑稽多智的人物」、「他的作風有時簡直同漢武帝時『避世於朝廷』的東方朔相似」[20]；淳于髡往往被視同俳優；宋玉「是不折不扣的言語侍從，地位如同俳優，最起碼可以說其介於俳優與文人之間」，而且「他現存的賦作與優語具有一脈相承性」。[21]《晏子春秋》，也「與『俳優小說』關係密切」。[22]因此將上述材料所用的這種用「過渡語」、因形式或內容相似性而形成的「連接點」，將短篇故事（或文章片段、場景描寫等）連綴起來講述的手法，看作是優語數則故事連綴表演的方式的變體，應該是沒有問題的。

當然，〈大言賦〉、〈小言賦〉所描寫的是多人共同遊戲的情況。《說苑‧正諫》載晉平公有隱官十二人，他們地位與職能大體相當於優人。通過宋玉等人遊戲的場景可以推知，早在春秋時期就存在多名優人共同表演的情況，而且在表演時極有可能會圍繞某一個話題來進行。

那麼有沒有一人連續表演多則優語的情況呢？《國語‧晉語五》載范文子說：「有秦客廋辭于朝，大夫莫之能對也，吾知三焉。」[23]「廋辭」即是隱語，隱語是優語常用的一種文體。因此儘管「秦客」並非優人，此次「廋辭」也並非僅為娛樂。但可以由此推知先秦優人表演時的一些情況：「吾知其三焉」，說明所猜謎不止三則。優人表演時也可能會連續表演數則隱語——這與古隱語多是短篇，而宴間遊戲又需要持續一定時間的情況有關。其實不僅隱語表演時如此，正如洪之淵先生所說的，「俳優的『滑稽』表演，論者多以為仍是叢殘小語之類」[24]，因此單則表演時間不會很長；而同時「滑稽」表演又具有如下特點：

> 崔浩云：「滑音骨，滑稽，流酒器也。轉注吐酒，終口不已。言出口成章，詞不窮竭，若滑稽之吐酒。故揚雄〈酒賦〉云：『鴟夷滑稽，腹大如壺，盡日盛酒，人復藉沽』是也。」

20 趙逵夫：〈莊辛——屈原之後楚國傑出的散文作家〉，頁89-98。
21 劉全志：〈論先秦優語與西漢散體賦的淵源〉，《甘肅理論學刊》，2009年第1期，頁149-154。
22 高建文：〈論《莊子》故事性文本衍生的生成方式與優語的關係〉，頁26-34。
23 徐元誥：《國語集解（修訂本）》北京：中華書局，2002年，頁381。
24 洪之淵：〈先秦兩漢俳優漫談〉，《文史知識》，2006年第7期，頁50-57。

又姚察云：「滑稽猶俳諧也。滑讀如字，稽音計也。言諧語滑利，其知計疾出，故云滑稽。」[25]

「出口成章」、「辭不窮竭」、「滑利」等特點既是對優人表演特點的總結，同時又可以看作是對優語表演效果的要求。為滿足這種要求，優人以「衍生」的方式批量地創作和積累大量的表演素材，並將數則故事進行連套表演，以應對侍宴（甚至「長夜之飲」）這樣的長時間表演，這也是很有可能的。

通過上述分析論證，我們可以得出推測性結論如下：《莊子》從優語那裡借鑒來的「衍生」的故事創作方式，本來就是為了像上引〈逍遙遊〉、〈人間世〉等等例子中那樣，用來連套使用的。

而與張家山漢簡的版本相比照可見，今本〈盜跖〉在原本「孔子往見盜跖」故事之後又附加了「子張問於滿苟得」和「無足問於知和」兩個故事，最後三則成篇。而其中前兩則故事不僅在主旨方面若合符契，而且第二則中的「子張」乃孔子弟子，同樣與第一則中的「孔子」形成「詞接」。這與上引〈逍遙遊〉、〈人間世〉等這些能夠反映《莊子》話語方式原始面貌的例子，在結構上如出一轍。這就說明，《莊子》二十五篇中存在的「意接+詞接」的結構方式，即便很多或如〈盜跖〉篇一樣是經過了後人加工的，但仍然沒有脫離莊子所借鑒的優語話語方式的影響。

《莊子》借鑒優語的這種故事連類表演的方式來結構文章（以及以「衍生」的故事創作方式），又可以產生獨特的言說效果：首先，《莊子》說理的特點是「其理不竭，其來不蛻，芒乎昧乎，未之盡者」（〈天下〉），相應地對作為載體的話語材料當然也要有「恣縱」、「不竭」（〈天下〉）的要求。而優語的話語特點恰與此同，因而也就能滿足這個要求。以「衍生」方式創作出來的故事，故事之間有相似的情節模式、互有關聯的人物或情節元素來形成「連接點」，這無疑是便於言說者將相關係列故事連綴起來使用的——尤其是在〈逍遙遊〉「鯤鵬故事」那樣的即時場景（講課）中，更便於達到「出口成章，辭不窮竭」的效果；不僅如此，「衍生」方式創作的故事中那些可以作為「連接點」的情節、人物、主題意象等元素是套語式的，常常連帶著相應的主題，在「意接+詞接」的結構方式之下，同一套式內的這些故事元素可以反覆出現，不同套式的則可以因此而互相勾連、遙相呼應，這對於增強言說和接受效果，也是很有意義的。

25　〔漢〕司馬遷：《史記》，頁2043-2047。

古今漢語之副詞類別比較

馬顯慈

香港公開大學教育及語文學院

引言

　　語法，又稱文法，即語言的規律、法則。中國語言語法，又稱漢語語法，從歷史的角度而言，包括古代漢語語法、現代漢語語法兩大體系；從共時的角度來說，包括古代書面語法，也可稱文言語法、現代漢語書面語語法、現代漢語口語語法及方言語法。[1]若從語言之結構來論，一個小句是由詞、短語組成，小句可以拆分為若干構件，有將當中之小單位稱為成分詞。按成分詞之功能特質及詞本身之語法性質，可以納入詞類之體系來理解，分之為實詞與虛詞兩大類別。所謂實詞，指表示實在的意義，能單獨充當短語或句子成分之詞。所謂虛詞，指不表示實在的意義，只表示語法關係的詞。[2]一般語法學派都認為虛詞不能用作短語或句子成分，絕大部分不能獨立成句。然而，副詞的情況較具彈性，古代漢語所見的副詞，一般都可以算是實詞，在現代漢語應用範疇裡則是虛詞，也有將副詞視為半虛半實之詞。[3]以下通過古今漢語材料分析，探討副詞的特質。

一　副詞之一般特質

　　副詞，一般是指修飾動作、行為、性質及狀態的詞。茲列舉十條古代漢語副詞在句中之運用情況：

　　（一）萬物皆相見。（《易經‧說卦傳》）（萬物盛長，彼此相見）[4]

　　（二）乃如之人兮，逝不相好。（《詩‧邶風‧日月》）（竟有這樣的人，絕情而不與我來往）

1　有關說法參考：一、陳海洋主編：《中國語言學大辭典》南昌：江西教育出版社，1991年。二、羅邦柱主編：《古漢語知識辭典》武昌：武漢大學出版社，1988年。

2　參考王寧主編：《漢字漢語基礎》北京：科學出版社，1996年，頁208。

3　關於副詞各種類別及其特質，參考：一、王寧主編：《古代漢語》北京：高等教育出版社，2012年，頁210、頁224-238。二、楊伯峻、何樂士著：《古漢語語法及其發展》（修訂本）北京：語文出版社，2003年，上冊，第八章。三、邢福義著：《漢語語法學》長春：東北師範大學出版社，1998年，頁181-187。

4　本文於各條文言資料後附上語譯，詳見（ ）號內之楷體文句。

（三）直不百步耳，是亦走也。（《孟子・梁惠王上》）（只不過沒跑到一百步罷了，但也是逃跑了呀）

（四）晉侯潛會秦伯于王城。（《左傳・僖公二十四年》）（晉侯偷偷地在王城會見秦伯）

（五）禹拜稽首，固辭。（《尚書・大禹謨》）（禹跪拜叩首，再辭）

（六）君子之道，孰先傳焉？孰後倦焉？（《論語・子張》）（君子的學術，哪一項先傳授，哪一項後講述呢）

（七）吾不能早用子，今急而求子，是寡人之過也。（《左傳・僖公三十年》）（我不能及早用你，現在事情危急了才來求你，這是我的過錯）

（八）緣木求魚，雖不得魚，無後災。（《孟子・梁惠王上》）（爬上樹去捉魚，雖然捉不到，卻沒有災害）

（九）諸侯更相誅伐，周天子弗能禁止。（《史記・秦始皇本紀》）（諸侯互相攻伐，周天子也不能制止）

（十）數止買臣毋歌嘔道中，買臣愈益疾歌。（《漢書・朱買臣傳》）（多次阻止朱買臣，不要在路上朗讀，朱買臣就更加大聲朗讀）

（一）、（二）、（三）與修飾之範圍有關，（四）、（五）與狀態有關，（六）、（七）表示時間關係，（八）表示否定意思，（九）、（十）是兩個單音節副詞連用。

以下列舉十條現代漢語副詞在句中之運用例子：

（一）西邊的最高峰上已經塗上了明耀的光輝。（魯彥《旅人的心》）

（二）揚子江頭，數聲風笛，我又上了天涯漂泊的輪沿。（郁達夫《海上通信》）

（三）飛機正越過一帶大山，飛得極高，騰到雲彩上頭去。（楊朔《滇池邊上的報春花》）

（四）一片空曠的冬原，衰草都淹沒在白雪裡。（瞿秋白《俄鄉紀程》）

（五）在公園一類的游覽地方，常常看到剪影藝人在給游人剪影。（秦牧《神速的剪影》）

（六）已有十年之久，我不曾坐過這條船。（茅盾《故鄉雜記》）

（七）賣雞鴨的攤子上，雞鴨在籠子裡互相召喚。（季羨林《上海菜市場》）

（八）不開則已，一開就勢不可當！你簡直可以聽得見它畢剝怒放的聲音。（紫風《花的火焰》）

（九）這彩燈實在是最能鉤人的東西。（朱自清《槳聲燈影裡的秦淮河》）

（十）我臥在船艙中，就只聽到水面人語聲。（沈從文《虎雛再遇記》）

案：（一）、（三）時間副詞，（五）疊字式表示時間關係。（二）表示頻率，（四）、（七）表示範圍關係，（八）、（九）表示語氣關係，（十）兩個不同類單音節副詞連用。

二　副詞之修飾功能

　　按副詞之修飾功能而論，古今漢語皆有豐富類別之副詞。兩者分類方式，按語法原則而論，皆有不少共通的地方。以下針對較常見類別，分程度、範圍、時間、情態、否定五項[5]，逐一舉例討論。茲依上述五類，按古今之先後，分別各舉五例分析說明：

　　（一）程度副詞，指表示動作、行為或狀態、性質的程度，常見有「最、極、甚、太、絕、益、愈、更、漸、稍、少、頗」等。例如：

　　一、孔子，道德之祖，諸子之中最卓者也。（王充《論衡·本性》）（孔子是道德的始祖，在諸子之中地位最崇高）

　　二、陛下法太明，賞太輕，罰太重。（《史記·張釋之馮唐列傳》）（君主的法令太過嚴明，獎勵太過輕微，刑罰太過沉重）

　　三、生之者甚少，而靡之者甚多。（賈誼《論積貯疏》）（生產的人十分少，而耗費的人十分多）

　　四、濟從騎有一馬絕難乘，少能騎者。（劉義慶《世說新語·賞譽》）（王濟的隨從中有一匹馬十分難駕馭，很少人能策騎牠）

　　五、太祖之破袁術，仁所斬獲頗多。（《三國志·魏書·曹仁傳》）（曹操攻破袁術，曹仁所斬殺及擄獲的很多）

　　「最」、「絕」皆是表示程度之至極，此類副詞主要表示動作、行為或狀態達到最高的程度。「甚」、「頗」則表示程度高，但未至最高，也不太過。「太」則表示有關程度已超過一般情況。

　　現代漢語的程度副詞功能與古代漢語相近，常見有「很、最、太、更、極、非常、十分、格外、相當、稍微、還要、多麼、何等」等。以下是現代漢語的有關例子：

　　一、時間一分鐘一分鐘過去，前面那團紅霧更紅更亮了。（劉羽白《長江三日》）

　　二、像一切起家立業的人物，他的威嚴在兒子們面前格外顯得峻厲。（曹禺《雷雨》）

　　三、容志行在這場比賽中擔任左鋒，踢得十分活躍。（理由《11號在微笑》）

　　四、夜，靜極了，月光，靜極了，大地，靜極了。（戈陽《傑出的蘇聯歌舞》）

　　五、是多麼遼闊無邊的海洋啊！海風在吹拂，海波在蕩漾。（劉白羽《怒海》）

5　按楊伯峻、何樂士：《古漢語語法及其發展》之分析，古代漢語之副詞可以分為時間、程度、狀態、範圍、否定、疑問、推度、判斷、連接、勸令、謙敬十一小類。同註3，頁227。本文只選錄五項立說。

「更」表示程增加，可用於比較，本例句為連環運用。「極」與上述之古代漢語用法相同，以上為副詞作補語之例。「格外」是表示程度超過一般，「多麼」表示程度很高，亦具有較強之感情色彩。「十分」為常用副詞，與「非常」大致相同。

（二）範圍副詞，指修飾動詞或形容詞時，所表示之有關範圍，古代漢語中常見的有「皆、盡、咸、獨、僅、畢、唯、只、相、各、特」等。有關例子如下：

一、燕兵獨自追北，入至臨淄，盡取齊寶。（《戰國策·燕策》）（燕國軍隊獨力追上去，一直去到臨淄，將齊國的財寶全部掠取）

二、師畢入，眾知之。（《左傳·哀公二年》）（軍隊全部潛入城內，大家才知道）

三、五子咸怨，述大禹之戒以作歌。（《尚書·五子之歌》）（這五個人都埋怨太康，於是敘述大禹的教導而寫了詩歌）

四、齊王遁而走莒，僅以身免。（《史記·樂毅列傳》）（齊王避走去到莒地，結果只有他自己逃過禍害）

五、夫曹參雖有野戰略地之功，此特一時之事。（《漢書·蕭何曹參傳》）（曹參雖然有野外攻戰及掠取土地的功績，這也只不過某一時偶發之事情）

案：「盡」、「畢」、「咸」表示整體，包括總括、全部之意思，其中「盡」又可以表示程度，一般表示範疇多用在動詞前，也有用在形容詞之前。「僅」表示對範圍或程度之限制。「特」表示單一或狹窄之範圍，抽象或具象皆可。

現代漢語的範圍副詞有「都、只、僅、共、淨、光、全都、總共、一齊、一概」等，有些副詞承接古代而來。以下是一些相關例子：

一、海潮泛著白沫呼嘯著向他撲來，他向後一跳，浪頭只撲到他的腳跟就退回去了，泡沫飛濺了他一臉，涼颼颼的。（蕭平《海濱的孩子》）

二、山頭山腰、石尖石稜上都擠滿了人。（蔣子龍《陰錯陽差》）

三、西面全是礁石，七高八低，像是一群探頭探腦的海怪。（沈順根《發生在領海線上》）

四、招招左手，招招右手，最後兩手一齊招著，就這樣飛呀飛的，飛走了。（黃宗英《克城一日》）

五、裝滿了四十噸，大家共同平分那塊把錢。（蕭乾《平綏瑣記》）

案：「只」具限制與動作有關事物之作用，「都」、「全」與古代漢語用法相同，表示整體、全部之意思。「一齊」、「共同」為雙音節副詞，前者多用於書面語，表示同時；後者表示兩個以上的主體配合行動，皆是對範圍之限制。

（三）時間副詞，指用於動詞謂語前或句首之詞，具有表示動作發生之時間，還有表示與時間有關之情況。古代漢語常見的時間副詞有「既、已、嘗、曾、將、且、方、正、竟、終、卒」等。

一、且君嘗為晉君賜矣。(《左傳‧僖公三十年》)(而且你曾經對晉君賜與恩惠呢)

二、文王既沒，文不在茲乎？(《論語‧子罕》)(周文王去世以後，一切文化遺產不是都在這裡嗎)

三、其後楚日以削，數十年竟為秦所滅。(《史記‧屈原賈生列傳》)(之後楚國力量日漸削弱，數十年後終於給秦國吞滅)

四、今人乍見孺子將入井，皆有怵惕惻隱之心。(《孟子‧公孫丑上》)(現在忽然看見一個小孩子就要跌入井裡去，每個人都會產生驚駭同情的心情)

五、天下方亂，群雄虎爭。(劉義慶《世說新語‧識鑒》)(天下正當大亂，群雄如猛虎般爭鬥)

案：「既」、「嘗」皆表示動作已經完成，又或曾經發生之時間、情況等。「將」表示動作將要發生，「方」則表示動作正在開展、進行，「竟」表示動作終究發生，即已發生，或動作已完成，以上皆為古代漢語中常見時間副詞。

現代漢語的時間副詞有「正、在、剛、已、曾經、將要、頓時、往往、一直、一向、漸漸、常常、始終、忽然」等。以下是有關例子：

一、靠背的木框，像括弧般微微向內彎曲，恰好切合坐者的背部的曲線。(豐子愷《西湖船》)

二、水咕嘟嘟的從喉嚨管一直響到胃裡，報告那經過的途程。(嚴文井《風雨》)

三、一天傍晚，他正在宿舍籌劃如何採取應急措施，忽然從外邊闖進一個人來。(程樹榛《勵精圖治》)

四、這些印象將要撕碎我的心了，然而他漸漸的有了起色。(川島《悲劇的餘剩》)

五、那小洋人本坐在我的對面；走近我時，突然將臉盡力地伸過來了，兩隻藍眼睛大大地睜著，那好看的睫毛已看不見了；兩頰的紅也已退了不少了。(朱自清《白種人──上帝的驕子》)

案：「已」表示發生了之動作，與古代漢語情況相同。「正」與古代漢語「方」用法亦相近，表示事情剛發生，有正在進行之意思。「將要」表示即要發生之動作。「恰好」則表示在時間、空間上正好處於那一點上。「一直」與動詞「到」相配合，以表示動作結束的時間或到達的處所。「漸漸」、「忽然」、「突然」都是雙音節副詞，前者表示程度或數量隨時間的增減；後兩者表示情況之發生迅速而又出人意料之外。「突然」強調訊息較強，「忽然」較少用於主語之前。

（四）情態副詞，指用於動詞謂語前或句首之詞，具有表示某類情態或語氣之副詞，有些會表示對某情況之強調與肯定，又或是一種不敢肯定的估量，兼且有表示語氣的作用。古代漢語常見的情態副詞有「必、誠、固、殆、蓋、豈、其、寧」等。

一、故名主之吏，宰相必起于於州部，猛將必發於卒伍。(《韓非子‧顯學》)(所以英明君主的下屬，他的宰相必定來自州部，猛將必定出自兵卒)

二、我未見力不足者，蓋有之矣，我未之見也。(《論語‧里仁》)(我沒有見過力量不夠的，大概這還是有的，我沒有見到罷了)

三、臣固知王之不忍也。(《孟子‧梁惠王上》)(我早就知道王是不忍心呀)

四、諺所謂「輔車相依，唇亡齒寒」者，其虞虢之謂矣！(《左傳‧僖公五年》)(諺語說的「輔車相依，唇亡齒寒」，大概就是說虞虢兩國的關係)

五、此殆天所以資將軍，將軍豈有意乎？(《三國志‧蜀書‧諸葛亮傳》)(這難道不是上天給將軍的資助，將軍你可曾有爭取天下之心意)

案：「必」、「固」有表示強調或認定某行為思想之作用。「蓋」、「殆」則有表示估量、測度之情態意思，而「豈」有表示反詰、預測性的詢問。「其」有反映出說話者對事情之意見、觀點表述得委婉、曲折之用意。

現代漢語的情態副詞作用與古代漢語情況相近，多是於謂語或句子之前。因為通常反映出文句中之語氣，有將之歸納於語氣副詞的範疇。常見情況副詞有「依然、仍然、親自、逐步、百般、特地」等。

一、她控制自己的聲音時，竟然控制了全場的呼吸。(徐遲《牡丹》)

二、有一個毛病，不問前面是否遠客高誼，他依然奪口而出，順口而下，好比清流潺潺，然來一聲鴉噪。(李健吾《希伯先生》)

三、但在事實上也並沒有甚麼的危險，馬是仍然走著路，人是仍然騎在馬上的。(郭沫若《北伐途次》)

四、她動作也不靈便，下地行走很艱難，整天獨自坐在炕頭上納鞋底，紡線線，很少人來找她拉話。(丁玲《三日雜記》)

五、猛然見了那異國的藍海似的天！(冰心《記小讀者‧通訊二十九》)

案：「仍然」、「依然」是修飾謂語所述某種情況持續不變，有時會用於轉折後一子句之中，如三之「但」就是轉折關聯詞。「竟然」有加強語氣作用，有時用於具有評價意義之句子。「猛然」有表示驚異之情態，表述事態、行為於意料之外，亦反映出人的心理情緒。「獨自」有強調單獨情態之用意，屬於修飾活動之情態副詞。

(五)否定副詞，表示否定之訊息，有修飾動詞，或形容詞，但古代漢語有些否定副詞因為語音相近，用法自定內部規律，有時由於慣用而不能互換。以下是否定副詞例子：

一、「不事王侯。」(《周易‧蠱卦》)(不去從事王侯的工作)

二、漢王遣陸賈說項王，請太公，項王弗聽。(《史記‧項羽本紀》)(漢王派陸賈去勸說項王，要求放回太公，項王不答應)

三、郤克傷于矢，流血及屨，未絕鼓音。(《左傳‧成公二年》)(郤克被箭射傷，鮮血一直流到鞋上，還是不停地擂鼓)

四、君子食無求飽，居無求安。(《論語‧學而》)(君子吃飯不要求能飽，居住不要求舒適)

五、我非愛其財而易之以羊也。(《孟子‧梁惠王上》)(我不是吝惜錢財而去用羊來代替牛)

案：「弗」與「不」基本意義相同，然而用「弗」否定之動詞為不帶賓語，亦可用於形容詞之前。「不」可用於否定各種動詞、形容詞。「未」表示事情還沒有發生，用法與現代漢語「沒有」相近。「非」不但可用作否定動詞，也可否定謂語。「無」與「勿」用法相近，有禁制訊息，一般用於敘述句動詞之前，以示不實行某類動作行為，但兩詞甚少同時連續用於兩個語句中。「不」與「毋」則有，例如：「司天日月星辰之行，宿離不貸，毋失經紀，以初為常。」(《禮記‧月令》)(命令太史觀察日月星辰的運行，其度數位置要做到沒有差錯，一切和往常一樣)也有「非」與「弗」用於一句之例，如：「君子以非禮弗履。」(《易經‧大壯》)(君子見到這個卦象就想到不合禮之事不能做)有「非」與「勿」用於一句之例，如：「非禮勿視，非禮勿聽，非禮勿言，非禮勿動。」(《論語‧顏淵》)(不合禮的現象不看，不合禮的聲音不聽，不合禮的話不說，不合禮的事不做)「勿」與「毋」於兩句中連用亦有，例如：「慎勿與戰，毋令得東而已。」(《史記‧項羽本紀》)(小心不要與對方交戰，不要令敵軍向東推進)

現代漢語的否定副詞，用法及規律與古代漢語大同而小異，常見有「不、沒、未、別、莫、勿、未必、沒有、不用」等。有關例子如下：

一、雲還沒鋪滿了天，地上已經很黑，極亮極熱的晴午忽然變成了黑夜似的。(老舍《駱駝祥子》)

二、現在白馬湖到處都是樹木了，當時尚一株樹木都未種，月亮與太陽卻是整個兒的，從山上起直要照射到山下為止。(夏丏尊《白馬湖之冬》)

三、冷酷的摧殘從沒有給它帶來甚麼，所有的，只是讓世人看到更深一層的坦誠罷了。(張曉風《白千層》)

四、他帶著一副從容不迫的神氣，臉上向來沒有一絲表情，不驚愕，不客氣，見人也並不招呼……。(曹禺《日出》)

五、他和書店老板之間已經達成了這樣的默契：不用他挑書，老板知道該給他留下一些甚麼的書了。(陳祖芬《祖國高於一切》)

「沒」、「沒有」皆可充當副詞，表示否定動作或狀態已經發生，「沒」為單音節詞，多見於口語，而後面會帶「了」，尤其是有賓語時多如此組合。「不」與

「未」用法與古代漢語相若，詳見上文。「不用」（甭）為一雙音節副詞，通常表示不需要，或勸助、禁止之意。

三　副詞之變化發展

綜合上文所析，以副詞之語法功能而言，古今用法相近，其輔助性之傳意作用多樣而靈活，能增添動詞、謂語之語義內涵。一般來說，現代漢語副詞由於詞義已經虛化，不能獨立運用，即不能單獨回答問題，不能獨立成句，所以不少語法專家都將之歸入虛詞範疇，此說基本上無可厚非。不過，有些特殊情況，尤其是一些具語境的答話，則是例外[6]：

他走了嗎？——沒有。

你能來嗎？——也許吧。

幾時出發？——立刻。

明天還出去嗎？——或者。

旅行好玩嗎？——幾。

然而，古代漢語之副詞可虛可實，理由是古代漢語之語言組合，尤其是套用了西方語法結構理論套來理解則較鬆散，即是語法之結構性不太強，加上文言之語用風格簡潔，很多時需要結合上下文義才可以理解清楚，而語序方面也多變化，較重視主題語[7]及省略句、緊縮句式之表達。以下以「甚」、「否」於文言文之應用為例加以說明：

一、子曰：甚矣，吾衰也！久矣，吾不復夢見周公。（《論語·述而》）（我衰老得多麼厲害呀，我好久沒有夢見周公）

二、甚矣，汝之不惠。（《列子·湯問》）（你的愚昧實在太厲害了）

三、甚矣哉，為欺也。（劉基《賣柑者言》）（這樣欺騙人真的太過分了）

四、習之中人，甚矣哉。（劉蓉《習慣說》）（習慣對人的影響太厲害了）

「甚」於古代漢語可作副詞、形容詞、疑問代詞，而以用作副詞較多。「甚」字本

6　一、二例子，參考呂叔湘主編：《現代漢語八百詞》北京：商務印書館，1999年，頁383、頁599。三、四為一般口語對話常見例子，第五為香港粵語口語例，此三項破折號後之回話乃本文按實際語境而構擬。

7　周法高：《中國古代語法》臺北：中央研究院歷史語言研究所，1983年，有提及漢語之「主題」特點，詳見頁1-6。另本人曾發表〈從粵語語序的問題說漢語的主題語〉一文亦有詳細討論，見《語文教學》第34期，2006年4月，頁43-48。

義為「尤安樂也」，字形由「甘」、「匹」會意[8]，本是抽象之義，可以引申為過分、過多
之意思，虛化而為副詞。

　　一、萬章問曰：……信乎？孟子曰：否，不然。好事者為之也。(《孟子·萬章上》)
(不，不是這樣的。這是好事之徒造的謠)

　　二、公孫丑問曰：……如此，則動心否乎？孟子曰：否，我四十不動心。(《孟子·
公孫丑上》)(如果遇到這種情況，你是不是會動心呢？孟子答：不會，我從四十歲以後
就不再動心了)

　　三、二三子用我，今日；否，亦今日。(《左傳·成公十八年》)(你們幾個考慮好，
要立我在今天，不想立我也在今天)

案：「否」於古代漢語可作副詞，表否定之用。又可作形容詞，表示邪惡、閉塞不通。
　　作名詞則為《易》卦名。然而，古文中「否」字用作副詞則較常見。「否」字本義
　　為「不也」，字形由「不」、「口」會意，段玉裁謂「不者，事之不然也。否者，說
　　事之不然也。故音義皆同」。[9]按字形組合而論，其本義指以口表示「不」之意，
　　「不」為「鳥飛上翔不下來也」[10]，以具象之義呈示虛化之否定義。於語法應用情
　　況而言，單一「不（否）」字有用作為一個語言單位，倘若視之為一個獨立句子，
　　則只見其否定意思而不知所否定者為何，必須結合上文去理解其否定之事項。

　　至於句子中詞字語義之縮略，一般而言，以名詞及謂語之縮略較為常見，原因大概
與古漢語行文簡潔之風格有關。茲舉十例並以夾註號標示，以下（）號內字詞為本文補
註之省略部分[11]：

　　一、孔子過泰山側，有婦人哭於墓而哀。夫子式而聽之，使子路問之，（子路）
曰：「子之哭也，一似重有憂者。」而（婦人）曰：「然。昔者吾舅死於虎，吾夫又死
焉，今吾子又死焉。」夫子曰：「何為不去也？」（婦人）曰：「無苛政。」夫子曰：「小
子識之，苛政猛於虎也。」(《禮記·檀弓下》)

　　說明：文中「子路」、「婦人」之省略合理，因為由所說話語中可以理解誰為說話
　　　　　人，從上文下理而論，原文令讀者產生誤會機會甚微。

　　二、郤子至，請伐齊，晉侯勿許。（郤子）請以其私屬（伐齊），（晉侯）又勿許。
(《左傳·宣公十七年》)

8　見許慎撰，徐鉉校定：《說文解字》香港：中華書局香港分局，1977年，頁100。
9　見段玉裁注，王進祥編輯：《斷句套印本說文解字注》臺北：漢京文化事業公司，1983年，頁584。
10　見許慎撰，徐鉉校定：《說文解字》，頁246。
11　以下文言材料與本文討論「副詞」並無直接關連，因此不另附語譯，以省篇幅。

說明：句中「請」乃謙敬之詞，由此讀者應可理解其主語必是「郤子」。「伐齊」是
　　　有關活動之重心語，已於前文交代，於此省去可免行文累贅。「晉侯」主語
　　　可略去，理由同前。

三、多聞，擇其善者而從之；多見，（擇其善者）而識之，知之次也。（《論語・述
而》）

說明：本文結構由兩組平行句組成，其中「擇其善者」為重出部分，省去可提升行
　　　文之簡潔特質。

四、楊子之鄰亡羊，（鄰人）既率其黨（追之），又請楊子之豎追之。（《列子・說
符》）

說明：本文第三句乃第二句隱藏之主語為何之關鍵，「請楊子」之短語暗地回應上
　　　句主語為「鄰人」，第二句謂詞「追之」與第三句同，省去亦可理解。

五、袁本初，公卿子弟，生處（於）京師，體長（於）婦人。（《三國志・魏書・卷
十六》）

說明：上文介詞「於」略去，令文中三句四字句節奏更簡潔明快。

六、一厝（於）朔東，一厝（於）雍南。（《列子・湯問》）

說明：與五情況相近。上文介詞「於」略去，令文中二句四字句節奏更簡潔明快。

七、獨守丞與（之）戰（於）譙門中。（《史記・陳涉世家》）

說明：「之」指文中提及之起義士卒，介詞「於」可表明戰鬥之地點。上述兩項省
　　　略，較易令讀者忽視，閱讀時宜多注意。

八、公使陽處父追之，（陽處父）及諸河，則（孟明）在舟中矣。（陽處父）釋左
驂，以公命贈（驂予）孟明。（《左傳・僖公三十三年》）

說明：文中句子之主語及賓語之省略可增免行文之累贅，但讀者必要細心方可理解
　　　清楚。

九、三人行，必有我師焉。擇其善者而從之，（擇）其不善者而改之。（《論語・述
而》）

說明：此與三之情況相近，動詞「擇」之省去，使兩句字數及節奏趨向齊一。

十、孟子見梁襄王。（孟子）出，語人曰：「望之（王）不似人君，就之而不見
（其）所畏焉。（王）卒然問曰：『天下惡乎定？』吾對曰：『定於一。』（王曰）『孰能
一之？』（吾）對曰：『不嗜殺人者能一之。』」（《孟子・梁惠王上》）

說明：文中主語「孟子」、「王」、「吾」及代詞「其」之省略可取，因為由表述之內
　　　容已可理解文義，讀者亦可從上文下理而得知所省詞義。事實上，有關省略
　　　可進一步強化行文之氣勢。

結語

　　綜上所述，副詞狀語之縮略於古代文獻中較少見，此與副詞於語句中之傳意功能特質有關。然而，名詞、代詞、介詞、主語、謂語之省略則較常見。[12]於詞類劃分而論，將古代漢語之副詞視作實詞是可以理解，因為見於古代文獻乃至出土器物之古文字，原則上每一個字都可以從其形、義而加以分析理解。例如本文所論之「頗」、「畢」、「方」、「最」、「不」、「必」、「既」、「未」、「盡」、「其」等古代漢語副詞，按《說文解字》所釋，其字義多具有實詞之性質。（詳見下表）事實上，古代漢語中之副詞與字形及字義均保存著密切關係，後來基於語言之長期使用而衍變為虛化之詞。正因為古代漢語之文字本義多數具有由具象發展至抽象、半實半虛之特質，而古代漢語副詞在句子中亦往往肩負起具體的傳意功能，若將之一律視作虛詞，就未見恰當。

表一

古代漢語副詞	卷目	《說文》釋義[13]	備註
蓋	一下	苫也。	與「蓋」同
必	二上	分極也。	
特	二上	朴特，牛父也。	
咸	二上	皆也，悉也。	
否	二上	不也。	另見於「不」下
竟	三上	樂曲盡為竟。	
將	三下	帥也。	
畢	四下	箕屬。所以推棄之器也。	
殆	四下	危也。	
嘗	五上	口味也。	
盡	五上	器中空也。	
甚	五上	尤安樂也。	
豈	五上	還師振旅樂也。	
其	五上	「箕」，簸也。	「箕」之古文

12　有關例子及說明詳見：何新波主編：《文言文詞法句式》深圳：海天出版社，2005年，頁229-246，省略句。

13　詳見許慎撰，徐鉉校定：《說文解字》香港：中華書局香港分局，1977年。

古代漢語副詞	卷目	《說文》釋義[13]	備註
既	五下	小食也。	
無	六上	豐也。	
固	六下	四塞也。	
最	七下	犯而取也。	
僅	八上	材能也。	
方	八下	併船也。	
頗	九上	頭偏也。	
太	十一上	「泰」，滑也。	「泰」之古文
非	十一下	違也，从飛下翄，取其相背。	
不	十二上	鳥飛上翔不下來也。	
弗	十二下	撟也。	
絕	十三下	斷絲也。	
未	十四下	味也。	

* 表中文字之副詞用法詳見上文。

表二

副詞 \ 類別	古代漢語	現代漢語
程度	最 太 甚 絕 頗	更 極 格外 十分 多麼
範圍	盡 畢 咸 僅 特	只 都 全 一齊 共同
時間	嘗 既 竟 將 方	已正 恰好 一直 忽然 將要 漸漸 突然
情態	必 蓋 固 其 豈 殆	竟然 依然 仍然 獨自 猛然
否定	不 弗 未 無 非	沒 未 不 沒有 不用

* 表中古今副詞已於上文五項類別論述。

司馬遷撰文的虛實原則與技巧[*]

李芳瑜

北京師範大學文學院

　　韓兆琦先生說：「寫歷史不是為了寫古人，寫『實錄』，而是為了後人，為了今天。」又說：「從理論上說，絕對的『實錄』，也是根本不存在的。歷史人物、歷史事件作為一種現象，早已成為過去，後人寫作的「歷史」，只能是歷史家的歷史……再冷靜、再客觀的歷史家，也難以擺脫他的主觀性。」[1]更何況是被李長之先生稱為「情感極其濃烈的」[2]、「自然主義浪漫派」[3]的司馬遷？但是《漢書·司馬遷傳》論贊又稱：「自劉向、揚雄博極群書，皆稱遷有良史之材，服其善序事理，辨而不華，質而不俚，其文直，其事核，不虛美，不隱惡，故謂之實錄。」[4]在澎湃的情感與冷靜的史實之間，司馬遷究竟是如何在《史記》中達到平衡？我們可以對司馬遷引用戰國策士文獻的原則與技巧來進行分析。

一　司馬遷選用戰國策士文獻的原因

　　分析現今我們能看到的、除了戰國策士文獻以外的戰國時期其他文獻。若以諸子文獻的角度來看，戰國策士也就是後來的縱橫家，僅是百家中的一家，司馬遷對其他諸子文獻的關注明顯在於思想與文學方面而非史實，為什麼司馬遷會有這樣的取捨？這裡面包含了司馬遷對真實的看法。

　　縱觀司馬遷時期的戰國資料，諸侯史記已經散佚，或至少是殘缺嚴重，唯一可依靠史料的只有秦記。諸子文獻是各家宗師的言論及思想集錄，不能算是史書。這時期唯一接近「史」的資料，反倒是戰國策士文獻了。策士文獻有一部分是來自於御史記錄策士與君王、貴族的對話，〈滑稽列傳〉記載齊威王與淳于髡喝酒有：「執法在傍，御史在後」[5]，又〈孟嘗君列傳〉記載：「孟嘗君侍客坐語，而屏風後常有侍史，主記君所與客

*　中央高校基本科研業務費專項資金資助項目「兩漢文獻整理與士人思想研究」（SKZZY2013033）階段性成果。

1　韓兆琦：《史記通論》廣西：廣西師範大學出版社，1996年，頁46。

2　李長之：《司馬遷的人格與風格》天津：天津人民出版社，2007年，頁70。

3　同上註，頁14。

4　班固：《漢書》北京：中華書局，2006年，頁2737。

5　司馬遷：《史記》北京：中華書局，2006年，頁3199。

語，問親戚居處。」[6]其他如蘇秦、張儀遊說於各國君王前，若非是「諸侯國史官們，在策士向君王進言、與君王論爭、或應對君王垂問時，將策士們的言辭記錄下來」[7]，這些隨機應對的「面陳說詞」[8]是不可能以書面形式保存下來的。《漢書‧藝文志》將劉向的《戰國策》歸於「春秋類」，表示班固認為《戰國策》符合「古之王者世有史官，君舉必書，所以慎言行，昭法式也。左史記言，右史記事，事為春秋」[9]的標準。《隋書‧經籍志》是唐初的官修目錄，是繼《漢書‧藝文志》以後的一部重要史志目錄，首設「雜史類」。其將《戰國策》置於「雜史」，稱此類是：「其屬辭比事，皆不與《春秋》、《史記》、《漢書》相似，蓋率爾而作，非史策之正也。」[10]將《戰國策》的特徵把握的十分準確。《宋三朝志》亦曰：「雜史者，正史、編年之外，別為一家。體制不純，事多異聞，言或過實。然藉以質正疑謬，補緝闕遺，後之為史者，有以取資，如司馬遷採《戰國策》、《楚漢春秋》，不為無益也。」對司馬遷引用戰國策士文獻做了正面的評價。《四庫全書》亦將《戰國策》列入「雜史類」，述其著錄標準為：「大抵取其事系廟堂，語關軍國，或但具一事之始末，非一代之全編；或但述一時之見聞，祇一家之私記。」[11]雖然《戰國策》自南宋晁公武《郡齋讀書志》將其編入子部縱橫家類後，開始有歸子部或史部之爭，但無論怎麼分部，《戰國策》中的史料價值是不能被忽略的。

司馬遷對於戰國策士文獻有很清楚的認識。〈六國年表〉序說：「戰國之權變亦有可頗採。」[12]「頗採」，稍微、略微可採用的意思，也就是說「戰國權變」並不能全部引用，是需要經過挑選的。原因有三：一是「世言蘇秦多異，異時事有類之者皆附之蘇秦」[13]，流傳的版本很多，托言依附難以分辨；二是過於重視「奇策異智」[14]，將策士說辭的重要性誇張渲染；三是策士資料沒有時序。從史書的角度而言，以上都是不可彌補的缺點，所以司馬遷必須對其進行考正、修改，使之成為較為合理真實的史料。

二　《史記》戰國世家的撰文方式

秦國於秦王政「二十六年初並天下為三十六郡」[15]，秦國歷史遂被列入本紀，不同

6　同上註，頁2354。

7　鄭傑文：《戰國策文新論》山東：山東人民出版社，1998年，頁89。

8　同上註，頁87。

9　班固：《漢書》北京：中華書局，2006年，2737頁，頁1715。

10　魏征等：《隋書》北京：中華書局，2002年，頁902。

11　文淵閣《四庫全書》（電子版）北京：北京大學，2002年。

12　司馬遷：《史記》北京：中華書局，2006年，頁686。

13　同上註，頁2277。

14　劉向集錄，范祥雍箋證：《戰國策箋證》上海：上海古籍出版社，2006年，劉向書錄頁3。

15　司馬遷：《史記》北京：中華書局，2006年，頁220。

於戰國世家。值得我們注意的是，〈秦本紀〉的時間段處於戰國時期，卻完全不用戰國策士文獻。〈秦策〉在《戰國策》三十三卷四百九十六章當中占了五卷六十四章，雖然不是占有最多篇幅的國家，但也不至於沒有一則材料可取。〈秦始皇本紀〉的編排亦是如此，秦王政時期也沒有使用戰國策士文獻的跡象。由此可見，司馬遷在編纂〈秦本紀〉與〈秦始皇本紀〉的時候根本沒有考慮選擇戰國策士文獻，而這兩篇本紀戰國時期的編年記事資料是十分豐富的，尤其在秦孝公之後，幾乎每年都有記事，這可能是因為司馬遷握有一批可信度更高的包括秦記在內的秦國官府資料，即如方苞曰：「秦記多誇語，其世系事蹟詳於列國，而於他書無徵，蓋史之舊也。」[16]這也側面證明了司馬遷採取戰國策士文獻來編纂六國世家，實是史料短缺的無奈之舉。

筆者將司馬遷對六國世家所引用的戰國策士文獻的編年試表列如下：

六國世家	君王紀年	六國年表相應記錄	是否與秦相關
〈趙世家〉	趙武靈王十九年	有	否
	趙惠文王十六年	無	是
	趙孝成王元年	有	是
	趙孝成王四年	趙表無，秦表有	是
	悼襄王二年	有	是
〈魏世家〉	魏惠王三十年	有	否
	魏哀王九年	有	是
	魏安釐王四年	有	是
	魏釐王十一年至二十年之間的三則故事	無	是
〈韓世家〉	韓宣惠王十六年	有	是
	韓襄王十二年	無	是
	韓襄王十二年到十四年之間二則故事	韓表記於十三年	是
	韓釐王二十三年	韓表無，秦表有	是
〈楚世家〉	楚威王七年	有	否
	楚懷王六年	有	是
	楚懷王十六年	有	是
	楚懷王十八年	無	是

---

16 司馬遷撰，韓兆琦編著：《史記箋證》江西：江西人民出版社，2004年，頁406。

六國世家	君王紀年	六國年表相應記錄	是否與秦相關
〈田敬仲完世家〉	齊威王二十六年	有	否
	齊威王三十五年	無	否
	齊宣王二年	有	否
	齊湣王三十六年	有	是
	齊湣王三十八年	有	是
	齊湣王四十年	有	是
	齊王建六年	無	是
〈燕世家〉	燕王噲三年	無	否
	燕昭王二十八年	有	有

由上表我們可以得知：

一、與秦接壤的〈趙世家〉、〈魏世家〉、〈韓世家〉、〈楚世家〉所引用的戰國策士文獻，大多是包含秦國在內的事件。少數例外如〈趙世家〉趙武靈王十九年推行胡服騎射；〈魏世家〉魏惠王三十年馬陵之戰雖然與秦國無關，但皆是戰國時期的重要戰役，屬於比較容易確認的史料。另外包括〈田敬仲完世家〉的齊威王二十六年桂陵之戰與齊宣王二年馬陵之戰也屬此類。

二、與秦不接壤的〈田齊世家〉、〈燕世家〉情況相對比較複雜。〈田齊世家〉是《史記》引用戰國策士文獻最混亂的六國世家，甚至編年也被考證出有重大失誤。由上表可看出〈田齊世家〉引用七則戰國策士文獻，就有三則與秦國無關；而與秦國相關的資料中，齊王建六年正是秦圍邯鄲之時，各國年表皆無記事，齊王建時期年表只有二十八年「入秦，置酒」[17]、四十四年「秦虜王建，秦滅齊」[18]二條記錄，顯示戰國後期秦國在「遠交近攻」的策略中，與齊國的互動較少，缺乏對齊國事件的記載。〈燕世家〉使用戰國策士文獻的情況就更為特殊了，引用了兩個來自於戰國策士文獻編年，這在《史記》中是絕無僅有的，顯示燕國居北方邊陲，與秦相距遙遠，與秦的互動更少，秦對燕國事件的記載就更缺乏了。

三、司馬遷利用秦記做了六國年表這個編年系統，再依這個編年加入相應的戰國策士文獻。秦記是司馬遷手中唯一可信的戰國史料，司馬遷編纂六國世家便以秦記為中心，加入與秦國有關的歷史事件，盡可能使六國世家所引用的戰國策士文獻與他認為可靠的秦國資料產生聯繫。盡可能追求準確，這便是司馬遷對歷史負責的態度，即揚雄所謂：「太史遷，曰實錄」的精神。

---

17 司馬遷：《史記》北京：中華書局，2006年，頁753。

18 同上註，頁757。

三　《史記》戰國人物列傳的撰文方式

　　戰國人物列傳中，除了〈蘇秦列傳〉、〈張儀列傳〉、〈刺客列傳〉之外，其他人物列傳中的戰國策士文獻不占主要地位，也不具備人物塑造的功用。若扣除主要以戰國策士文獻組成的〈蘇秦列傳〉、〈張儀列傳〉、〈刺客列傳〉，秦國五篇人物列傳用了十四篇戰國策士文獻，六國八篇人物列傳中也用了十四篇戰國策士文獻。由此顯示司馬遷對秦國人物的活動脈絡掌握較清楚，大概也是得力於秦記的記載。換言之，戰國策士文獻在司馬遷對人物列傳的編纂上並沒有起到很大的作用，這顯示司馬遷對戰國世家與戰國人物列傳有不同的撰文方式。

　　司馬遷對列傳人物的創作手法，是經由材料的選擇與堆砌，創造出人物的命運。從傳記的角度來說，沒有命運就沒有人物。但司馬遷所面對的資料，無論是秦記、官府資料，都是不帶命運的；而戰國策士文獻中雖有少數描寫了策士的命運，但不是為了塑造人物，而是為了反映策士計謀成功與失敗的差別。司馬遷在面對這些材料的時候，必須經過選擇、歸納、編排才能體現人物的命運，這也就是《史記》紀傳體形成的發端。

　　若說司馬遷在世家中展現的是對史實的關注，在列傳便是展現了對人物命運的重視。而值得注意的是，人物命運與傳統天命觀幾乎是相反的兩個觀念。

　　我國早期史官的原生形態是巫史合一的，如《國語‧晉語二》：「虢公夢在廟，……召史嚚占之」[19]；《左傳‧昭公三十一年》：「……日有食之，趙簡子旦占諸史墨。」又如《左傳‧桓公六年》：「……祝史正辭，信也」；《左傳‧襄公二十七年》：「……其祝史陳信於鬼神無愧辭。」史官的原初職能是溝通天人的。巫史合一現象從遠古一直持續到殷商西周，只不過隨著歷史的發展尤其是到了殷末周初，史官加快了從巫中分化的速度，巫的意義越來越狹窄，地位越來越低下，最後只淪為以歌舞求雨、祓災弭禍和在一些神事活動中從事配角任務。而史官則漸漸覆蓋了原來統稱作「巫」的祝、宗、卜、史等的職能。[20]然而到了不講道德而崇尚利益的戰國時期，天命觀念受到了嚴峻的挑戰。戰國策士們以一己之力改變君王的想法，改變國際局勢，或力挽狂瀾，或翻雲覆雨，整個戰國時期的歷史演進不是由虛無縹緲的天命控制，而是由「人」作為主體進行推動。司馬遷抓住了這個歷史進步的關鍵，將天命的必然性弱化，轉而對人物的命運極端強調。

　　與人物命運息息相關的元素是人物性格。所以精心地描繪人物細節和精神狀態，就成為《史記》列傳的特點。姚祖恩說：「古文摹寫人處，往往大處不寫，寫一二小事，

19　李維琦點校：《國語‧戰國策》湖南：嶽麓書社，2006年，頁65。

20　劉麗文：〈論《左傳》「天德合一」的天命觀──《左傳》言的本質〉，《求是學刊》，2000年第5期，頁99-106。

轉覺神情欲活，此頰上三毫法也，不必謂實有是事。」[21]王葆心也指出：「古人作傳志往往舉一二瑣事，極意摹寫，淋漓盡致，令讀者動色。」細節描寫是表現人物差異的方法，《史記》著意刻畫的人物都是由其典型細節堆砌而成。然而我們必須注意到，《史記》對細節的描寫，是來自於史料的缺乏與司馬遷本人對人物性格影響命運的關注。

　　自《史記》以後，「就細節描寫而言，無論是有材料還是沒材料，後代的史傳作者都是不屑去寫的，因為他們感到沒有那個必要。這種輕視細節描寫的觀點，對史傳文學的發展，是有副作用的。」[22]造成的結果就是人物傳記可讀性越來越低，這是後代史傳作者在史、文結合上無法克服的難題，更加突顯《史記》「史家之絕唱，無韻之離騷」無可動搖的地位。

21　姚祖恩：《史記菁華錄》汕頭：汕頭大學出版社，2008年，頁201。

22　俞樟華：〈論傳記文學的藝術加工〉《浙江師範大學學報》（社會科學版），2007年第5期，頁24。

論《國語》的「傳體」性質[*]

夏德靠

湖州師範學院文學院

　　《國語》是先秦時期流傳下來的一部重要的語類文獻，它主要是在各國之語的基礎上經過遴選、編纂而成的。對於這部文獻來說，我們不能忽略它身上所存在的「傳體」性質，這種性質主要表現在兩個方面：一是《國語》在漢代就被認為是「《春秋》外傳」；二是《國語》文本本身具有鮮明的「傳體」特徵。不難發現，《國語》所具備的這兩種「傳體」身分是不相同的，前者是在流傳過程中被建構起來的，被理解為用來闡釋《春秋》，是為「經傳」；而後者則是書寫、編纂的結果，是為「史傳」。那麼，這些過程是如何發生的，以及這些「傳體」具有怎樣的特徵，又具有怎樣的意義，顯然，這些問題對於理解《國語》這部文獻的身分、地位來說至關重要，因此需要做出細緻地描述。

一

　　就目前文獻來看，將《國語》視為「《春秋》外傳」的提法最早出自漢代學者劉歆之口，《漢書·韋賢傳》曰：

> 歆又以為「禮，去事有殺，故《春秋外傳》曰：『日祭，月祀，時享，歲貢，終王。』祖禰則日祭，曾高則月祀，二祧則時享，壇墠則歲貢，大禘則終王。……」[1]

這裡引述的《春秋外傳》之文實際上見於《國語·周語上》，劉歆既然明知援述的是《國語》，卻又將其稱之為《春秋外傳》，只能說明他確實把《國語》視為《春秋》之傳。劉歆的這個說法引起較大的影響，它相繼得到班固、王充、賈逵、鄭玄、劉熙、韋昭、王肅、杜預、劉知幾等學者的回應[2]，當然，這個提法也存在反對的聲音。我們此處關心的是劉歆何以會將《國語》視為《春秋》之外傳。這個問題不但涉及《左傳》的

---

[*] 本文為二〇一一年國家社科基金重大項目「中國上古知識、觀念與文獻體系的生成與發展研究」的階段性成果，項目號為：11 & ZD103。

[1] 班固：《漢書》北京：中華書局，1962年，頁3129。

[2] 俞志慧：〈《國語》的文類及八《語》遴選的背景〉，《文史》，2006年第2輯，頁23-44。

經學化，同時還涉及《左傳》與《國語》之關係。也就是說，只有弄清楚這兩個問題，才能對前面的問題加以解決。

在劉歆之前，已經有人討論左丘明與《左傳》、《國語》之間的關係，這裡最需注意的是司馬遷的看法，他在《史記・太史公自序》中說：

> 七年而太史公遭李陵之禍，幽於縲紲，乃喟然而歎曰：「是余之罪也夫！是余之罪也夫！身毀不用矣。」退而深惟曰：「夫《詩》、《書》隱約者，欲遂其志之思也。昔西伯拘羑里，演《周易》；孔子戹陳蔡，作《春秋》；屈原放逐，著《離騷》；左丘失明，厥有《國語》；孫子臏腳，而論《兵法》；不韋遷蜀，世傳《呂覽》；韓非囚秦，《說難》、《孤憤》；《詩》三百篇，大抵賢聖發憤之所為作也。此人皆意有所鬱結，不得通其道也，故述往事，思來者。」[3]

這段文字大致又見於〈報任安書〉，司馬遷在這兩段文字中非常肯定地指出《國語》是左丘明所為。不惟如此，他又在《史記・十二諸侯年表》中說：「是以孔子明王道，干七十餘君莫能用，故西觀周室，論史記舊聞，興於魯而次《春秋》，上記隱，下至哀之獲麟，約其辭文，去其煩重，以制義法，王道備，人事浹。七十子之徒，口受其傳指，為有所刺譏褒諱挹損之文辭，不可以書見也。魯君子左丘明，懼弟子人人異端，各安其意，失其真，故因孔子史記具論其語，成《左氏春秋》。」[4]由此看來，司馬遷明確將左丘明視為《左傳》、《國語》的作者，而這個觀點基本上為漢代學者所接受。《後漢書・班彪傳》載：「彪乃繼採前史遺事，傍貫異聞，作後傳數十篇，因斟酌前史而譏正得失。其略論曰：……定哀之間，魯君子左丘明論集其文，作《左氏傳》三十篇，又撰異同，號曰《國語》，二十一篇，由是《乘》、《檮杌》之事遂闇，而《左氏》、《國語》獨章。」[5]班彪認為，左丘明先編纂好《左傳》，然後再整理編纂《國語》。班固《漢書・司馬遷傳贊》說：「及孔子因魯史記而作《春秋》，而左丘明論輯其本事以為之傳，又纂異同為《國語》。」[6]這與其父班彪之說一脈相承。此後王充在《論衡・案書》篇中也說：「《國語》，《左氏》之外傳。左氏傳經，辭語尚略，故復選錄《國語》之辭以實。然則左氏《國語》，世儒之實書也。」[7]從這些記載中可以發現，當時的學者均認為左丘明是《左傳》、《國語》的作者。需要注意的是，班彪等人不僅強調左丘明與《左傳》、《國語》的關係，而且對於兩書的編纂過程也加以分析，特別是王充既強調《左傳》的傳經

3　司馬遷：《史記》北京：中華書局，1998年，頁1181。

4　司馬遷：《史記》北京：中華書局，1998年，頁195。

5　范曄：《後漢書》北京：中華書局，1965年，頁1324-1325。

6　班固：《漢書》北京：中華書局，1962年，頁2375。

7　王充：《論衡》上海：上海書店，1986年，頁277。

性質，又確認《國語》「外傳」的身分。這些認識顯然是不同於司馬遷的地方。進一層來看，「外傳」的說法可以認為是王充繼承了劉歆的觀點，然則《左傳》傳經的看法又是怎麼回事呢？司馬遷儘管在〈十二諸侯年表〉中討論《左傳》的編纂與《春秋》的聯繫，但並沒有說《左傳》是解釋《春秋》的。那麼，這個看法是不是王充的創說呢？從相關資料來看，答案是否定的。

在漢代，《公羊傳》、《穀梁傳》作為解釋《春秋》的「傳」身分很少是有疑問的，然而，《左傳》是不是具有解釋《春秋》的性質在當時則引起激烈地爭議，這一點不難從劉歆〈移書讓太常博士〉中窺見。儘管如此，漢代的一些學者似乎並沒有放棄將《左傳》建構為解釋《春秋》亦即「經傳」之努力，劉向《別錄》曾說：「左丘明授曾申，申授吳起，起授其子期，期授楚人鐸椒。鐸椒作《抄撮》八卷，授虞卿；虞卿作《抄撮》九卷，授荀卿；荀卿授張蒼。」[8]由此看來，張蒼成為漢代傳授《左傳》的第一個學者。對於漢代《左傳》的具體流傳狀況，劉師培有過比較詳細的描述，他指出：「西漢之初，傳《春秋》者有左氏、公羊、穀梁、鄒氏、夾氏五家。鄒氏無師，夾氏有錄無書。惟賈誼受左氏學於張蒼。世傳其學，至於賈嘉。誼之孫。嘉傳貫公，而貫公之子長卿能修其學，以傳張敞、張禹，禹傳尹更始，更始傳胡常、翟方進及子尹咸。常傳賈護。方進傳劉歆。歆又從尹咸受業，以其學授賈徽。徽子逵修其學，作《左氏解詁》。又陳欽受業尹咸，傳至子元。元作《左氏同異》，以授延篤。又鄭興亦受業劉歆，傳至子眾，眾作《左氏條例章句》。而馬融、穎容皆為左氏學。鄭玄初治公羊，後治左氏，以所注授服虔。虔作《左氏章句》。而左氏之說大行。是為左氏之學。」[9]應該說劉氏的這番梳理是比較全面的，然而，對於劉歆在漢代《左傳》學建構過程中的作用，劉氏的上述所言似乎並未給予清晰地說明，這不能不說是有點遺憾。《漢書·儒林傳》載：「自元康中始講，至甘露元年，積十餘歲，皆明習。乃召《五經》名儒太子太傅蕭望之等大議殿中，平《公羊》、《穀梁》同異，各以經處是非。時《公羊》博士嚴彭祖、侍郎申挽、伊推、宋顯，《穀梁》議郎尹更始、待詔劉向、周慶、丁姓並論。……尹更始為諫大夫、長樂戶將，又受《左氏傳》，取其變理合者以為章句，傳子咸及翟方進、琅邪房鳳。」[10]又《漢書·楚元王傳》載：「歆及向始皆治《易》，宣帝時，詔向受《穀梁春秋》，十餘年，大明習。及歆校秘書，見古文《春秋左氏傳》，歆大好之。時丞相史尹咸以能治《左氏》，與歆共校經傳。歆略從咸及丞相翟方進受，質問大義。初《左氏傳》多古字古言，學者傳訓故而已，及歆治《左氏》，引傳文以解經，轉相發明，由是章句義理備焉。」[11]依據這些記載，可見尹更始就開始對《左傳》進行「章句」處理的工

8　孔穎達：《春秋左傳正義》北京：北京大學出版社，1999年，頁2。

9　勞舒：《劉師培學術論著》杭州：浙江人民出版社，1998年，頁190。

10　班固：《漢書》北京：中華書局，1962年，頁3618。

11　班固：《漢書》北京：中華書局，1962年，頁1967。

作，此後劉歆接過這個思路，用《左傳》來解釋《春秋》，最終完成《左傳》「經傳」身分之塑造的工作。前面已經指出，司馬遷在作者身分上將《國語》與《左傳》聯繫起來，劉歆更進一步將《國語》、《左傳》與《春秋》聯繫在一起，在這一意義上，他將《國語》建構為「春秋外傳」就不難理解了。

那麼，「外傳」的稱謂又具有怎樣的意義呢？《說文》云：「傳，遽也。」段玉裁《注》解釋說：「傳遽，若今時乘傳騎驛而使者也。……按傳者如今之驛馬，驛必有舍，故曰傳舍。又文書亦謂之傳，《司關注》云：『傳如今移過所文書是也。』引申傳遽之義，則凡輾轉引申之稱皆曰傳，而傳注、流傳皆是也。」[12]「傳」原指驛馬，又指文書。驛馬、文書有著傳遞資訊的功能，而用來解釋文獻的傳注也像驛馬、文書一樣傳遞資訊，因此原指驛馬、文書的「傳」就被引申為傳注之「傳」。當然，這種「傳」最初是一個經學闡釋學的概念，劉勰在《文心雕龍・史傳》中說：「昔者夫子閔王道之缺，……因魯史以修春秋。……然睿旨存亡，經文婉約，丘明同時，實得微言，乃原始要終，創為傳體。傳者，轉也；轉受經旨，以授於後。」[13]左丘明編纂的《左傳》成為解釋《春秋》的文本，這種轉化預示著《左傳》身分由「史傳」到「經傳」地演變。一般認為韓嬰解說《詩經》時創立內傳、外傳[14]，《四庫全書總目》「《韓詩外傳》」條說：「其書雜引古事古語，證以《詩》詞，與《經》義不相比附，故曰《外傳》。」[15]也就是說，「外傳」並不直接解釋經義，或者說較為迂迴。對於《國語》的「外傳」身分，韋昭曾有過這樣的說明：「昔孔子發憤於舊史，垂法於素王，左丘明因聖言以攄意，托王義以流藻，其淵源深大，沈懿雅麗，可謂命世之才，博物善作者也。其明識高遠，雅思未盡，故復採錄前世穆王以來，下訖魯悼、智伯之誅，邦國成敗，嘉言善語，陰陽律呂，天時人事逆順之數，以為《國語》。其文不主於經，故號曰『外傳』。」[16]韋氏在「外傳」意義理解上與四庫館臣有一致之處。然而需要補充的是，在「內傳」與「外傳」的關係問題上，《越絕書》卷一〈越絕外傳本事〉有一段分析值得引起注意：

> 問曰：「或經或傳，或內或外，何謂？」曰：「經者論其事，傳者道其意，外者非一人所作，頗相覆載，或非其事，引類以托意。說之者見夫子刪《詩》、《書》，就經《易》，亦知小藝之復重。又各辯士所述，不可斷絕。小道不通，偏有所期。明說者不專，故刪定復重，以為中外篇。」[17]

12 段玉裁：《說文解字注》上海：上海古籍出版社，1988年，頁377。

13 范文瀾：《文心雕龍注》北京：人民文學出版社，1958年，頁283-284。

14 周大璞：《訓詁學初稿》武漢：武漢大學出版社，2002年，頁26。

15 永瑢：《四庫全書總目》北京：中華書局，1965年，頁136。

16 上海師大古籍整理研究所校點：《國語》上海：上海古籍出版社，1998年，頁661。

17 袁康、吳平：《越絕書》濟南：齊魯書社，2000年，頁3。

照此說法,「內傳」是直接闡釋經義的,而「外傳」則是對「內傳」的一種引申、補充。余嘉錫也說:

> 凡以內外分為二書者,必其同為一家之學,而體例不同者也。古人之為經作傳,有依經循文解釋者,今存者,如《毛詩傳》是也。有所見則說之,不必依經循文者,伏生之《書傳》是也。……惟一家之學,一人之書,而兼備二體,則題其不同者為外傳以為識別。故《漢志》《詩》家有《韓內傳》四卷,《韓外傳》六卷,《春秋》家《公羊》、《穀梁》皆有《外傳》。[18]

這樣,劉歆一方面將《左傳》建構為解釋《春秋》的「經傳」文本,另一方面又借助司馬遷以左丘明為《左傳》、《國語》作者而將兩部文獻聯繫起來的看法,進一步視《國語》為解釋《春秋》的「外傳」。於是通過劉歆這樣的詮釋行為,《國語》像《左傳》一樣,就由一部史著躍為「經傳」,從而也改變人們對它身分的認知。

二

章太炎指出:

> 且言傳者,有傳記,有傳注,其字皆當作專。……原夫古者名書,非有他義,就質言之而已。經緯皆以繩編竹簡得名,專以六寸簿得名,隨文生義,則以經緯為經天緯地,而以專為傳述經義。[19]

也就是說,「傳」即「專」,其命名源於書寫載體「簿」,而作為一種文體,又存在傳記、傳注的分別。在傳記與傳注之間的關係問題上,有的學者指出,「傳」原本是解釋「經」的,屬於經學闡釋學範疇,「《春秋左氏傳》一身兼任將『傳』與『史』結合在一起,為『傳』概念由經學闡釋學範疇轉換為史學範疇提供了契機」,而「經過司馬遷《史記》之『列傳』設立,徹底完成了『傳』成為一個史學範疇的過程」。[20]這就說明,傳經歷了由經學範疇向史學範疇轉化的過程。

就史學範疇的「傳」來說,《四庫全書總目》云:「案傳記者,總名也。類而別之,

---

18 劉夢溪主編:《中國現代學術經典·余嘉錫卷》石家莊:河北教育出版社,1996年,頁240-241。

19 傅傑:《章太炎學術史論集》北京:中國社會科學出版社,1997年,頁126。

20 陳志揚:《傳統傳記理論的終結:章學誠傳記理論綱要》北京:中國社會科學院研究生院碩士學位論文,2003年。

則敘一人之始末者為傳之屬，敘一事之始末者為記之屬。」[21]這就在傳記的內部將「傳」視為記人而將「記」視為記事，對於這種劃分，章學誠指出：「傳記之書，其流已久，蓋與六藝先後雜出。古人文無定體，經史亦無分科。《春秋》三家之傳，各記所聞，依經起義，雖謂之記可也。經《禮》二戴之記，各傳其說，附經而行，雖謂之傳可也。其後支分派別，至於近代，始以錄人物者，區為之傳；敘事蹟者，區為之記。……然如虞預《妒記》、《襄陽耆舊記》之類，敘人何嘗不稱記？《龜策》、《西域》諸傳，述事何嘗不稱傳？」[22]章氏不同意館臣的看法，其「意義在於消解『傳』與『記』的差別，視『傳記』為同義反覆的結合詞，指稱一種記人或述事的文體，而不是指稱『記人』與『述事』兩種文類」[23]，也就是說，章氏認為傳記確實有記人與記事的分別，但這種分別並不是「傳」為記人而「記」為記事。當然，章學誠與四庫館臣之間有關「傳記」的看法之間也絕不是不能相容的，其實館臣將「傳記」分為「敘一人之始末」與「敘一事之始末」是值得肯定的。

　　四庫館臣說：「紀事始者，稱傳記始黃帝，此道家野言也。究厥本源，則《晏子春秋》是即家傳，《孔子三朝記》其記之權輿乎。」[24]又說：「《晏子》一書，由後人摭其軼事為之。雖無傳記之名，實傳記之祖也。」[25]就現有文獻來看，將《晏子春秋》視為傳記之祖似乎有其合理性，然而，這並不等於說《晏子春秋》就是傳記之源。事實上，現有的先秦文獻中存在早於《晏子春秋》的若干傳記類文獻，此處以《國語》作為例證來加以說明。按照上述傳記「記人」與「述事」的分類，《國語》中能夠發現這兩方面的文獻。

　　先來看「記人」的類型。《國語》輯錄周、魯、齊、晉、鄭、楚、吳、越八國之「語」，在文體上呈現「語體」的特徵。也就是說，《國語》輯錄的主要是人物之間的對話文獻。從這些人物身分來看，有周天子、各國諸侯、卿大夫及孔子這樣的諸子人物。編纂者在編輯這些人物言論時大體按國別進行編排，然而，在實際的編纂過程中有時收錄同一人物的對話不止一則，對此編纂者將它們集中編錄在一起，於是出現這樣的情況，即在某一「語」中形成同一人物的一組對話，這組對話客觀上可視為描述某一人物的「傳記」。這種情形在《國語》中較為普遍，現據上海師範大學古籍整理研究所校點本來舉證說明。

　　〈周語上〉第七、八、九三則載錄仲山父勸周宣王立戲、論魯侯孝、諫宣王料民的

21　永瑢：《四庫全書總目》北京：中華書局，1965年，頁531。

22　章學誠：《文史通義》瀋陽：遼寧教育出版社，1998年，頁139。

23　陳志揚：《傳統傳記理論的終結：章學誠傳記理論綱要》北京：中國社會科學院研究生院碩士學位論文，2003年。

24　永瑢：《四庫全書總目》北京：中華書局，1965年，頁513。

25　永瑢：《四庫全書總目》北京：中華書局，1965年，頁514。

諫言，〈周語中〉第七、十二則及〈周語下〉第一、二、四、五、六五則載錄單襄公與單穆公的言論；〈魯語上〉第一、二則載錄曹劌的言論，第五、六、七、八、九五則集中描述臧文仲的言行，第十二、十三、十五載里革的言論，〈魯語下〉第一、二、三、六、七五則記叔孫穆子的言行，第十到十七則集中描述公父文伯之母的言行，第九、十七、十八、十九、二十一一五則記載孔子的言行；〈齊語〉主要載錄管仲的言行；〈晉語一〉第二、三、四、六、八及〈晉語二〉第一、二則載錄驪姬亂晉，〈晉語五〉第三、四、五記趙宣子，第六、七、十及〈晉語六〉第二、五、六、七、八、九記范文子，〈晉語八〉第八、九、十、十一、十二、十八、二十及〈晉語九〉第一、四則記叔向，〈晉語八〉第十三、十四、十五記趙文子，〈晉語九〉第五、七、八、九、十、十二、十三、十四、十五記趙簡子，第十八、十九、二十、二十一記智伯；〈越語下〉主要記范蠡。另外，〈周語上〉第五、六、七、八、九記宣王，〈晉語三〉主要記晉惠公，〈晉語四〉主要記晉文公，〈晉語七〉主要記晉悼公，〈吳語〉記夫差等。這些地方相對集中載錄某個人物的言論，當然有的還載錄行為，對於這些情況，有的學者認為〈魯語下〉選錄了八則公父文伯的言行，「這些脈絡清晰、內容集中的材料極有可能是我國目前所能見到的最早的家語，至少來源於最早的家語」；[26]還有學者指出，「《國語》有時在記敘某一國事件時，集中在一定篇幅寫某個人的言行，如〈晉語三〉寫惠公、〈晉語四〉專寫晉文公、〈晉語七〉專記悼公事，〈吳語〉主要寫夫差、〈越語上〉主要寫勾踐等等。這種集中篇幅寫一人的方式，有向紀傳體過渡的趨勢。但尚未把一個人的事蹟有機結合為一篇完整的傳記，而僅僅是材料的彙集，是一組各自獨立的小故事的組合，而不是獨立的人物傳記」。[27]這些看法對於《國語》相對載錄某個人物言行現象的認知提供有益的啟示，然而有些環節需要做一些說明。

在我們看來，《國語》的編纂至少經歷了三個過程：首先，在記言傳統影響之下出現「語」文獻，它們屬於檔案文獻，也是源始文獻；其次，春秋時期的各國史官對這些檔案文獻進行整理、編纂，產生各國之「語」；最後，編纂者在對各國之「語」遴選的基礎上完成《國語》的編纂。同時通過對《國語》文本的具體分析，發現它主要由載錄周王朝及諸侯國君臣之間的對話文獻即「國語」和各國大夫「家語」兩類文獻構成。[28]從《國語》編纂過程的考察來看，這兩類文獻應該在第一階段就已經出現。根據文獻的記載，先秦史官很早就形成記言傳統，《漢書·藝文志》明確指出：「古之王者世有史官，君舉必書，所以慎言行，昭法式也。左史記言，右史記事，事為《春秋》，言為《尚書》，帝王靡不同之。」[29]這樣，在「君舉必書」的歷史書寫原則之下，君主的言

26 俞志慧：〈《國語》的文類及八《語》遴選的背景〉，《文史》，2006年第2輯，頁23-44。
27 袁行霈主編：《中國文學史（第一卷）》北京：高等教育出版社，2005年，頁82-83。
28 參拙文〈《國語》文體的還原闡釋〉，《中南民族大學學報》，2012年第1期，頁149-156。
29 班固：《漢書》北京：中華書局，1962年，頁1715。

行就成為史官的重點關注對象，從而「國語」文獻的出現就是必然的。同時，先秦社會很早就形成一種家族文獻，其淵源可追溯至商周時代的青銅器銘文，而根據考察，商代青銅器銘文事實上出現「家語」文獻的萌芽。而且，這些家族（「家語」）文獻大都聚合在一起，帶有彙編的性質，二〇〇三年陝西眉縣楊家村發現一組西周單氏家族窖藏青銅器銘文就反映這一點。[30] 由此來看，《國語》中形成相對集中的同一人物的一組對話應該是這樣，即各國史官在編纂本國之「語」時從本國的「國語」和「家語」文獻中取材，而這些「國語」和「家語」文獻先行已被整理，因此，史官雖然根據實際情況進行遴選的工作，但有時也可能將同一家族的多則文獻採取迻錄的方式而不改變其次序。通過這些整理、編纂的程序，《國語》這些相對集中的同一人物的一組對話文本就帶有人物傳記的特徵，然而這種傳記與後世的紀傳體有怎樣的關聯呢？劉知幾曾指出：

> 蓋紀之為體，猶《春秋》之經；系日月以成歲時，書君上以顯國統。……又紀者，既以編年為主，唯敘天子一人。有大事可書者，則見之於年月；其書事委曲，付之列傳；此其義也。[31]
>
> 司馬遷之記諸國也，其編次之體，與本紀不殊。蓋欲抑彼諸侯，異乎天子，故假以他稱，名為世家。[32]
>
> 蓋紀者，編年也；傳者，列事也。編年者，歷帝王之歲月，猶《春秋》之經；列事者，錄人臣之行狀，猶《春秋》之傳。《春秋》則傳以解經，《史》、《漢》則傳以釋紀。[33]

所謂「紀傳體」，就《史記》文本來看，應該包含本紀、世家與列傳三種類型。劉知幾認為世家在體例方面與本紀一致，區別只在於敘述對象的不同；但本紀與列傳之間的差異則較為明顯，即本紀按編年敘事，而列傳則只是彙集史事。這些看法無疑為認識紀傳體提供一個有益的視角。需要說明的是，《史記》在《本紀》文本上的重要特徵是按編年敘事，這是同於《春秋》的地方；但《春秋》敘事只重視事件結果的載錄，而《本紀》採用大量的記言文獻，其敘事不僅在於單純載錄事件，同時也注重事件因果關係的揭露。因此，《本紀》敘事模式其實遠離《春秋》而接近於《左傳》，也就是說，《本紀》敘事取法《左傳》而並非《春秋》。至於《史記》中的列傳由於不存在編年的元素，它的書寫更多的承繼《國語》、《戰國策》的敘事模式，因此，《國語》中的人物傳記影響《史記》等後世史書人物列傳的書寫。

30　參拙文〈先秦「家語」文獻源流及其文體嬗變〉，《廣西社會科學》，2014年第1期，頁153-159。

31　劉知幾：《史通》瀋陽：遼寧教育出版社，1997年，頁10。

32　劉知幾：《史通》瀋陽：遼寧教育出版社，1997年，頁10-11。

33　劉知幾：《史通》瀋陽：遼寧教育出版社，1997年，頁11-12。

三

除了人物傳記之外，《國語》文本中還存在「述事」一類的傳記，對此，可以從這些方面加以論證。前引韋昭《國語解敘》說：「昔孔子發憤於舊史，垂法於素王，左丘明因聖言以攄意，托王義以流藻，其淵原深大，沈懿雅麗，可謂命世之才，博物善作者也。其明識高遠，雅思未盡，故復採錄前世穆王以來，下訖魯悼、智伯之誅，邦國成敗，嘉言善語，陰陽律呂，天時人事逆順之數，以為《國語》。」[34]按照韋昭對《國語》編纂意圖的分析，編纂者選錄自周穆王至智伯之誅這一時段的「嘉言善語」其目的在於思考其時的「邦國成敗」，也就是說，「邦國成敗」成為《國語》敘事的核心。在這一意義上，整部《國語》可以說完成了反思這個時期周王朝乃至其他七個諸侯王國興衰成敗的預設，因此，《國語》可以視為一部述事之「傳記」。對此，還可以做進一些補充分析。《四庫全書總目》卷四十九「紀事本末類」序指出：「至宋袁樞，以《通鑑》舊文，每事為篇，各排比其次第，而詳敘其始終，命曰《紀事本末》，史遂又有此一體。……凡一書備諸事之本末，與一書具一事之本末者，總匯於此。」[35]據此，「紀事本末體」包含「一書備諸事之本末」與「一書具一事之本末」兩種亞文體。倘若將「邦國成敗」視為《國語》敘事核心，那麼《國語》就屬於「一書具一事之本末」這一類型。章學誠在《方志立三書議》中明確強調：「若夫紀事本末，其源出於《尚書》。」[36]李零也指出「紀事本末體的根子是『語』」。[37]《國語》作為「《尚書》之支流餘裔」[38]，其實就是一部典型的語類文獻。這樣，從全書整體的角度來考察，《國語》屬於「述事」一類的傳記。

此外，從具體文本的角度還可以觀察《國語》「傳記」述事的另一些特徵。通過對先秦語類文獻的分析，其形態大體可劃分為格言體、對話體與事語體三種基本類型。[39]張政烺將「事語體」解釋為「既敘事，也記言」[40]，這是可取的。然而，「事」與「語」之間又是如何結合的呢？劉知幾說：「古者言為《尚書》，事為《春秋》，左右二史，分司其職。蓋桓、文作霸，糾合同盟，春秋之時，事之大者也，而《尚書》缺紀；秦師敗績，繆公誠誓，《尚書》之中，言之大者也，而《春秋》靡錄。此則言、事有

---

34 上海師大古籍整理研究所校點：《國語》上海：上海古籍出版社，1998年，頁661。

35 永瑢：《四庫全書總目》北京：中華書局，1965年，頁437。

36 葉瑛：《文史通義校注》北京：中華書局，1985年，頁576。

37 李零：〈從簡帛發現看古書的體例與分類〉，《中國典籍與文化》，2001年第1期，頁25-34。

38 呂思勉：《呂著史學與史籍》上海：華東師範大學出版社，2002年，頁40。

39 參拙文〈論先秦語類文獻形態的演變及其文體意義〉，《學術界》，2011年第3期，頁172-288。

40 張政烺：〈春秋事語解題〉，《文物》，1977年第1期，頁36-39。

別，斷可知矣。逮左氏為書，不遵古法，言之與事，同在傳中。然而言事相兼，煩省合理，故使讀者尋繹不倦，覽諷忘疲。」[41]在言、事分職載錄的傳史方式影響下，《尚書》、《春秋》各自只強調言、事的記錄，這種方式很大程度上影響人們的認知，比如《春秋》只偏重事件結果的載錄，人們僅依靠《春秋》文本是難以釐清事件過程性的。《左傳》的編纂就是為了解決《春秋》敘事的這種缺陷，將記言文獻納入其中，從而豐富事件過程性的了解。因此，劉氏將《左傳》的這種編纂方式概述為言事相兼，是有道理的。從文體的角度來看，這種言事相兼方式導致「事語體」的出現。《國語》「事語體」的形成應該基於同樣的方式，但與《左傳》存在一定的差異，這在前面已經指出。「事語體」由於重在描述事件的過程性，重在敘事，因此具有傳記的特徵，比如《國語·周語上》載：

> 惠王三年，邊伯、石速、蒍國出王而立子頹。王處於鄭三年。王子頹飲三大夫酒，子國為客，樂及徧儛。鄭厲公見虢叔，曰：「吾聞之，司寇行戮，君為之不舉，而況敢樂禍乎！今吾聞子頹歌舞不息，樂禍也。夫出王而代其位，禍孰大焉！臨禍忘憂，是謂樂禍。禍必及之，盍納王乎？」虢叔許諾。鄭伯將王自圉門入，虢叔自北門入，殺子頹及三大夫，王乃入也。[42]

這裡載錄的是發生在周惠王時期的一次宮庭政變的事件，首先敘述惠王的叔叔子頹在邊伯等大臣的支持下趕走惠王、奪取王位，成功之後歌舞昇平；接著描述子頹的行為引起鄭厲公的不滿，於是勸說虢叔協助「納王」，並取得後者的同意；最後記錄他們殺掉子頹，恢復惠王的王位。這一事件又見於《左傳》莊公十九年至二十一年，其描述較上述記載複雜。《史記·周本紀》也述及此事件，「初，莊王嬖姬姚，生子頹，頹有寵。及惠王即位，奪其大臣園以為囿，故大夫邊伯等五人作亂，謀召燕、衛師，伐惠王。惠王奔溫，已居鄭之櫟。立釐王弟頹為王，樂及徧舞，鄭、虢君怒。四年，鄭與虢君伐殺王頹，復入惠王。」[43]《史記》的記載雖然本之於《左傳》，但做了相當的概括，並省略鄭厲公的說辭，因此顯得更為簡潔。借助這些互文本的比較，《國語》的此則記載雖比不上《左傳》周詳，但還是比較清楚地敘述這次宮庭政變的過程性，在這一意義上，將它視為一則簡短的傳記也未嘗不可。

　　對於《國語》的「事語體」來說，還存在一種情況，即將若干「事語」聚合起來，在更廣闊的視域中敘述某一事件的始末，從而比起上述單體「事語」在情節方面更為豐

41　劉知幾：《史通》瀋陽：遼寧教育出版社，1997年，頁8。
42　上海師大古籍整理研究所校點：《國語》上海：上海古籍出版社，1998年，頁28-29。
43　司馬遷：《史記》北京：中華書局，1998年，頁71。

富、複雜。拿驪姬亂晉事件來說，〈晉語一〉及〈晉語二〉共有六則載錄的都是與驪姬有關的材料，〈晉語一〉第二則描述晉獻公準備討伐驪戎，史蘇進行占卜，得出「勝而不吉」的結論，預示驪姬的出場及對晉國的影響；第三、四則敘述晉獻公戰勝驪戎，「獲驪姬以歸，立以為夫人，生奚齊」，並準備「黜太子申生而立奚齊」；第六則敘述驪姬與優施合謀如何使太子申生遠離都城，第八則載錄優施教導驪姬如何疏遠太子申生與晉獻公的關係；〈晉語二〉第一則敘述驪姬向獻公進讒言，設計謀害申生，並迫使重耳、夷吾離開晉國。就對這六則材料的概述來看，每一則都自成獨立的話語單位，敘述一個相對比較完整的故事；然而，這些材料聚合在一起又展現更為複雜的情節，將驪姬亂晉的過程完整地勾勒出來了。由此看出，單體「事語」本身能夠敘述一個故事，然而，在一定的情況下，內容相關的若干「事語」被聚合，形成故事群，在更廣闊的範圍中敘述某一歷史事件的始末。從這個角度來說，《國語》由八國之「語」組成，而每一「語」構成相對獨立的敘事單位，由此可以從兩個方面進行推論：一是在每一「語」中，它是由若干「事語」群構建而成，這些群落共同完成所屬「語」的敘事，亦即每一國之「語」敘述特定的事件；二是八國之「語」又被有機整合在一起，共同體現《國語》「邦國成敗」的敘事意圖。在這個意義上，《國語》一書又可視為「紀事本末體」中「一書備諸事之本末」類型。這樣，《國語》既可歸入「一書具一事之本末」類型，又可納入「一書備諸事之本末」類型，將「紀事本末體」的兩種亞文體有機融合於一身。當然，我們之所以說《國語》具備這些特徵，主要是緣於分析視角的差異所致。

Revelation and Power: The Genesis of the Shangqing Scriptures

張沐　M. Zhang

The University of Queensland, Australia

Between 364 and 370, Wei Huacun 魏華存 appeared to Yang Xi 楊羲 (330-386) in Jurong 句容 (near Nanjing 南京) and revealed many sacred texts to him.She instructed Yang to transmit these sacred texts to his patron XuMi 許謐. Yang Xi's manuscripts of these revelations were disseminated among Daoists in the following centuries, to be assembled by Tao Hongjing 陶弘景 (456–536) as the sacred scriptures of the Shangqing 上清 (Highest Clarity). The word 'scripture' may seem odd and need to be applied with caution in the context of Daoism,[1] but it best captures the nature of these sacred texts since they were regarded as messages from Daoist gods and goddesses. These scriptures enjoyed high popularity and were propagated by Tao's school, which later became the most influential Daoist school between the sixth and tenth centuries under the patronage of many Tang emperorsand established its own pantheon, holy places, liturgy and monasteries. Shangqingscriptures thus occupied the highest position in the Three Caverns   of the Daoist Canon as represented in the *ZhengtongDaozang* 正統道藏 (Daoist Canon compiled during the Era of Zhengtong, 1436–1449, [abbreviated as DZ]) and influenced other Daoist schools in later period, such as the still-active Quanzhen 全真 and Zhengyi 正一 schools in China.

Many scholarly works have touched on the Shangqing tradition. Strickmann studied the Shangqing tradition from a historical perspective. By saying 'historical', I do not mean the historical development of this tradition's doctrinal aspects, but concern the part that this tradition played in Chinese history. Strickmann focuses on the early transmission and the role of the southern aristocracy in this dissemination.[2] Before Strickmann, Chen Guofu 陳國符 also studied the history of the Shangqing tradition in his famous 1963 book, which still comprises the best sources on the history of Daoism.[3] In the 1980s and 1990s, Isabelle

---

[1]　F. Pregadio, *The Encyclopedia of Taoism* (London: Routledge, 2008), 26-28.

[2]　M. Strickmann, "The Mao Shan Revelations: Taoism and the Aristocracy," *T'oung Pao* 63.1 (1977):1-64.

[3]　Chen Guofu 陳國符, *Dao Zang Yuan Liu Kao* 道藏源流考 (Beijing: Zhonghua shu ju, 1963).

Robinet, a prominent scholar of Shangqing Daoism, published studies on the characteristics and innovations of this tradition and their relations to other religious traditions, such as Tian Shi Dao 天師道 (the Way of the Celestial Masters).[4] Robinet's research shows that the Shangqing texts exemplify the first blending of the Celestial Masters tradition from North China and Ge Hong's tradition from South China. According to Robinet, for the first time in Daoism, they also incorporated Buddhist elements. The texts show a great synthesis of many previous religious traditions in China, and also influences of Chinese philosophy, literary tradition and mythology.[5] T. H. Barrett takes a different approach. He provides a critical historical perspective to Daoism under the Tang 唐 dynasty (618–907), especially to the Daoist influence on the Tang court.[6] In China, Qing Xitai 卿希泰 and Ren Jiyu 任繼愈 both write a history of Daoism. Their works stress the political manipulation of Daoism by the 'bad' governments of the emperors to control the minds of the people.[7] Since the beginning of the twenty-first century, scholarship on Daoism has been undergoing rapid revision about how people should see the role of Daoism in Chinese society and history. Kirkland's *Taoism: The Enduring Tradition*, in Livia Kohn's words, is "the first of its kind, an analytic, argumentative discussion" of how Daoism has been seen, is seen, and should be seen in the light of the scholarship of the last few decades.[8] Miller also writes an innovative work on the Shangqing tradition focusing on the theology.[9] Raz, instead, traces the development of early Daoism in terms of ritual practices and draws our attention to the rise of new Shangqing practices.[10]

However, few of the works above have tried to explain the social and historical

4　I. Robinet, *La Révélation Du Shangqing Dans L'histoire Du Taoïsme* (Paris: Ecole Française d'Extrême-Orient, 1984); I. Robinet, 1993. *Taoist Meditation: The Mao-Shan Tradition of Great Purity*. Translated by J. F. Pas and N. J. Girardot (Albany: State University of New York Press, 1993); I. Robinet, *Taoism: Growth of a Religion*. Translated by Phyllis Brooks (Stanford: Stanford University Press, 1997).

5　I. Robinet, *Taoism: Growth of a Religion*, 114-15.

6　T. H. Barrett, *Taoism under the T'ang: Religion & Empire During the Golden Age of Chinese History* (London: Wellsweep, 1996).

7　Qing Xitai 卿希泰, *Zhongguo Daojiao Shi* 中國道教史, Vol 1 (Chengdu: Sichuan renmin chubanshe, 1996), 336-46; Qing Xitai 卿希泰, *Zhongguo Daojiao Shi* 中國道教史, Vol 2 (Chengdu: Sichuan renmin chubanshe, 1996), 120-73; Ren Jiyu 任繼愈, *Zhongguo Daojiao Shi* 中國道教史 (Beijing: Zhongguo shehui kexue chubanshe, 1990), 133-287.

8　R. Kirkland, *Taoism: The Enduring Tradition* (New York: Routledge, 2004); L. Kohn, "Review of *Taoism: The Enduring Tradition*." *Monumenta Serica* 53 (2005):489.

9　J. Miller, *The Way of Highest Clarity: Nature, Vision and Revelation in Medieval China*. (Magdalena, NM: Three Pines Press, 2008).

10　G. Raz, *The Emergence of Daoism: Creation of Tradition* (New Youk: Routledge, 2012).

background of Shangqing's emergence. Why then, did these texts appear in South China between 364 and 370? This is a complex question, but one way to approach it is to look at the people who received (or rather who created) these texts. Fortunately, Tao Hongjing not only assembled the texts but also wrote a historyof the early transmission of the revelations and a genealogy of the family involved – the Xu 許 family– based on the *jiapu* 家譜 (clan records) of Xu at his disposal. The texts, the history and the genealogy are all in his *Zhengao* 真誥 (Declarations of the Perfected).[11] Thus I mainly use *Zhengao* (especially the *jiapu*) and *Jin Shu* 晉書 (History of the Jin Dynasty) as my sources of information. Although *Zhengao* was written more than 100 years later and *Jin Shu* nearly 300 years later than the start of the revelations, they are quite reliable – at least in factual details such as a person's birth date, death date, career/s, families and associations. Tao edited *Zhengao*in ca. 502–519 into 20 chapters. Chapters 1 to 16 contain fragments of the revelations collected by Tao, accompanied by his commentary. Chapters 17 and 18 are mainly letters and recordings of dreams written by Yang and the Xus. Chapters 19 and 20 include a postface, the history written by Tao, and the Xu family genealogy. Tao's detailed, scholarly commentary on the manuscripts that he had examined gives us no reason to suspect that he fabricated the texts, history, or genealogy. Moreover, many details in *Zhengao*, for example Xu Mai's death date, are consistent with the records in *Jin Shu*. The imperial government of Tang compiled *Jin Shu* during 646–648 according to the documents and histories of the Jin dynasty surviving at that time (most of these documents and histories are lost now). The Tang government may have tried to distort some facts about the history of the Jin dynasty to serve its own needs, but the information that I draw from *Jin shu* is reasonably reliable because it did not relate to any Tang-era state-building program or ideology, and was thus unaffected.

In the following passages, I will examine the Xu family event around the time of the revelation, and the wider social relationships of Yang and the Xus. I will argue that the Shangqing texts serve well for people who seek supremacy. The family involved in the genesis – the Xu family – will be studied in detail as it provides a window on the struggles

---

11 *Zhengao* is in the 637-640 volume of the Hanfenlou 涵芬楼 edition of the *Daozang*, abbreviated DZ 637-640. The index system of other *Daozang* texts cited in this paper also follows the Hanfenlou edition. The first complete, annotated English translation of *Zhengao* is T. E. Smith, *Declarations of the Perfected. Part One, Setting Scripts and Images into Motion* (Florida: Three Pines Press, 2013). Smith translates volume 1-4 in Part One, more sequels anticipated. An annotated Japanese translation can be found in T. Yoshikawa and K. Mugitani, *Shinko Kenkyu* (Kyoto-shi: Kyoto Daigaku Jinbun Kagaku Kenkyujo, 2000).

centering on religion in an ordinary upper-class family, and the relation of these struggles to politics in this period. I will show how religion connected to politics, and how religion and politics affected family life and relationships. The situation in the Xu family, in some sense, may represent the intertwining of personal ambitions, religious divisions and political struggles typical in this period. Based on the evidence given by the Xu family, I will also provide an alternative account on the genesis of the Shangqing tradition other than the old dominant account, which saw it as a reaction of southerners to immigrating northerners and their religion. However, this study is by no means exhaustive. It focuses on one important Xu family event around the time of the revelation, and mainly draws upon the information in the genealogy for Yang and the Xus' social background. We still need to do much work if we want to know why Shangqing emerged in South China between 364 and 370: we must collect and analyse all the information in *Zhengao* relevant to Yang and the Xus, and also look at other works with a great dealof biographical and historical information like *Jin shu* and *Shishuoxinyu* 世說新語. Anyway, this tudy shows the important relation between Xus' family, politics, and Shangqing's genesis.

The genesis of the Shangqing scriptures, as recorded in *Zhengao*, not only involved some Xu family members, but also related closely to Xu family events. With the downfall of the Later Han dynasty (25-220), the Xu family migrated from North China to Jurong 句容 (near Jiankang 建康, the capital of Eastern Jin, present-day Nanjing 南京), and established itself as a well-connected aristocracy family in South China.[12] The years following 364, when the revelations started, were hard years for the Xu family. Xu Mi's wife, Tao Kedou 陶科斗, died in ca. 363–365.[13] We do not know the exact year when she died, but she died probably just before the time of the revelations. Parts of those, as collected in volume 7–8 of *Zhengao*, centre on Kedou's plight after death and a Zhongsong 塚訟 (sepulchral plaints) brought against the Xu family. Sepulchral plaints are "lawsuits filed before the magistrates of the underworld by the aggrieved dead".[14] The ancient Chinese believed that the underworld mirrored the real world and these sepulchral plaints filed in the underworld could cause illness or death to the living relatives.[15] Daoist priests often function as important mediums to deal with these sepulchral plaints and command the disease-causing spirits of the dead in order to save the living relatives. They normally did not perform sacrifice but used liturgical texts in

---

12　*Zhengao*: 20.4b6-6b2.

13　*Zhengao*: 20.9a1.

14　F. Pregadio, *The Encyclopedia of Taoism*, 88.

15　F. Pregadio, *The Encyclopedia of Taoism*, 88-89.

rituals to communicate with the dead spirits.[16] About two months before the anniversary of Kedou's death, a Daoist god announced the sepulchral plaint:

許朝者，暴殺新野郡功曹張煥之，又枉煞求龍馬。此人皆看尋際會，比告訴水官。水官逼許斗使還其丘墳，伺察家門當衰之子，欲以塞對解逼，示彼訟者耳。是斗亡月亡日，其應至矣，君自受命，當能治滅萬鬼，羅制千神，且欲視君之用手耳。欲令無他者，宜以此日詣斗墓，叱攝煥等，制敕左官，使更求考代，震滅爭源也。可勿宣此，當言我假威於君矣

Xu Chao violently murdered and unjustly killed [two men]. These men have both been waiting for an opportunity and recently have placed an accusation before the Water Official [Shuiguan 水官, the title for a judge in the underworld]. The Water Official has compelled Xu Dou [i.e. Tao Kedou] to return to her tomb, there to keep watch for a child in her household who is due to weaken. She will take [this child] to nullify [their choice of her] as respondent and release [herself] from constraint as a demonstration against those who have brought suit. Kedou will come [to take the child] on the month and day of her death. Since you have received an appointment, you should be able to wipe out the hosts of the dead and control the myriad spirits. *I want to observe your skill, that's all* (emphasis added). If you wish to avoid further [incidents], you should visit Kedou's tomb on this day to rebuke and bind [the dead spirit of those who have brought suit] with curses. This will compel the Official of the Left [= the Water Official] to conduct another inquiry and find a new substitute. In this way, we will obliterate the source of the disputes. *But do not disclose these [instructions]* (emphasis added). You should merely say, "I rely on the might of the Lord."[17]

Several scholars have noticed the significance of the above passage in the study of Daoism and generally Chinese culture. Strickmann, Nickerson and Bokenkamp's early works explore how Daoist priests dealt with the sepulchral plaint, the Daoist bureaucratic procedures revealed in

---

16 A. Seidel, "Early Taoist Ritual [Ursula-Angelika Cedzich, Das Ritual Der Himmelsmeister Im Spiegel Früher Quellen] (Review Article)." *Cahiers d'Extrême-Asie* 4 (1988): 199-204.

17 *Zhengao*: 7.6a9-6b6; the translation is adapted from S. R. Bokenkamp, *Ancestors and Anxiety: Daoism and the Birth of Rebirth in China* (Berkeley: University of California Press, 2007), 134. See also the translations in Yoshikawa and Mugitani, *Shinko Kenkyu*, 252-55 and in M. Strickmann, *Le Taoisme Du Mao Chan: Chronique D'une Revelation* (Paris: College de France, Institut Des Hautes Etudes Chinois, 1981), 146.

their rituals, and the connections to pre-Daoist magico-religious practices in these rituals.[18] Bokenkamp's recent work *Ancestors and Anxiety*, in contrast, highlights the well-documented family drama that this sepulchral plaint exposes. My interest in the above passage, however, is the Daoist god's instructions, the timing of the sepulchral plaint, and the people involved in it – all of which seem to be relevant to the genesis of the Shangqing revelations.

Tao believed that the above passage was addressed to Yang. The Daoist god wanted to "observe" Yang's skills in dealing with the sepulchral plaint. He also warned Yang not to "disclose" his instructions. This warning is important, for Hua Qiao, the previous medium between Xu Mi and the Daoist celestial beings, had leaked divine words to the unworthy. Immediately before the quoted passage, the Daoist god accused Hua Qiao of leaking divine words and said that Hua Qiao had been brought to the Water Official.[19] It is because of Hua Qiao's crime and death that the Daoist god entrusted Yang to settle the underworld lawsuit. It is also because of Hua Qiao's crime that Yang started to become the medium between the Daoist celestial beings and Xu Mi.[20] The above passage shows that Yang was in the early days of his career as the medium when the revelations started. More directly, the revelations served to consolidate Yang's position as the medium in the Xu family. They were proof of his "extraordinary" power to communicate with the celestial beings. They gave power to Yang who was a new, and thus powerless, family priest.

The revelations collected in volume 7–8 of *Zhengao* obviously target Hua Qiao and the Hua family from Jin Ling 晉陵. The wife of Xu Lian 許聯, second son of Xu Mi, was Hua Zirong 華子容, who was from the same family as Hua Qiao. It is curious that the child who was due to weaken, and whom Kedou compelled to select from her family to nullify her as respondent and release herself from constraint was Hua Zirong and Xu Lian's son, Chisun 赤孫.[21] Yet Hua Zirong was reluctant to follow Yang's instructions to provide suitable offerings to save her son. We do not know exactly why Hua Zirong was reluctant. Bokenkamp suspects

---

[18] S. R. Bokenkamp, *Ancestors and Anxiety: Daoism and the Birth of Rebirth in China* (Berkeley: University of California Press, 2007), 134; M. Strickmann, *Le Taoisme Du Mao Chan: Chronique D'une Revelation* (Paris: College de France, Institut Des Hautes Etudes Chinois, 1981), 114-69; P. S. Nickerson, *Taoism, bureaucracy and popular religion in early medieval China. Cambridge*, Mass. and London: Harvard University Press, 2007), 261-352; P. S. Nickerson, "The Great Petition for Sepulchral Plaints." in *Early Daoist Scriptures*, eds. S. R. Bokenkamp and P. S. Nickerson (Berkeley: University of California Press, 1997), 236-37, 248-50.

[19] *Zhengao*: 7.6a2-8

[20] *Zhengao*: 20.13b7-14a5.

[21] *Zhengao*: 7.10a1-5, 20.9a10-9b5.

that Hua Zirong was "already paying for the services of another ritual practitioner, and a relative at that"[22] after carefully reconstructing the events according to the revelations and family communications that Tao collected in *Zhengao*. Bokenkamp believes that, for this reason, she was reluctant to participate in the rituals that Yang took charge of. Hua Zirong's ritual practitioner was probably her younger brother, mentioned as HuaHou 華侯 (High Official Hua), Hua Shuli 華書吏 (Secretary Hua) or Hua Gongcao 華功曹 (Merit Officer Hua) in *Zhengao*. Moreover, the gods in *Zhengao* also complained that Hua Gongcao leaked divine words to the unworthy,[23] the same sin as Hua Qiao. The Shangqing revelations clearly targeted the Hua family for being impious.

The conflict between Yang and the Hua family was not merely about personal ambitions. According to the brief biography of Hua Qiao,[24] the Hua family from Jin Ling worshipped Su Dao 俗禱, or Su Shen 俗神 (Gods of the Profane) for generations. I see "the Gods of the Profane" essentially as a name for all popular sacrificial religions in ancient China, and define Daoism particularly against these sacrificial religions.[25] Only when Hua Qiao was troubled by dead spirits did he decide to abandon the Gods of the Profane and worship Daoism. After he converted to Daoism, he gradually received revelations from Daoist celestial beings to pass to XuMi, until Yang replaced him. The connection of Hua Qiao to the Gods of the Profane highlighted in the Shangqing texts seems to suggest that Hua Qiao's previous worship of the Gods of the Profane had corrupted his character so much that he even continued to be impious after his conversion to Daoism. Julius N. Tsai rightly notices that the negative portrayal of HuaQiao's impiety is only in *Zhengao*, not in the earlier source *Ziyang zhenren neizhuan* 紫陽真人內傳 (*Inner Biography of the Perfected Person of Purple Solarity*).[26] He suggests that Tao treated Hua Qiao negatively in *Zhengao* in order to establish a 'purer' Shangqing

---

22 S. R. Bokenkamp, *Ancestors and Anxiety: Daoism and the Birth of Rebirth in China*, 144.

23 *Zhengao*: 18.8b6-7.

24 *Zhengao*: 20.13b7-14a5.

25 Rolf Stein and Michel Strickmann also see Daoism as a religion against sacrificial cults. See A. Stein, "Religious Taoism and Popular Religion from the Second to Seventh Centuries." in *Facets of Taoism: Essays in Chinese Religion*, eds. A. Seidel and H. Welch, (New Haven: Yale University Press, 1979), 53-81; M. Strickmann and B. Faure, Bernard, *Chinese Magical Medicine* (Stanford: Stanford University Press, 2002), 4.

26 For a comparison of the portrayal of Hua Qiao, see *Zhengao* 20.13b7-14a5 and *Ziyang zhenren neizhuan* 18a6-19a1. For an annotated translation of *Ziyang zhenren neizhuan*, see M. Porkert, *Biographie D'un Tao ïste Légendaire, Tcheou Tseu-Yang* (Paris: Collège de France, Institut des hautes études chinoises, 1979).

orthodoxy, which clearly broke from the Gods of the Profane.[27] However, since Tao claimed that he only recorded Yang's manuscripts of these revelations, it may be that Yang wanted to establish a 'purer' Shangqing orthodoxy. Yang certainly, as I have shown and will show again, had his reasons to attack Hua Qiao and distance the Shangqing tradition from the Gods of the Profane.

The central issues of the Gods of the Profane taken by Yang were killing and blood sacrifice.[28] In volume 4 of *Zhengao*, a Daoist God told Xu Mai 許邁, Xu Mi's brother, that he could not become immortal because he had worshiped Bo Jia Dao 帛家道 and practised blood sacrifice before he converted to Daoism.[29] According to Tao, Bo Jia Dao was another name for the religion of the Gods of the Profane.[30] From the accusation laid against the Huas and Xu Mai, it is clear that the Shangqing tradition was trying to establish itself as the "true" religion, the "true" Daoism, compared to the more ancient sacrificial religious tradition, Bo Jia Dao (or the Gods of the Profane).

Another family, the Ge 葛 family, also connected to the Xu family through marriage like the Hua family. Notably, Xu Chao married a daughter of the Ge family, who was the elder sister of Ge Hong 葛洪.[31] The tradition behind Ge Hong, compared to the Gods of the Profane, was more upper-class and refined. Ge Hong came from an aristocratic family in South China. His great-uncle, GeXuan 葛玄, being a fangshi 方士 (masters of methods), had worked for Cao Cao 曹操, who was the father of the first emperor of the Cao Wei 曹魏, one of the three major states in the Three Kingdoms period (220–280) after the fall of the Later Han dynasty. The fangshi tradition, as represented by Ge Hong and Ge Xuan, goes back as early as to the Warring Kingdoms (the third century BCE). Fangshi were people who were specialized in methods and practices leading to longevity and immortality. Chinese emperors who sought immortality often patronized them.[32] In addition to the ultimate quest for immorality, Ge Hong's tradition also highlighted the use and transmission of religious texts as

---

27 J. N. Tsai, "Reading the 'Inner Biography of the Perfected Person of Purple Solarity': Religion and Society in an Early Daoist Hagiography." *Journal of the Royal Asiatic Society* 18.02 (2008): 201-03.

28 The rejection of blood in Daoism and particularly in Shangqing Daoism is discussed in detail in G. Raz, The Emergence of Daoism: Creation of Tradition (New Youk: Routledge, 2012), 91-126.

29 *Zhengao*: 4.10b8-9.

30 See *Zhoushi Mingtong Ji*: 1.13a5-6: "周家本事俗神禱, 俗稱是帛家道 (The family of Zhou previously worshipped Su Shen Dao, also called Bo Jia Dao)".

31 *Zhengao*: 20.7b6.

32 M. Csikszentmihalyi, "Han Cosmology and Mantic Practices." in *Daoism Handbook*, ed. L. Kohn (Leiden: Brill, 2000), 53-73.

religions of the fangshi tradition often did.[33] Following the fangshi tradition, Ge Hong's tradition incorporated various previous methods and practices for longevity and immortality, such as the ingestion of herbal drugs, breathing, sexual practices, dieting, meditation and alchemy, however, it placed alchemy and meditation into the category of practices leading to immortality; all the other practices could only achieve longevity.[34]

Chen Guofu suspects that Ge Hong also worshiped Bo Jia Dao. He bases his suspicion on Ge Hong's praise of *San Huang Wen* 三皇文 (*Text of the Three August Ones*), a text revealed to Bo He 帛和, the founder of Bo Jia Dao.[35] Strickmann also seems to make no distinction between the Gods of the Profane and Ge Hong's tradition. He sees them both as the faith of South China before the influence of the Way of the Celestial Masters, the faith of the Northerners.[36] However, Chen and Strickmann's suspicions are almost certainly wrong. In the study of religion, scholars often focus too much on texts and neglect the importance of practice in defining religion. Instead of trying to define the Gods of the Profane by a corpus of texts, I see the term "the Gods of the Profane" referring to ancient Chinese sacrificial religions. In this definition, Ge Hong's tradition was clearly different from the Gods of the Profane. In *Baopuzi* 抱朴子, Ge Hong expressed his disgust at blood sacrifice very clearly: he called those who practiced "sha sheng xueshi 煞生血食 (killing living creatures and eating blood)" Yao Dao 妖道 (The Dao of the Evil or The Dao of the Witch).[37] In fact, one mission of Ge Hong's tradition was to annihilate the God of the Profane.[38] This mission was also a mission of the Way of the Celestial Masters. The canonical text of the Way of the Celestial Masters, Guan Yi 官儀 (Protocols of the 1200 Officials), contains instructions to destroy the shrines and temples of the Gods of the Profane.[39]

Despite that Ge Hong's tradition and the Way of the Celestial Masters both targeted the Gods of the Profane, this older religion attended to most of the spiritual needs of the Xu family before Xu Mai. Hua Qiao, the previous medium between Xu Mi and the Daoist celestial beings, worshiped the Gods of the Profane before he converted to Dao. Xu Mai also

---

33 Ge Hong compiled a library of the texts, see *Baopuzi Neipian*: 19.3b8-7a7.

34 F. Pregadio, "Early Daoist Meditation and the Origins of Inner Alchemy." in *Daoism in History: Essays in Honour of Liu Ts'un-Yan*, ed. B. Penny (London: Routledge, 2009), 121-58; F. Pregadio, *Great Clarity: Daoism and Alchemy in Early Medieval China*. Stanford: Stanford University Press, 2006), 123-39.

35 Chen Guofu 陳國符, *Dao Zang Yuan Liu Kao* 道藏源流考, 277.

36 M. Strickmann, "The Mao Shan Revelations: Taoism and the Aristocracy", 7-8.

37 *BaopuziNeipian*: 9.5b10.

38 *BaopuziNeipian*: 9.5b10-6a4.

39 *DengzhenYinjue*: 3.21b3-6.

worshipped the Gods of the Profane before he converted to Dao. The Xu family, in the words of some Shangqing gods, was not a harmonious family, as "the father and the son worshipped different gods".[40] Since the god was talking to Xu Mai, these words imply that Xu Fu 許副, Xu Mai's father had, not as Srickmann thought[41], converted to the Way of the Celestial Masters, but was still worshiping the Gods of the Profane after Xu Mai's conversion.

　　　Xu Mai's conversion is crucial to the study of the religious divisions in the Xu family. It was from him that the Xu family started to abandon the Gods of the Profane in favour of Daoism. But to what kind of Daoism had Xu Mai converted? The Way of the Celestial Masters or Ge Hong's tradition or the new Shangqing tradition?　Xu Mai visited Guo Pu 郭璞 often and studied under Bao Jing 鮑靚,[42] the father of Ge Hong's wife.[43] Guo Pu and Bao Jing were both related to the fangshi tradition (Ge Hong's tradition). So it seems that Xu Mai converted to Ge Hong's tradition. However, according to *Zhengao*, Xu Mai was also a disciple of Li Dong 李東, the Ji Jiu 祭酒 (Libationer)[44] of the Way of the Celestial Masters in the Xu family, and was closely related to Xu Mi and Yang.[45] Here, we face a problem. According to *Jin Shu* 晉書, Xu Mai moved to the West Mountain of Lin'an 臨安西山 (near present-day Hangzhou 杭州) in 346 and no-one knew where he had gone after he left a letter to Wang Xizhi 王羲之. Many Daoists believed that he died and became an immortal soon after 346.[46] In *Zhengao*, the genealogy of the Xu family also confirms that Xu Mai died in the West Mountain of Lin'an, in the year 348, two years after he moved there. However, the Shangqing revelations started in 364, sixteen years after Xu Mai's death. It is therefore impossible that Xu Mai had followed the Shangqing tradition with XuMi and Yang. Another passage in *Zhengao* also shows that only his dead spirit followed the Shangqing tradition.[47] The most plausible scenario is that Xu Mai converted to Ge Hong's tradition, but was also familiar with the Way of the Celestial Masters. He became famous as a Daoist following Ge Hong's tradition. The Shangqing tradition played around Xu Mai's conversion and created the myth that he followed

---

[40] *Zhengao*: 4.10b9-11a1.

[41] M. Strickmann, "The Mao Shan Revelations: Taoism and the Aristocracy", 8-9.

[42] *Jin Shu*: 80.14a10-b3.

[43] *Jin Shu*: 72.13b9.

[44] *Ji Jiu* (often translated into English as "Libationer") was the term for priests in the Way of the Celestial Masters. See F. Pregadio, *The Encyclopedia of Taoism*, 550.

[45] *Zhengao*: 20.11b3-4, 20.13b5-6.

[46] *Jin Shu*: 80.14b10-15a6.

[47] *Zhengao*: 18.10a5-6: "始覺形非我質，遂亡軀遂神矣 (I start to feel that my body is not related to my spirit, so I abandon my body and only pursue the spirit)".

it after death, in order to show its supremacy compared to Ge Hong's tradition and the Way of the Celestial Masters. This interpretation is consistent with the Shangqing pantheon, which places its celestial beings above celestial beings of the Way of the Celestial Masters and the Gods of the Profane.[48]

From the treatment of Xu Mai in the texts, we can see that the Shangqing tradition originally was not only battling against the Gods of the Profane, but was also trying to show that it was superior compared to Ge Hong's tradition and the Way of the Celestial Masters. Indeed, polemics in early Daoist scriptures (including in Shangqing scriptures) are not uncommon.[49] These Daoist polemics certainly reflect the intense competition between religions. Polemics in Shangqing scriptures also reflect the uneasy relationships of the Xu families. In the following relationship network (Fig 2), we can see that Xu Fu's wife and Xu Lian's wife were from the Hua family worshiping the Gods of the Profane; Xu Chao's wife was from the Ge family worshiping Ge Hong's tradition; Xu Mai's teacher, Li Dong, was a Ji Jiu of the Way of the Celestial Masters and was also in charge of some of the family's spiritual business. By showing that the Shangqing tradition was superior to all the other religious traditions in the Xu family, Yang and Xu Mai were targeting the other family members as well. Religious divisions were not something superficial here, only being different views; they were really tearing the Xu family apart.

---

[48] See *Zhenling Weiye Tu*; M. Strickmann, "The Mao Shan Revelations: Taoism and the Aristocracy", 9, n.13.

[49] For general Daoist polemics see E. Zürcher, "Buddhist Influence on Early Taoism, a Survey of Scriptural Evidence." *T'oung Pao* 66.1(1980): 89; S. R. Bokenkamp, *Early Daoist Scriptures. With a contribution by Peter Nickerson* (Berkeley: University of California Press, 1997), 11; For Shangqing against Ge Hong's tradition see D. Boyd, "The 'Other' Dao in Town: Early Lingbao Polemics on Shangqing." *Journal of Daoist Studies* 7 (2014): 62, 69-70. Bokenkamp and Boyd argue that the rise of Lingbao movement was a reaction to the attack to Ge Hong's tradition in the Shangqing scriptures. See S. R. Bokenkamp "Sources of the Ling-Pao Scriptures." in *Tantric and Taoist Studies in Honour of R. A. Stein,* ed. M. Strickmann (Brussels: Institut Belge des Hautes Etudes Chinoises, 1983); D. Boyd, "The "Other" Dao in Town: Early Lingbao Polemics on Shangqing".

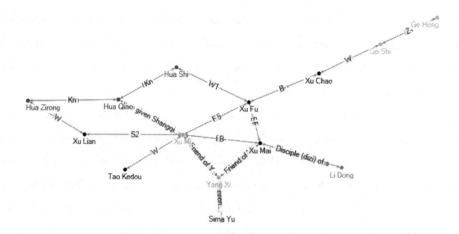

Fig 1: The four religious traditions in the Xu family represented in four colours: Red (The
　　　 Gods of the Profane – the Huas), Green (Ge Hong's tradition), Blue (The way of the
　　　 Celestial Masters), and Purple (The Shangqing tradition)[50].

　　　Seen from another perspective, the members of the Xu family may already have conflicts
of interests. It might be the case that Xu Mi and Yang saw the religious divisions in the Xu
family as an opportunity to attack or subdue the family members who were already not on
their side. Back to the underworld lawsuit involving Kedou, why did the Shangqing god
accuse Xu Chao? In another passage from *Zhengao*, revelations from a Daoist god not only
accused Xu Chao of the violent murder and unjust killing again but also accused Xu Fu of his
wrong deeds. It is because of Xu Chao and Xu Fu's misdeeds, and also because of Xu Mai's
previous worship of the Gods of the Profane and practices of blood sacrifice, that Xu Mai was
almost declined to become immortal.[51] Considering the treatment of Xu Chao and Xu Mai in
the revelations together, bloodshed emerges as the critical point highlighted in the Shangqing
texts.[52] Why did the revelations take issue on bloodshed?

　　　After carefully studying the social relationships of the Xu family members and their
careers, I found that, except Xu Mai and Xu Mi, most of the Xu family members, as
represented by Xu Chao and Xu Fu, entered their careers as military officers and/or were in

---

[50] Created from relationship information collected from *Zhengao* 20.4b5-9a2.

[51] *Zhengao*: 4.10a9-11a3.

[52] For another interpretation of Xu Mai's case, see U-A. Cedzich, "Corpse Deliverance, Substitute Bodies,
　　 Name Change, and Feigned Death: Aspects of Metamorphosis and Immortality in Early Medieval China."
　　 Journal of Chinese Religions 29.1 (2001): 45-48, esp note 196. Cedzich argues that immortality practice is
　　 the centre issue in Xu Mai's case.

charge of important military towns. Thus, they were more exposed to killing and bloodshed. On the contrary, Xu Mi served as a civil service officer in the central government. Table 1 shows the careers of the Xu family members.

Table 1: Xu Family Members and their Offices[53]

Xu Family Members	Relationships	Offices[54]
Xu Fu 許副	Father	Adjutant-Expedition to North 征北參軍 -> Adjutant-Pacification of East 安東參軍, Prefect of Xiapi 下邳太守 -> General-Lingshuo 寧朔將軍, honoured with the title Marquis of West County 西城縣侯 for fighting with Kong Tan 孔坦 against Sheng Chong 沈充 -> Director of Shan 剡令 -> Commandant-in-chief of Chariots 奉車都尉
Xu Chao 許朝	Younger brother of Xu Fu	Prefect of Xiangyang 襄陽太守 -> Prefect of Xinye 新野太守 -> Prefect of Nanyang 南陽太守 -> Prefect of Xunyang 潯陽太守 -> fighting with Gan Zhuo 甘卓 against Wangdun 王敦
Xu Fen 許奮	1st son (S1)	Stepson of Uncle Xu Chao, Adjutant of He Chong 何充
Xu Zhao 許炤	2nd son (S2)	Adjutant of He Chong, Attendant Censor in the Censorate 南臺侍御史, Prefect of Huailing 淮陵
XuQun 許群	3rd son (S3)	Adjutant of Yu Tan 虞譚
Xu Mai 許邁	4th son (S4)	None 無
XuMi 許謐	5th son (S5)	Secretary of State 尚書郎, Rectifier of Prefectures 郡中正, Senior scribe of the

---

53　The primary source of this table is *Zhengao*: 20.6a6-9a2.

54　English translations of the offices in this table are mainly from Lin Jinshui 林金水 and Zou Ping 鄒萍. *A Concise Dictionary of Official Titles in Ancient China* (Zhongguo Gu Dai Guan Zhi Yi Ming Jian Ming Shou Ce 中國古代官制譯名簡明手冊) (Shanghai: Shanghai shu dian chu ban she, 2005).

Xu Family Members	Relationships	Offices[54]
		Guards' Division 護軍長史, Supervising Secretary 給事中, Policy Adviser 散騎常侍
Xu Maoxuan 許茂玄	6th son (S6)	died very early 早亡
Xu Zhao 許權	7th son (S7)	Retainer of Heng Wen in Yangzhou 桓溫揚州從事 -> Adjutant of Xie An's guardsmen 謝安衛軍叅軍 ->honoured with the title Marquis of Duxiang (都鄉侯) for fighting with Xie Xuan (謝玄) against Fu Jian (符堅)
XuLingbao 許靈寶	8th son (S8)	早亡 died very early

Most of the Xu family members, except Xu Mi, related to the powerful aristocratic families and warlords dominating the politics of the Eastern Jin 東晉 Dynasty, such as He Chong, Gan Zhuo, Kong Tan, Heng Wen, Yu Tan, Wang Xizhi 王羲之, Xie An, Xie Yi 謝奕 and Xie Xuan. On the contrary, Xu Mi and Yang related to Sima Yu 司馬昱 from the imperial family, who later became Emperor Jian Wen 簡文帝 (see the following relationship network in Fig 3). This reveals an important fact: Xu Mi (with Yang) and the other Xu family members belonged to different political factions.

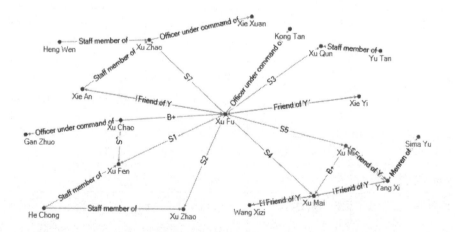

Fig 2: Political fractions in the Xu family represented in two colours: Red (The powerful aristocratic families and warlords) and Purple (Sima Yu from the imperial family)[55]

---

55 Created from relationship information collected from *Zhengao* 20.4b5-9a2.

Throughout the history of the Eastern Jin, power struggles between Eastern Jin emperors and the warlords (often from powerful aristocratic families) were intense. In the fourth century, nomads from the northern border regions invaded North China and pushed the imperial government south. The migrated government established Eastern Jin Dynasty in South China, losing most of the land north of the Yangtze River. In the north, China was divided to many small kingdoms. Wars between the small kingdoms in North China and the Eastern Jin in South China broke out frequently. The Eastern Jin emperors had to rely on the support of the local aristocratic families and the protection of the warlords on the one hand, and prevent them from becoming too powerful on the other.

Given that Xu Chao was a military officer following the warlords, while Xu Mi and Yang were officers of Sima Yu from the imperial family, the accusation against Xu Chao in the Shangqing revelations also served as the justification of Xu Mi's political alliances with his patron Sima Yu – despite the fact that his uncle, and in fact, his father and most brothers, were in another political faction. In this sense, the revelations gave Xu Mi power, and a moral justification for Sima Yu to rule. The critique of bloodshed in the revelations was also criticisms levelled at the powerful warlords who were in power struggles with Sima Yu. The personal ambitions and religious interests of Yang perfectly aligned with the political interests of his patrons, Xu Mi and Sima Yu. Barrett thinks that the Shangqing revelations were "suitable for a court official, especially one who lacked the right friends in high places and so felt a need for impressive connections in the unseen world".[56] My analysis shows that, similar to Barrett's conclusion, the Shangqing revelations are also the kind of religious texts welcomed by people who seek power, such as Yang, Xu Mi and Sima Yu. The supremacy in the spiritual world claimed for the revelations was exactly the supremacy that these people sought in the real world. There is no doubt that Yang, Xu Mi and Sima Yu propagated the Shangqing tradition.

My analysis also reveals some historical dimensions that are necessary for us to explore the Shangqing tradition or Daoism more deeply. The claim that the Shangqing tradition was a reaction of the southern tradition to the migrated northern tradition turns out to be too simplistic. Some scholars seem to regard Ge Hong's tradition and the Gods of the Profane as *the* tradition of South China, and make no distinction between them. They see the Shangqing revelations as a reaction of *the* southern religious tradition to the Way of the Celestial Masters from North China at the time when the followers of the Way of the Celestial Masters set

---

56 T. H. Barrett, *Taoism under the T'ang*, 13;

themselves to destroy the religious tradition of South China.[57] However, as I have discussed above, Ge Hong's tradition and the Gods of the Profane are clearly different in their practices. We should not talk about *the* southern tradition. Instead, we should talk about the southern traditions.

The followers of the Way of the Celestial Masters were only targeting the Gods of the Profane just like Ge Hong's tradition was doing. It is even not clear if only people in South China worshipped the Gods of the Profane. We should not assume that the southern religious traditions came into conflict with the northern religious traditions in South China after the imperial government moved south. Religions do not necessarily come into conflict only because they came from different places. The Celestial Masters' crusade against the Gods of the Profane does not prove the conflicts between the south and the north, but suggests the alliance of the Way of the Celestial Masters, Ge Hong's tradition and the Shangqing tradition against the Gods of the Profane. The Shangqing revelations from the very beginning intended to subdue both the southern and the northern religious traditions as shown by my analysis of the religious alliances, careers and relationships of the people who first received (or created, if you like) the revelations. The revelations provided those people an extra cloak of religious authority to boost their political patrons and their own power.

---

[57] Chen Guofu 陳國符, *Dao Zang Yuan Liu Kao* 道藏源流考, 277; I. Robinet, *Taoism: Growth of a Religion*, 116; M. Strickmann, "The Mao Shan Revelations: Taoism and the Aristocracy", 7-10; D. Boyd, "The 'Other' Dao in Town: Early Lingbao Polemics on Shangqing.", 67.

俱舍與毘曇之關係及在中國弘揚之情況

林律光

香港中文大學

一　毘曇與俱舍之關係

　　佛教博大精深，千差萬別，門派雖多，唯不出大小二乘、空有兩輪。中國佛教小乘有宗名俱舍宗，亦稱「俱舍學」派，以研習、弘傳《俱舍論》而得名，其學者稱俱舍師，弘傳分新、舊兩個階段。俱舍宗是依據世親菩薩所造的《阿毘達磨俱舍論》而成立的小乘宗派，其教義內容是以「我空法有」、「三世實有」為宗旨，故被視為小乘有宗，對中國佛教各宗都有重要的影響，在思想的演變過程上，唯識宗可說是以俱舍宗為其根源。

（一）毘曇師

　　毘曇師即研習「毘曇學」派者，世稱毘曇宗，又名薩婆多宗，屬於我國佛教十三宗[1]之一，毘曇全名阿毘曇，意譯對法、無比法、大法等，意謂可尊可讚之究竟法，指可分析觀察現象界及證悟超經驗界之佛教智慧。其原義為「論」，故「阿毘曇」是對佛典的解釋，又阿毘曇是最早傳入中國，亦名阿毘曇宗。

　　東晉時期，「說一切有部」毘曇傳入中國，前秦僧伽提婆於建元十九年（383）譯出《阿毘曇八犍度論》（玄奘譯為《發智論》）二十卷，又於東晉太元十六年（391）譯出《阿毘曇心論》四卷；南宋僧伽跋摩等於元喜十二年（435）譯出《雜阿毘曇心論》十卷等，同時又譯《三法度論》，諸作譯出後，流傳甚廣，南北兩地掀起研習毘曇之熱潮，專習或兼習之學者繼出，自此「毘曇學」派逐漸形成，毘曇師也相繼出現。元嘉十年（433）僧伽跋摩重新注譯《雜阿毘曇心論》，研習毘曇者皆奉為要典，視為毘曇之總結，自此「毘曇學」大盛，影響亦廣。直至唐朝玄奘重譯《俱舍論》後，「毘曇學」派逐漸衰微。

　　「毘曇學」說的重點是依據有部之義理，以《阿毘曇心論》及《雜阿毘曇心論》之四諦綱領，說明「我空法有」及「法從緣生」之道理，又指出色、心一切諸法各有自性、常恆不變，並肯定「三世實有」之說。毘曇師主張諸法實有，故建立色、心法外，

---

[1] 中國佛教宗派之產生，大約在隋唐時代，共有十三宗之說。所謂的十三宗，即：淨土、毘曇、成實、律、三論、涅槃、地論、攝論、禪、天台、華嚴、法相、密宗等，後經整合為十宗。

又立心所有法五十八種，十四種不相應行法、三種無為法。「毗曇學」又認為法體在三世中永不消滅，而三世「中有」中，過、未二世之有建立在因之上，故用六因四緣，以證三世一切法有之說。其次，他的學說善於解釋法相，以探究事物的本質與現象的關係。慧遠對毗曇則有如下的評論：

> 阿毘曇心者。三藏之要頌。詠歌之微言。管統眾經領其宗會。故作者以心為名焉。有出家開士。字曰法勝。淵識遠覽極深研機。龍潛赤澤獨有其明。
>
> 其人以為阿毘曇經。源流廣大難卒尋究。非瞻智宏才。莫能畢綜。是以探其幽致別撰斯部。始自界品訖於問論。凡二百五十偈。以為要解。號之曰心。其頌聲也。擬象天樂若雲籥自發。儀形群品觸物有寄。若乃一吟一詠。
>
> 狀鳥步獸行也。一弄一引。類乎物情也。情與類遷。則聲隨九變而成歌氣與數合。則音協律呂而俱作。拊之金石。則百獸率舞。奏之管絃。則人神同感。斯乃窮音聲之妙會。極自然之眾趣。不可可謂美發於中暢於四枝者也。發中之道要有三焉。一謂顯法相以明本。二謂定己性於自然。三謂心法之生必俱遊而同感。俱遊必同於感。則照數會之相因。己性定於自然。則達至當之有極。法相顯於真境。則知迷情之可反。[2]

慧遠認為「毗曇」的特色以明法相為根本，討論事物的定性，才能真正認識世界。「毗曇學」經道安和慧遠等大德推崇，在中國南北兩地傳播，可謂盛極一時。

毗曇傳入中國後，首先傳譯北方，道安倡導研習。後慧嵩從智遊習「毗曇」、「成實」等學，聞名北方，有「毗曇孔子」之稱號。慧嵩先後在鄴、洛、彭、沛一帶弘揚毗曇之學，弟子計有志念、道猷、智洪、晃覺、敬魏等，都是北方著名僧侶。例如志念先從道長習《智論》，繼從道寵習《十地論》，及後從慧嵩研《毗曇》，《續高僧傳》卷十一載：

> 盛啟本情雙演二論。前開智度後發雜心。岠對勍鋒無非喪膽。時州都沙門法繼者。兩河俊士燕魏高僧。居坐謂念曰。觀弟幼年慧悟超邁若斯。必大教由興。名垂不朽也。於即頻弘二論一十餘年。學觀霞開。談林霧結。齊運移歷周毀釋經。[3]

志念所出高足有二十餘人皆屬隋唐高僧，門人多達四百餘人，皆傳播毗曇之學。此外，有成實師僧嵩及其弟子僧淵亦有弘揚「毗曇」，據《高僧傳》卷八載：

2　《大正新脩大藏經》冊55，No. 2145《出三藏記集》序，卷10，頁0072c01(00)－0072c20(01)。

3　《大正新脩大藏經》，冊50，No. 2060《續高僧傳》卷11，頁0508c14(01)－0508c19(03)。

釋僧淵。本姓趙。潁川人。魏司空儼之後也。少好讀書。進戒之後專攻佛義。初遊徐邦止白塔寺。從僧嵩受成實論毘曇。學未三年功踰十載。慧解之聲馳於遐邇。淵風姿宏偉腰帶十圍。神氣清遠含吐灑落。隱士劉因之捨所住山給為精舍。……釋曇度。本姓蔡。江陵人。少而敬慎威儀。

素以戒範致稱。神情敏悟鑒徹過人。後遊學京師備貫眾典。涅槃法華維摩大品。並探索微隱思發言外。因以腳疾西遊。乃造徐州。從僧淵法師更受成實。遂精通此部獨步當時魏主元宏聞風餐挹。遣使徵請。既達平城大開講席。宏致敬下筵親管理味。於是停止魏都法化相續。學徒自遠而至千有餘人。[4]

　　自隋朝一統南北，「毘曇學」獨盛於北方，時有名僧靖嵩，著有《雜心疏》五卷。又長安有辨義、道宗，洛陽有智脫，益州有道基，蒲州有神素皆弘此學。另有它宗兼弘毘曇者，有慧定、靈裕、智脫、明彥、民念等，成為慧嵩以後著名的毘曇師。

　　在南方，《雜阿毘曇心論》經僧伽跋摩重譯之後，又經慧遠大力提倡，「毘曇學」大盛。從習者有道生、慧持、慧觀、慧義、曇順及名士王珣、王珉。南朝時在宋都建康有法業、慧定、曇斌、慧通兼攻《雜心論》、僧鏡撰《毘曇玄論》、〈後出雜心序〉，江陵有成具、會稽有曇機。齊代有僧慧、慧基、法令、智藏、慧開、慧集，其中慧集最為著名，以《八犍度論》及《大毘婆沙論》來與《雜心論》相互參校，分析問題，獨步一時。故他陞堂弘法來受聽者多至千人，著有《毘曇大義疏》十萬餘言，盛行於世。《高僧傳》卷八：

凡碩難堅疑並為披釋。海內學賓無不必至。每一開講負帙千人。沙門僧旻法雲並名高一代。亦執卷請益。今上深相賞接。以天監十四年還至烏程。遘疾而卒。春秋六十。著毘曇大義疏十餘萬言。盛行於世。[5]

後因成實學漸盛，「毘曇學」日衰。及後陳真諦譯出《俱舍釋論》後，毘曇師多轉移習俱舍，成為俱舍師。自此，「毘曇學」一蹶不振。

（二）俱舍師

　　「俱舍宗」以《俱舍論》為依歸，而此論之弘傳有新舊兩個時期。在南朝的宋、齊、梁時期研習「毘曇學」之「說一切有部」，十分盛行。自陳真諦譯出《俱舍釋論》

4　《大正新脩大藏經》，冊50，No. 2059《高僧傳》卷8，頁0375a27(00)－0375b16(04)。
5　《大正新脩大藏經》，冊50，No. 2059《高僧傳》卷8，頁0382b29(01)－0382c04(02)。

後，形勢大變。有研究「毗曇學」者，紛紛轉投研習俱舍之學，道岳為一例。他初習「毗曇學」依《雜心論》，後研習俱舍而捨毗曇，時稱俱舍師，此為「俱舍學」之第一階段。嗣後，玄奘大師自印度回國重譯《俱舍論》，其弟子大多研習此學，俱舍師從舊論轉移研究新論，是為俱舍弘傳的第二階段。

　　俱舍師以世親為宗祖，他初於有部出家，天資聰敏，精通三藏，增訂《雜心論》，創《俱舍論》。其弟子安慧等，皆弘傳俱舍義，著有《俱舍論實義疏》等著作，其餘德慧、世友、稱友、滿增、靜住天、陳那等多有注釋此論，是印度最早期的俱舍師，為當時教界引起全城鼓動，研究氣氛，一時無兩，極為盛行，將「說一切有部」之教義推向新的境界。南朝陳天嘉五年間（564），真諦於廣州制旨寺譯出《俱舍釋論》二十二卷，世稱舊俱舍，與此同時，陞堂弘演，由弟子筆錄結集為《義疏》共五十三卷。天嘉七年（566）二月又應邀請重譯並講，於光大元年（567）十二月譯畢，由弟子慧愷筆錄，成為今天的《阿毘達磨俱舍釋論》二十二卷，通釋舊譯。其弟子有慧愷、智敏、法泰等，以慧愷最為著名。慧愷在梁代漸露頭角，為人所識，他初落腳於阿育王寺，後到廣州拜真諦為師，備受器重。他先後協助翻譯《攝大乘論》、《俱舍論》等，其中以《俱舍論》文及疏共譯出八十三卷，詞理圓備，文詞通達，為真諦所稱讚。公元五六七年至五六八年至期間，慧愷應僧宗等之請，於智慧寺弘《俱舍》義，受聽者眾多，其中七十餘人為有名學士，唯弘宣至《業品疏》第九卷，不幸病逝，是為中土最初弘傳之俱舍師。真諦聞此噩耗，悲痛不已，唯恐俱舍義理失傳，聚僧眾十二人立誓續傳俱舍，又續講慧愷未完成之部分，至《惑品疏》第三卷，亦患病停講，不久圓寂。自真諦圓寂，法侶凋零，智敏依師之旨，弘傳俱舍。法泰於陳太建三年，攜真諦新譯之經論回建業，廣弘俱舍。又慧愷的弟子道岳在大禪定道場，以真諦講義疏釋俱舍，從道岳受業者，有僧辯、玄僧、智實、洞時等名僧。此期弘傳俱舍義者，統稱為舊俱舍師。

　　唐玄奘法師往印度取經之前，亦曾問道於道岳。其後他往天竺途中巧遇通曉三藏的僧伽藍和般若羯羅，玄奘詢問俱舍疑義都得到解答。他到了天竺後，在迦濕彌羅國聽大德僧稱講《俱舍論》，及後隨羅難陀寺戒賢論師研習三藏，並曾向戒賢問學有關俱舍之疑難。玄奘在印度學成歸國後，有鑑於真諦所譯之俱舍未具周全，義多有缺，決定重譯。《宋高僧傳》載：

　　　釋普光。未知何許人也。明敏為性。爰擇其木。請事三藏奘師。勤恪之心同列靡及。至於智解可謂循環。聞少證多。奘師默許。未參傳譯頭角特高。左右三藏之美光有功焉。初奘嫌古翻俱舍義多缺。然躬得梵本再譯真文。乃密授光多是記憶西印薩婆多師口義。[6]

6　《大正新脩大藏經》，冊50，No. 2061《高僧傳》卷4，頁0727a05(00)－0727a11(13)。

永徽二年（651）五月沙門元瑜奉奘師筆錄於大慈恩寺翻經院重譯《俱舍論》。永徽五年七月，大功告成，所譯新論，凡三十卷，題名為《阿毘達磨俱舍論》，世稱新論。玄奘的新論把毘曇留下來的疑團，一掃而空。

永徽二年至顯慶四年（659）九年間，玄奘先後譯出小乘七論、婆沙論，同時更譯出批評俱舍之正理、顯宗二論。玄奘門人多有俱舍譯注，諸如法寶、神泰、普光等。玄宗時（713）以圓暉最為著名，其時有禮部侍郎賈曾求法於他。圓暉把《光記》刪減為十卷，並參照《寶疏》之疏解，著《俱舍論頌疏》，眉目清晰，易於理解，因而大盛，成為普光、法寶後之傑出俱舍師。嗣後，有崇廙、慧暉、遁麟等人，弘傳俱舍，並有著作傳世。

及後，日僧智通、智達等於唐時來華求法，隨習「法相宗」而研習俱舍，回日後立為宗派，學者輩出，著作亦豐，研此論者，有宗性、湛慧、快道、法廣、鴻信、英憲等。唐以後此宗漸衰，至元世祖時，帝師八思巴造《彰所知論》為俱舍之最後光輝，此後繼而不傳。

自唐玄奘法師譯出《成唯識論》後，唯識學大盛，唯識與俱舍有合流之勢，古德有謂：「七年俱舍，三年唯識」之說，故研習俱舍成為唯識之基。玄奘後，唯識學亦漸衰，「俱舍學」亦隨之末落。直至民國期間，有居士歐陽竟無、楊文會、太虛等學者研究唯識，「俱舍學」之研究又有新的研習者。雖重燃此火，唯研習者大不如前。至今，在各地續有學者開講及研習俱舍。

二　俱舍宗在中國弘揚之情況

在中國自陳真諦法師譯出俱舍釋論後，原本依雜心論為主而研究之毘曇師（又名雜心師）漸次改為俱舍師。這股研習俱舍熱潮，一直伸延至唐代，到玄奘法師重譯俱舍又牽起另一番研究新俱舍之風。及後，奘師繼而譯出成唯識論後，俱舍與唯識合流，《俱舍論》成為唯識學之入門課程。唐朝會昌法難之後，唯識學一蹶不振，連帶研習《俱舍論》者亦乏人問津。在唐代時期，有日本學僧道昭、智通、智達、玄昉親炙玄奘三藏及智周研習俱舍，歸國後弘傳於日本。其後齊明天皇（655-660）道昭大僧都傳入「法相宗」。「俱舍宗」是「法相宗」的附宗，廣弘此論，學者疏解人才輩出。在西藏，安慧之再傳弟子勝友曾傳譯《俱舍論》，十三世紀又有迦當派弟子加以弘傳，並有著作面世，甚見規模。密宗黃教更規定弟子必修俱舍，極為重視。

（一）創立之原因

「俱舍宗」是漢傳佛教十宗之一，屬小乘有宗。俱舍者，是依世親菩薩所造之《阿毘達磨俱舍論》而立「俱舍宗」，又名「俱舍學」派，依此論研習者稱俱舍師。本宗除

依《俱舍論》為主要論典外，還有《四阿含經》，《六足一身論》、《大毗婆沙論》、《阿毗曇心論》及《雜阿毗曇心論》等。須知，佛滅後一百年間，法無異說，佛法清淨一味。唯百年後，有大天論師作五事頌：「余所誘、無知，猶豫、他令入，道因聲故起，是名真佛教」[7]的學說，確立新義，為自己帶來毀譽參半，甚至毀多於譽的負面評價，於律戒修持各有己見，諍義遂起，從此一分為二，成為大眾部及上座部二派；及後二派，亦因義理上之差異，各樹旗幟，異論紛紛，二派本末先後輾轉分裂為二十個部派。

佛滅後三百年，上座部流出「說一切有部」先弘「對法」，後弘「經律」；四百年初，「說一切有部」又復出一部，名「經量部」。此部以經作依歸，不依「對法」及「律」。佛滅四百年間，有論師迦多尼子採六足論義造《發智論》，重組有部教義；四百年頃，又有五百阿羅漢依犍駄羅國迦膩色迦王之請結集《大毗婆沙論》二百卷，廣釋《發智論》，由有部之宗義確立。婆沙面世後，有部宗徒尚嫌婆沙過於廣博，難窺其精義，故宗徒遂撮其要義而為專書在坊間流傳。五百年中有法勝論師以《阿毗曇心論》太略，再造《雜阿毗曇心論》增補之。九百年頃，世親菩薩出世，初於「有部」出家，習其宗義，受持九部三藏，後學「經量部」，於自宗有所不足，見其當理，增訂雜心。其後，遂依《大毗婆沙論》造《俱舍論》，述一切有義，間以經部破之，以理為宗，不偏一部。故《俱舍論》則取捨折衷於二十部外出一機軸者，然本論既依婆沙而作之，亦攝婆沙之要義而無漏，故頌言：「攝彼勝義依彼故，故立對法俱舍名。」[8]，在印度學者稱此論為《聰明論》，內外宗派共學之。後有部出一學人名眾賢論師，復造《俱舍雹論》再破世親之《俱舍論》。世親閱後，感於其作雖對俱舍之義有所裨益，但並無突破之作，他沉吟良久，對門徒言：「眾賢論師聰敏後進。理雖不足詞乃有餘。我今欲破眾賢之論。若指諸掌。顧以垂終之託重其知難之辭。苟緣大義。存其宿志況乎此論。發明我宗。遂為改題為順正理論。」[9]後來德慧、世友、安慧、稱友、滿增、寂天、陳那等；相繼制疏，詮釋《俱舍論》。由此「說一切有部」之教義邁向新紀元。

（二）定位及判教

「俱舍宗」修持方法為四諦、八正道及十二因緣，而所證解脫果為有餘依或無餘依涅槃，不證自性清靜涅槃及無住涅槃，亦不證佛果，唯證二乘菩提果。此宗折衷有部而多採經部之義，故義理進步而開放，故又冠名「以理為宗」。唯判釋東流一代佛教，大乘諸宗皆判為小乘教派。

7　《大正新脩大藏經》，冊41，No. 1822《俱舍論疏》卷1，頁0458b14(10)。

8　《大正新脩大藏經》冊29，No. 1558《阿毗達磨俱舍論》卷1，頁0001b13(00)。

9　《卍新纂續藏經》冊53，No. 838《俱舍論頌疏序記》，頁0122a14(08)－0122a17(00)。

（三）本宗之中心思想

　　「俱舍宗」以明諸法因緣，破遣外道，令斷執見，永離三界六道，教義內容以「我空法有」、「三世實有」為宗旨，主要依世親菩薩所造的《俱舍論》思想而立其正理。全論共九品[10]，可分為「法的性質與功能」、「眾生輪迴之因緣與果報」、「明所證悟世界之因緣果報」、「評破執有」等，茲分述如下：

　　一、諸法概論，以五蘊、十二處、十八界分析萬法之種類，並統攝為七十五法分別探討，以明事理。二、因果論，說明一切世間法必依因緣和合而起，並以六因、四緣、五果來闡述有情無情之名色作用。三、輪迴轉生論，透過三界、五趣、四生闡述眾生流轉的情況及以十二因緣三世兩重因果以明其相狀，以探討有情世間及器世間的各種情形，以說明佛教之宇宙觀。四、業感論，詳細分析業之種類，眾生輪迴六道的原因。五、隨眠論，說明令眾生沉迷六道三界之根本煩惱及剷除煩惱之方法。六、斷證論，以明超凡入聖之方法及所證得果位之內容。七、破執論，說明無我論之立場及評破執有之部派佛教及外道。以上是本宗的中心思想，茲列簡表如下：

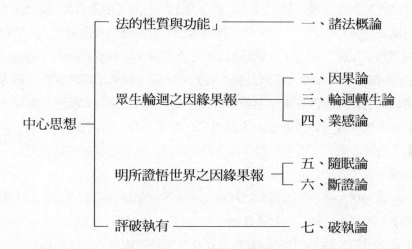

　　二、「俱舍宗」的中心教義是依因緣法說明所有色心諸法，以五位七十五法闡明「現在有體，過未無體」之說。俱舍師言諸法實有，有生有滅，現在為生，過去為滅，而滅乃現在必然之推移，無待因緣，而生者須依賴其他之因，故有六因、四緣、五果之說。俱舍師認為所謂「我」者既然要依因待緣而起，故應無常──主宰之我體，只是五蘊和合假立而名之，都無實體故，一如琴音。故此宗在法有我無之基礎上立有漏、無漏兩重因果論。

---

10 有關《俱舍論》總共有八品，抑或九品，至今學界未有定論。

（四）傳承與發展

　　「俱舍宗」在中國的弘傳分新舊兩個時期，早於南朝的宋、齊、梁三代研習「毗曇學」派者相當流行，「俱舍宗」的前身就是毗曇宗，當時習此宗之代表者有梁代之慧集及其弟子僧旻、法雲，於北方與慧集同時弘揚者有慧嵩、志念最為出色。後漢桓帝建和二年（148），安世高傳譯毗曇和禪數之學，隨他習毗曇者人如潮湧。後更有竺法深的弟子法友、竺僧度等精於「毗曇學」，其中竺僧度更著有《阿毗曇旨皈》一書。

　　公元三八三年，大乘經教未張，禪數之學在坊間頗為盛行，學者伽跋登翻譯阿毗曇尤為著名。他更於建元十九年（383）與道安等共譯出《毗婆沙論》十四卷。翌年，他又與曇摩難提及僧伽提婆共譯《婆順密集經》及《僧伽羅剎經》。公元三八四至三八五年，曇摩難提議（兜佉勒人）譯出《中阿含》。僧伽提婆（犍陀羅人）於三八三年譯出《阿毗曇八犍度論》（《發智論》），及後，在三九一年又譯出《阿毗曇心論》、《三法度論》除最後二論，其餘為道安與法和修訂，而《八犍度論因緣品》於三九〇年始由曇摩卑補訂。

　　其後，僧伽提婆與僧伽羅（犍陀羅人）於三九七年共譯《中阿含》，唯已佚。他亦嘗試重譯《阿毗曇心論》唯未能完成。在當時譯場中當推竺佛念和慧嵩二人。竺佛念獨自譯出《菩薩瓔珞本業經》和《十住斷結經》，而慧嵩與曇摩崛多共譯出《舍利弗阿毗曇論》。及後，法顯從天竺取得《雜阿毗曇心論》六千偈，與佛陀跋陀羅在道場寺譯為十三卷。在劉宋元嘉三年，西域僧伊葉波羅譯出《雜阿毗曇心論》，唯未全部譯出。十一年僧伽跋摩與法雲共譯《阿毗心論》十四卷（今存十一卷，餘已佚）。元嘉十六年在坊間出現《阿毗曇婆沙論》一百卷，現存六十卷。毗曇之學可謂幾經波折及變遷，直至慧愷、道岳始成「俱舍宗」。

　　其後，唐永徽五年（654），玄奘大師於慈恩寺重譯《阿毗達磨俱舍論》三十卷，成為日後「法相宗」的基本教材，名為新譯派「俱舍宗」，也稱新「俱舍」。玄奘在中土時於長安從道岳研習《俱舍論》，其後因覺所傳經論多所歧異便立志往天竺取經，適遇磔迦國小乘三藏般若羯羅（慧性）問道《俱舍論》、《大毗婆沙論》等疑義，使心中疑團大解；奘師又往迦濕彌羅國隨僧習《俱舍論》，復返那爛陀寺隨戒賢論師修學。玄奘於唐永徽二年五月回國，在大慈恩寺譯院重譯《阿毗達磨俱舍論》，並於永徽五年七月譯畢，合共三十卷。玄奘在翻譯俱舍過程中，將有關各毗曇論典所牽涉的問題追源溯本，一一加以釐清。之後，相繼陸續翻譯其餘相關的七種論典，包括《大毗婆沙論》及評破世親《俱舍論》的眾賢《順正理論》、《阿毗達磨顯宗論》等各論。

　　《新俱舍論》面世後，玄奘門人多有註疏弘傳此論，較著名者有：神泰、普光、法寶及圓暉四人。四人之著作之情況，詳列於下：

1 普光

唐代普光（七世紀）撰，凡三十卷，本書又稱《俱舍論光記》（略稱光記）。神泰、普光、法寶同為《俱舍論》譯者玄奘之門人，被並稱為俱舍三大家。三疏之中，各有特色，以泰疏為最古，次為光記，最後為寶疏。隨文解釋是泰疏之特色，他的註疏，恰到好處，甚為難得，若與光記互相對照，更顯玄奘之釋義。寶疏之特色將《俱舍論》之研究分為五門，多立於大乘之觀點來看《俱舍論》，故對神泰、普光二師之說十分不滿。三大家之態度雖然彼此歧異，互有立場，誠然，在《俱舍論》之研究上，三家之學理亦不能不習。

2 神泰

唐代神泰撰《俱舍論疏》（略稱泰疏），原本已失，而原本之卷數有三十卷之說，有二十卷之說，今僅殘存七卷。神泰之傳記不明，是玄奘之高徒，普光之先輩。其文詞舒述簡潔，所說穩健，普光之《俱舍論光記》承神泰之說頗多，世稱《神泰疏》及光、寶（普光、法寶）二記為《俱舍論》三大註釋之書。

3 法寶

唐代法寶撰，凡三十卷，此書與《俱舍論光記》皆為《俱舍論》學者所必修。共分五門：初轉法輪時、學行之次第、教起之因緣、部執之先後及依文解釋。蓋法寶宗涅槃，信一性皆成佛，忌憚法相之五性各別義，而此常為講新譯者所譏嫌。法寶因感光記解釋之繁瑣，大加排斥，自創獨特之解釋，後世亦有崇寶疏者，故今有光、寶二學派之諍論。[11]

4 圓暉

唐代圓暉撰，凡二十九卷或三十卷，全稱《阿毘達磨俱舍論頌疏》（《略稱頌疏》）。又作《俱舍論頌疏論本》、《俱舍頌疏》、《俱舍論頌疏》、《俱舍論頌釋》。係解釋《俱舍論》六百行頌之作。圓暉受晉州刺史賈曾之請，就《俱舍論》之頌，去其繁雜，針對要點，加以註釋，故行文簡易，頗盡其要，為研究《俱舍論》之重要入門書。自序曰：

> 課以庸虛。聊為頌釋。刪其枝葉。採以精華。文於廣本有繁。略敘關節。義於經
> 律有要。必盡根源。頌則再牒而方釋。論乃有引而具注。木石以銷。質而不文

---

11 日本十八世紀學僧快道常林評本疏之特點，謂法寶多以一解為決，並常斥泰疏、光記之非。

也。冀味道君子。義學精人。披之而不惑。尋之而易悟。其猶執鸞鏡而鑒像。持龍泉以斷物。蓋述之志矣。愚見不敏。何必當乎。[12]

由此以見其志。此書出於普光、法寶二疏之後，可謂《俱舍論》釋諸家中之後來居上者。本書原依據《俱舍論》本頌之形態，不含破我品；後由後人對破我品所引之頌作注釋，追補而成第三十卷。

未幾，日本淨土宗僧普寂撰《俱舍論要解》，凡十卷，共分七門：（一）明論之緣起、（二）明教起之意、（三）辯論之宗旨、（四）明藏之所攝、（五）明翻釋之異、（六）釋論之題目、（七）隨文解釋。本要解對《婆沙論》及《俱舍論光記》、寶疏等之解釋加以批評，然無引文與原文對照，使用上頗多不便。

及後，註疏解《俱舍論》不乏其人，計有崇廙著《俱舍論頌疏金華鈔》十卷、窺基《俱舍論鈔》十四卷、慧暉《俱舍論頌疏義鈔》六卷、遁麟《俱舍論頌疏記》十二卷、懷素《俱舍論疏》十五卷、神清《俱舍論義鈔》數卷、玄約《俱舍論金華鈔》二十卷、虛受《俱舍論疏》、憬興《俱舍論疏》三卷、法清《俱舍金華抄》、本立《俱舍論鈔》三卷、金印《同疏》等，弘傳「俱舍宗」義。至元世祖時，帝師八思巴造《彰所知論》二卷，此後暫無承傳。自唐朝會昌法難後，此論跟隨唯識學而衰微，乏人研習。之後，又出一位希聲居士在民國九、十年間研習《阿毗達磨俱舍光記》，並發表文章刊行《海潮音》月刊。十一年武昌佛學院成立「俱舍學」一門供僧眾修讀，由史一如教授任教，以《俱舍論頌釋》作教材，「俱舍宗」又重現生氣，當時研習此宗最著名者有法航法師等三人。法航以《寶疏》為副，《光記》為主，互為研讀，頗有成就。民國十八年法師在武昌陞座弘此宗之論要，十九至二十年間又在北平世界佛學教理苑（柏林寺）講授「俱舍宗」義，本有頌釋之編輯，唯稿於抗戰期間遺失。二十七年又在重慶漢藏教理院宣講此宗義理，發揮自如，並整理《俱舍頌科判》四卷。其後，歐陽漸為南京內學院刊《光記》而作序，對「俱舍宗」之論典研習亦有影響。事實上，在當時對「俱舍宗」義撰文者亦不乏其人，諸如張建木、楊日長、楊白衣、慈斌、李世傑、化聲、寂安、一如、李添春、賢悟、化莊、昌言、葦舫、會中、永學、窺諦、沙解、道平、方孝岳、演培等均有貢獻。

在中國西藏佛教地區，安慧之再傳弟子勝友曾傳譯《俱舍論》，惟後期經朗達瑪王之毀佛，停滯不前；至後期約十三世紀，迦當派弟子在奈塘寺廣弘「俱舍宗」義，集此學於大成，加以弘傳。他曾博採西藏各派精要，著《對法莊嚴疏》，對此宗亦有貢獻，抉擇各家之說，故研習者重見規模。及後，黃教視此學為必修之課，歷代大師均有注解，以利後學。

---

12 《大正新脩大藏經》冊41，No. 1823《俱舍論頌疏論本》卷1，頁0813b23(05)－0813b29(00)。

在唐代時期，有日本學僧道昭、智通、智達、玄昉等來華習俱舍，親謁玄奘三藏及智周門下稟承《俱舍論》，未幾，玄昉寺僧禮請智周在興福寺傳「俱舍宗」義，此學曾盛行諸寶刹。歸國後弘傳於大和國奈良，為日本「俱舍宗」之始。其後齊明天皇即位四年，建立「俱舍宗」，廣弘此論，學者疏解人才鼎盛，嗣有行基、勝虞、義淵、護命、明詮相繼輩出，研習此論，可謂弘傳殊盛。在日本本土，「俱舍宗」多附於「法相宗」而兼學之，現殘存日久，不傳宗名，但學者注疏競出，遠超於中國數量。一九七三年日人龍谷把梵、漢、藏、日、英等譯本輯成一集出版，名《梵本藏漢英和譯合璧阿毗達磨俱舍論本頌之研究——界品、根品、世間品》。至今，弘傳此宗宗義，不論在著譯或論文方面，造此宗研究者雖有而不多，與其他諸如禪、華嚴、天臺等宗之比較，較為遜色。

三　近當代學者研究俱舍學之情況

五〇年代解釋「俱舍學」的書本，有釋演培釋註的《俱舍論頌講記（上）、（中）、（下）》三冊（1956）。

六〇年代印順法師的〈阿毗達磨論義的大論辯〉，《說一切有部論書與論師研究》（1968）。

七〇年代近當代學者研究「俱舍學」，以臺北《大乘文化出版社》張曼濤主編：《現代佛教學術叢刊（第22冊）：俱舍論研究（上）》及《現代佛教學術叢刊（第51冊）：俱舍論研究（下）》最為豐富。上、下兩冊的課題，合共三十五篇，詳見下表：

《現代佛教學術叢刊》			
《俱舍論研究（上）》		《俱舍論研究（下）》	
題目	作者	題目	作者
〈俱舍論識〉	張建木	〈俱舍論大綱〉	一如
〈阿毗達磨俱舍論敘〉	歐陽竟無	〈俱舍論講錄〉	化聲
〈俱舍論釋題〉	演培	〈俱舍論〉	西義雄
〈略釋俱舍論〉	楊日長	〈閱俱舍之心得〉	悅西
〈俱舍要義〉	楊白衣	〈外國人心目中的俱舍八年〉	李添春
〈俱舍的諸法分類論〉	慈斌	〈俱舍論之組織與中心及其特色〉	賢悟
〈俱舍的法體恆有論〉	李世傑	〈俱舍二十二根略述〉	化莊
〈俱舍論時間之研究〉	化聲	〈俱舍二十二根概論〉	昌言
〈俱舍論界品之研究〉	寂安	〈俱舍宗二十二根的人生觀〉	葦舫

《現代佛教學術叢刊》			
《俱舍論研究（上）》		《俱舍論研究（下）》	
題目	作者	題目	作者
〈俱舍論之無我思想〉	慈斌	〈俱舍論的智慧思想〉	李世傑
〈關於阿毘達磨俱舍論破我品〉	徹爾巴茨基	〈俱舍的賢位論〉	慈斌
〈俱舍論的業力思想〉	李世傑	〈俱舍論的人生觀〉	會中
〈俱舍的煩惱論〉	真因	〈俱舍論界品蘊處界之研判〉	永學
〈俱舍的因果論〉	李世傑	〈關於俱舍的破我品〉	演培
		〈俱舍一頌的檢討〉	窺諦
		〈俱舍論新評〉	妙解
		〈俱舍成實宗史觀〉	楊白衣
		〈俱舍論與雜心論之關係〉	演培
		〈大乘百法與俱舍七十五法之比較研究〉	道屏
		〈陳譯阿毘達磨俱舍釋論校勘後記〉	方孝岳
		附錄：〈阿毘達磨俱舍論本頌講義〉	葦舫

其次有：羅光：〈俱舍論——業感緣起〉、佐伯旭雅編：《冠導阿毘達磨俱舍論·（一）至（三）》（1979）。

八〇年代研究俱舍有：黃懺華的〈俱舍宗〉·《佛教各宗大綱》（1980）、金行天撰：《從緣生的觀點研討與認識有關的諸俱舍法義》（碩士論文）（1980）、李孟崧撰：《俱舍論對業論之批判》（碩士論文）（1983）、李世傑：《俱舍學綱要》（1984）、林妙香：〈析論《俱舍論》「三世有」之思想」〉（1986）、平川彰著，曇昕譯：《阿毘達磨俱舍論》簡介（1987）、溫金柯撰：《阿毘達磨俱舍論的諸法假實問題》（碩士論文）（1988）、杭大元的〈人生煩惱知多少——俱舍論隨眠品發微〉（1988）、呂澂：〈阿毘達磨俱舍論〉（1989）、欽·降白央著，多吉杰博編的《俱舍論注釋》（1989）。

九〇年代研究俱舍有：昌言等著的《俱舍的思想和智慧》、李志夫：〈試論俱舍論在佛教思想史中之價值（上）〉（1990）、普願：《《俱舍論》管窺》（1990）、蘇軍：〈決定俱生——《俱舍論》理論體系完成的重要環節〉（1991）、林熅如：〈從「四善根」論「說一切有部」加行位思想探微——以漢譯《阿毘達磨俱舍論》為中心」〉（1991）、萬金川的

〈佛陀的啟示——一位阿毗達磨論者的解讀〉（1992）、釋惠空：〈《俱舍論》‧〈定品〉與《瑜伽師地論》‧「三摩呬多地」之比較〉（1993）、釋性儀的〈漢譯《俱舍論》〉〈界品〉中「受、想」別立為蘊之探討」（1994）、釋自運：〈《俱舍論光記寶疏》之研究——序分之一〉（1994）、張鐵山、王梅堂的〈北京圖書館藏回鶻文《阿毗達磨俱舍論》殘卷研究〉,《民族語文》第二期（1994）、釋自范撰：《阿毗達磨俱舍論明瞭義釋‧序分》之研究》（1995）、萬金川的〈《俱舍論‧世間品》所記有關「緣起」一詞的詞義對論——以漢譯兩本的譯文比對與檢討為中心〉（1996）、張鐵山的〈從回鶻文《俱舍論頌疏》殘葉看漢語對回鶻的影響〉,《西北民族研究》第二期（1996）、日‧《齊藤唯信》著、慧圓居士譯《俱舍論頌略釋》（1997）、楊白衣的《俱舍要義》（1998）、吳洲的〈《俱舍論》的六因四緣說〉（1998）、釋日慧的〈《俱舍論》心所分類的解讀〉（1999）、星雲編著的〈俱舍宗〉‧《佛光教科書》第五冊（1999）、菩提比丘英譯，尋法比丘中譯：《阿毗達磨概要精解》（1999）、蕭振邦的〈依義理重構佛教美學之探究：以「俱舍論」為例示〉（1999）。

　　二十一世紀以來研究俱舍有：王秀英的〈《俱舍論‧定品》與《清淨道論》定學諸品之比較研究〉（碩士論文）（2001）、釋悟殷的〈《俱舍論》的二教二理〉‧《部派佛教》（上篇）（2001）、張鐵山的〈敦煌莫高窟北區 B52窟出土回鶻文——《阿毗達磨俱舍論實義疏》殘葉研究〉,《敦煌學輯刊》第一期（2002）、釋悟殷的〈《俱舍論》的頓漸對論〉‧《部派佛教》（中篇）（2003）、曲世宇的〈《俱舍論》略史及綱要〉,《法音》第五期（2003）、張鐵山的〈敦煌莫高窟北區出土三件回鶻文佛經殘片研究〉,《民族語文》第六期（2003）、櫻部建、小谷信千代、本庄良文：《俱舍論の原典研究——智品‧定品》（2004）、妙靈：《論典與教學‧〈阿毗達磨俱舍論〉上、下》兩冊（2006）、何石彬：《阿毗達磨俱舍論》研究（博士論文）（2009）。

　　以上諸類作品，對俱舍作出了廣泛之討論及研究，可謂各有特色，其內容或專題發揮如「對業論批判」、「三世假實問題」，或概括論述，或原文解讀，或義理分析，或比較他學，或考辨真偽，或追溯源流，或重建架構，或從外文考證，或作評論得失，或以觀行考量，或破邪顯正……，凡此種種，皆有論述。唯無一本能統貫收集，實亦難以做到，蓋「俱舍學」之義理集小乘中之大乘，義豐理廣，俱俱一本論文或一本著作又豈能盡釋，何況經歷如此漫長之歲月，加上時代變遷會帶來新的證據，故時人對其詮釋或有新的觀點，亦無可厚非。可以說：人類對知識不斷探索，不斷求證，是追求真理的最佳良伴。

四　總結

　　「俱舍宗」以《俱舍論》而立宗，故《俱舍論》之義理便成為此宗的重要價值所

在。蓋弘「俱舍宗」者必學俱舍義，欲研習俱舍義者，必歸屬此宗，兩者如波依水，有著分不開的關係。「俱舍宗」溯源於世親菩薩所在之《俱舍論》，本論作者著有「小論千部，大論亦千。」故有千部論主之稱，以見「俱舍宗」義之偉大。一個宗派是否有其價值地位存在，就先看其宗義可有中心思想，又能否令人轉迷為悟，本論在印度問世後，除佛教各部外，其餘外道均爭相研習，更被譽為《聰明論》之美譽，眾賢論師雖作《俱舍雹論》而攻擊，唯並無動搖本論之學術思想權威，可見它在印度具有劃時代之價值！

佛在世時，以一音宣妙法，世尊滅後百年分門立派共衍生本末二十支分派，門戶雖多，唯不離大小二乘，空有二輪。修習佛法理應究其根本，何者為本？因佛法傳來中土，初以小乘成實俱舍二宗為空有之代表，說空不能離有，談有又豈可不言空，既然二者代表小乘空有二宗之權威又豈能不加以研習？此外，「俱舍宗」義乃大乘唯識學之根，猶木之本也，因為「俱舍宗」之七十五法中為大乘唯識學日後發展成百法之根，故習大乘有宗者，又豈能不習俱舍？故歐陽竟無說：「學唯識法相學，應學「俱舍學」，如室有基，樹有其本。」[13]由此可見，「俱舍學」實有其價值之所在。

從地位來說，本宗上依印度世親論師之論而開頭，在印度算是劃時代之偉大思想，欲探討小乘或部派思想，研究本宗是必然的，不可或缺的。因為他的理論主要闡發「說一切有部」的思想，本宗的理論已達登峰造極之小乘法座，捨短取長，不偏不黨，辭義善巧，理致清高，當之無愧。在中國各師對本宗推崇備致，評價亦高。高僧廬山慧遠法師在〈出三藏記集序〉中說：「遠亦實而重之。敬慎無違。然方言殊韻難以曲盡。」[14]東晉道安在〈阿毘曇序〉中說：「阿毘曇者，秦言大法。」[15]

在《出三藏記集》序卷第十中更說：

> 余欣秦土忽有此經，挈海移岳，奄在茲域，載玩載詠，欲疲不能，……然後乃知大方之家富，昔見之至夾也，恨八九之年方闚其膲耳。[16]

再看玄奘的高徒普光在《俱舍論記》的評說：

> 斯論。乃文同鉤鎖結引萬端。義等連環始終無絕。採六足之綱要。備盡無遺。顯八蘊之妙門。如觀掌內。雖述一切有義。時以經部正之。論師據理為宗。非存朋執。遂使九十六道。同翫斯文。十八異部。俱欣祕典。自解開異見部製群分。各

---

13 歐陽竟無：〈阿毘達磨俱舍論敘〉，《俱舍論研究》（上冊），收入張曼濤主編：《現代佛教學術叢刊（第22冊）臺北：大乘文化出版社，1978年，頁11。

14 《大正新脩大藏經》冊55，No. 2145《出三藏記集》序卷10，頁0072c27(10)－0072c28(01)。

15 《大正新脩大藏經》冊26，No. 1543《阿毘曇八犍度論》，頁0771a06(00)。

16 《大正新脩大藏經》冊55，No. 2145《出三藏記集》序卷10，頁0073c23(02)－0073c25(03)。

謂連城。齊稱照乘　唯此一論。卓乎迥秀。猶妙高之據宏海。等赫日之瞙眾星。
故印度學徒。號為聰明論也。[17]

從而得知，中國佛教之領袖對本宗的義理拜服至極，自愧不如。自此，俱舍一宗在中國受到了各名僧大力推崇，而盛極一時。直至唐代，此宗與「唯識宗」合流，研究有宗者倡言「七年俱舍三年唯識」之說，從而奠定「俱舍宗」之地位。

印順法師曾說，俱舍一宗之義理是部派劃時代之作品，研究唯識、阿含經、大乘教理、部派佛教、毘曇作品，甚或日本佛教等，皆須研究「俱舍宗」不可。此宗在西藏黃教教派為必修之學。現代臺灣眾多佛學院也將此宗義理納入必修之課，其地位可見一斑。

---

17 《大正新脩大藏經》冊41，No. 1821《俱舍論記》卷1，頁0001a14(06)－0001a22(01)。

迴死向生：臨終生命意義之深化與超升

——慈濟大體捐贈與安寧療護的靈性向度[*]

唐秀連

香港中文大學文化及宗教研究系

一　前言

　　一般而言，若從未接觸過有關死亡的事件與經驗，對於生命終結亦尚未作好妥善的心理準備，在這樣的情況下，人在面臨自身與至親眷屬突如其來的瀕死或死亡經歷時，難免會顯得不知所措，徬徨無依。假如這就是人們迎接死亡時的慣習常態，那麼我們不禁要探問，死亡與哀痛、悲慟、恐懼，是注定綑綁在一起的雙生兒嗎？人們能否找到迎向生命盡頭的坦然自處之道，安然接受壽終乃天道流行的本真狀態？

　　一九七〇年代，在歐美等地發展起來的現代化安寧療護（hospice care）運動，其宗旨就是協助臨終的病患，在對於治癒性治療沒有反應時，提供一主動且整體性照護，除了包括身體上的症狀和疼痛的舒緩，還積極關懷病患的心理、社會及靈性等問題的處置。[1]值得注意的是，安寧療護並不將無所不用其極地延活病人的物質生命視為醫療的金科玉律，反之，在人性化及全人化的視角下，[2]它更肯定精神生命的意義，同時也承認死亡為人生必經的自然過程。[3]因此，垂死病患心靈上的需要，例如，死後生命之信仰表達、此生生命意義的反思、彌留之際的生命尊嚴等等，一概被納入安寧療護的照顧範圍內。是故，有別於運用尖端醫學科技，務求延長病者性命的傳統醫療倫理守則，在

---

[*] 本文曾於上海復旦大學舉行的「第四屆四校宗教研究論壇」發表（2013年11月7-9日）。

1　這是世界衛生組織（WHO）對「安寧療護」的定義。參見 Jean Lugton、Margaret Kindien 著，陳玉婷等合譯：《安寧照護——護理角色》臺北：五南圖書公司，2003年，頁2。

2　臺灣被稱為「安寧緩和療護之母」的趙可式教授，提出安寧療護要達到「四全照顧」，就是全人、全家、全程、全隊照顧：一、全人照顧：就是身、心、靈的整體照顧。二、全家照顧：癌症末期病人最後會走向死亡，而死亡是整個家庭甚至全家族的大事。三、全程照顧：從病人接受安寧療護（包括住院及居家照顧）一直到病人死亡，還要做家屬的悲傷輔導，使創傷減至最輕，而不至於引發一些後遺症。四、全隊照顧：這是一個團隊的工作，成員包括醫師、護理師、社工師、志工、營養師、心理師、宗教人員等，凡是病人所需要的都可以是團隊的成員。

3　趙可式：〈安寧療護的起源與發展〉，《臺北衛生》，1996年。轉引鄭志明：〈臺灣安寧療護本土化的發展面向〉，《宗教的生命關懷》臺北：大元書局，2006年，頁89。

安寧療護的價值層級裡，靈性生命的意義與品質，並不亞於、甚或更勝於依靠醫學器材而得以苟延殘喘的軀殼生命。

慈濟基金會的「一步八法印」之中，[4]醫療志業是一個重點範疇，他們的口號是「以人為本，以病為師」，其「醫療志工」制度，配合醫護團隊，提供以「全程、全人、全家、全隊」為理念之「四全」照顧，這恰恰是安寧療護「四全」觀念在正統醫療體制裡的肯認與再現。響應安寧療護所開展的「身、心、靈、社整合」之全景療癒模式，慈濟綜合醫院發起的大體老師（亦稱無語良師）捐獻計畫，已遠遠超過一個作為純粹公益志業的遺體募捐運動。我們從其對死亡意義的詮釋、對遺體的有情化安置、喪禮的神聖化空間布置與人文關懷元素，以至在亡者生前死後，志工對逝者家屬所施予的死亡教育（death education）與情感安撫來看，當可了解到，若將大體捐贈歸結為慈濟安寧療養的延伸角色，亦絕不為過。緣此，本文將探討大體老師計畫在安寧療養的靈性層面上，所帶來的意義與貢獻。

二　善終的條件與安寧療護的靈性課題

對生者來說，死亡是一個終極不可知的黑暗秘境。只有沉默的死者曾經驗過由生至死的解體過程，然而他們卻無緣將往生的經歷向生者開顯。不過，經驗的空白並沒有妨礙生者對於死亡的想像。當中最常見的，是由「去者善終」的夙願所誘發的臨終情境設想。

在香港，善寧會於二〇〇四年以「什麼是好死？」為題進行的訪問，反映了多數人皆認同，在生命彌留之際的有限時光裡，與其繫心於私有財產與個人物質（包括物質生命）在死後世界的存亡，還不如在人生的落日餘暉中，將心念托附於諸如「生死兩相安」等有望藉由主觀心性工夫所實現的期盼上，來得更務實而達觀。調查共詢問七百多個社區人士對「善終」的看法，結果顯示，被訪者認為善終應包括身體無需承受痛楚，平和而有尊嚴地面對生命的終結，家屬可以好好地過生活。另一項研究發現，中國寧養病人列出了達至善終的七個重要元素：死亡意識、希望、舒適、控制、連繫、準備和圓滿。[5]這些研究幫助我們明白，在臨終的最後階段，對靈性之光的渴求乃人性的普遍願望，遠多於對具體物事的戀戀不捨。庫伯爾羅斯（Elisabeth Kubler-Ross）認為，在生死

4　慈濟將慈善、醫療、教育、人文四項，統稱為「四大志業」；另投入國際賑災、骨髓捐贈、社區志工、環境保護，此八項同時推動，稱之為「一步八法印」。詳見慈濟基金會簡介（2009）http://tw.tzuchi.org/index.php?option=com_content&view=article&id=159%3Aintroducing-tzu-chi&catid=81%3Atzuchi-about&Itemid=198&lang=zh（2013.8.19）

5　陳麗雲、陳凱欣、田芳、陳智豪：《為生命喝采：善終、善別及善生的自助旅程》香港：香港大學行為健康教研中心，2010年，頁28。

的存亡關卡，末期患者大多已放下了初期對死亡的否認與隔離、憤怒、討價還價、沮喪等諸般對抗性情緒，轉變為較能以從容平和、無怨無懟的心境，靜待死神的來訪。[6]這種心態上的改變，同時標誌著瀕死者渴望拋開對於死亡的顛倒認知，而代之以一種真誠無妄的取態，為迎接死亡之光所啟迪的終極真實，作好心理上的準備。此時，病者將十分珍惜與未亡者及美好價值連結的餘下光陰，因為這是他唯一能以精神的自我超越來勘破死劫的恫嚇，以及為所愛的人竭盡義務的最後機會。

由此可知，在性質上，善終的條件與靈性向度之最後啟悟，有著極為密切的關係。這絕非現代社會特有的現象。Aries 就曾提出，在前現代社會，臨終者面臨死亡，並不像現代末期患者般淒清孤寂，因為他不會被強行送到一所與世隔絕的急診室，孤苦無依地承受著機械化醫療程序所帶來的熬煎。當時，死亡並不被看作一件外來的惡意侵擾事件、必須用猛力對治的病症。因此，圍繞在病人身旁的不是手忙腳亂地急著搶救患者的醫護人員，而是神情肅穆平靜的神職人員，在患者的病榻前垂頭默禱，協助亡者安然前赴死後世界。[7]死亡在中世紀，是聖化的存有，它是人從現生的俗世過渡到彼方神聖領域的通道，因此死亡隱喻了有限生命的解脫契機，同時，亦是人們通達內在生命本質的一個千載難逢的機遇。要之，在前現代時期，死亡作為靈性教育最深刻一課的這種意義，從來都受到人們珍而重之的對待。

那麼，具體而言，善終的條件可歸結為哪些內容呢？美國研究生死的學者伊利莎白・李（Elizabeth Lee）提出善終的條件包括：（一）自知時至；（二）有勇氣面對死亡；（三）有條不紊的安排好後事；（四）已道別；（五）安詳面對餘生。[8]另一方面，臺大緩和病房定義善終的條件則為：了解自己死之將至，對過去的生活給予肯定，並心平氣和地接受死亡的事實，同時也對身體照顧與症狀控制滿意，再來交代安排完畢後事，情緒穩定、焦慮與憂鬱獲緩解，自主性獲得尊重，完成與親友的溝通告別，在心願達成的情況下面對死亡。臺大緩和病房所下的定義，與伊利莎白・李的善終條件，事實上大同小異。這表示，瀕死者是否善終，端視乎他面對死亡的態度。[9]從另一角度看，這些就是臨終安寧療護關鍵性的靈性課題。[10]

6 　庫伯爾羅斯（Elisabeth Kubler-Ross）將末期患者的精神狀態分成這五個階段。詳見氏著、王伍惠亞譯：《最後一程》（*On Death and Dying*）香港：基督教文藝出版社，1974年，第三至七章。

7 　Glennys Howarth, *Death and Dying: A Sociological Introduction* (Cambridge: Polity Press, 2007), 133.

8 　Elizabeth Lee, *A Good Death* (London: Rosendale Press. 1995).

9 　黃郁雯：《臨終處境的信仰與希望——以一貫道道親臨終陪伴經驗為例》嘉義：南華大學生死學系碩士論文，2004年，頁15。

10 　臺大醫院一九九五年成立緩和醫療病房，一九九八至一九九九年，首先獲得佛教蓮花臨終關懷基金會的經費委託開始有關佛法與臨終關懷的研究。在一系列本土化靈性照顧的研究中，靈性課題包括自我尊嚴感喪失、自我放棄、不捨（包含不甘願、不放心、放不下、做錯了）、死亡恐懼、心願未了以及對正法認識不正確等，這些課題明顯滲透了佛法的影子。詳見陳慶餘：〈本土化靈性照顧模式之探討〉。http://enlight.lib.ntu.edu.tw/FULLTEXT/JR-BJ012/bj012218900.pdf（2013.8.20）

　　為了稽核善終與靈性照護之間的關係，臺大醫院緩和醫療病房曾在每位病人往生之後，以「善終評估表」檢討團隊照顧的過程。[11]團隊成員以問卷方式實施，主要評估病人在住院時和往生前三天是否能夠達成下列包括身體、心理、社會和靈性目標的程度：「了解自己死之將近（awareness）、心平氣和接受（acceptance）、後事交代安排（propriety）、時間恰當性（timeliness）、住院／往生時舒適性（comfort）。」研究資料顯示，在靈性照顧的介入下，病人的靈性境界有大幅度的提升。此外，善終分數隨著靈性需求的嚴重程度而降低。靈性境界越高，善終指數也越高。

　　總的來說，安寧照護之所謂善終，並不單指利用先進的醫療設施解除病患身體的痛楚，令病者在往生一刻，肉體的折磨減至最輕，而得以安詳離世，更重要的，是指病患在臨命終前，出於圓滿靈性的安頓，視壽終為生命的自然歸宿，因而有勇氣直視死亡的威嚇，同時，有能力根據自己的意願，抉擇自我認同的生命意義，讓病者的主體性與心靈上的需求，獲得最終的確認和滿足，這正是當代安寧療護語境中「壽終正寢」之重要構成意義。

　　至於從臺大緩和醫療病房的問卷調查結果，我們發現，病者若空有高度的靈性需求，卻缺乏相應的靈性境界來滿足其安頓身心的需要，這種在期望與結果之間的巨大鴻溝，反而可能令末期患者更添頹喪不安。解決之道，是盡早向臨終者施行全方位的靈性照護，因為靈性境界的提升，絕非一朝一夕之事，從病者的角度來說，不得不經過長年累月的接收、消化、調適與內在化等階段，故此未必能在病患離世前的片刻，一蹴而就。

三　慈濟大體捐贈計畫的概況與作業流程

　　死亡是生命的必然，但生命價值卻可以延續下去。器官捐贈、遺體捐贈和病理解剖捐贈，提供了離世後善用身體的最佳管道。證嚴法師曾表示過：「人身只有使用權，沒有所有權。」許多慈濟人奉此為圭臬。至於往生後，「靈魂離開了軀體，我們應回收身體資源，讓器官繼續活在別人身上；或捐贈遺體，成為醫學生的老師。」這就是證嚴法師所倡導──在身軀歸於塵土前，作最圓滿的善用。

　　中國人一般要在死後「保留全屍」與「入土為安」，臺灣的死亡觀念亦一樣衍生出許多特有的禁忌與民俗，也限制了人們捐出身後遺體供醫學教育的意願。在醫學教育中，解剖學是醫學生初探醫學的入門必修。一九九四年，初成立的慈濟醫學院亦面臨了同樣的窘境，當時學校也曾依循傳統做法，除與「臺北市各醫學院教學遺體聯絡中心」聯繫，了解是否能有分配名額外，亦拜訪地區檢察官，詢問是否有無名屍可供學校教學使用，就在一籌莫展的時候，一九九五年二月三日，慈濟大學首獲彰化林蕙敏女士主動

11　黃郁雯：《臨終處境的信仰與希望──以一貫道道親臨終陪伴經驗為例》，頁16。

捐贈遺體，作為教學用途，開展了臺灣捐贈遺體的新紀元。在得知林女士的感人事蹟後，證嚴法師除深表感恩外，並以《無量義經》頭目髓腦悉施人的大捨精神慈示：「土葬讓蟲蝕屍不好，火化環保但有些可惜！捐贈遺體做醫學研究，是生命的勇者，大捨的菩薩。」並期許慈濟大學遺體教學的硬體設備與教學實驗，皆需做到「讓死者（捐贈者）放心，讓生者（家屬）安心」的原則。[12]

慈濟大學將捐出遺體者稱為「大體老師」或「無語良師」。以大體老師為學習對象的課程分為兩類：一為醫學系三年級上學期的「大體解剖學」，其目的在於了解人體的構造，課程中不僅落實專業，同時強化同理心培育。下學期則進行「大體病例討論」，結合上學期的觀察，再加上病史、病理、致病機轉、流行病學及臨床治療等進行主動學習，輪流分組報告及回答問題。此堂課程的大體老師需於往生二十四小時內送達慈濟大學進行防腐處理。依捐贈順序，大體老師一般於捐贈後第四年啟用，隔年火化。

另一課程則為慈濟大學首創的「醫學生模擬手術（初階）」，醫學生進入外科實習前，以大體老師為對象進行基礎緊急臨床急救技能，落實臨床操作能力，除能具體服務病人，更藉此啟發對外科的興趣，建立成為優秀外科醫師的基本能力及信心。此課程的大體老師須於往生八小時內送達慈濟大學進行急速冷凍處理。依捐贈順序，一般於捐贈後隔年啟用。模擬手術的專業課程為期四天，課後隔日即進行送靈典禮暨火化。[13]

同時，大體老師亦用在研究方面，即是「病理解剖」。「病理解剖」是病理醫師的必備訓練過程，藉由病理解剖，可以正確地了解與發現一些尚未被探討出來的疾病成因，未來如再遇到相同的病症時，可拯救更多的生命。病理解剖屬醫學研究領域，目的在於透過遺體整體解剖的取樣分析，驗證臨床醫師診判病情的準確度。醫學生觀看病理醫師以遺體製作好的切片，讓理論與實務結合，是相當寶貴的實習教材。家屬可向病理醫師查詢解剖報告。[14]

每位遺體捐贈者必須填立志願書，連同親屬關係證明（例如：戶口名簿影本或戶籍謄本）一份寄回。

不過，慈濟不接納下列遺體之捐贈：

一、患重大法定傳染病者。
二、曾做過大手術、重大器官移植、或重大重建手術者。

---

12 余素維執編：《美善相循‧詠傳大愛：慈濟大體捐贈15週年紀念專刊》花蓮：慈濟大學，2010年，頁8-9。
13 余素維執編：《美善相循‧詠傳大愛：慈濟大體捐贈15週年紀念專刊》，頁12-15。
14 http://www.tzuchi.org.tw/index.php?option=com_content&view=article&catid=44%3Aeducation-about&id=438%3A2009-02-13-02-42-53&Itemid=313&lang=zh 慈濟無語良師簡介（2013.8.26）。

三、有癒合的大傷口或褥瘡者（由慈濟遺體捐贈室派員協助判斷）。

四、溺斃。

五、疾病或藥物等引起之水腫者。

六、過度肥胖或過度消瘦者（由慈濟遺體捐贈室派員協助判斷）。

七、已執行病理解剖或器官捐贈者。

八、自殺身亡者。

九、家屬異議者。

十、人在國外。

十一、未滿十六歲者。

遺體捐贈作業程序方面，慈濟若接獲病危通知，家屬需通知慈濟遺體捐贈室，慈濟將立刻派出人員聯絡遺體捐贈志工或相關人員進行了解，以評估身體是否符合教學需求，及採集血液篩檢法定傳染病，並確認符合捐贈條件。

凡符合捐贈條件，慈濟將安排車輛接運大體老師。遺體捐贈室在接到遺體時，必須同時取得有效死亡證明文件，才可進行後續處理作業。

最後，當大體老師在解剖臺上教畢全部課程後，可以有四個選擇，第一，經家屬同意後，允許慈濟可以保存部分器官作為教研用途。第二，由醫學生或醫生將身體復原（例如內臟器官歸位及皮膚縫合）。第三，由慈濟或委託葬儀社進行火化。

火化完畢後，慈濟會細心安奉老師的骨灰，骨灰安奉有三個選擇，第一，部分骨灰將安奉於慈濟大捨堂。第二，其餘骨灰由家屬請回安奉；未請回者，由慈濟安奉於所選定之適當場所，並於安奉後通知家屬安奉之地址及位置。第三，如無家屬者，由慈濟全權處理。[15]

截至二〇一三年十月二十一日，遺體捐贈者共三萬四千五百五十七名，男性為一萬三千一百名，佔總數百分之三十八，女性為兩萬一千四百五十七名，佔總數百分之六十二[16]，此捐贈數字在全臺的醫學院中，遙遙領先。

四　大體捐贈與安寧療癒的靈性層面

眾知周知，慈濟事業基金會是一個立足於佛教教義的大型公益團體，然而從基金會屬下的綜合醫院推動大體捐贈的理念和手法來看，一些源自佛教的慈善信念，例如布施、菩薩、捨身、無我等，雖然在志工和遺體捐贈者之間有所流傳，但在面向大眾的募

---

15 https://info.tcu.edu.tw/silent_mentors/sm_stat2_list.asp 慈濟大學遺體捐贈室 （2013.10.21）。

16 https://info.tcu.edu.tw/silent_mentors/sm_stat2_list.asp 慈濟大學遺體捐贈室 （2013.10.21）。

集文案裡，卻鮮見大力宣揚。好像慈濟志工琅琅上口、引以為志願服務的金句：「身體只有使用權，沒有所有權」[17]，便徹頭徹尾看不到半個傳統的佛學名詞，但卻將佛法的中心觀念——「身無常，法無我」，賦予簡潔有力、撼動人心的新解，因而感召了全臺成千上萬的佛教徒與非佛教徒，為法忘軀，將身後軀體慷慨奉獻於醫療教學用途。根據慈濟秘書處公關組專員劉鈞安的親述，迄今為止，已有三萬四千多位被送進慈濟醫院的無語良師，正在默默輪候，等待有朝一日進入醫學院解剖室，登上手術臺，晉身「為人師表」的機會。由於老師數目供過於求，「很多無語良師要成為名副其實的老師，為學生上一堂解剖課，恐怕還要等上好一段日子！」[18]

　　大體老師捐贈計畫的空前成功，除了因為精神領袖證嚴法師一呼百應的個人魅力，還因為她將宗教信念和人文精神價值巧妙地糅合在一起，闡釋為生命意義境界的超昇，藉以聖化遺體捐贈的意涵，這樣，無論對於佛教徒、其他宗教人士，還是無信仰者而言，大體捐贈除了在實際上是一項利他的慈善事業，還成為莊嚴個體在生前死後的生命價值的神聖途徑。

　　因此，筆者認為，慈濟大體捐贈運動能在短短十數年間獲得偌大的迴響，其中一個關鍵因素，在於整個作業流程裡的每一個小節，都盡其所能地向參與者提供生命品質成長的寶貴機會，而對於有志出任無語良師的臨終病者來說，更是一個可望突破死亡陰影的纏繞、重拾瀕死階段的生命尊嚴、與他人和平道別、與內在生命的清明體性重新連繫的靈性療護之旅。

　　是故，儘管慈濟的大體捐贈並沒有旗幟鮮明地以靈性的安寧療護項目自居，然而對參與計畫的病患來說，不失為一種能拓展臨終生命體驗的靈性療癒方式。

（一）捨身忘軀：死亡恐懼的超越

　　死亡的恐懼來自生存法則的挫折與未來方向的不確定，毋庸置疑，它是靈性照護的首要課題。病人在臨終期的死亡恐懼是否得到適當的緩解，將影響病人的善終素質。

　　不論是年輕人還是老年人，身體壯健還是體弱多病，沒有人不畏懼死亡。然而，我們鮮少有勇氣凝視死亡的焦慮。死亡的恐懼經常不是被刻意淡化，便是被有意無意地遺忘。忘記，的而且確是最慣用的伎倆。常見的情況是，我們不會在公開的社交場合，煞有介事地談論人皆有死之事，若不得已一定要觸及這個話題，則索性戲論調笑一番，務求淡然處之，然後儘快將死亡逐出我們「正常」的生活圈子外，以使生活重回「正軌」。於是，死亡通常被看成是存在於個體生命之外的異物，它是一種邪惡的外力，不

---

17 盧蕙馨：《人情化大愛——多面向的慈濟共同體》臺北：南天書局，2011年，頁300。
18 此係二〇一三年六月二十日筆者參訪花蓮慈濟大學期間，劉鈞安先生向本人之親述。

是從我們的生命內部發展出來的自然結果。基於這種根深蒂固的錯亂認知，在理性上，人似乎了解到人皆會死的「抽象」定律，但當反觀己身時，則接受不了一個有血有肉的自我終有一天也會消亡的事實。所以弗洛伊德在一篇文章 "Thoughts for the times on war and death" 中寫道：「本質上，沒有人相信自己的死亡；或者換句話說，潛意識裡我們每個人都相信自己是不會死的。」[19]

可是，選擇左閃右避，故意對死亡視而不見，又或過度沉溺於死亡的憂慮，都會給病患的臨終心態帶來不良的影響。臨終者越能儘早把死亡當作自己人生的自然歷程，則越有機會從懼怕死亡，轉向為從死亡中證悟到前所未有的存在意義，培養出一種靈性向度的覺知能力。

慈濟大體捐贈計畫處理死亡的主調，係將死亡納入生存的領域之內，不迴避，不害怕，不存妄想，泰然領納死亡的試煉。從捐贈者確認捐出遺體的第一天起，他就開始接觸到一連串的死亡教育，頭一課便是接納死亡終將到來的事實。首先，他決定將遺體奉獻給醫學教育，這即表示，他必然預視到自己終將離世；而且，他不可能心存僥倖，假想自己是世上唯一不會死去的人，暗地裡希望自己「逃過一劫」，因為若然如此，他就會跟自己的捐贈意願背道而馳，使布施遺體一事，淪為一種假惺惺的虛偽姿態。

再者，任何一位準無語良師都曉得，他在辭世後會被用作大體研究九個月至三年時間，然後才舉行集體的喪葬儀式，最後被供奉於慈濟大學模擬醫學中心的大捨堂內。所以，準無語老師們對自己壽盡後的遺體處置，以及完成教學任務後的最終歸處，皆應有充分的認知和心理準備，有些捐贈者可能還會在腦海中預演過無數次臨終前後的場景。這種「演練」，可視為類似於以死亡為對象的觀想練習，有助一般的大體捐贈者，特別是臨終的奉獻者，以不憂不懼的正面態度，觀照死亡的實相，減少對死亡的畏怖。

（二）從生向死，死而復生：生命意義的深切體認

在芸芸萬物中，人類由於秉承了特殊的天賦，懂得預想和期待未來，因此，無時無刻不在運用個人的自由意志，深思熟慮、衡量取捨，創建出數之不盡的生命意義。以弗蘭克（Viktor E. Frankl, 1905-1997）的話來說，人類具有一種追求意義的意志（「意義意志」，the will to meaning），認為人對於意義的渴求，與對其他方面的渴求相比，是更為強烈和迫切的，這是人的基本生活態度。假如人的意義意志遭到挫折，可能會觸發生存挫折，經驗到存在的空虛（existential vacuum）。[20]

---

19 Robert Kastenbaum 著，劉震鐘、鄧博仁譯：《死亡心理學》（*The Psychology of Death*）臺北：五南圖書出版公司，1996年，頁131-132。

20 弗蘭克（Viktor E. Frankl）著，趙可式、沈錦惠、朱曉權譯：《活出意義來》，頁109-111。

生命意義究竟是什麼呢？弗蘭克強調，人生的真諦不是來自感官的快樂和自我欲望的滿足，而是經過自我超越所發現的可貴價值。為此，人生而注定要冀求一些「在自己以外」的東西[21]，唯有從謀求私利的狹小圈子跨出一步，迎向某種不再是他自身的東西，獻身於某物或某（些）人，人才可望找到安身立命之道。弗蘭克特別提到，透過實踐三類價值[22]，可讓人體現生命的真諦：創造價值、經驗價值和態度價值。[23]人生意義的高低程度，可能與死亡的恐懼成反比，而一個人是否自覺到充實的人生意義，是通往豐盛的老年階段的關鍵[24]，這亦是臨終心理質素的決定性因素。

我們從大體捐贈者的故事中，不難發現他們及其家屬，因為發願獻身一個高尚的目標，而體會到意想不到的人生價值。例子之一，是周朱枝不顧四面八方的責問，執意將丈夫的大體捐出，理由是：「先生還年輕，他這一生雖然沒做什麼壞事，可是也沒有做很多善事；他讓白髮人送黑髮人，對公公不孝，我希望他能『將功贖罪』。」[25]除了贖罪，捐贈者還折射出崇高的身影：「其實不是我偉大，我只是把先生變偉大了而已！」周枝珠雖謙稱偉大的不是自己，而是晉升為無語良師的先生，不管怎樣，在不少人的心目中，大體捐贈誠然是一椿善行，也稱得上是捨己為人之崇高表現。

另有一些捐贈者，將奉獻遺體自比為菩薩的捨身精神。一九九六年元月，胰臟癌末期病患李鶴振臨終前有兩個心願，一是將退休金百萬元捐給慈濟做好事；二是決定往生後捐贈遺體，獻身慈濟醫學教育。證嚴師父問他：「可以心無罣礙了嗎？」他回應：「我想我可以放下了。」想到臨死一刻，他自敘道：「就當是做夢一樣，輕飄飄地，若是遇

---

21 Viktor E. Frankl, *The Will to Meaning: Foundations and Applications of Logotherapy* (New York : New American Library, 1969), 55.

22 Andrew Tengan, *Search for Meaning as the Basic Human Motivation: A Critical Examination of Viktor Emil Frankl's Logotherapeutic Concept of Man* (Frankfurt: Peter Lang, 1999), 159-170.

23 一、創造價值（creative values）：透過創造或完成一件事，給予世界諸般大小不等的美善價值；上至科學發明、追尋哲理，下至製作一件小玩意，都可以成就這種價值。二、經驗價值（experiential values）：在日常生活中，這種價值並不罕見，例如，沉醉在藝術品時物我兩忘的美學經驗、觀賞自然風光時與萬物一體的高峰體驗（peak experience），都能敞開體驗意義之門。其中最重要的體驗價值，莫如愛與被愛的關係。在愛的關係中，由於被愛者的惟一性（uniqueness）和單一性（singularity）受到高度珍視，他的人格價值遂得以毫無保留地呈現出來。三、態度價值（attitudinal values）：這是人面對命運時所採納的詮釋性和應對性方案，弗蘭克視此為最高層次的價值，其重要性是無出其右的，因為一個人怎樣看待當前的境遇，能否保留他的精神自由和心智的獨立，是決定他將要何適何從的根本關鍵。弗氏相信，即便在最坎坷的境遇裡、從痛苦、死亡和罪疚中，個人仍可找到存活下去的理由，而且不管外在環境如何，他仍可選擇以勇氣、幽默感、慈悲心或苦中作樂的精神態度，來回應多舛的命途。弗氏稱這種態度為「悲劇性樂觀主義」（tragic optimism）。

24 陳麗雲等著：《為生命喝采：善終、善別及善生的自助旅程》香港：香港大學行為健康教研中心，2010年，頁54。

25 葉文鶯：《以身相許：無語良師的生命教育》臺北：經典雜誌，2011年，頁107-108。

到任何境界，不要被吸引，要提起『我要走的是慈濟菩薩道』這個心念。」[26]

像李鶴振般自況為行菩薩道的大體奉獻者，相信為數不少，原因在於，證嚴法師每遇有熱衷參與慈濟的弟子信眾捐贈大體，都會公開追念他們生前的服務事蹟，也藉此表彰他們生死不渝的「菩薩行」心志。[27]從李鶴振的例子可見，證嚴法師對弟子的生死態度影響深遠。

每一位準無語老師，都可各行其道，給予遺體捐贈與別不同的人生意義：行善、積德、捨身、布施、菩薩道、環保（化無用為大用）、作育英才……，各安其所安。種種價值，皆源於自我超越之善意。當人們有能力顯示出對其他人和事物的關切之情，就自然而然地選擇不被自己的擔憂壓倒。瀕死者若在疾病煎熬的痛苦當中，仍然不忘「瞻望永恆」的話，他跟高層次的精神價值銜接的酬報，將使他不會自貶為一個區區的「向死之存在」，復讓他在面臨生命大限的過程中，尚可藉著承擔富有神聖價值的任務，體證到人存在的本質（essence of existence），實現私我的超升，以生命意義的廣度和高度，緩解生離死別的哀悽。另一方面，通過臨終之際神聖任務的完成，患者將了知到自己正由生步向死，且將由死步向（生命意義的永恆之）生，故自我之瀕死，乃預視著另一精神生命之再生，如是，臨終者將體會到其生命乃雖死猶生的不朽存在，因而能安然接受其肉身在此界的喪失，並寄歸於精神生命在彼界的復生。

（三）往生者的人性尊嚴

西方醫學本來是以解剖為主軸的醫學系統，習慣於抽離地聚焦病癥，病者只是負載病狀的物化媒介。加上現代西方醫療體系，每以冷冰冰的「客觀」科學態度和非人性化的官僚制度，來管理病人生前死後大大小小的事務，一方面，將死亡過度理性化和世俗化，另一方面，卻又諷刺地替它添上不必要的神秘面紗。死亡，在工具理性的重重壓制下，遂由前現代的屬靈聖事，扭曲為在現代社會裡，需要加以掩藏、遮瞞、和見不得光的陰暗現象。

在現代醫學系統調控下的死亡，是個非自然的生命現象，它是不可告人的忌諱，要用盡千方百計去加以制止。難得的是，在這個將死亡非人性化的主流氛圍下，慈濟大學的大體解剖課程卻開風氣之先，在臺灣境內，率先將人文宗教情懷與求真的科學精神，涵融為一項圓滿的生死教育，將追求大悲大願、善捨善終的宗教精神，靈活善巧地融入大體捐贈計畫的各項細節之中，諸如遺體處理、解剖過程的感恩禮讚儀式、大捨堂的莊嚴設計……等等，皆承載了師生們對往生者深厚的溫情與敬意，使得本來冷酷無情、著眼於物質身體的解剖學課程，散發出令人意想不到的濃郁人文氣息。

---

26 同上註，頁57。

27 盧蕙馨：《人情化大愛——多面向的慈濟共同體》，頁307。

以慈濟大學二〇〇二年創辦的模擬醫學中心為例，便充分展現了將醫科專業與人文宗教關懷兩條進路，融合無間的教學精神。[28]師生們對無語良師的關懷備至，先從拜訪家屬開始。藉著與家屬的互動，學生首次親身了解到大體老師生前的言行事蹟。接下來，學生會作一個分享報告，細細闡述大體老師的為人與生平，以誠摯的話語，述說對老師的認識。

在無語老師正式捨軀相教之前，模擬醫學中心會舉行一個簡約但不失隆重的啟用典禮。對老師忘我捨身之恩德，教授和學生均在典禮上獻上最誠敬的謝意。在大體老師完成四天的教學後，學生們滿懷虔敬之心，仔細縫合老師身上的每一吋傷口，親手為老師穿著壽衣，進行最後整裝、入殮。然後，在法師的引領下，家屬、學生與志工三方共同扶靈，用最恭敬的心將遺體送往火化，陪伴大體老師走完人生最後一程。接著，在舉行感恩追思典體與骨灰入龕儀式之後，大體老師的部分骨灰將安奉在大捨堂，為課程畫下圓滿句點。

在今年六月前赴慈濟大學參訪的行程中，筆者無緣親睹大體老師的送靈儀式。根據今年三月曾親身觀摩無語良師送別儀式的吾友梁梓敦先生引述，[29]當天有十四位大體老師一同出殯，靈車都布置得相當嚴整漂亮，有份祥和安寧的感覺。相較於香港的靈車，大多只是一部色澤灰灰黑黑的普通客貨車，驟眼看來，已帶有肅殺之氣，望之彌久，更予人陰森可怖之感，因此很多家屬都不太願意登上。從靈車外觀這個小環節的細意兼顧，反映出整個大體捐贈計畫對無語良師的照料，著實是一絲不苟，細緻周到，不單止全心全意，簡直做到了全面、全程和全隊的照護。

全面，是兼顧家屬的精神安撫、大體老師生前的行誼與功德、死後的尊嚴與安歇處等各方面的照護。

全程，是兼顧大體老師從捨軀教授之前的準備工作，至骨灰安奉期間，整個過程中各個細微的步驟。

全隊，是教授、學生、志工等團隊成員，全體出動，一同向大體老師致以殷殷的禮敬與謝意。

在全體師生和志工人員面面俱到的看顧下，讓無語良師及其家屬，在心理上達致無憂無懼的安泰境地，所謂「生死兩相安」，亦庶幾近矣！而在大體捐贈蘊含的「生死交融」、「生死相續」的寓意下，往生者再也不是傳統醫學課程中躺在解剖牀上待宰的無名屍體，而是搖身一變成為慨然地以一己的身死，建設他者之生的良師，是實踐人生智慧的典範。這對捐贈者人格的高度肯定，無疑讓一直以來僅被視為一堆模糊血肉的教學遺

---

28 以下根據慈濟大學模擬醫學中心宣傳單張上的資料，闡述師生們對無語良師之全程照顧。

29 梁梓敦先生從事哀傷輔導工作超過六年，曾出席過不下一百場喪禮，是香港聖公會聖匠堂長者地區中心旗下從事安寧療護的「護慰天使」服務的專業社工。他曾於二〇一三年三月二十四日早上，在花蓮慈濟大學參觀大體老師的遺體送靈儀式。

體，重拾久違了的人性化內涵與生命應有的尊嚴。

　　必須強調，大體捐贈計畫並不以安寧療護服務作為自我的標誌，但是，其對無語良師全面、全程、全隊的照顧，卻與安寧療護的「四全」理念，基本上步調一致。所不同者，前者在具體的操作上，較著眼於大體老師身故後的安厝與處置，後者則看顧末期病患從生前至死後的整個善終過程，包括：症狀控制、減輕患者的精神焦慮、給予病者與家屬心靈上的慰藉。不過，大體老師計畫也絕非將病患的心靈需求置諸不顧，從一個例子即可見一斑。如前所述，預囑臨終照顧指引和死後意願——例如，如何善用死後身體（器官捐贈或大體捐贈）、喪葬形式（土葬、火葬、海葬、自然葬等）的抉擇，涉及到死者的遺願，亦是安寧療護需要認真對待的問題，因為瀕死病患的心願能否圓滿，絕對關係到他的善終品質。而參與大體捐贈，即等同讓臨終者主動選擇遺體處理、骨灰安厝、追思會與葬儀服務的方式，使瀕死者達成最後意願，放下心頭大石，有助緩解他們面對死亡的哀慟與不安。於此看到，大體老師計畫的靈性照護課題，與安寧療護對病人心靈上的看顧，其目的都是盡可能地提升末期病患與其家屬的心靈及生活品質，兩者之間，實存在著不少交光互影的地方。

五　結語：死生相續，善生善終

　　「靈性」從來不是一個容易界定的語詞，它的內涵十分多樣化，既可連結宗教的語境，亦可以是純世俗性的。但可以肯定的是，不管人們是否信仰一個宗教或一個特定的神祇，他總是需要靈性的平安（spiritual well-being），具體而言，即人們需要仰賴一種強烈穩固的價值與信念系統，作為尋求與實現生活意義的基準，最終目的，是讓心靈安頓於從有限生命所發展出的宏遠價值，進而體驗到精神層面上不假外求的安樂與自適。據此，生活意義的認定與心靈的安頓，有著不容否定的直接因果關係，因此，凡是致力於改善臨終素質的安寧療護人員，除了盡力緩和病者的生理痛楚外，還會顧及病者的靈性健康狀態，因為瀕死者生命存有的內容與方式，對臨終素質而言，往往更重於其物象化生命的長度，——這已成為世界各地安寧療護的共識。

　　人為什麼會懼怕死亡呢？依佛教的說法，乃因為人對「本有」（梵語 purva-kala-bhava，指從入胎後至瀕死之間的生命歷程）的貪戀不捨所致，至於依戀的對象，不離以下兩樣，其一，是渴求生命的永遠存續，其二，是眷戀生命中熟悉的人和事物。人皆深怕此二事的斷滅，亦害怕由此失去生命實體，和自身的存在意義。這種對「本有」永逝的惶恐，在現實生活中，即表現為戀生悲死的強烈渴愛，與死亡的莫名恐懼。

　　如何才能克服「本有」斷滅的憂慮呢？慈濟大體捐贈計畫提供了一個頗值得參考的模範答案，這就是對「死生相續」的體認。在慈濟「四全」關懷的語域中，處處提示著死生交融、以死成就生的超越意義。如是，捨身忘軀的大體奉獻者，絕不止是一般的善

長仁翁，還是一位生命意義的締造者：他將無用的遺體轉化為有利於醫學研究的珍貴資源，化「無用」為「有用」；他將冰冷僵硬的屍體，升格為受人景仰的無語良師，使「去人性化」的軀體回復栩栩如生的靈動情味；他以自己的「死」體為「法施」，在解剖檯上「現身說法」，以指望來日病者得癒的「生」。凡此種種，莫不是突破死生界限、使死生相繼的超越價值。從臨終捐贈者應允將身體布施出來的那一天起，他便肩負了以死建設生的偉大使命，同時也在其瀕死之際，揭開了生活意義的新一章，藉成就他者之生的寄望，以雖死猶生的精神生命存續方式，取代與親友永訣的哀傷；而家屬死別的悲情，亦可藉亡者之遺愛人間，視逝者雖死猶生，而得以排解與疏導。大體捐贈蘊含著死生交替的深意，既深化了死亡的義涵，復通過迴自向他、迴死向生的菩薩大行，將亡者在今生必朽的有限生命，超昇為在彼岸的不朽生命，使死亡不再是漆黑一團的可怖異域，讓生者和瀕死者，安頓於精神生命賡續的永恒感，自然安然地接受身死命終，做到生者善生，去者善終，共同跨越死亡恐懼之壕溝。以此觀之，大體捐贈對病患的照護，跟安寧療護的靈性向度，暗合密契，誠可見矣。

師道與文道

── 淺議韓柳師道觀對古文復興的推動

張華

北京師範大學文學院

　　貞元十八年（802），韓愈有感於「師道不傳」，為弟子李蟠作〈師說〉。元和八年（813），被貶永州的柳宗元給前來問學的韋中立寫了一封信，對韓愈「抗顏而為師」的精神表示理解和支持。在表達避師名主張的同時，柳宗元還巧妙地向其傳授為學、為文之道。中唐文章革新運動的領袖，以不同的姿態表達了傳道授業的自覺意識，這也為我們探討古文復興提供了另一個維度。從師道的層面出發，我們可以清晰地看到在文章革新的大背景下，韓柳在培養人才方面所做的努力。

一　「韓門弟子」與古文復興

　　臺灣學者羅聯添先生在總結古文運動成功因素的時候，指出其中重要的一條就是：「韓愈為宣揚儒道，推展古文，不顧流俗，收招後學，抗顏為師。即得狂名，亦所不計」。[1] 韓愈所收招的後學，組成了歷史上著名的「韓門弟子」。他們往往被認為是古文復興的生力軍，然而「韓門弟子」並沒有確切的人數，[2]其成員的某些訴求也值得推敲。較早提出「韓門弟子」這個概念的是李肇的《唐國史補》，「韓愈引致後進，為求科第，多有投書請益者，時人謂之『韓門弟子』。愈後官高，不復為也。」[3]這條記錄稍作刪改後，就被推崇古文的《新唐書》採進《韓愈傳》：「成就後進士，往往知名，經愈指授，皆稱『韓門弟子』。愈官顯，稍謝遣。」單純從這兩條記錄看，「韓門弟子」帶有很明顯的科場烙印，有很強的功利性。

1　羅聯添著：《韓愈研究》天津：天津教育出版社，2012年，頁204-205。

2　李肇的《唐國史補》並沒有明確「韓門弟子」究竟為誰，《新唐書》稱「李翱、李漢、皇甫湜」為其徒，稱「孟郊、張籍」為從遊者，稱「盧仝、劉叉、賈島」等詩人為「韓門弟子」。近人錢基博的《韓愈志》涵括的「韓門弟子」則更廣，尤著聞者包括張籍、李翱、皇甫湜、孟郊、賈島、李賀等。「韓門弟子」的概念在不斷被引用的過程中，內涵逐漸豐富，從一開始帶有明顯功利性的引薦，演進成了斯文相承行為。關於「韓門弟子」的考證，可參見李商千：〈「韓門弟子」小考〉，《古典文學知識》，2000年第1期，頁98-102。

3　〔唐〕李肇：《唐國史補》上海：上海古籍出版社，1957年，頁57。

　　後人論述韓愈獎掖後進，往往會提及〈與祠部陸員外書〉一文。文中，韓愈向當時擔任通榜的陸參舉薦了侯喜、侯雲長、劉述古、韋群玉，以及沈杞、張苰、尉遲汾、李紳、張後餘、李翊等十人，而這些人或早或晚，都登了進士第。這次舉薦發生在貞元十八年（802）韓愈任四門博士的時候。值得一提的是，被薦十人中，名不見經傳的侯喜、侯雲長所佔篇幅最多，是韓愈所稱道的「文章之尤者」，而對於日後聲名更甚的李紳，只是一筆帶過。侯喜與韓愈過從甚密，韓愈詩文中有多篇涉及侯喜，二人曾同遊睢陽古蹟（〈題李生壁〉）、垂釣於洛水（《洛北惠林寺題名》），他應該是屬於師事韓愈的人，是真正想要學習古文的人。對於侯喜屢試不第的遭遇，韓愈也是力所能及地予以幫助，先後向盧虔和陸參寫了舉薦信。李翊、尉遲汾都曾寫信向韓愈討教為文之道，韓愈在給他們的回信中提出了自己的古文觀[4]，這些回信都成為研究韓愈古文思想的名篇。

　　結合〈與祠部陸員外書〉，「韓門弟子」所具有行卷干謁的功利性質就更加明顯。上文提到的李紳，就是典型的例子。貞元十八年（802），李紳第一次赴長安應進士試，以行卷謁呂溫和韓愈，並最終得到了韓愈的推薦。拋開功利的初心不說，「韓門弟子」這種投文干謁的行為是否對古文運動有一定的幫助？程千帆先生的《唐代進士行卷與文學》一書中援引了《舊唐書》、《唐摭言》、《因話錄》等史料和筆記相關記載，分析了韓愈「抗顏為師」，獎掖後進的行為。認為行卷對古文的推動「表現在後來他們在社會上文壇上已經成為當世顯人、其力量已經足以左右文風、並能接受後進行卷、將其向主司或其通榜者加以揄揚和推薦的時候。」[5]程先生所提到的行卷干謁活動對古文運動所產生的推動作用是否恰如其分，是值得商榷的。「韓門弟子」中，張籍、李翱在古文運動中作用較大，但他們並非是「當世顯人」，也沒有「左右文風」的力量。倒是李紳，曾任翰林學士，知制誥，後來還一度為相。李紳不在「韓門弟子」之列，而且還因「臺參」之事和韓愈有過嫌隙。僅就知名的「韓門弟子」而言，其成就也不盡在古文。錢基博先生認為，「韓門弟子」中，「李翱、皇甫湜雄於文，孟郊、賈島、李賀工為詩。獨張籍兼能，而非其至。」[6]張籍詩文俱佳，偏重於詩；李翱文風似昌黎，卻偏重哲學。因此，考察「韓門弟子」對古文運動真正的推動力，一方面，要關注知名弟子的作用；更多的是要看到圍繞韓愈的問學活動。

　　傅璇琮先生在〈關於唐代科舉與文學的研究〉一文中提出，科舉對文藝的推動「更基本的原因，則是科舉取士面向整個地主階級知識份子，在他們面前出現了只要提高文化水準就可以有仕進機會的現實可能性。」[7]對於文化的渴求，促使舉子們能夠不畏艱

4　在〈答李翊書〉中，韓愈系統闡述了古文理論，明確提出「惟陳言之務去」的革新目的；〈答尉遲生書〉則準確地闡明了文與道的關係。

5　程千帆：《唐代進士行卷與文學》上海：上海古籍出版社，1980年，頁70。

6　錢基博：《韓愈志》上海：華東師範大學出版社，2012年，頁57。

7　傅璇琮：《當代學者自選文庫》（傅璇琮卷）合肥：安徽教育出版社，1998年，頁207。

險、不遠千里去拜訪名師，尤其是那些落第的舉子。比如杜溫夫，給自己規畫了一條從荊州出發，先到柳州訪柳宗元，後經過連州訪劉禹錫，最終到潮州拜謁韓愈的問學路線。「今生年非甚少，而自荊來柳，自柳將道連而謁於潮，途遠而深矣。」（〈復杜溫夫書〉）其時，這三位文壇巨匠都處於被貶的尷尬境地。只有從「提高文化水準」的角度出發，才能解釋為什麼在韓愈遭受貶謫期間，還有那麼多的舉子前來問學，有的相伴相隨、不離不棄。

　　考察韓愈的交遊，我們可以發現有相當一部分人，是不遠千里、不問境遇、不計前途，真心推崇韓愈的文道而相從問學的。貞元十二年（796），韓愈「三選於吏部卒無成」後任汴州推官，李翱從徐州赴汴州與其訂交[8]，韓愈以兄女妻之。次年，張籍經孟郊推薦從和州來，從韓愈學習古文。李翱和張籍，是較早跟隨韓愈學習古文的，也是成就最大的弟子，韓愈云：「從吾遊者，李翱、張籍其尤也。」（〈送孟東野序〉）更為難能可貴的是，韓愈一直與他們保持亦師亦友的親密關係，這種師道觀念讓李、張二人感到如沐春風。貞元十五年（799），韓愈在徐州幕，有書生劉伉喜古文向其請教，「（劉伉）喜古文，以吾所為合於古，詣吾廬而來請者八九至，而其色不怨，志益堅。」（〈題哀辭後〉）。貞元十六年（800），韓愈居洛陽，有李景興、侯喜、尉遲汾等人跟隨韓愈學習古文（〈洛北惠林寺題名〉）。在貞元十七年（801）寫給尉遲汾的〈答尉遲生書〉中，韓愈直言學習古文不合時俗，甚至還會妨害仕途。「抑所能言者皆古之道，古之道不足以取於今，吾子其何愛之異也？賢公卿大夫在上比肩，始進之賢士在下比肩，彼其得之，必有以取之也。子欲仕乎？其往問焉皆可學也。若獨有愛於是而非仕之謂，則愈也嘗學之矣，請繼今以言。」可見，這些青年跟隨韓愈學習古文沒有任何干謁的意思，而帶有儒家傳統的遊學性質。

　　更有說服力的是韓愈兩次被貶的時候，仍有一批年輕人或跟隨，或造訪。貞元十九年（803），韓愈被貶陽山，其間有區冊、區弘、竇存亮、劉命命等人前來問學。在寫給竇存亮的信中，韓愈對青年人這種不畏跋涉的問學行為表示感動，「足下年少才俊，辭雅而氣銳。當朝廷求賢如不及之時，當道者又皆良有司。操數寸之管，書盈尺之紙，高可以釣爵位，若循次而進，亦不失萬一於甲科。今乃乘不測之舟，入無人之地，以相從問文章為事。」（〈答竇存亮秀才書〉）正是這種不以功利為目的的問學行為，才凸顯出古文寫作在當時所具有的吸引力，也體現了韓愈抗顏為師所帶來的人格魅力，而這也正是古文復興的生命力之所在。

8　〈祭吏部韓侍郎文〉（《全唐文》）謂「貞元十二，兄在汴州；我游自徐，始得兄交。視我無能，待予以友；講文析道，為益之厚。二十九年，不知其久。」

二　柳宗元的「論文八書」

　　所謂「論文八書」，包括〈與楊京兆憑書〉、〈復杜溫夫書〉、〈報崔黯秀才論為文書〉、〈報袁君陳秀才避師名書〉、〈答韋中立論師道書〉、〈與呂道州溫論《非國語》書〉、〈與友人論為文書〉、〈答吳武陵論《非國語》書〉等八篇。這些寫作於永州時期的書信，集中反映了柳宗元的古文思想，是「『古文運動』的指導文獻」。[9]「論文八書」中，除與楊憑、呂溫、吳武陵等友人的書信往來，過半都是他對青年學子的答覆。

　　在遭遇永不敘用的貶謫之前，柳宗元聲名較之韓愈有過之而無不及，他也成為舉子們投文干謁的主要對象。柳宗元後來回憶說：「往在京師，後學之士入僕門，日或數十人。」（〈報袁君陳秀才避師名書〉）熙來攘往的人群中，不排除有真正抱著學習態度來的，但大多數是為了求名而來。「吾在京都時，好以文寵後輩。後輩由吾文知名者，亦為不少焉。」（〈答貢士廖有方論文書〉）這不是柳宗元的自負，而是當時情況的真實寫照。

　　柳宗元的「避師名」，一方面是由於流俗的巨大壓力，因為「當時無師弟子之說」（〈報袁君陳秀才避師名書〉），「有輒嘩笑之，以為狂人。」（〈答韋中立論師道書〉）另一方面，也與其不幸的政治遭遇有關，所謂「得罪朝列，竄身湘南」（〈上嶺南鄭相公獻所著文啟〉），殘酷的貶謫使其「少志慮」，且「不敢為人師」（〈答韋中立論師道書〉）。然而，巨大的文名，即使在貶謫時期也還具有很強的吸引力。前來拜師學文的人仍然很多，比如「自京師來蠻夷間」的韋中立，比如「數千里不棄朽廢者」的崔黯（〈報崔黯秀才書〉）。正如韓愈所說：「衡湘以南為進士者，皆以子厚為師，其經承子厚口講指畫為文詞者，悉有法度可觀。」（〈柳子厚墓誌銘〉）而韓愈本人也曾推薦韋夏卿的侄子韋玒向柳宗元學習古文（〈答韋玒示韓愈相推以文墨事書〉）。同樣拿著韓愈的書信來請教的還有韋中立。元和八年（813），時任唐州刺史韋彪的兒子韋中立，從京城拿著韓愈的信來永州向柳宗元請教文章之道。與韓愈不同，柳宗元的師道觀是隱晦的。大部分答覆學子的書信，都表達了同樣的思想，也有著極其類似的結構。以〈答韋中立論師道書〉為例，開篇即表示「不敢為師」的立場，接下來解釋原因，最重要的是，在程序化的拒絕之後，柳宗元以不經意的態度，用很隨意的筆墨，看似講訴自身求學經歷，卻在傳授為文之道。

　　以書信為媒介，柳宗元在貶謫地向問學者傳道授業，同時也表達著自己的古文思想。值得一提的是，與韓愈始終身處長安文化圈的情況不同，十四年貶謫生涯中的柳宗元，一直處於文化的邊緣地帶。這一時期的柳宗元，與僧、道和隱士來往較多，通過與

9　孫昌武：《柳宗元評傳》南京：南京大學出版社，1998年，頁310。

劉禹錫、呂溫等同道書信往來，還有與青年學子的交流，他孤寂的貶謫生涯才有了一絲慰藉，他的文學造詣才愈發精進。「柳宗元在被貶期間，與同道者、後進之士在文學、思想上的交往，乃是中唐文學、思想領域的重要事件。……他有關文學、史學、儒學方面的思想主張深深影響了中唐時期的一批文人學士。」[10]柳宗元對後輩青年學子的獎掖，雖然不像韓愈那樣具有舉薦的能力，但也是力所能及「傳道授業」，在自身大力創作古文外，也為古文運動儲備了很好的人才基礎。

三　韓柳的師道觀與古文運動

重視傳承，維護儒家正統觀，一直是古文運動的特質。不論是韓愈自稱的「己之道，乃夫子、孟軻、揚雄所傳之道也」（〈重答張籍書〉），還是後世文史學者所整理的自蕭穎士、李華，再到獨孤及、賈至、梁肅這樣的古文發展路線圖，都揭示出古文運動具有嚴格且自成一體的傳承脈絡。保持正統的一個最有效的方式，就是恢復師道傳統。自漢末以來，師道傳統因門閥制度而遭受破壞，及至隋唐「科舉興起以來，『座主』與『門生』的關係構成了新型的座師傳統。」[11]最終導致了「恥學於師」的局面。要扭轉這一局面，就要恢復師道傳統。為此，韓柳通過不同的方式，發揮著各自的作用。

對於師道，韓柳儘管表述不同，態度不一，但都在表述師道的時候傳遞了鮮明的文道觀。韓愈的〈師說〉，被認為是重新定義「師道」的宣言性文件，而柳宗元則是堅定的擁護者和踐行者。韓愈的師道觀，以「傳道、授業、解惑」作為教師的本質工作，這也成為後世對於教師工作的基本要求之一。在韓愈看來，教師與弟子之間的關係是相對的，所謂「弟子不必不如師，師不必賢於弟子」。對於後學，韓柳也有自己的判斷和選擇。韓愈推崇伯樂，而他也以發現古文人才的伯樂自居。柳宗元在教育開始之前，會給求學青年展示自己的作品，以觀察這些青年是不是具有和自己一致的儒學思想和文學觀念。[12]正因為在對待問學青年有一個標準，這樣也能夠保證儒家道統和古文理論得以傳承下去。

勇於為師，是韓愈師道觀最為直接的體現。韓愈曾三任國子博士，是名副其實的教師，恢復師道傳統，對他來說是義不容辭的事情，所以才能「不顧流俗，犯笑侮，收招後學，作〈師說〉，因抗顏而為師。」（〈答韋中立論師道書〉）柳宗元雖然是「避師名」，但仍積極履行教師的職責。對於真誠的求學青年，柳宗元知無不言，言無不盡。

---

10 康震、李麗：〈柳宗元的文學教育實踐和問學教育思想〉，《陝西師範大學學報（哲學社會科學版）》，2011年第5期，頁105。

11 陸敏珍：〈論韓愈師說與中唐師道運動〉，《社會科學戰線》，2009年第1期，頁139。

12 〈答韋中立論師道書〉云：「吾子前所欲見吾文，既悉以陳之，非以耀明於子，聊欲以觀子氣色，誠好惡如何也。」

「言道、講古、窮文辭以為師，則固吾屬事。⋯⋯有來問我者，吾豈嘗嗔目閉口耶？」（〈答嚴厚輿秀才論為師道書〉）他逃避的是為師的名聲，而實實在在做教師應該做的事情。「苟去其名，全其實，以其餘易其不足，亦可交以為師矣。如此，無世俗累而有益乎已，古今未有好道而避是者。」（〈答嚴厚輿秀才論為師道書〉）

　　從教育層面來說，恢復師道傳統的努力與古文復興實踐有著密切的關係。曾國藩曾說：「韓公一生學道好文，二者兼管，故往往並言之。」[13]如前所述，對師道傳統的大力提倡，以及勇為人師的教育實踐，對古文復興起到了很大的推動作用。這種作用並不是以影響一兩個左右文風的「當世顯人」那麼簡單，而是更深層次對士風的一種轉變。古文運動，也從頂層設計走向了底層的自覺推動。「儘管這種觀念經常遭到漠視和嘲笑，但它也得到了積極回應，柳宗元就是其中之一。更具意義的是，很多年輕知識份子開始熱切地按照這一標準去尋找老師。柳宗元因此也非常受歡迎。」[14]這種好的趨勢，使得韓柳有足夠的資源去實踐古文復興的理想，也正是在韓柳不餘遺力、循循善誘的指導教育下，一批有志青年開始走上古文創作的道路，大大地推動了古文在中唐的復興。

13　曾國藩：《曾國藩讀書錄》上海：上海古籍出版社，2012年，頁200。
14　陳弱水：《柳宗元與唐代思想變遷》南京：江蘇教育出版社，2010年，頁149。

崔致遠研究二題

余國江

揚州崔致遠紀念館 · 揚州唐城遺址博物館

　　中韓兩國是地緣相近、文化相通的友好鄰邦。自古以來，兩國之間的往來就十分頻繁。在中韓友好交往史上，新羅崔致遠（857-924？）可謂具有特殊影響的代表人物。唐咸通九年（868），崔致遠奉父命渡海入唐求學，經過六年的艱苦努力，考中賓貢進士。乾符三年（876），在唐入仕，被調授為溧水縣尉。廣明元年（880）冬，崔致遠來到東南重鎮揚州，入淮南節度使高駢幕府。在揚州的四年間，崔致遠勤於筆耕，撰寫了大量公私文翰，歸國後結集為《桂苑筆耕集》二十卷。中和五年（885）春，崔致遠回到新羅，受到憲康王重用，不久遭人妒忌而被外放為地方官。最終隱居伽倻山海印寺以終老。

　　關於崔致遠的研究，韓國起步很早，成果很多。中國大陸和臺灣的研究相對較少。雖然近一、二十年來，學術交流日益頻繁，成果不斷湧現，但是很多問題仍然沒有得到重視，基本史實也還沒有完全釐清。今年五月，筆者赴韓國參加以崔致遠為主題的學術會議，與韓國研究者多有交流。然而限於會議間隙、筵席之上時間倉促，常有言不盡意之感。故歸國後，就交流所涉及的一二問題，草此小文，略述己意，並以求教於方家。

一　人臣無境外之交？——從崔致遠說到淮南與新羅的往來

　　中和四年（884），崔致遠向幕主高駢請求回國。高駢不但允許，而且特加優待，賜予行裝錢、月料錢、衣物等，並任其為「淮南入新羅兼送國信等使」，故崔致遠在返國途中作〈祭巉山神文〉時，自稱為「淮南入新羅兼送國信等使、前都統巡官、承務郎、殿中侍御史、內供奉、賜緋魚袋崔致遠」。[1] 然而，兩年後，崔致遠編集《桂苑筆耕集》上奏給憲康王時，其自稱則為「淮南入本國兼送詔書等使、前都統巡官、承務郎、侍御史、內供奉、賜紫金魚袋臣崔致遠」。[2] 所謂「國信」，應該是淮南道高駢給新羅國國王的外交書函。而崔致遠又稱是「送詔書」，這就引起一個問題：淮南道可以直接和新羅國往來嗎？

1　崔致遠撰，黨銀平校注：《桂苑筆耕集校注》北京：中華書局，2007年，卷20，頁735。

2　同上註，序，頁13。

　　中國自古以來就重視「君君、臣臣」之道。臣之為臣，有其必須堅守的本分，其中一點就是「人臣無境外之交」的春秋之義。按理，淮南道是不能直接與新羅國往來的。金榮華教授為此提出一個解釋，認為崔致遠前後兩次自稱中，有三點不同：一是「國信」變成了「詔書」；二是從七品下的「殿中侍御史內供奉」變成了從六品下的「侍御史內供奉」；三是四品五品官員所佩的「緋魚袋」變成了三品以上官員所佩的「紫金魚袋」。之所以如此，是高駢為崔致遠向朝廷奏請來的，時間當在中和五年正月。[3] 而一些韓國史籍則徑直認為崔致遠是奉唐僖宗之命歸國：「崔致遠，新羅人。……光啟元年，奉帝詔東還」。[4]

　　崔致遠並非受唐僖宗之命返回新羅，此點至為明顯，由崔致遠「淮南入新羅」使者的自稱即可看出。可以輔證的還有崔致遠所作諸文的結銜，以下略舉兩例：

桂苑行人崔致遠。(〈大華嚴宗佛國寺毗盧庶那文殊普賢像贊並序〉)[5]
桂苑行人、侍御史崔致遠。(〈有唐新羅國兩朝國師教諡大朗慧和尚白月葆光之塔碑銘並序〉)[6]

「桂苑」指揚州，《桂苑筆耕集》中「揚都粵壤，桂苑名區」[7] 之句可證。故可知崔致遠是淮南至新羅的使者無疑。

　　而高駢代崔致遠向唐僖宗請求送詔書和官職，這一點也頗值得可疑。首先，與崔致遠同歸的金仁圭、堂弟崔棲遠都是新羅派遣到淮南道的使者。崔致遠稱金仁圭為「新羅國如淮南使、檢校倉部員外郎、守翰林郎、賜緋銀魚袋金仁圭」[8]，又稱「某堂弟崔棲遠比將家信，迎接東歸，遂假新羅國入淮海使錄事職名，獲詣雄藩」。[9] 那麼，禮尚往來，高駢以崔致遠為淮南道至新羅國的使者，就是順理成章了，完全無需請求朝廷的詔書。其次，崔致遠《桂苑筆耕集》收錄了其準備返國到山東候風期間所作的各種詩文，時間下限在中和五年春。這些詩文事無巨細地記載了高駢允許歸國、賜予行裝衣物等各種事情。如果高駢確實為崔致遠向唐僖宗請求了詔書和官職等，崔致遠《桂苑筆耕集》應該收錄有表達謝意的文狀。然而，實際上是沒有此類文字。而且，〈祭巉山神文〉中

3　金榮華：〈崔致遠在唐事蹟考〉，載《中韓交通史事論叢》臺北：福記文化圖書公司，1985年，頁14-16。

4　奇大升：《高峯先生續集》卷2〈天使許魏問目條對〉，韓國文集叢刊本。

5　崔濬玉：《國譯孤雲先生文集》(下) 韓國：寶蓮閣，1982年，頁293-294。

6　同上註，頁145。

7　崔致遠撰，黨銀平校注：《桂苑筆耕集校注》卷2，頁55。

8　同上註，卷20，頁735。

9　同上註，卷20，頁725。《尚書·禹貢》：「淮海惟揚州」，故「新羅國入淮海使」指的是到揚州的使者。

有「去歲初冬，及東牟東」之語，可知該文作於中和五年春。若中和五年正月崔致遠獲得了唐僖宗賜予的詔書和官職，何以文中仍自稱送國信等使、賜緋魚袋？

筆者以為，崔致遠為淮南道至新羅國的使者，乃是唐晚期淮南與新羅相互往來中的一環。據日僧圓仁《入唐求法巡禮行記》所載，浙東明州、揚子江口、楚州、海州、登州等五處有往新羅的海道。[10]揚子江口與楚州均為淮南道所轄，故淮南成為新羅與唐朝廷往來的重要中間站。《舊唐書》卷二一一《東夷傳・新羅》載：元和「十一年（816）十一月，其入朝王子金士信等遇惡風，飄至楚州鹽城縣界，淮南節度使李鄘以聞」。這還是新羅使者遭遇海風的特殊情況。隨著黃巢軍動盪中原、皇帝屢次逃出京師，相對安定的淮南在新羅與唐朝之間的重要性就愈加突出。唐僖宗避居四川後，據崔致遠〈上太師侍中狀〉載：「中和二年（882），入朝使金直諒為叛臣作亂，道路不通，遂於楚州下岸，邐迤至揚州，得知聖駕幸蜀，高太尉差都頭張儉監押送至西川。」[11]約在次年，新羅憲康王又派遣探候使朴仁範赴成都問安。從崔致遠〈新羅探候使朴仁範員外〉[12]中可以看出，新羅王此次不但向僖宗獻表忠誠，也與淮南通交：「況奉貴國大王，特致書信相問。」因為路途遙遠、盜賊橫行，朴仁範抵達揚州後，即欲折返新羅。高駢則認為：「儻員外止到淮壖，卻歸海徼，縱得上陳有理，其如外議難防，無念東還，決為西笑。聖主方深倚望，賢王佇荷寵榮，道路亦通，舟舡無壅，勿移素志，勉赴遠行。峽中寇戎或聚或散，此亦專令防援，秘應免致驚憂。且過鬱蒸，可謀徵邁，館中有闕，幸垂示之。」既勸其堅持完成使命，又表示願意提供各種援助。

揚州在中晚唐時期，地位愈為重要，取得了「揚一益二」、「天下之盛揚為首」的地位，繁華為天下之最。而新羅使者屢次至揚州，並受到各種優待和幫助，對淮南道情況亦應頗為知曉。中和四年（884），新羅直接派使淮南，以崔致遠堂弟崔棲遠為「錄事」，應當也考慮到了崔致遠在高駢幕府任職這一情況。而隨著黃巢起義、高駢與朝廷關係惡化，淮南道實際已經脫離朝廷控制，成為事實上的割據藩鎮。在王朝末期，「人臣無境外之交」的春秋之義已經難以施行，故新羅與淮南直接往來亦屬自然。等到高駢失政，為部將所殺，淮南陷入混亂，這種人臣外交也就隨之終結了。

二　崔致遠佛教思想芻論

如果要全面考察崔致遠的思想，三教融合無疑是最顯著的特徵。崔致遠的思想變化與其所處的環境和人生經歷有著極大的關係，不同時期對儒、釋、道三教思想也有不同的接受。作為中舉入仕的「尼父生徒」，崔致遠如何接受釋、道二教的思想並加以融

10　韓國馨：〈南北朝隋唐與百濟新羅的往來〉，《歷史研究》，1994年第2期，頁21-42。

11　金富軾：《三國史記》卷46，日本：近澤書店，1941年，頁465-466。

12　崔致遠撰，黨銀平校注：《桂苑筆耕集校注》卷10，頁278。

會、實踐，這些思想又對其本人、又通過其對朝鮮半島文化產生了怎樣的影響，都是十分值得深入探討的問題。以下僅就崔致遠佛教思想部分作一初步的討論。

　　崔致遠的家世和早期事蹟不詳，加上《中山覆簣集》五卷等作品幾乎都已散佚失傳，故難以了解崔致遠最初宗教思想的面貌。

　　入高駢幕府後，崔致遠寫作了大量表狀公文，其中有數篇涉及僧正、佛寺等，透露出崔致遠對佛教的最初認識。〈奏請僧弘鼎充管內僧正狀〉曰：

> 右件僧，跡洗四流，心拘八政，演法於有緣之眾，致功於無遮之言。伏自翠華遠省於風謠，丹詔屢征於月捷。凶渠未滅，銳旅猶勤。弘鼎常令僧三十人晝夜轉念功德，張開覺道，教化闍城。所願早覆梟巢，便回鸞駕。雖不關於至理，實自發於精誠。[13]

〈謝許弘鼎充僧正狀〉曰：

> 右件僧，臣先具狀申奏，請充當道管內僧正，仍賜紫衣，伏奉敕旨依允者。伏以弘鼎久勤轉念，輒具薦論，能資十地之因，遽荷九天之寵。元戎獲請，喜三教之並行；法侶歡呼，驚一佛之或出。唯冀永持功德，上報慈悲。苟不能蕩火宅之餘災，則何以稱水田之華服。必可潛燃慧炬，助滅妖氛。[14]

首先值得注意的是其中「喜三教之並行」一句。唐代士人大體對佛、道採取包容、親近的態度，崔致遠深受時代風氣影響，也很早就形成了三教融合的思想。其次，從狀文中可以看出，僧人固然要追尋「至理」，而對於皇帝的精誠亦十分重要。這種見解當然與兩篇狀文的性質和目的有關，但一定程度上反映了崔致遠的認識。兩篇狀文中，崔致遠都以儒學為基本立場，特別強調了佛教在護持統治、教化眾生方面的積極作用。在〈求化修大雲寺疏〉中，崔致遠把佛教的這種功用說得更為明確：

> 夫教列為三，佛居其一。其如妙旨則暗神玄化，微言則廣諭凡流。開張勸善之門，解摘執迷之網。……所願廣運慈航，徐摛法鼓，深資功德，靜剗妖魔，百官榮從於鸞旌，萬乘遄歸於象闕。次願太尉廓清寰宇，高坐廟堂，演伽葉之真宗，龍堪比德，舉儒童之善教，麟不失時。克興上古之風，永致大同之化。[15]

13　崔致遠撰，黨銀平校注：《桂苑筆耕集校注》，頁93。

14　同上註，頁95。

15　同上註，頁561-562。「摛」，黨先生原作「搥」，誤。

「教列為三，佛居其一」，仍是「三教之並行」的一以貫之。不過在崔致遠看來，三教並非完全同等。「其如妙旨則暗裨玄化，微言則廣諭凡流」一句中，「其如妙旨」、「微言」指關於佛教的種種理論，「玄化」即聖德教化。也就是說，佛教的精妙佛理暗合儒家思想，僧人運用這些妙旨可以助益於教化百姓。所要達到的目標，從近處講，是平定黃巢亂軍，僖宗及百官重回長安，太尉高駢建功立業；從遠處講，是「克興上古之風，永致大同之化」，即重興堯舜禹三代之風，達到儒家所謂理想的大同世界。

　　崔致遠在唐朝接受的思想中，本質的部分是儒學。他屢屢自稱「尼父生徒」、「儒門末學」，頗有積極用世之志。在高駢幕府期間，雖然寫有不少關於道教、佛教的齋詞，不過多是公務之作，其中體現出的三教並行而以儒學為最終旨歸的趨向，仍然是十分顯的。可以說，這一時期，崔致遠還是以儒學士人的視角來對待佛教和僧徒，強調的是佛教對社會的實際功用，其對佛教理論並無多少體悟。

　　崔致遠歸國後，得到更大的施展抱負的機會。在憲康王、真聖女王兩朝，崔致遠既為王室撰寫願文、像贊，也為禪宗高僧撰寫碑銘，佛學修養不斷精進。尤其是在「四山碑銘」中，崔致遠與這些高僧同聲相應、同氣相求，通過彰顯禪宗高僧在安邦濟民方面發揮的巨大作用，大力宣揚儒、釋同歸的思想。[16]〈大崇福寺碑〉開篇即曰：

> 臣聞，王者之基祖德而峻孫謀也，政以仁為體，禮以孝為先。仁以推濟眾之誠，孝以舉尊親之典。莫不體無偏於夏範，遵不匱於周詩。聿修芟秕稈之譏，克祀潔蘋繁之薦。俾惠渥均濡於庶匯，德馨高達於穹旻。然勞心而扇暍泣辜，豈若拯群品於大迷之域；竭力而配天饗帝，豈若奉尊靈於常樂之鄉。是知敦睦九親，實在紹隆三寶。矧乃玉毫光所燭照，金口偈所流傳。靡私於西土生靈，爰及於東方世界。則我太平勝地也，性茲柔順，氣合發生。山林多靜默之徒，以仁會友；江海協朝宗之勢，從善如流。[17]

崔致遠首先就指出，王者為政治民，在於「政以仁為體，禮以孝為先」，如此才能濟眾尊親。不過，像武王那樣為暍人扇熱解暑（扇暍），像大禹那樣憐恤罪人（泣辜），在百姓陷入危困之後再施以仁德，不如先把百姓從「大迷之域」中解救出來。從這一點來講，「紹隆三寶」，光大佛教，正可以達到儒家所追求的「敦睦九親」、和諧百姓的境界。

　　而且，僧侶既精於佛教至理，也秉承「仁」、「善」。〈朗慧和尚碑〉曰：

---

16 關於崔致遠「四山碑銘」的思想，可參看拜根興、李艷濤：〈崔致遠「四山塔碑銘」撰寫旨趣論〉，載杜文玉主編：《唐史論叢》（第15輯）西安：陝西師範大學出版社，2012年，頁265-277。

17 崔致遠撰，李佑成校譯：《新羅四山碑銘》，頁256-258。

（憲康王）因垂益國之問，大師引出何尚之獻替宋文帝心聲為對。太傅王覽謂介弟南宮相曰：「三畏比三歸，五常均五戒，能踐王道，是符佛心。大師之言至矣哉！吾與汝宜惓惓。」[18]

朗慧和尚曾入唐求法，返回新羅後創立聖住山禪門，但也「少讀儒家書」[19]，所以在憲康王（太傅王）下令垂問時，朗慧和尚以何尚之應對宋文帝的話作答。據梁《高僧傳》所載：宋文帝時，蕭摩之上啟請制起寺及鑄佛像，文帝對啟文不滿意，命何尚之加以增損。何尚之引慧遠「釋氏之化，無所不可。適道固自教源，濟俗亦為要務」之言，並曰：「夫禮隱逸則戰士怠，貴仁德則兵氣衰。若以孫吳為志，苟在吞噬，亦無取堯舜之道，豈唯釋教而已耶」。文帝悅，曰：「釋門有卿，亦猶孔氏之有季路。」[20]何尚之的看法是適道與濟俗並重，既採取儒家之道，也採取佛家之教。朗慧以同樣的話作答，憲康王也大為認可。「三畏比三歸，五常均五戒，能踐王道，是符佛心」，就是把儒家和佛教同等看待，符合佛心的同時也實踐了王道。崔致遠為朗慧和尚撰寫碑銘，其中種種行跡當然源自和尚弟子所提供的材料，而拈出朗慧的回答與憲康王的回應一事，大概是因為這一問答深契己心罷。而且通過一定的主張影響帝王的治國理念，這也是崔致遠等士人一貫的追求。

在〈真鑒禪師碑〉和〈智證大師碑〉中，崔致遠更明確地地闡述了自己對儒、釋關係的看法。〈真鑒禪師碑〉開宗明義地說：

夫道不遠人，人無異國。是以東人之子，為釋為儒，必也西浮大洋，重譯從學，命寄刳木，心懸寶洲，虛往實歸，先難後獲。亦猶采玉者不憚昆丘之峻，探珠者不辭驪壑之深。遂得慧炬則光融五乘，嘉餚則味飫六籍。競使千門入善，能令一國興仁。而學者或謂身毒與闕裏之設教也，分流異體，圓鑿方枘，互相矛楯，守滯一隅。嘗試論之。說詩者，不以文害辭，不以辭害志，《禮》所謂「言豈一端而已，夫各有所當」。故盧峰慧遠著論，謂如來之與周孔，發致雖殊，所歸一揆，體極不兼應者，物不能兼受故也。沈約有云：「孔發其端，釋窮其致。」真可謂識其大者，始可與言至道矣。[21]

「道不遠人，人無異國」是崔致遠的不朽名句，從中可以感覺到，崔致遠是站在超越教派和國家的「至道」的角度來看待儒學和佛教的。從獲取儒學或佛理的方式而言，新羅

---

18 同上註，頁182-184。

19 同上註，頁194。

20 釋慧皎撰，湯用彤校注：《高僧傳》北京：中華書局，1992年，頁261-262。

21 崔致遠撰，李佑成校譯：《新羅四山碑銘》，頁125-129。

留學生和留學僧都要「西浮大洋，重譯從學，命寄刳木，心懸寶洲，虛往實歸，先難後獲」；從目的和功用而言，佛教是「競使千門入善」，儒學是「能令一國興仁」。所以當有人認為儒學和佛教分流異體、互相矛盾時，崔致遠引了六朝時期佛教的代表人物慧遠和士大夫的代表人物沈約的話來批駁。慧遠在士大夫中影響甚大，其所著之論即〈沙門不敬王者論〉，「凡有五篇：……四曰體極不兼應：謂如來之與周孔，發致雖殊，潛相影響；出處誠異，終期必同。故雖曰道殊，所歸一也。不兼應者，物不能兼受也。」[22]儒學、佛教雖然形式（發致、出處）不同，但終極目標（所歸）卻是一致的。沈約受齊竟陵王、梁武帝等影響，也精於佛理，其語出自〈內典序〉：「雖篆籀異文，胡華舛則，至於協暢心靈，抑揚訓義，固亦內外同規，人神一揆。墳典丘索，域中之史策，本起下生，方外之紀傳，統而為言，未始或異也。……且中外群聖，咸載訓典，雖教有殊門，而理無異趣。故真俗兩書，遞相扶獎，孔發其端，釋窮其致。」[23]表達了與慧遠一樣的看法。崔致遠在繼承這些思想的基礎上，再次確認了儒學和佛教都是「至道」的一部分，可以等量齊觀。〈智證大師碑〉亦云：

　　五常分位，配動方者曰仁心；三教立名，顯淨城者曰佛。仁心即佛，佛目能仁。[24]

「仁心即佛，佛目能仁」，如果將這種看法稍作展開，可以說，在崔致遠看來，儒、釋、道就是即儒即釋即道的關係，三者都合於「至道」。

　　崔致遠將儒、釋、道三者同樣看待，既是受三教並行思想的影響，也是對新羅社會現實的迎合，更是自身佛教思想自然發展的結果。在為王室撰寫的願文中，主要頌揚佛教的無邊法力和慈悲恩惠，而在為禪門高僧撰寫的碑銘中，在表彰高僧不畏艱難求取無上心法、濟世救俗普渡眾生的行跡之外，則更鮮明地闡發自己的思想見解和政治主張，並希望通過這些影響上至新羅王、下至百姓的整個新羅社會。禪門高僧在上輔君王、下安百姓方面起到的巨大作用，正給崔致遠以某種希望。在末世，只要能踐王道、救百姓，無論是新羅固有的風流道等傳統文化，還是由唐朝傳入的儒、釋、道，都應該充分倡導和利用。崔致遠就是在這樣的情勢下，懷著經世致用之心，深入了解了以禪門高僧為代表的佛教，深化了自己的佛學思想。

　　崔致遠晚年政治失意，時事沉淪，無以挽救，最終退出仕途。從這一時期的作品中也可以看出其思想的變化。在返回新羅的最初十年，崔致遠在各類作品中反覆強調儒、釋、道三者在治國和教化方面的共通作用，倡導新羅傳統文化和儒、釋、道的融會。而在失意隱退以後，則主要是談論佛理，抒發自己的種種宗教體驗。

---

22 釋慧皎撰，湯用彤校注：《高僧傳》，頁220-221。
23 沈約撰，陳慶元校箋：《沈約集校箋》杭州：浙江古籍出版社，1995年，頁177。
24 崔致遠撰，李佑成校譯：《新羅四山碑銘》，頁205。

　　海印寺是崔致遠晚年歸隱之地，現在能確定寫作年代的最後幾篇作品都與海印寺有關。海印寺由順應、利貞兩位大師所創建（802），是新羅華嚴宗的重要道場之一。崔致遠任防虜大監天嶺太守時曾作有〈贈希朗和尚〉詩六首，這是希朗和尚在海印寺講《華嚴經》，崔致遠未能前去聽講而作的寄贈之作。[25] 在詩中，崔致遠一面盛讚希朗和尚講經之功德，一面也分享了自己對佛理的感悟。其第六首曰：

> 三三廣會數堪疑，十十圓宗義不虧。
> 若說流通推現驗，經來未盡語偏奇。[26]

「三三」者，即三世之說。過去、現在、未來三世各有三世，合為九世。「十十」者，即十玄之說。十玄門同一緣起，無礙圓融，隨有一門，即具一切。[27] 崔致遠在此既推重《華嚴經》的妙義和奇語，但又有所持疑。

　　數年後，已經歸隱的崔致遠似乎對「十十圓宗義」有了更深的領悟。在為華嚴宗實際開創者法藏和尚撰寫的傳文中，他仿法藏和尚《華嚴三昧觀》中「十心」的體例，將其身世行跡分為族姓、遊學、削染、講演、傳譯、著述、修身、濟俗、垂訓、示滅十科。其案語云：

> 愚也雖慚郢唱，試效越顰，仰彼圓宗，列其盈數，仍就藏所著《華嚴三昧觀》直心中十義而配譬焉：一族姓廣大心，二遊學甚深心，三削染方便心，四講演堅固心，五傳譯無間心，六著述折伏心，七修身善巧心，八濟俗不二心，九垂訓無礙心，十示滅圓明心。深悲兩心，互準可見。[28]

不按時間、事蹟先後次序，而把傳主的生平與其佛學理論聯繫起來列為十科，這在佛教傳記作品中大概僅此一見。崔致遠之所以如此創新，源於其對華嚴宗和法藏和尚佛理的深刻理解和共鳴。在該傳的跋文中，崔致遠又特意記述了撰寫傳文時的種種「顯應」，並辨析夢覺與佛教的關係：

> 及修斯傳，自責增懷，傷手足瘃，含毫不快。欻聞香氣，郁烈有餘，斷續再三，

25　《贈希朗和尚》的撰寫時間，可參看金程宇：〈讀崔致遠佚詩劄記〉，《古籍研究》2005年卷下，頁33。

26　崔濬玉：《國譯孤雲先生文集》（下），頁54。

27　法藏：《華嚴經探玄記》卷1，《大正新修大藏經》卷35〈經疏部三〉，頁123。

28　崔致遠：〈唐大薦福寺故寺主翻經大德法藏和尚傳〉，《大正新修大藏經》卷50〈史傳部二〉，頁280-281。

尋無來所。誰料嬴君歸載,變成荀令坐筵。時有客僧持盈,亦言異香撲鼻,春寒
剿嚏,因爾豁然。僕既勇於操觚,僧亦忻於闚覦。斯豈掇古人芳跡,播開士德馨
之顯應乎?傳草既成,又獲思夢,睹一緇叟執一卷書而曉愚曰:「永徽,是永粲
元年也。」劃爾形開。試自解曰:「此或謂所撰錄,永振徽音,長明事蹟,始於
今日,故舉元年者耶?」然而深惡諓聞,莫排疑網。適得藏大德遺像供養,因削
二短簡,書「是非」二字為筊,擲影前。取裁再三,「是」字獨見。心香所感,
口訣如聞。古德既陰許非非,今愚乃陽增病病,不為無益,聊以自寬。或人不止
囅然,且攎胡曰:「子所標證,說春夢可乎哉?」愚徐應曰:「是身非夢歟?」
曰:「是。」「然則在夢而欲黜夢,其猶踐雪求無跡,入水願不濡者焉?書不云
乎,有大夢,然後有大覺,如睡夢覺,故名佛也。抑且王者以乾坤謫見,每慎方
來;庶人以晝夜魂交,能防未兆。譬形端影直,豈心正夢邪?人或不恒,巫醫拱
手。苟冥應悉為虛妄,念大亦涉徒勞耶?聞昔尼父見周公,高示得傳說。信相金
鼓,普眼山神,皆托靈遊,能融妙理。故兩朝僧史,亦一分夢書。」[29]

撰寫傳文時有異香傳來,香氣甚至有醫治春寒剿嚏的奇效。傳文完成後,又有老僧入夢
來糾正錯謬。尤其是在猶疑不定的情況下書「是非」二字為筊,擲於法藏和尚遺像前,
「是」字獨見。似乎冥冥中真有天意。當有人懷疑此夢時,崔致遠又特別說明人生正如
一場大夢,只有夢醒覺悟才能成佛;佛教傳揚妙理,也常常借助於「靈遊」。花費如此
多的筆墨,將自己的行為、受到的「現驗」與佛教如此緊密地聯繫在一起,這在崔致遠
以往的作品中是絕對沒有的,從中透露出的是其對佛教深切的認同和體悟。

　　站在佛教的立場來理解佛教、體悟佛理,在各方面都自覺地向其比附和歸依,這表
明崔致遠在經過數十年的認識、實踐之後,其佛教思想已經成熟,而與浮圖賢俊、定玄
結為道友,棲遲偃仰以終老,也就是順理成章的事了。

　　概括而言,崔致遠生長在新羅和唐朝的晚期,一生中每次轉機之後,不久就又陷入
窮途。然而,飽歷世俗風雨,收穫的是在思想上的圓融成熟。在揚州期間,崔致遠主要
是從公務的角度接觸佛教,所以對佛教的理解並不深入。返回新羅後,與華嚴宗和禪宗
各派都多有交往,從高僧的事蹟中,崔致遠獲得了共鳴,認識到佛教在治理國家和教化
百姓方面所具有的重要作用。他在〈鸞郎碑序〉中說:「國有玄妙之道曰風流,設教之
源,詳備仙史。實乃包含三教,接化群生」[30],已經清楚地闡明了自己的思想和政治主
張。對其而言,儒、釋、道、風流道等,既是宗教哲學,更是治世理念。通過全面的融
攝總合,崔致遠成為新羅晚期思想文化的集大成者。然而,國運時事並非個人之力所能

---

29 崔致遠:〈唐大薦福寺故寺主翻經大德法藏和尚傳〉,頁286。
30 金富軾:《三國史記》卷4,〈新羅本紀〉。

扭轉，思想理念亦並非總能拯救現實，崔致遠最後無奈隱退，由用世轉為出世。從廣闊的歷史文化視野來看，歷仕兩國數朝，出入於儒、釋、道和新羅傳統文化之間，有融會，有實踐，崔致遠的這一人生軌跡與思想脈動，很好地描繪了一幅中古士人的文化面向。

黃龍慧南「不離文字」與「不拒儒道」傳教手法初探

葉德平

香港中文大學專業進修學院

一　導言

禪宗自「西天祖師」摩訶迦葉尊者以來，皆奉行「不立文字」之說。據宋代禪宗經典《五燈會元》卷一記載，世尊（佛祖）在靈山會上，拈花示眾，是時「眾皆默然」唯有迦葉尊者「破頻微笑」，故世尊即謂：「吾有正法眼藏，涅槃妙心，實相無相，微法妙門，不立文字，教外別傳，付囑摩訶迦葉。」[1]自此，「不立文字」即被奉為禪宗至理。

東土禪宗由「東土初祖」菩提達摩傳入我國，歷五世傳至「六祖」慧能大鑑後，生出五花，分別：臨濟宗、曹洞宗、溈仰宗、雲門宗、法眼宗。此五宗起初大抵還能恪守摩訶迦葉尊者傳下的「不立文字」之理，然而因應時勢，部分宗派祖師對「文字」的態度已與前大為不同。

事實上，在歷史洪流下，完全「不立文字」的溈仰宗在一定程度上因此而吃了大虧，於宋初就已經不復見有傳人。前車可鑑，由臨濟宗衍生的黃龍宗因此也不再墨守「不立文字」之說，反倒來變成「不離文字」。而因為善用文字的緣故，黃龍慧南與士大夫的關係越來越親密。而也因為與士大夫的接觸頻仍，黃龍慧南對向為士大夫篤信的儒、道二家都採取較前人開放的態度。對儒、道的迎合，使黃龍宗得到龐大的「外護」，令其能迅速發展成為當時禪宗的一大宗派。下文將先敘述溈仰宗的息止，然後論述黃龍慧南推崇「不離文字」的思想。

二　溈仰宗止息於宋初

溈仰宗是六祖以後五家之一，由溈山靈佑與仰山慧寂創立。它是五家七宗中最早形成，又最早斷絕的。

早期的禪宗宗派多嚴守「不立文字」之說，故宗師圓寂以後，其所傳之法往往不宜保存下來；與此同時，由於存下的資料不多，信徒難以整合其宗旨，相對較難傳揚下

1　〔宋〕普濟；蘇淵雷點校：《五燈會元》北京：中華書局，2012年，頁10。

去，於是其宗派不單影響力也相對較低，自然會呈日漸衰亡之勢。五家七宗中最早形成，又最早斷傳的溈仰宗，便是宣導不假言的自心頓悟的原則。《五家宗旨纂要》論述了五家家風，其中有一條有關「溈仰宗」：

> 溈仰宗風，父子一家，師資唱和，語默不露，明暗交馳，體用雙彰。無舌人為宗，圓相明之。[2]

這裡說明了溈仰宗的宗風——重視頓悟。它注重不說破而自悟佛理的原則，故師徒接引學人之時，大都默言無語，以免落入語言名相之窠臼。溈仰宗的兩位開山祖師溈山靈佑認為：「父母所生口，終不為子說」[3]；仰山慧寂也認為：「覿面相呈，猶是鈍漢，豈況形於紙墨」，故此二人在接引學人時，主賓之間很少交談，只以描畫圓相來契合心靈。《卍續藏》記錄了溈仰宗仰山法嗣塔光穆禪師以圓相接引學人的故事：「（學生）問：『如何是西來意？』師曰：『汝無佛性。』（學生）問：『如何是頓？』師作圓相示之。」[4]這正是《五家宗旨纂要》所說的「語默不露」，「無舌人為宗」，以圓相去接引學人。

　　溈仰宗是五宗七派之中最早成立的宗派，可是它卻在唐末以後便斷絕法嗣。據宋代禪僧契嵩（卒於北宋熙寧五年）編的《傳法正宗記》所說：

> 正宗至鑑（惠能），傳既廣，學者遂各務其師之說，天下於是異焉，竟自為家。故有溈仰云者，有曹洞云者，有臨濟云者，有雲門云者，有法眼云者，若此不可悉數。而雲門、臨濟、法眼三家之徒至今猶盛。溈仰之息，而曹洞僅存，綿綿然若干旱之引孤泉。[5]

而今人陳榮波《禪海之筏》也有類似的說法，謂溈仰宗成立最早而卻在唐末時絕傳了：

> 在這五宗中，溈仰宗成立最早，臨濟及曹洞次之，雲門及法眼較後。溈仰一宗在唐末時，後繼無力就絕傳了。法眼宗也在宋初隨之滅亡。至於雲門一宗，發展到北宋就中斷。目前尚存者，祇有曹洞與臨濟二宗。[6]

當然，今天已不能找到其於宋初忽然斷絕的原因，然而，因「不立文字」而發展不及其餘四宗當是其中一個重要的原因。

2　〔清〕性統編：《五家宗旨纂要》，《卍續藏》冊64，經號1282，頁276。
3　〔宋〕普濟，蘇淵雷點校：《五燈會元》北京：中華書局，2012年，頁778。
4　〔宋〕道原：《景德傳燈錄》，《大正藏》冊51，經號2076，頁293。
5　〔宋〕契嵩編：《傳法正宗記》第八，《大正藏》冊51，經號2078，頁763。
6　陳榮波：《禪海之筏》臺北：志文出版社，1993年，頁153。

三　黃龍慧南「不離文字」的思想源自師祖

　　為仰宗離棄語言文字，重視「語默不露」之教，講究頓悟，結果因為傳播困難，最終止息於宋初。前事不忘，後事之師，黃龍慧南反過來重視「文字」的功用，對文字顯得更為不離不棄、即離即棄，並且在傳法的過程中十分重視文字的運用。考他「不離文字」的態度，其實並非橫空出世，反之，當是從其師祖汾陽善昭及其師石霜楚圓一脈相承而來。

　　黃龍慧南之師為石霜楚圓，他師承臨濟六祖汾陽善昭（947-1024）。

　　汾陽善昭禪師在傳法的過程中十分重視語言文字的運用，不僅經常根據場合引用以往禪師的語錄、公案，有時更會使用一些代語、頌古等文字對語錄、公案加以評論和闡釋，其中最著名便是《頌古百則》。此書開了後世頌古詩的先河，成為禪宗一種極之重要的接引方法。

　　石霜楚圓少年時曾學習儒家經典，年滿二十二歲便在湘山隱靜寺出家，可以說是一個融會儒釋道理的僧人。《慈明禪師傳》記載，善昭禪師一見楚圓禪師，便識其將來一定有作為，是大器利根。而楚圓禪師也果然秉承其師善昭之法，弘法之時，並不介意使用還是不使用文字，可謂開了黃龍一脈「活用文字」之道路。

　　一般人印象中的禪宗，都只是那八個字──「不立文字，教外別傳」，心目中的禪師專在「言語道斷，心行路絕」，可是這往往只是管中窺豹，未竟全貌；事實上，所謂的頓悟，必須建基於苦參的過程。《五家宗旨纂要》：「臨濟家風，全機大用，棒喝齊施，虎驟龍奔，星馳電掣」，於是大多數人對臨濟禪師的認知，只停留在「德山棒」、「臨濟喝」，但實際上是，臨濟禪師在受到「德山棒」、「臨濟喝」的接引之前，多是對禪理、經義窮究極參。臨濟七祖石楚霜圓便是其中典型的例子。據《禪關策進》記載：

> 慈明（石霜楚圓禪師）、谷泉、琅琊三人，結伴參汾陽。時河東苦寒（立者往往足指墮），眾人憚之。慈明志在於道，曉夕不忘。夜坐欲睡，引錐自刺。後嗣汾陽，道風大振，號西河師子。

　　慈明在苦寒之時，不忘學習，晚上欲睡之際甚至「引錐自刺」；據此故事看，慈明悟道顯然不是單純的「頓悟」。在平常人的眼中，每一位祖師都是挨幾年罵、挨幾頓打，然後忽爾之間悟道了，過程似乎是輕鬆，也是一蹴而就，沒有需要任何努力；可是，這卻委實是得來不易。「臺上一分鐘，臺下十年功」，剎那的頓悟其實建基於多年的參禪。

　　汾陽善昭與石霜楚圓的文字禪，對黃龍慧南「不離文字」的傳法方法有一定的影響。汲取了為仰宗的教訓，看到了師祖的傳法手段，黃龍慧南確立了「不離文字」為黃

龍宗的傳法手段。在他的帶領下，諸如靈源惟清、長靈守卓等人，都善以文字作為工具，導引方外之人悟道參禪。

四　黃龍慧南「不拒儒道」的態度

黃龍慧南自景佑三年（1036）入七祖石霜慈明室，蒙其印可後，多方遊學，後應邀主持臨濟祖庭黃檗寺。治平二年（1062），應洪州太守程師孟邀請，入主江西黃龍山黃龍寺[7]，成黃龍宗開山之主。慧南秉承臨濟六祖、七祖的思想，加以發揮，自成一脈；與之同時，慧南更帶領黃龍宗門，迎向政治、社會的主流思想潮流，對儒、道二家學說並不排斥。《五燈會元》卷十七記載了慧南幾次甫開堂便祝願皇帝、文武大臣與眾生：

> 師初住同安崇勝禪院，開堂日，宣疏罷，師拈香云「此一炷香，為今上皇帝聖壽無窮。」又拈香云：「此為知軍郎中、文武案僚，資延福壽。次為國界安寧，法輪常轉。」[8]
>
> 聖節上堂云：「今日皇帝降誕之辰，率土普天祝延聖壽。」[9]
>
> 聖節上堂云：「斯辰，今上皇帝慶誕之日，普天皆賀，率土欽崇。堯天舜德，同日月以齊明；玉葉金枝，共山河而永固。恩憐萬國，澤降他邦。獄無宿禁之囚，馬共牛羊之洞。修文偃武，罷息干戈。萬民鑿井而飲，百姓自耕而食。家國晏然，事無不可。」下座。[10]

《黃龍慧南禪師語錄》記錄了慧南「開堂」、「上堂」共五十三次[11]，其中三次為當時皇帝祝賀生辰，並祝願國泰民安；而第一次更拈香祝福「知軍郎中、文武案僚」。這三次開堂拈香祝願看似平平無奇，但實際上卻是說明慧南正在與世間俗事的密切關係，更說明了他有意地迎合大眾的做法。傳統上，佛教的祝願順序，一般是報父母恩、報眾生恩、報國王恩、報三寶恩。《大乘本生心地觀經・報恩品》記載的「報四恩」順序是：

> 報父母恩、報眾生恩、報國王恩、報三寶恩[12]。

7　關於黃龍寺的所在地，仍眾說紛紜，今權取江西修水縣黃龍山之說。

8　〔宋〕慧泉集：《黃龍慧南禪師語錄》，《大正藏》冊47，經號1993，頁629。

9　〔宋〕慧泉集：《黃龍慧南禪師語錄》，《大正藏》冊47，經號1993，頁630。

10　〔宋〕慧泉集：《黃龍慧南禪師語錄》，《大正藏》冊47，經號1993，頁633。

11　據《黃龍慧南禪師語錄》全書統計，慧南禪師「開堂」二次，「上堂」五十一次。

12　〔唐〕罽賓國三藏般若譯：《大乘本生比地觀經》卷3，《大正藏》冊3，經號159，頁301-306。

而慧南拈香祝願的順序卻依次是：國王→大臣／眾生，與傳統佛教「報四恩」的次序明顯不同。這一來說明他對世俗的規則並不抗拒，同時也反映了他對「外護」之重視。對於現世的國王，慧南寧可採取迎合的態度。

　　事實上，有關「祝聖問題」（為皇帝祝願），在佛教的歷史上已有多番爭論。黃奎〈政治視角中的禪宗清規〉：

> 祝聖問題在中國佛教史上由來已久。早在北魏時期，沙門統法果就曾這樣稱頌北魏道武帝拓跋珪：「太祖明睿好道，即是當今如來，沙門宜應盡禮。」
> 「能弘道者人主也，我非拜天子，乃是禮佛爾。」陳隋之際天臺宗創始人智顗所制定的六時禮佛儀軌包含如下內容：「敬禮常住諸佛，為武元皇帝、元明皇太后七廟聖靈，願神遊淨國，位入法云。敬禮常住諸佛，為至尊聖御，願寶曆遐長，天祚永久，慈臨萬國拯濟四生。敬禮常住諸佛，為皇后尊體，願百福莊嚴，千聖擁護。敬禮常住諸佛，為皇太子殿下，願保國安民，福延萬世。」[13]

這指出了「祝聖問題」是中國佛教史由來已久的問題，但早期的僧尼都意識到現實的規限，所以自北魏以來，部分僧尼都不拒絕為現世皇帝祝聖。他們認為這「非拜天子，乃是禮佛」。到了五代時期，法眼宗名僧德韶在般若寺開堂說法十二次，多次祈願國王萬歲、眾生平安，更是「開宋代禪宗上堂拈香祝聖的先河」。[14]事實上，宋代禪宗團體的祝聖具有特殊的意義：

> 臣僧祝聖不僅是在盡世俗臣子應盡的義務，而且通過將祝聖念誦的功德轉移功能「迴向」給皇帝，可顯示禪宗獨特的存在價值。禪宗的地位將因清規中的祝聖儀軌而提高，至少不會因此而降低。這應該就是禪宗愈益重視祝聖、宋元禪宗清規中的祝聖漸趨制度化、儀軌化的主要原因。[15]

黃奎清楚說明了「祝聖」的行為與「禪宗地位的提高」有直接的關係。曾經歷「臨濟一宗，至風而止」的臨濟分支——黃龍宗，更加深明得到統治者支持的重要——若無「有勢力之外護，則資斧無出，外侮莫禦」。[16]因此，慧南也順應著「宋代禪宗上堂拈香祝聖」的習慣，為皇帝祝壽。固然，我們不能就據此論定慧南與皇帝及文武大臣的交往關

---

13 黃奎：〈政治視角中的禪宗清規〉，《中國民族報》，2013年2月19日。
14 同上註。
15 〔宋〕慧泉集：《黃龍慧南禪師語錄》，《大正藏》冊47，經號1993，頁631。
16 印光大師：《印光大師全集問答擷錄・護教》高雄：高雄淨宗學會，2002年，頁192-193。

係殊深，但可以肯定的是慧南並不抗拒與君臣們交往。《黃龍慧南禪師語錄》又記載了慧南一次開堂說法：

> 昨蒙本郡殿丞判官秘書，特垂見召。然部封之下，不敢不來。方始及門，便有歸宗之命，進退循省，深益厚顏，此乃殿丞判官。曩承佛記，示作王臣，常於布政之餘，寅奉覺雄之教，欲使慧風與堯風並扇。庶佛日與舜日同明，苟非存意於生靈，何以盡心之如此。是日又蒙朝蓋光臨法筵，始卒成褵，良增榮荷。昔日裴相國[17]位居廊廟，黃檗受知。韓文公名重當年，大巔[18]得主。以今況古。有何異哉。[19]

文中記載他得到「本郡殿丞判官秘書，特垂見召」。這句說話透露了兩件事情：第一，儘管殿丞判官秘書的品位不高，但他的確嘗與朝廷官員交往；第二，他以「特垂見召」說明這次召見的舉措，隱然有自居於朝廷之下的意思。慧南又舉了臨濟開山祖師義玄之師黃檗希運與相國裴休、大巔和尚與潮州刺史韓愈的故事，比喻他與朝廷中人的交往。細味這個比喻，我們可以推論出慧南隱晦其中的潛臺詞：與朝廷中人交往有助宗門發展。所謂「外護則不惜資財，廣種福田，普令同人發起信心。內外相資，法遂流通」[20]，「外護」對黃龍宗的重要性不言而喻。

　　這裡還有一點應注意：慧南認同「本郡殿丞判官秘書」的「慧風與堯風並扇」及「佛日與舜日同明」之說，顯然是接納了現世的帝堯與西天佛地位等同的說法，分明認可了儒、佛二家可以並駕齊驅這命題。這說明了黃龍慧南不是那種遠遁山林的修行之士，反之，他更加傾向往現世走走。又《黃龍慧南禪師語錄》記載了慧南的一次說法中，引用了孔子與溫伯雪的故事：

> 厥後化緣將畢，示滅雙林，謂人天大眾曰：「吾有正法眼藏，涅槃妙心，付囑摩訶大迦葉，教外別行，傳上根輩，是法非有作思惟之所能解，非神通修證之所能入。不可以有心知，不可以無心得。悟之則頓超三界，迷之則萬劫沈淪。」……故我佛如來云：「夫說法者，無說無示。其聽法者，無聞無得。」又聞仲尼與溫伯雪，久欲相見。一日稅駕相逢於途路間，彼此無言，各自回去。洎後門人問

---

17 案：裴相國，即裴休。休，又號河東大士。長慶間（821-824）擢進士，登賢良方正甲科。官監察御史、兵部侍郎，於宣宗朝拜相。休家世奉佛，居嘗不禦酒肉，著釋氏文數萬言，又為靈佑禪師奏建密印寺。休嘗撰〈如作勸發菩提心文〉、〈圓覺經序注〉、〈注華嚴法界觀門序〉、〈禪源詮序〉等。

18 案：大巔，即潮州靈山大巔寶通禪師，俗姓陳（一說楊），石頭希遷禪師（701-791）法嗣。

19 黃奎：〈政治視角中的禪宗清規〉，《中國民族報》，2013年2月19日。

20 印光大師：《印光大師全集問答擷錄‧護教》高雄：高雄淨宗學會，2002年，頁192-193。

> 曰：「夫子久欲見溫伯雪，及乎相見，不交一談，此乃何意？」仲尼曰：「君子相
> 見，目擊道存。」[21]

慧南這次說法，引用了儒家的代表人物——孔子「目擊道存」的一則故事，比喻得道必須有聞才有得。雖然摩訶迦葉尊者受法一說及孔子見溫伯雪的故事，真偽莫辨，但卻清清楚楚地告訴了我們，慧南對儒家不單不抗拒，甚至會加以利用，這一點也是黃龍宗門的一大特色。還有一點可以留意的，慧南引用的這則故事，正是出自《莊子·田子方》：

> 子路曰：「吾子欲見溫伯雪子久矣，見之而不言，何邪？」
> 仲尼曰：「若夫人者，目擊而道存矣，亦不可以容聲矣。」
> 郭象注曰：「已知其心矣」；
> 成玄英疏曰：「二人得意，所以忘言。仲由怪之，是故起問。」
> 「夫體悟之人。忘言得理，目裁運動而玄道存焉，無勞更事辭費，容其聲之說
> 也。」[22]

慧南所說的「門人」，就是孔子的首徒子路。儘管《黃龍慧南禪師語錄》與《莊子·田方子》文字有不一樣之處，但是其意思卻完全相同。這個故事的主角雖然是儒家的開山祖師孔子及其首徒，但原來的典故卻來自道家的《莊子》。由是可見，慧南對道家經典的熟稔。再者，莊子這則故事的重點是說明「得意忘言」的道理——孔子與溫伯雪二人以心印心，他們互相知道對方的心意後，得了意，忘了言，故「不交一談」，這也恰恰與禪宗的「以心印心」、「不立文字」的傳道方法不言而喻。似乎，慧南有意援道以證禪，這是他會通儒釋道三家的表現，同時也展示出他迎合傳統以來習儒學道的士大夫的做法。事實上，慧南在上堂說法時，有時又會自然地引用了一些儒、道經典語句：

> 上堂。云：「黃蘗有時正路行，或時草裡走。汝等諸人，莫見錐頭利，失卻鑿頭
> 方。不見古者道，開不能遮。句賊破家，當斷不斷，反遭其亂。」下座。[23]

「當斷不斷，返遭其亂」一句曾於《史記》的〈齊悼惠王世家〉、〈春申君列傳〉[24]兩處

21　〔宋〕慧泉集：《黃龍慧南禪師語錄》，《大正藏》冊47，經號1993，頁632。

22　〔清〕郭慶藩撰，王孝魚點校：《莊子集釋》北京：中華書局，2006年，頁706。

23　〔宋〕慧泉集：《黃龍慧南禪師語錄》，《大正藏》冊47，經號1993，頁633。

24　《史記·春申君列傳》：「太史公曰：吾適楚，觀春申君故城，宮室盛矣哉！初，春申君之說秦昭
王，及出身遣楚太子歸，何其智之明也！後制於李園，旄矣。語曰：『當斷不斷，反受其亂。』春
申君失朱英之謂邪？」。詳見〔漢〕司馬遷：《史記》北京：中華書局，1963年，頁2399。

出現，其後的《漢書》、《後漢書》亦有引用，今不贅述。按召平在〈齊悼惠王世家〉所說，「當斷不斷，反遭其亂」乃「道家之言」[25]；事實上，此語應出自失傳已久，復見於馬王堆的《黃帝四經》。[26]此語最早見於何本經典，並不是最重要的事情，重點是我們可以由此推論，慧南對儒、道的兩家經典除了熟稔以外，更是融會貫通，說法引用，幾可謂俯拾皆是。

在慧南禪師的認知中，「道」是恆常不變地存在著。《禪林寶訓》卷一記載了黃龍的一段說話：

> 古之天地日月，猶今之天地日月，古之萬物性情，猶今之萬物性情，天地日月固
> 無易也，萬物性情，固無變也，道何為而獨變乎？

慧南禪師認為古往今來的「道」都是一樣的，並不存在著任何差異。當然，他心目中的這個「道」，是不能用言語去形容。他在《黃龍慧南禪師語錄》卷一曾對「道」有這樣的形容：「大道無中，復誰前後？長空絕跡，何用量之！空既如是，道豈言哉？」黃龍宗的「道」，正是恆久不變的，沒有始終，沒有前後，也不能用工具度量的。雖然這個「道」是莫測高深的，但卻非不能求得。黃龍慧南禪師認為只要有志於求「道」，「道」便在不遠處：

> 道如山，愈升而愈高；如地，愈行而愈遠。學者卑淺，盡其力而止身。惟有志於
> 道者，乃能窮其高遠。其他孰與焉？

或認為慧南禪師的「有志求道」是一種拘執，是禪宗的大忌，於是便直覺地把慧南禪師的禪法判定為背離祖訓；然而，這種說法正正是緣於對黃龍宗的不理解。所謂頓悟，當然只是須臾之間的事情[27]，不過在這一剎那頓悟以前，卻需要厚實地積累理論，汾陽善昭禪師如是，石霜楚圓禪師亦如是。而在積累以前，禪者必須要有堅定不移的決心。按

25　《史記‧齊悼惠王世家》：「召平曰：嗟乎！道家之言『當斷不斷，反受其亂』，乃是也。」詳見〔漢〕司馬遷撰：《史記》北京：中華書局，1963年，頁2001。

26　《黃帝四經‧十大經‧觀第二》：「天道已既，地物乃備。散流相成，聖人之事。聖人不巧，時反是守。優未愛民，興天同道。聖人正以侍（待）之，靜以須人。不達天刑，不禱不傳。當天晴，興之皆斷；當斷不斷，反受其亂。」詳見陳鼓應注譯：《黃帝四經今注今譯》北京：商務印書館，2007年，頁229。

27　印度《摩訶僧祇律》記載：「須臾者，二十念名一瞬頃，二十瞬名一彈指，二十彈指名一羅豫，二十羅豫名一須臾。日極長時有十八須臾，夜極短時有十二須臾。夜極長時有十八須臾，日極短時有十二須臾。」詳見〔東晉〕佛陀跋陀羅，法顯譯：《摩訶僧祇律》，《大正藏》冊22，經號1425，頁360。

慧南禪師的說法是必須要「稟丈夫決烈之志」，他說：

> 夫出家者，須稟丈夫決烈之志，截斷兩頭，歸家穩坐，然後大開門戶，運出自己家財。[28]

　　黃龍慧南對儒、道經典的熟稔，或與少年曾習儒家經典的石霜楚圓有關。不過，姑勿論是耶非耶，黃龍慧南對儒、道經典的應用顯然非為偶然。由是可見，他對儒、道的態度非但不抗拒，甚至是順勢而加以運用。

五　結語

　　由於溈仰宗的教訓橫陳於前，也由於師祖的諄諄告誡，黃龍慧南傳法的態度已不囿於「不立文字」之說。他的傳教手法是「不離文字」，充分利用了文字的優勢，拉近他與士大夫的距離。而在這個過程中，他明白不能把黃龍宗置於與士大夫的對立面上，於是他迎合士夫的需求——「不拒儒道」，在開堂說法的過程中，時引儒家、道家經典，一來讓士夫心安理得，二來也使他們更心領神安。最終，士大夫的支持，也形成了黃龍宗的強力「外護」，資其財帛，使其法遂流通於天下。

---

28 〔宋〕慧泉集：《黃龍慧南禪師語錄》，《大正藏》冊47，經號1993，頁633。

《道德真經取善集》研究

白傑

北京師範大學哲學學院

一 李霖及《道德真經取善集》

（一）李霖其人

《道德真經取善集》（下稱《取善集》）卷前有河間劉允升序，知此書編撰者李霖，字宗傳，饒陽（河北）人，生卒年不祥。劉允升作序時間是在金世宗大定壬辰年（1172），而此時正是全真道成立及傳播時期。

> 二十六年，金陝西統軍使夾谷清臣差官召他（丹陽子）主持終南祖庭。此時全真道在陝右、河南北、山東諸地已擁有很多信徒，聲名甚大。二十八年初，金世宗遣使者訪求重陽門人，長春應召至中都，主持萬春節醮事，敕建官庵居之。[1]

由此可知《取善集》刻板印刷之時正值金世宗統治時期，而此時也正是全真道在北方全力傳播時期，全真道此時是馬丹陽作為掌教時期，其傳教範圍除作為第一代掌教重陽真人的祖籍陝西之外，還覆蓋了河南，山東等地，基本上是包含了陝西至山東整個的華北地區，所以出生於河北饒陽的李霖，其思想應該是受到全真道思想的影響，從而成為全真道的學者，此點從後文其思想論述中詳加說明。

據劉允升序謂李霖：「性善恬淡，自幼至老，終身確然，研精於五千之文，所謂知堅高之可慕，忘鑽仰之為勞，會聚諸家之長，並敘己見，成六卷。」[2]可知，李霖生性恬淡，對《道德經》鑽研至深，深明《道德經》的宗旨，推崇《道德經》所蘊含的「內聖外王」之道。曰：「性命兼全，道德一致。」「言不踰於五千，義實貫於三教。內則修心養命，外則治國安民，為群言之首，萬物之宗。」[3]他主張性命雙修，三教合一，其理想人格境界是能夠內則修心養命，外則治國安民的聖人，這恰恰是全真道的主要思想

---

1 白壽彝總主編：《中國通史》上海：上海人民出版社，2013年，卷8，頁1240。
2 李霖：《道德真經取善集》，《正統道藏》13，頁844。
3 同上註。

主張，可見其全真道的身分背景。[4]於《取善集》之後作〈道德一合論〉，深刻闡述了「道」、「德」的一而二，二而一的不可偏私的關係，其意圖是意欲打破儒道之間的界限，建立一種新的理論學說。劉固盛先生引用《取善集》中的「蓋非過直無以矯枉，仲尼所以欽服，既見則歎其猶龍。惟聖知聖，始云其然也。」[5]並認為：「宋代學者看到了孔老之間思維方式的不同，並對孔老關係做出了新的解釋，顯示出他們的見解確有超越前人之處。」[6]李霖提出三教合一的觀點恰恰是反映出宋代學術的思想傾向，是在繼隋唐至宋代三教合一的大背景下提出的觀點，為此具有重要的歷史價值。此即李霖其人。

《取善集》其書。在《取善集》編排體例方面，盧國龍先生在《中華名著要籍精詮》一書中說：

> 該書原為六卷，《道藏》因每卷篇幅皆有定制，乃析此本為十二卷。約三萬餘字。此書據分《老子》書為八十一章之舊例，每卷若干章不等。最多的是第五卷，凡十章；最少的是第六卷，僅兩章。每章之下，分句取諸家注解，間附以編集者己見，如第五卷「天地相合，以降甘露，人莫之令而自均」下引錄宋徽宗御注、王元澤注，說「此二解說侯王守道則天降甘露，以為瑞應也」，又引錄王弼、溫公、呂吉甫、蘇子由注，云「此四解說聖人體道而萬物賓，亦如甘露之無不及」。引錄某家解注，皆標明某曰字樣，未標明者為編集者己見。每章之末，皆附編集意見，敘一章大旨。[7]

據此可知《取善集》的編排體例。

李霖編撰《取善集》的出發點首先是在於對《道德經》五千文所闡發玄妙之理的崇奉，即「言不踰於五千，義實貫於三教。內則修心養命，外則治國安民，為群言之首，萬物之宗。大無不該備也，細無不徧周也，其辭簡，其義豐，洋洋乎大哉！」[8]但是，他認為古往今來歷代注家都是有所偏私，不能充分發揮《道德經》的玄妙之理，所以「今取諸家之善，斷以一己之善。」[9]但是，正如湯用彤先生所謂：「初閱此書，謂其

4　卿希泰主編：《中國道教史》（第三卷）成都：四川人民出版，1996年，頁55。卿希泰先生認為：「作為當時中下層儒士代表者及鐘呂內丹派禪道融合思想繼承者的王喆，所創全真道的教義教制，不能不具有鮮明的合一三教、融通禪與內丹的特色，不能不高標三教一致、三教平等、三教和同。」由此可知，李霖是受全真教思想影響的全真道學者。

5　李霖：《道德真經取善集》，正統道藏13，頁844。

6　劉固盛：〈論宋代老學發展的特點〉，《西南師範大學學報》，2003年第5期，頁115。

7　陳遠、余首奎、張品興主編：《中華名著要籍精詮》北京：中國廣播電視出版社，1994年，頁1056。

8　李霖：《道德真經取善集》，《正統道藏》13，頁844。

9　同上註。

『取諸家之言』則有之，『取諸家之善』則未必。」[10]從全文所摘取諸家注釋可以看出，湯先生的評價是極為客觀的，李霖所取達五十二家之多，其片段式的摘取必然會造成與注釋者本人思想的張力，存在一定理解上的偏離。而問題最大的恰恰在於李霖所選諸家的標準上，在序言中李霖明確表示《道德經》的宗旨是「內則修心養命，外則治國安民。」所以在選取諸家注釋的時候，就會造成以此為評判的標準，凡言修心養命的則每每取之；凡言治國安民的則以為善，即凡言內聖外王的皆謂之善言。而這一評判標準的產生，恰恰是與李霖自身的身分背景相關聯。

　　在李霖所取諸家之中[11]，僅可考證的道士就有二十家，而其他包括王弼，郭象等雖不是道士，但是在魏晉時期道家包含了道家也包含了道教[12]，也是屬於廣義上的道家範圍。其他如陸佃、蘇轍等都與道教有密切聯繫，其家族本就信奉道教。《取善集》引錄最多的是宋徽宗御注，凡兩百二十七條，而宋徽宗時期也是北宋第二個崇道的高潮，宋徽宗本人「猶常身穿紫道袍，頭戴逍遙巾，保持道士裝束，表明他的崇道思想始終未變。」[13]這就說明李霖在選取歷代《道德經》注釋者的時候是堅持一定標準的，宗於道教，而在其注釋中如屢言「太上」，如「內則耗氣，人欲長久，希言內守。」如「當忘物以全真，聖人之去取，概可見矣。」又足以證明李霖本人的道教學者身分，所以《取善集》一書，並非李霖自謂是集諸家之善，斷以己善，對歷史上諸家注釋進行客觀的選擇，實際上是以道教的評判標準對歷代諸家的一次道教化的梳理。

（二）李霖之思想

　　依據《取善集》體例，李霖基本上在《道德經》的每一章後以「此章言」為起始，提出自己對本章的理解，或對歷代注釋作總結，而這恰恰表明了李霖自身的思想主張，所以對李霖思想的研究基本上是圍繞如此的情況展開。

10　湯用彤：〈讀《道藏》劄記〉，《歷史研究》，1964年第3期，頁184。

11　盧國龍先生講到：「全書總採錄五十二家注，其中不包括旁徵《莊子》、《孟子》、《西升經》等書文句。以引錄宋徽宗御注最多，凡二百二十七條，其餘為嚴遵九條、司馬溫公二十三條、呂吉甫一百〇五條、蘇子由三十七條、王元澤一百三十四條、顧歡三十五條、陳景元《纂微》四十條、河上公九十條、曹道沖十四條、劉仲平十二條、舒王五十五條、郭象三條、唐玄宗六十六條、王弼四十條、張君相十條、馬巨濟二十四條、陸佃二十六條、鍾會十三條、蔡子晃九條、李畋四條、松靈仙人四條、孫登七條、成玄英十七條、盧裕八條、《新說》三條、車惠弼五條、羅什十二條、杜光庭十三條、臧玄靜二條、羊祜三條、陸希聲三條、谷神子、《雜說》、韓非、裴處恩、杜弼各二條、李榮十五條、志琮五條、某氏疏文四條、劉進喜八條、劉仁會五條、凌遘、吳筠、陶弘景、大孟、《節解》、林靈素、《類解》、唐邦、王真各一條。此五十二家《老子》注，大多數都已散佚。」陳遠、余首奎、張品興主編：《中華名著要籍精詮》北京：中國廣播電視出版社，1994年，頁1056。

12　參閱黃海德：〈道家、道教與道學〉，《宗教學研究》，2004年第4期，頁1-9。

13　卿希泰主編：《中國道教》（第一卷）上海：東方出版社，1994年，頁51。

　　由於《取善集》是對《道德經》的集釋，所以「道」依然是作為形而上的依據存在的。但是「道深微妙，隱奧難見，自明道至於大象皆道也。道之妙不可以智索，不可以形求，可謂隱矣。」[14]此意為形而上的存在並不是顯而易見的，因為其深奧難見，所以不能為廣大的社會成員所易見。但是作為世界的終極依據與形而下的世界之間又不存在割裂，所以形而上的大道如何落實到形而下的現實世界，是《道德經》所要解決的問題，也是李霖所要闡發的理論難題，所以李霖曰：「道生一氣，一氣生陰陽，陰陽生沖氣。物得沖氣以為和。」[15]對於「一」的解釋，李霖曰：「陰陽皆原於一，一者道所生也。」[16]「一者，形變之始也。清輕為天，濁重為地，沖和之氣為人。故天地含精，萬物化生。」[17]「一」從產生陰陽二氣方面講，是「一氣」，是作為陰陽二氣沒有分別之混沌狀態；而從產生萬物方面講，卻是包含了生成萬物的初始動力，是將要開始卻沒有開始的一種臨界狀態，所以是「形變之始。」以上是對「一」的單方面論述，而與大道的關係則表現在「道生」上，道作為充滿生機的最終存在並不是僵死的，包含著生生不息的意境於其中，而「一」指明了大道是多樣性的統一，所以能夠作為形變的開始。由於「一」內部包含了具有原初動力的陰陽二氣，所以從「二」開始世界就得以展開。這一過程是無限的大道生生不息的創造能力的顯現，從「生」中可知創造的過程是一種歷時性的展開，而「一」、「二」、「萬物」的不一不異性，恰恰是共時性的體現，所以形而上的大道展開世界的過程是歷時性與共時性的合一，是宇宙論與本體論的合一。

　　在連通了無限世界與有限世界之後，人類作為具有知覺的群體是如何存在的？李霖在《取善集》最後作《道德一合論》曰：

> 未形之先，道與德俱冥。既形之後，道與德俱顯。孰為道乎？物莫不由者是已；孰為德乎？道之在我者是已。自其異者視之，道之與德，雖有兩名；自其同者視之，道之與德，不離一致。道降為德，而德未始外乎道；德出於道，而道未始外乎德。[18]

　　在形體產生之後，大道作為萬物「所由」的形而上的依據，就落實到具有特殊形體的物上，即「德」。「道者，萬物之所由也，降純精而生物之性。德者，物之所得也，舍和氣而養物之形。」[19]「德」是萬物從大道那裡得到的能夠滋養形體的內在屬性，這樣

---

14 李霖：《道德真經取善集》，《正統道藏》13，頁896。

15 同上註，頁897。

16 同上註，頁846。

17 同上註，頁896。

18 同上註，頁942。

19 同上註，頁905。

作為多樣性統一的整體就分而為具有不同形色的個體，並賦予個體以存在的合理性，即「德」的稟賦。作為具有靈明知覺的人類，「德」是如何安放的，這一問題將直接導致對人類自身的認識與否。李霖引用了宋徽宗的話：「道者，人之所共由；德者，心之所自得。道者，互萬世而無弊；德者，充一性而常存。」[20]從李霖引用宋徽宗的注釋並放在一卷之首，可以肯定的是對這一觀點的認可，所以我們可以把這段注釋作為李霖自己的思想，「德」在人類自身的安頓就是在「心」上，是心所得於道者。李霖把心還稱作「靈府」、「方寸之地」、「性宅」，而「性宅」是對心的形象性描述，是指性所寓居之處。所以從此可以得出相應的結論，即道作為形而上的依據落實於人的過程，自道講，即是「命」，「從道受生之謂命。」[21]從人講就是「德」，落實於心即是「性」，「夫道者，人之所共由，性之所同得。」[22]

　　對於「性」的直接表述有：「人生而靜，天之性也，復性則靜。」[23]「見素則見性之質而物不能雜，抱樸則抱性之全而物不能虧。」[24]「樸者，性之全。我性全而無欲，民亦無欲，而自樸也，此申上文奇物之義。」[25]在這裡，性是天之所予我者，是清靜的，是質樸不雜的，是整全的，是自然的，所以這是「正性」應該具有的品格，是與道相彌合的，內在於人心。這種自然之性無分別於善惡是非，如嬰兒之出生，無計較分別。但是心是具有知覺能力的，在面對外在於我的世界時，知覺之心具有一種向外的認知傾向，即有「志」的存在，「志者心之所之，守道則志弱。」[26]並且這種外向的衝動具有極強的力量，「務學則失道，離性之靜，外遊是務，其志熙熙，然得其義理如悅厚味以養口腹，博其見聞如睹高華以娛心志，耽樂之徒，去道彌遠。」[27]「志」的方向、能力與道是相反的。心本身所具有的知覺能力以及外向衝動，並不能產生善惡是非的判斷，或者是造成消極、積極的後果，而內在於心中的「性之動」卻是產生善惡是非的根源。「性本無礙，有物則結。」[28]「善者人之可欲也，若知善之為善，是性有所欲也。性有所欲，是離道以善，斯不善已。」[29]心的靈明知覺與物相接的同時，性就由靜進入了動，產生了情感欲念，就會與物有結，從而產生善惡是非。

20　同上註，頁844。

21　同上註，頁862。

22　同上註，頁882。

23　同上註，頁862。

24　同上註，頁865。

25　同上註，頁914。

26　同上註，頁848。

27　同上註，頁866。

28　同上註，頁861。

29　同上註，頁846。

從李霖的注釋中可以看到，他用「素」、「樸」、「自然」來規定「性」。「素」，《說文》謂：「白致繒也。」是一種沒有染色的純白的絲綢；而「樸」是指未經加工過的原木，所以對於性來講，實際就是從大道那裡得來的與大道的性質一致的自然之性，對於善惡是非沒有分別，也沒有一種追求的衝動，或者說談不上善惡是非，任何形式的具體價值觀念都不能加諸其上，是自然而然的，充分體現了大道的「不仁」之品性。這裡所謂性與儒家所謂善性有明顯區別，儒家特別是宋明儒學把從天理那裡得來的性稱之為天命之性，天生具有善的可能，並能夠突破後天氣質之性的桎梏而向純善的天命之性復歸。這裡所謂性顯然與此不同，無分別的自然之性是隨著心的知覺能力而與物相結，從而產生欲，欲善、欲惡、欲美、欲否都是對自然之性的背離。所謂美惡善否均為失性，隱含著對有為的批判，道本無為，而人類社會自從步入文明社會的刹那就是有為之始，一方面要不斷的應對人類社會之外的挑戰，另一方面還要不斷應對人類社會內部出現的各種紛爭，所以要以價值觀念的建設、社會制度的完善為努力的目標，所以人類社會就進入了一種惡的循環，文明程度越高，制度建設越完善，價值觀念越複雜，對人之原初的自然之性戕害的也就越加深刻。所以面對如此的困境，只有跳出這種循環的怪圈方能彰顯人類的本性，李霖依據《道德經》的概念，提出「復」的可能進路。「此章以歸根復命為義，故首言虛靜，終之以道乃久者，道以虛靜為先，若舍此而入道，譬若舍舟航而濟乎瀆者，末矣。」[30] 對於向大道的回歸，只有一種進路，即以「歸根復命」為常道，其他任何努力都是與道相背離。「復」的提出只是對方向性的指明，如果僅僅如此則不能辨別李霖與《道德經》的差異所在，重要的是在具體的實踐領域如何展開。李霖作為道教學者，充分發揮了道教對於性命之學的長處，提出了符合道教長生久視的生命復歸之路，即保持「全真」的本真狀態。

對於具體修道的實踐，李霖保持全真道的「全真」思想，提出「以全精全氣全神為學道之根，三者混而為二，乃道之全也。」[31] 人的生命的完整形態，包含了精氣神的完整統一，即全精，全神，全氣。對於「二」的解釋應解為「功行」。全真道以功行雙全為全真，真功真行，雙修雙全，方為全真。所謂「真功」就是修心煉命的性命雙修之道，而「真行」則是面對社會而向外實踐，即廣行善事、仁愛無私、濟困拔苦、傳道度人等積功累德之事。要保持生命的整全，價值的實現，就必須保持精氣神的完整，從而才能全生命的本真。

對於如何全精，李霖謂：「其事在乎抱一而不離一者精也。抱一則精與神合而不離，則以精集神，以神使形，以形存神存養精神，三者混而為一，則道全。欲學此道

---

30 同上註，頁863。

31 同上註，頁856。

者，當存精為本。」[32]「一者，精也。」[33]「一之為義，天下之至精。」[34]「一」就是「精」，並且是「至精」，而「一」在李霖的注釋中是與「道」異名同謂的，所以「精」從其實質上講，就是保持「一」所具有的完整狀態，是完整和旺盛的生命力。對於「精」的直接表述是「保神養氣謂之精。」[35]所以「精」具有「神」與「氣」得以集中不分散、外洩的功用，或者說能夠使神、氣保持合一的完整狀態。為保持「精」之全，就必須以「抱一」為本，「愛精之道，抱一為本，乃自然之道，夫何為哉？故曰能無為乎？」[36]只有保持與大道須臾不離，就可以精全，從而保證了形、神、精的三者混而為一，使生命得以保全。全精者具有典型代表，即《道德經》所謂含德之赤子，赤子即出生之嬰孩，其耳目感官還沒有與世界相接，先天具有的生命力還沒有向外釋放，還保持著完整的生命體征，所以能夠「毒蟲不螫，猛獸不據，攫鳥不搏。骨弱筋柔而握固，未知牝牡之合而朘作。」(《道德經》五十五章) 這些外在的表現都得自於「精之至」。所以全精之人，就是要向嬰兒狀態的復歸，即生命力始終保持不外泄，保持自身「和」的狀態。

　　對於全氣，李霖謂：

> 精全則神王，神王則能帥氣，神專其氣而喜怒哀樂不為神之所使，以致柔和也。專者有而擅其權之謂，柔者和而不暴之謂。氣致柔和，當如嬰兒之心也。欲慮不萌，意專志一，終日號而嗌，不嗄。和之至，此教人養氣也。[37]

即所謂「專氣致柔之術」。這裡是講人復歸於嬰兒達到純和狀態所應採取的措施，即專氣致柔，具體的要求是使純和之氣不暴漏於外，而實踐上則是要「欲慮不萌，意志專一」，不要妄動心思，在前文論述中已經講到道家所謂性是自然之性，無分別彼此，但是隨著心的外向性的衝動才能導致喜怒哀樂之情感欲望，所以要達到最原初的自然完滿之性就需要停止心的萌動，不是向外，而是向內，復歸於剛出生的嬰兒狀態。

　　以上論述的是人之受生以後的問題，而受生之前是如何的，《取善集》也做了論述。嬰兒所稟賦的純和之氣是如何獲得的，《取善集》謂：「一者，形變之始也。清輕為天，濁重為地，沖和之氣為人。故天地含精，萬物化生。」[38]天地萬物的產生都是秉承「氣」而化生的，氣分清濁之氣以及沖和之氣，清濁之氣也即陰陽之氣，陰陽之氣都是

---

32 同上註，頁866。

33 同上註，頁870。

34 同上註，頁891。

35 《太上老君內觀經》，《正統道藏》11，頁397。

36 李霖：《道德真經取善集》，《正統道藏》13，頁856。

37 同上註，頁855。

38 同上註，頁896。

單一屬性的，只有人秉承的是陰陽適均而不偏勝的和氣，所以也就決定了人在初始狀態的和諧完滿，所以在理論上只要保持先天之氣就能夠實現生命的完整。但是人一受形就具有心，而心本身所具有的功能是知覺，具有向外認知的衝動，這就會使本來處於陰陽平衡的氣出現動盪以至於外溢，從而造成和氣的虧損。《取善集》引王元澤的注釋謂：「有心以使氣，則氣復使心。心氣交使，則天和凋喪，損其真矣。人所受者，不可益損，故增生損氣，俱為失理。」[39] 心氣之間的互相作用，導致所謂和氣有所暴，是導致生命走向凋落的原因，而要停止對生命的侵凌，就必須停止心對氣的役使，《取善集》引宋徽宗的注釋謂：「體合於心，心合於氣，則氣和不暴。蹶者趨者，是氣也。心實使之，茲強也。以與物敵，而非自勝之道。」[40] 只有形體與心相合，心與先天之氣相合，才能保持氣的陰陽平衡狀態，不使外漏。為此李霖提出了「寡欲則不以巧利亂其心。」[41] 的主張，情感欲望的減少，才能保持心的平和，降低心的衝動，達到心與氣相合，保持氣之全。

　　對於全神，李霖曰：「玄覽者，心也。滌者，洗心也。除者，刳心也。洗之而無不靜，刳之而無不虛，心之虛靜，無一疵之可睹。莊子曰：『純粹而不雜靜，（靜）一而不變。』此教人養神也。」[42] 這段資料全部都是在論「心」，並沒有提及「神」，但是在最後李霖卻給出了「此教人養神。」的結論，那麼心與神之間是有怎樣的關聯才會得出如此的結論？為此，李霖謂：

> 無有者神也。神之所為，利用出入，莫見其跡，透金貫石，入於無間。神舍於心，心藏乎神，虛心以存神，存神以索至，直而推之，曲而任之，四方上下，隨其所寓，往來無窮，周流乎太虛，上際下蟠，六通四辟，無入而不自得也。[43]

　　心是作為神寄寓之地存在的，神捨於心，心中藏神。但是從文中也可以看出，並不是任意一心都是神的居所，神居與不居是有條件性的，即心是否能夠「虛」。所謂虛，即指空虛，是除情去欲之後而自然生出的空虛狀態。之所以心虛神居，是因為，神本身喜好清靜，李霖引河上公的注釋謂：「人所以生者，以有精神。[44] 精神托空虛，喜清靜，飲食不節，忽道念色，邪辟滿腹，為伐命散神也。」[45] 心的空虛清靜是神來居的前

39　同上註，頁911。

40　同上註，頁911。

41　同上註，頁865。

42　同上註，頁855。

43　同上註，頁897。

44　李霖在注釋中「精神」連用有時僅指「神」，這段材料即特指「神」。

45　李霖：《道德真經取善集》，《正統道藏》13，頁931。

提，所以要使神與心合，就必須保持心的空虛清靜，不使物亂心，不使物亂神本來之清靜。

以上論述了心與神的關係，而在中國古代哲學中，與神相對的範疇一般是「形」，形神關係是中國哲學的重要論題之一。關於形神關係，李霖曰：

> 營，止也。魄，陰也。形之主麗於形而有所止，故言營魄載者，以神載魄也。若無神以載之，則滯於幽陰，形散神離，下與萬物俱化。神常載魄而不載於魄，則煉陽神消陰魄身化為仙也。其事在乎抱一而不離一者精也。抱一則精與神合而不離，則以精集神，以神使形，以形存神，三者混而為一，則道全。[46]

形謂魄，而與魄直接相對的不是神，是「魂」。在同一章的注釋中李霖謂：

> 魂主經營動作，為一身之運，為魂則並精出入，主化成變而已。今百骸九竅，具吾形者魄之屬也。使非魂以營之，則與行屍何以異乎？魄不可以無魂，猶月不可以無日。魄待魂而成營，月待日而生光，此言魂之用而曰：『營』，言魄之體而曰：『魄』也。載謂以形載也。[47]

魂是驅使形體動作營為的力量，魂為魄之主。綜合這兩段資料可知，李霖是把「神」與「魂」作為同一存在而言的，「神」即是「魂」，所以對魂魄的討論就變而為對形神的討論。雖然神是形之主，神寄寓在形體之中，但是並不是說神能夠離開形體獨立而存在，形與神是相互依存的，形散則神亦散，這就符合了道教關於形神問題的一貫主張。「有無相待，亦猶形神相須而不可偏廢也。形以神為主，神以形為居，形神合同更相生成。」[48]形神相合，不滯於神，亦不滯於形，則可以知形神是相須的，不可偏廢，只有如此才可以使形不得其累，神亦不得其累，而安住於心，心之虛靜則神全。

全精全神全氣是學道的根本所在，李霖謂三者混而為一，是要達到精氣神的完滿合一狀態，也即是達到大道的境界。作為道教的學者，李霖對長生久視之道並非依據傳統所謂飛升成仙的思想，而是做出了更具有現實關懷的規定，即「體道者」、「得道者」。「此章之意欲學長生久視，當先絕利忘名。若名利不除，身心俱役，不唯有妨於道，久必於身為患。是以古之得道者。」[49]「此章言聖人體道無為而治也。」[50]「聖人體道之

---

46 同上註，頁855。
47 同上註，頁855。
48 同上註，頁856。
49 同上註，頁899。
50 同上註，頁848。

真，天下歸懷，此無事所以取天下。」[51] 從以上所引資料可知，作為體道之士，得道之人，其人格的典範是聖人，不是道教一般所謂仙人，且聖人所表現於外的特徵，恰恰是對社會生活觀照，或「無為」，或「無事取天下」，或對社會生活中不合理之處進行摒除。由此可以說明，李霖思想的終極指向並不是肉體的成仙了道，白日飛升，而是在社會生活中實現自己的生命價值，達到內不亂於心，外可以隨緣任物的內聖外王的理想境界。

二　《道德真經取善集》價值

對於《取善集》一書的關注，較早的是湯用彤先生。湯先生在〈讀《道藏》劄記〉一文中，就把《取善集》作為單獨一節列出，可見其對《取善集》一書的重視。湯先生對此書的肯定之處在於，保留了歷史上非常重要的哲學家對《道德經》注釋的資料，對於考證其文字具有重要的參考價值，「更重要的是《取善集》保存了兩種已經散失了的《老子》注本。即鍾會《老子》注及鳩摩羅什《老子》注。」[52] 自湯先生之後，樓宇烈先生在《老子道德經注校釋》書中，也參考了《取善集》中所引王弼的注釋，如對「執古之道，以御今之有。」的注釋中，王弼曰：「古今雖異，其道常存。執之者方能御物。」樓宇烈先生考證謂：「與各本均異，不知所本。」[53] 其他研究人員，基本上都是與湯先生，樓先生一樣對待《取善集》，都是作為歷史資料的保存著作看待的，如研究王安石，王雱，顧歡等的老學思想基本上都會從《取善集》中參考李霖所引的相關注釋。所以，基本上自湯先生以來的研究者都是把《取善集》作為研究老學的史料學集成對待的，並無其他特異之處。

但是通過本文第二部分的論述說明，本文作者認為《取善集》不僅僅是具有史料學的價值，還是早期全真道發展的理論性成果代表著作之一。從劉允升作序時間是在金世宗大定壬辰年（1172）可知，距全真道祖師王喆於山東創教（金大定七年，即西元1167年）僅僅過去五年時間，到王喆於金大定十年（1170）故去，王喆門下譚、馬、丘、劉四大弟子扶柩入關，歸葬祖師，此後馬鈺接任掌教，是為全真道教第二任掌教，至此全真道僅歷經二代掌教，所以其理論創作不可多得是為可知，而《取善集》所處正是早期全真道發展的重要時期，作為其中代表著作之一，具有重要的歷史地位。

李霖作為全真道學者，以「三教合一」作為其宗旨，這是對隋唐以來「三教合一」思想的繼承和發展，並為南宋以後儒釋道三教的融合開創了理論的先河，成為其先驅者。且在「三教合一」的宗旨下，為早期全真道的發展和傳播，社會地位的鞏固提供了

---

[51] 同上註，頁903。

[52] 湯用彤：〈讀《道藏》劄記〉，《歷史研究》，1964年第3期，頁185。

[53] 樓宇烈：《老子道德經注校釋》北京：中華書局，2008年，頁32。

理論的說明。對於性命雙修，息慮，靜心等思想主張，以及對精氣神等內丹學發展的理論探討，實現了對傳統道教的理論超越，以精神境界的提高來超越生死，這是一種超越宗教態度的哲學思考。《取善集》樹立了獨特的人格典範，不是傳統道教的飛升之仙人，而是融合了儒家價值觀念的理想人格——聖人，聖人形象的樹立，是形上之道與形下經驗世界的完美結合，既有精神境界的超越，又有社會生活的擔當，修道之人的努力方向不在於肉體飛升，而在於精神的自由以及其生命價值在社會生活中的安頓。

綜合以上所述，《取善集》的思想反映了宋金時期儒釋道思想的融合，其〈道德一合論〉恰恰說明了《取善集》在彌合儒道的努力和成果。可以說《取善集》是全真道思想的展開，也是對當時代歷史的見證。

三　結語

由於前人研究成果的缺乏，導致本文所謂的研究，基本上都是基於自己的理解加以整理分析，從而勉強能夠說明《道德真經取善集》一書所表達的內涵。本人分析得出李霖本人即全真道思想家，並認為《取善集》實際上是以道教的思想標準對歷代諸家的一次梳理，從而提出自己的見解。李霖主張三教合一，並對心性命與道教內丹所講精氣神相結合，提出要欲慮不萌，靜心的主張，進而論述了作為全真之人所應該達到的內聖外王的思想境界和對社會生活的觀照。

浙東文派文章批評與宋代文章學的成熟[*]

李建軍

台州學院中文系

近年來，隨著《歷代文話》的整理與出版，文章學的研究逐漸成為學術熱點，而關於文章學成立時代的討論更是引人矚目。王水照先生認為文章學成立於宋代，祝尚書先生更進一步認為成立於南宋孝宗朝；而吳承學先生認為文章學成立於魏晉南北朝，並以《文心雕龍》為成立之標誌。筆者贊同吳先生的論斷，但認為又應充分吸納王先生、祝先生觀點的合理內核。筆者認為，文章學成立於魏晉南北朝，但成熟於宋代，而宋代文章學的成熟，浙東文派發揮了主力軍的作用。

一　文章學的演進與成熟

（一）先宋文章學之演進

「文」本義指刺畫花紋，《說文解字》云：「文，錯畫也，象交文。」段玉裁注「錯畫」云：「錯當作逪，逪畫者，交逪之畫也。」注「象交文」云：「像兩紋交互也。」[1]《莊子・逍遙遊》「越人斷髮文身」中「文」即用本義，指刺畫花紋。後來又引申為名詞，指花紋、紋理，如《左傳・隱公元年》：「仲子生而有文在其手。」再引申為自然界某些帶規律性的現象，於是出現「天文」、「地文」諸詞，如《易・賁》「觀乎天文，以察時變」，《莊子・應帝王》「壺子曰：『鄉吾示之以地文』」。再引申為人類社會某些帶規律性的現象，於是出現「人文」一詞，如《易・賁》「觀乎人文，以化成天下」。再具體指禮樂儀制，如《論語・子罕》：「文王既沒，文不在茲乎！」朱熹《四書章句集注》云：「道之顯者謂之文，蓋禮樂制度之謂也。」[2]「章」本義指音樂的一個段落，《說文解字》云：「章，樂竟為一章。從音、十。十，數之終也。」段玉裁注云：「歌所止曰章。」[3]《禮記・曲禮下》「讀樂章」中「章」即用本義，指音樂的一個段落。後來又引

* 國家社科基金項目（10CZW028）和中國博士後科學基金項目（20100480082）「宋代浙東文派與中國文章學研究」。

1 許慎撰、段玉裁注：《說文解字注》上海：上海古籍出版社，1988年，頁425。
2 朱熹：《四書章句集注・論語集注》北京：中華書局，1983年，卷5，頁110。
3 許慎撰，段玉裁注：《說文解字注》，頁102。

申指花紋、文彩，如《詩經・小雅・六月》「織文鳥章」，其中「織」同「幟」，「織文」指旗幟的花紋，「鳥章」指鳥的花紋，該句指旌旗畫著飛鳥的花紋。句中「文」與「章」同義互用，皆指花紋。因為「文」與「章」皆有花紋之義，先秦典籍常將二字合成「文章」一詞指花紋、錯雜的色彩，如《楚辭・九章・橘頌》云：「青黃雜揉，文章爛兮。」後來又引申指禮樂等典章制度，如《論語・泰伯》「巍巍乎其有成功也，煥乎其有文章」，朱熹《四書章句集注》云：「文章，禮樂法度也。」[4]

先秦是文章學的萌芽期。先賢不用「文章」，而是用「言」、「辭」、「文」等概念指稱文字、文辭，並有關於言辭、文辭重要性的精彩論述，如孔子所云「言之無文，行而不遠」。又有關於言辭、文辭表達方面的重要論斷，如《周易》所云「言有物」、「言有序」。

兩漢是文章學的發展期。「文章」從漢代開始指文辭或獨立成篇的文字，如司馬遷《史記・儒林列傳序》：「臣謹案詔書律令下者，明天人分際，通古今之義，文章爾雅，訓辭深厚，恩施甚美。」[5]兩漢時期，學者們對文章寫作提出了許多真知灼見，將文章批評在先秦基礎上又推進了一步。

魏晉南北朝是文章學的成立期，出現了大量關於文章學的專題論文、論著，如曹丕《典論・論文》、陸機《文賦》、摯虞《文章流別論》、任昉《文章緣起》、顏之推《顏氏家訓・文章篇》、蕭繹《金樓子・立言》、蕭統〈文選序〉、劉勰《文心雕龍》等，這些論文論著對文用、文氣、文體、文原、文思、文才等系列問題進行了系統闡發，尤其是《文心雕龍》「論文敘筆，涵蓋文學，而以實用文章為主；它按文道論、文體論、綴文論、觀文論建構了文章內容和形式及其寫作、閱讀流程的完整體系，使古代文章學得以真正確立，豎起歷史豐碑」[6]。

隋唐五代是文章學的變革期。韓柳發起的古文運動，深刻影響了中唐以後的文章觀念，為古文爭得了文章正統地位。與之相應，探討古文理論、揣摩古文技法、切磋古文修養成為那個時代文章批評的主流傾向，明道、傳道、貫道等文道論內容更成為彼時文章批評的核心話語。本期文章批評還有一個值得注意的現象，即出現了「文章學」一詞，柳宗元〈先君石表陰先友記〉云：「唐次，北海人，有文章學，行義甚高。」[7]張籍〈祭退之〉：「獨得雄直氣，發為古文章學，無不該貫。」[8]兩處「文章學」均指文章之學，核心是古文，已不包括詩。

---

4 朱熹：《四書章句集注・論語集注》卷4，頁107。另，《論語・公冶長》也有「文章」的用例：「子貢曰『夫子之文章，可得而聞也，夫子之言性與天道，不可得而聞也。』」此處「文章」指孔子在禮樂典章制度、古代文獻方面的學問。

5 司馬遷：〈儒林列傳〉，《史記》北京：中華書局，1982年，卷121，頁3119。

6 曾祥芹主編：《文章本體學》鄭州：文心出版社，2007年，頁4。

7 柳宗元：〈先君石表陰先友記〉，《柳宗元集》北京：中華書局，1979年，卷12，頁305。

8 張籍：〈祭退之〉，《張司業集》臺北：臺灣商務印書館，文淵閣《四庫全書》本，1986年，卷1，冊1078，頁8。

（二）宋代文章學之成熟

宋代是文章學的成熟期。王水照先生〈文話：古代文學批評的重要學術資源〉指出：「文話是中國古代文學批評的重要著作體裁，除具有說部性質、隨筆式的狹義『文話』外，還有理論性專著、資料彙編式、選本評點式等不同著作類型。這四種著作類型都在宋代開始集中出現，標誌著我國古代文章學的成立。」[9]隨後王先生、慈波博士〈宋代：中國文章學的成立〉一文又指出：「宋代是中國文章發展的重要時期，『文』的內涵與名稱漸趨穩定，文章創作成果豐碩，論『文』之作在目錄學上也開始獲得獨立地位。宋代崇儒右文的文化政策、科舉制度的深入開展以及文章評點的日益風行都有力促進了文話這一重要文章批評體裁的興起，而時文的發展尤為箇中重要契機。宋代文話奠定了這一著作體裁的體制基礎，在諸多理論領域作出了有益的探討。它的肇興標誌著中國文章學的成立。」[10]

王先生對文話肇興緣由的梳理絲絲入扣，對文話體制類型的闡發也非常精當，然認為宋代文話的肇興標誌著中國文章學的成立，筆者淺見，「成立」二字似有不妥。上面已述，魏晉南北朝時期，已經出現了文章批評方面的大量專題論文、論著，對文用、文氣、文體、文原、文思、文才等系列問題進行了系統闡發，標誌著文章學的成立。中間經過隋唐五代的革新，古文異軍突起，關於古文的文章批評漸成主流；到了宋代，文話大量湧現，文章批評論著體制大致形成，文章批評理論體系趨於完備，文章批評話語範疇更加豐富，這些標誌著文章學的「成熟」，而不僅僅是「成立」。學界對此已有闡發。周振甫先生《中國文章學史》認為魏晉六朝為駢文文章學的成立期、唐代為古文文章學的成熟期、宋代為古文文章學的革新期，[11]其實是將中國文章學的成立定在了魏晉南北朝，而非宋代。吳承學先生〈中國文章學之成立與古文之學的興起〉指出：「魏晉南北朝中國文章學的基本內涵已經明確，理論系統初步建構，並且產生代表性成果，可以視為中國文章學成立的時代……中國文章學成立於宋代（南宋）之說是從狹義的中國文章學即以古文為中心的立場出發而提出來的。宋代古文之學不等同宋代文章學，更不能等同於中國文章學……換言之，不能以古文文章學的成立等同於中國文章學的成立……《文心雕龍》體大思精，結構嚴密，為集大成之作，已經初步建構了中國文章學的理論

9　王水照：〈文話：古代文學批評的重要學術資源〉，《四川大學學報（哲學社會科學版）》，2005年第4期，頁63-67。

10　王水照、慈波：〈宋代：中國文章學的成立〉，《復旦學報（哲學社會科學版）》，2009年第2期，頁21-31。後來祝尚書先生〈論中國文章學正式成立的時限：南宋孝宗朝〉，《文學遺產》2012年第1期，頁81-89更明確地指出中國文章學正式成立於南宋孝宗朝。

11　周振甫：《中國文章學史》南京：江蘇教育出版社，2006年。

系統⋯⋯無論從廣義的還是狹義的文章學標準來衡量，《文心雕龍》作為中國文章學成立的標誌都是合適的。」[12]吳先生直接將《文心雕龍》定為中國文章學成立的標誌。

宋代文章學的成熟，一個非常重要的方面是科舉影響下文法理論的成熟。南宋之前文章批評中，探究文道關係、闡發文章功用、追溯文體源流乃至論析作家修養的較多，而研究文章技法的很少。宋代科舉條制愈益嚴密，既是為了約束士子寫出更為規範的場屋之文，也是為有司「較藝」、「衡文」評判程文優劣提供準繩，其結果必然是導致程文的標準化、程序化和技巧化。士子為了贏得有司的青睞，必然要在文字技巧、文章技法上下功夫，於是導致文法類著述大行其道，並由此產生了「筆法學」（文法之學）這一概念。陳嶽崧卿為《太學新編黼藻文章百段錦》作序云：「鄉先生方君府博，莆中之文章巨擘，螢窗雪几間，裒集前哲之雄議博論，取其切於用者百有餘篇，以《百段錦》名之，條分派別，數體具備，亦有助於學為文也。或者且謂『風行水上』善矣，何必規規執『筆法學』為如是之文也。是不然⋯⋯」[13]批駁某些論者對「筆法學」的偏見，肯定了如《百段錦》之類「筆法學」著述之價值。於此可見宋代士人對文法技巧的高度重視。由於時文與古文在技法層面有相通之處，於是研究古文法度以資時文寫作的思路應運而生，北宋末年唐庚就明確主張場屋時文「以古文為法」。他說：「自頃以來，此道（指文章）幾廢，場屋之間，人自為體，立意造語，無復法度。宜詔有司，取士以古文為法。所謂古文，雖不用偶儷，而散語之中，暗有聲調，其步驟馳騁，亦皆有節奏，非但如今日苟然而已。」[14]南宋以後，古文評點類選本風靡一時，如呂祖謙《古文關鍵》、樓昉《崇古文訣》、謝枋得《文章軌範》、王霆震《古文集成》等，大都有分析古文技法以指導時文寫作的意圖，故而評點中尤其注意分析章法、句法、字法等文法技巧。南宋還出現了時文評點類選本，如陳傅良著，方逢辰評點《蛟峰批點止齋論祖》；魏天應編，林子長注《論學繩尺》等，更是傾心於揭示文章技法。此外，南宋還出現了專門的文法著述，如鄭起潛撰《聲律關鍵》專門研究場屋律賦作法；方頤孫撰《太學黼藻文章百段錦》，「取唐、宋名人之文，標其作法。分十七格，每格綴文數段，每段綴評於其下，蓋當時科舉之學」[15]，專門探討文章作法。另外，南宋出現的文話著述如陳騤《文則》等，也格外關注文法問題，書中有較多談論文法的文字。宋代尤其是南宋大量文章學著述對文章技法的探討，促成了文法理論的成熟。同時，宋代在文道論、文體論、文風論、作家修養論等方面，也在繼承前賢基礎上有新的推進。至此，中國的文章批評理論體系趨於完備，臻於成熟。

---

12 吳承學：〈中國文章學之成立與古文之學的興起〉，《中國社會科學》，2012年第12期，頁138-156、頁208-209。

13 方頤孫輯：《太學新編黼藻文章百段錦》卷首所附陳嶽崧卿序，上海：上海古籍出版社，2002年《續修四庫全書》本，冊1717，頁643。

14 唐庚：〈上蔡司空書〉，《眉山文集》卷8，文淵閣《四庫全書》本，冊1124，頁367。

15 《欽定四庫全書總目》卷197〈太學黼藻文章百段錦提要〉北京：中華書局，1997年，頁2766。

　　文章學在宋代的成熟，還體現在文章批評話語更加豐富，當然這也可以視為文章批評體系完備和成熟的標誌之一。宋人在文章批評中，大量使用「綱目」、「眼目」、「關鍵」、「波瀾」等術語闡析文法，「力勢」、「文勢」等術語論述文勢，「主張」、「用意」等術語揭櫫文意，「大概」、「體式」等術語分析文體，「合道」、「扶道」等術語論析文道，「時用」、「實切」等術語強調文用，「簡古」、「平淡」等術語指涉文風。這些術語，有些是原來已有、經宋人詮釋而被灌注新的內涵，有些是宋人的創造，它們中的大部分後來都嬗變為文章批評的話語範疇。另外，文章學在宋代的成熟，還體現在文章批評體式的豐富和成熟。

　　文章學在宋代的成熟，浙東文派起到了非常關鍵的作用。宋代浙東文派是北宋中葉至宋元之際流衍於浙東地區的散文流派，根源於浙東事功學派，並逐漸從傳義理的學派，嬗變為重辭章的文派。浙東文派是南宋最為重要的散文派，宋文優良傳統的持守者和文壇最具事功特色的議論派，在中國散文史上具有重要地位。[16]同時，文派在文章批評方面也有重大貢獻，其文章批評體系的完備、體式的豐富，標誌著文章學在宋代的成熟。

二　浙東文派的文章批評體系

（一）「合道」、「扶道」與文道論

　　歷代學人探討文章社會功用，大多強調為文以明天人之道，以益國家之治。孔子《論語‧述而》中有「志於道，據於德，依於仁，游於藝」[17]的主張，可謂文（藝）以明道的先聲。唐代明確出現了「文以明道」和「文以貫道」的論題。北宋又出現了周敦頤「文以載道」說和程頤「作文害道」說。南宋又出現了朱熹「文者道之枝葉」、「文從道中流出」的論點。從周敦頤到程頤再到朱熹，道學家們揚道抑文越來越極端，文道關係的偏頗已經發展到了極致。在道學家有失偏頗的文道論風靡一時的語境下，浙東文派發出了別樣的聲音。

　　浙東文派當然也重道，也持道主文次之論，也大都認可中唐以來的「文以明道」說，甚而有學者還認可道學家的「文以載道」說，但文派代表作家並不否認文的獨立性，而且還充分肯定「文」對「道」的能動性，提出了「合道」、「扶道」的論點。

　　文派前期盟主呂祖謙是一位理學家，自然重「道」尚「理」，然而重道之際並不輕

16 詳參拙文〈宋代浙東文派的散文史價值與文章學貢獻〉，《浙江學刊》，2012年第3期，頁81-87。

17 李學勤主編：〈述而〉，《論語注疏》北京：北京大學出版社，1999年，《十三經注疏》本，卷7，頁85。

文，故提出「詞章古人所不廢」[18]，還指出「言語足以動人，文章足以聳眾」[19]，充分肯定文辭的作用。葉適在文道關係上，也是主張以道為本，以詞為枝葉。葉適明確提出了「由文合道」的文論主張：「人主之職，以道出治，形而為文，堯舜禹湯是也。若所好者文，由文合道，則必深明統紀，洞見本末，使淺知狹好者無所行於其間，然後能有助於治。」[20]很明顯，「由文合道」說相較道學家「文以載道」說，更加強調「文」的能動性。當然，葉適所強調為文需合的「道」，需明的「理」，並非道學家抽象的道德性命，而是與實事實物融為一體的實道實理。陳亮在文道關係上，非常強調為文要有益於世道人心，有裨於政理治道，響亮地提出了「扶道」說，其〈胡仁仲遺文序〉云：「比得其傳文觀之，見其辨析精微，力扶正道，惓惓斯世，如有隱憂，發憤至於忘食，而出處之義終不苟，可為自盡於仁者矣。」[21]充分肯定胡仁仲文「力扶正道」之功績，其實點明了「文」之於「道」的能動性。

　　浙東文派作家在重道輕文的時代語境下常能打破「舍道不言文」之拘囿，離「道」論「文」，立足於文自身闡發其特質。呂祖謙評詩論文，在強調「理」前提下也充分肯定「情」，有時甚至離「理」言「情」。呂氏指出：「詩者，人之性情而已……《詩》三百篇，大要近人情而已。」[22]又說：「詩有不出於真情者乎？」[23]呂氏一方面強調情之真，另一方面又主張情之正，指出：「『思無邪』，『放鄭聲』，區區樸直之見，只守此兩句，縱有他說，所不敢從也。」[24]顯示出對儒家「思無邪」文藝思想的執守。呂氏在揚「理」抑「情」的南宋文壇，講「理」又講「情」，提倡詩文中情之真與情之正，顯示出對文學內在規律的充分體認。葉適認為「古人文字固極天下之麗巧」[25]，明確表示要「以文為華」。[26]葉適主張的「麗」與「巧」乃是基於充實的思想情感內蘊的審美藝術追求，「麗」是「實」之上的「麗」，「巧」是「正」之上的「巧」，華不要忘實，巧不能傷正。葉適的「麗巧說」可謂深得文章三昧。

18　呂祖謙：〈與陳同甫〉，《東萊呂太史別集》杭州：浙江古籍出版社，2008年，《呂祖謙全集》本，卷10，冊1，頁469。

19　〈門人集錄易說上〉，《麗澤論說集錄》卷1，《呂祖謙全集》冊2，頁48。

20　葉適：《習學記言序目》北京：中華書局，1977年，卷47，頁696。

21　陳亮：〈胡仁仲遺文序〉，《陳亮集》石家莊：河北教育出版社，2003年，卷23，頁206。

22　呂祖謙：〈門人所記詩說拾遺〉，《麗澤論說集錄》卷3，《呂祖謙全集》冊2，頁112。

23　呂祖謙：《增修東萊書說》卷4，《呂祖謙全集》冊3，頁82。

24　呂祖謙：《東萊呂太史別集》卷16〈又詩說辨疑〉，《呂祖謙全集》冊1，頁598。

25　葉適：《習學記言序目》卷49，頁733。

26　葉適：〈沈子壽文集序〉，《葉適集》，《水心文集》北京：中華書局，1961年，卷12，頁205。

（二）「時用」、「實切」與文用論

　　歷代學人一方面強調文以明道，另一方面又主張文以經世。明道和經世是古代正統文章價值觀的兩個基點，二者互相關聯，但又各有側重。明道或明自然之道，或明聖賢之道，帶有形而上的哲理意味，而經世則強調為文要有益於政事、有利於教化，更具形而下的功用色彩。

　　宋代論及文章功用，大要不出「致治」、「教化」二端，然闡發得更為直接周詳。如王安石明確主張為文「務為有補於世」，「以適用為本」，稱「治教政令，聖人之所謂文也，書之策，引而被之天下之民一也」。[27]再如南宋魏了翁也直截了當地說：「書以載道，文以經世，以言語代賞罰，筆舌代鞭僕。」[28]

　　浙東文派對文章的經世功能特別是「致治」功用最為強調，當然這與文派之來源息息相關。永嘉之學「以經制言事功」，永康之學「專言事功」，魏學「兼君舉、同甫之所長」，都有一種強烈的經世致用、開物成務的實踐實用精神，由這些學派演變而來的文派自然強調為文要切實用，有益於邦國，有益於民生。

　　陳亮論文強調有益於世，這從其編選《歐陽文粹》可以管窺一二。陳氏〈書歐陽文粹後〉認為歐公之文「根乎仁義而達之政理」，經由歐文，可以望見「先王之法度」，可以探得「祖宗致治之盛」[29]，簡而言之，可以究明理政致治之道，從而酌古以用今。陳氏對歐文「致治」功用的推崇，正可見其強調經世的文論主張。

　　呂祖謙非常強調文之用。呂氏經世致用的思想傾向是一以貫之的，體現在學術事業上是「學者須當為有用之學」[30]，表現在文選事業上是「篇篇有意」、「有益治道」[31]，浸透在文章寫作中是「有不得已而作」[32]，彰顯於文論主張上則是「文之時用大矣哉」。呂氏指出：「文之時用大矣哉。觀乎天文以察乎時變，觀乎人文以化成天下。所謂文者，殆非繪章雕句者之為也。」[33]表達出對「文之時用」的高度關注。

　　葉適講學重實事、尚實功，論文主張明實理、切實用，兩者一脈相通。葉適稱揚尹洙「早悟先識，言必中慮」，「善論事，非擅所長於空文者也」[34]，肯定沈子壽所作「蓋

27　王安石：〈上人書〉、〈與祖擇之書〉，《臨川先生文集》北京：中華書局，1959年，卷77，頁811、頁
　　812。

28　魏了翁：〈唐文為一王法論〉，《鶴山集》卷101，文淵閣《四庫全書》本，冊1173，頁463。

29　陳亮：〈書歐陽文粹後〉，《陳亮集》卷23，頁196-197。

30　呂祖謙：《左氏傳說》卷5，《呂祖謙全集》冊7，頁68。

31　《宋史》卷434《儒林傳・呂祖謙傳》，頁12874。

32　呂喬年：《東萊呂太史集跋》，《東萊呂太史集》卷末新增附錄，《呂祖謙全集》冊1，頁981。

33　呂祖謙：〈策問〉，《東萊呂太史外集》卷5，《呂祖謙全集》冊1，頁695。

34　葉適：《習學記言序目》卷50，頁746。

宗廟朝廷之文，非自娛於幽遠淡泊者也」[35]，讚揚李熹之文有「補於世」[36]，稱頌鄭伯熊之文「無一指不本於仁義，無一言不關於廊廟」。[37]這些都透露出葉適強調為文要關乎廊廟、有補於世的文論主張。

　　浙東文派對文章經世功能的另一層面──文以教化，也頗為關注，多有論述。呂祖謙認為佳作應有化人之功效，而觀書當存修身之意識。呂氏云：「至書，無悅人之淺效，而有化人之深功；至樂，無悅人之近音，而有感人之餘韻。」[38]至書（文學）至樂（藝術）不以悅人為目標，而以化人感人為鵠的。葉適明確提出「為文不能關教事，雖工無益也」[39]，強調為文應關涉教事，有益教化。

（三）「大概」、「體式」與文體論

　　中國古代文學批評中，辨體批評源遠流長。《尚書・堯典》「詩言志，歌永言，聲依永，律和聲」[40]的論斷，不僅點明了詩與樂的聯繫，其實也揭示了詩與樂在文體形式、表達方式和語言形式上的區別，「可謂辨體批評的開端或萌芽」。[41]東漢末年，已經出現了明確地以「體」論文的文獻記載。魏晉之時，辨體批評進入自覺時期，學人對文體的分辨、歸類、比較，對文體特徵的認識，對文體風格的判斷和確定等已比較成熟，如曹丕《典論・論文》、陸機〈文賦〉、摯虞的〈文章流別論〉等。南北朝時期，辨體批評向理論化、系統化邁出了一大步，出現了任昉《文章緣起》、劉勰《文心雕龍》等名著。隋唐五代，辨體批評仍是文學批評的重要話題。

　　宋代的辨體批評依然活躍，浙東文派在這方面頗有建樹。浙東文派作家重視辨體，尤其是呂祖謙、樓昉這些文章方家、古文選家更為注重區分文章體式。呂氏編選《古文關鍵》對文章「大概」、「體式」格外在意。該書總論部分開篇即云：「學文須熟看韓、柳、歐、蘇。先見文字體式，然後遍考古人用意下句處。」強調明了「文字體式」，在閱文過程中居於首要地位。接下來論及「看文字法」四步驟，第一步就是看「大概、主張」。所謂「大概」，意為文章的整體，亦即文字體式。呂祖謙將「看大概」置於首要位置，也就是前文「先見文字體式」之意。

　　浙東文派在文體分類學上也有貢獻，這主要體現在呂祖謙編選的北宋詩文總集──

35 葉適：〈沈子壽文集序〉，《水心文集》卷12，《葉適集》，頁205。

36 葉適：〈巽岩集序〉，《水心文集》卷12，《葉適集》，頁210。

37 葉適：〈歸愚翁文集序〉，《水心文集》卷12，《葉適集》，頁216。

38 呂祖謙：〈寧嬴從陽處父〉，《左氏博議》卷22，《呂祖謙全集》冊6，頁494。

39 葉適：〈贈薛子長〉，《水心文集》卷29，《葉適集》，頁607-608。

40 李學勤主編：〈舜典〉，《尚書正義》卷3，《十三經注疏》本，頁79。

41 張利群：〈中國古代辨體批評論〉，《湛江師範學院學報（哲學社會科學版）》，1998年第4期，頁72-77。

《宋文鑑》以及陳騤的《文則》。《宋文鑑》收錄各種文體凡六十一門，並在文體類目上
頗有推陳出新之處。一是一改《文選》、《文苑英華》、《唐文粹》按題材內容給詩歌分類
之法，將詩歌按體裁細分為四言古詩、樂府歌行、五言古詩、七言古詩、五言律詩、七
言律詩、五言絕句、七言絕句、雜體等類，顯得更有文體意識。二是率先將題跋、雜著
兩種文體單列出來。三是率先收錄了民間實用文體上梁文和樂語。總之，呂氏編選《宋
文鑑》，依據北宋文學發展的實際情況，在《文選》、《文苑英華》、《唐文粹》等總集的
文體分類基礎上，對文體或進行重新分類（如詩歌），或增列一些新文體（如律賦、經
義、題跋、雜著、上梁文、樂語等），顯示出一種發展的眼光，在文體分類學上有一定
的價值。另外，陳騤的《文則》在文體分類上也頗有創新。該書根據文章功能的不同，
將文體分為載事之文和載言之文，前者指以論事為主的文章，後者指以記言為主的文
章。又將前者細分為「先斷以起事」和「後斷以盡事」兩類，將後者細分為「不避重
複」和「避重複」兩類。「載事」、「載言」之分，典籍中早有記載，但陳騤從文體的角
度來認識區分，並具體論述兩種文體的寫作之法，可謂有新見。

　　浙東文派在文體形態學上也有建樹，這主要體現在王應麟《辭學指南》。該書作為
宋代詞科學的經典文獻，對詞科十二體，即制、誥、詔書、表、露布、檄、箋、銘、
記、贊、頌、序，分體進行了詳細解析。該書的文體解析體例，與《文心雕龍》「原始
以表末，釋名以章義，選文以定篇，敷理以舉統」的文體詮釋思路相較，雖然「大
同」，但亦有「小異」。《辭學指南》對制、誥等十二體的詳細解析，及其頗具特色的解
析體例，其實已經超越詞科應試園圃，而具有一定的普適性，進而成為中國文體論史上
的重要內容。與此同時，《辭學指南》作為詞科學名著，對體制重要性也有精彩論述，
同時在逐體闡發詞科十二體中，對文體之異同正變也時有精當論析，呈現出辨體批評的
理論色彩。前者從具體文體解析及體例層面，後者從辨體批評理論層面，共同標示著該
書的文體論價值。

　　浙東文派在文體源流學和文體風格學上也有真知灼見，這主要體現在陳騤的《文
則》。該書闡發了序、說、問等十九種文體的起源，與《文心雕龍》所論吻合者僅有
說、祝、銘三種，其他十六種迥異。《文則》的這些論述，雖未必盡當，卻豐富了對諸
種文體起源的探討，自有其價值所在。該書還闡發了《左傳》中命、誓、盟等八種文體
的不同風格，豐富了對文體風格的探討。

（四）「平和」、「文欲肆」與文風論

　　中國古代文學批評中，對詩文風格的關注、解析是重要內容之一，宋代浙東文派的
文章批評亦是如此。

　　中國古代文學批評史上，「和」與「道」、「氣」、「興」、「象」同為「元範疇」，是具

有最高涵括力和統攝力的核心範疇。汪涌豪先生認為，「這種『和』的思想，貫穿在從本原論、創作論到風格論、鑑賞批評論各個方面。既體現在主觀情志之於社會人事的處置態度上，也體現在作品的內在機理和撰作結構中」。[42] 古人尚「和」，落實在文風上，則是標舉「中和」、「平和」。歷代相關論述不絕如縷，浙東文派在此方面也有精彩論述。

呂祖謙為人中正平和，論文也主張辭氣平和，反對疾言厲色，尤其強調「治氣」重於「治言」，「氣」和方能「辭」和。呂氏曾將「氣」與「辭」聯為一詞並強調「和」之重要：「大凡為人須識綱目。辭氣是綱，言事是目。言事雖正，辭氣不和亦無益。」[43] 呂氏主張為文要辭氣平和，並以此為標準臧否文章。陳亮之文整體風格是剛猛粗豪，令東萊頗有微詞，但偶爾也有溫醇和易之作，讓東萊誇讚有加：「垂論備悉，雅意再三玩懌，辭氣平和，殊少感慨悲壯之意，極以為喜。驅山塞海，未足為勇，惟斂收不可斂之氣，伏槽安流，乃真有力者也。」[44] 呂氏一方面激賞溫醇和易之作，另一方面又批評氣躁辭激之文，曾在回復朱熹的一封書札中批評朱子來信「激揚振厲，頗乏廣大溫潤氣象」。[45]

樓鑰論文，也主張平和。其〈答綦君論文書〉以水喻文，指出「水之性本平」，又以樂喻文，指出「樂之未亡也，與天地同和，可以感發人之良心」。接著以水性本平、樂尚安樂類推，提出「論文者，當以是求之，不必惑於奇而先求其平」。然後以「唐三百年，文章三變而後定，以其歸於平」，韓柳文風「蓋在流俗中以為奇，而其實則文之正體」，以及伊川《易傳》、范太史《唐鑑》「心平氣和，理正詞直，然後為文之正體，可以追配古作」為例證，說明平和乃文之正體。[46]

陳傅良也有類似的文論觀點。陳氏在送給陳益之的詩中有云：「論事不欲如戎兵，欲如衣冠佩玉嚴整而寬平；作文不欲如組繡，欲如疏林茂麓窈窕而敷榮。」[47] 吳子良《荊溪林下偶談》解釋說：「蓋陳益之年正盛，論事豪勇而作文喜為詰屈聱牙，故以此勉之。」[48] 其中「嚴重而寬平」云云，正是提倡忌豪勇、忌劍拔弩張的平淡習尚；而「窈窕而敷榮」云云，正是主張莫刻露、莫詰屈聱牙的優游文風。這些觀點與「平和」都是一脈相通的。

當然，浙東文派的文風論，也並非鐵板一塊，既有呂祖謙、樓鑰、陳傅良等人主張

42 汪涌豪：《中國文學批評範疇及體系》上海：復旦大學出版社，2007年，頁484-597。

43 呂祖謙：《東萊呂太史外集》卷5，《呂祖謙全集》冊1，頁719。

44 呂祖謙：〈與陳同甫〉，《東萊呂太史別集》卷10，《呂祖謙全集》冊1，頁479。

45 呂祖謙：〈與朱侍講〉，《東萊呂太史別集》卷7，《呂祖謙全集》冊1，頁397。

46 樓鑰：〈答綦君論文書〉，《樓鑰集》杭州：浙江古籍出版社，2010年，卷63，頁1112-1113。

47 陳傅良：〈送陳益之架閣〉，《陳傅良先生文集》杭州：浙江大學出版社，1999年，周夢江點校本，卷2，頁18。

48 吳子良：《荊溪林下偶談》上海：復旦大學出版社，2007年，《歷代文話》本，冊1，頁581。

的「平和」論，也有葉適提倡的「文欲肆」[49]說。「肆」既指激烈奔放、切直快意的情感氣勢，又指汪洋恣肆、大開大闔的文章風格。葉適云：「自有文字以來，名世數十，大抵以筆勢縱放、淩厲馳騁為極功，風霆怒而江河流，六驥調而八音和，春輝秋明而海澄岳靜也。」[50]此種文論主張，既與儒家主文譎諫、溫柔敦厚的抒情範型齟齬難入，也與儒家力戒奇巧、歸於雅正的文風理想扞格難通；倒是與淩厲恣肆的縱橫家如出一轍。

　　浙東文派的文風論中，「平和」論與「文欲肆」說相較，可能後者更易催生雄文，也更能凸顯文派的特色。

（五）「蓄意」、「意外生意」與文意論

　　意是中國古代文學理論中一個非常重要的範疇。《周易・繫辭上》就已論及：「子曰：『書不盡言，言不盡意。』然則聖人之意，其不可見乎？子曰：『聖人立象以盡意，設卦以盡情偽，繫辭焉以盡其言。』」[51]實際已構建起「書（辭）——言——象——意」這樣遞相表達的邏輯鏈條。在此鏈條中，「意」無疑居於終端，處於非常重要的位置。晉宋之際的范曄曾明確指出為文當「以意為主」[52]，唐代的杜牧響亮地提出：「凡為文以意為主，以氣為輔，以辭彩章句為之兵衛。」[53]到了宋代，蘇軾以錢為喻，更是形象地闡發出「意」於「文」之要：「不得錢不可以取物，不得意不可以明事，此作文之要也。」[54]

　　宋代浙東文派繼承了「文以意為主」的傳統，而且有新的推進。當然，這應該與科舉考試有一定關係。宋代科舉制度已比較完善，到北宋中葉時，策論已成為場屋必考科目，而策論最重立意。浙東文派與科舉考試關係頗為密切，文派中堅幾乎都是擠過科考獨木橋的進士，文派還有不少人如呂祖謙、陳傅良等曾肆力於科舉教育，他們在學習和傳授策論寫作時自然非常強調立意，並進而影響到他們對包括策論在內的所有文章立意的高度重視。陳騤〈文則〉響亮地提出「辭以意為主」，認為「辭有緩有急，有輕有重，皆生乎意也」[55]。呂祖謙論「文」也非常重視「意」，並在前賢基礎上又有新的推進。呂氏〈古文關鍵〉總論部分看文字法，有云「先見文字體式，然後遍考古人用意下句處」，將「遍考古人用意下句處」緊隨「見文字體式」之後；接著論及「看文字法」

49　〈觀文殿學士知樞密院事陳公文集序〉，《葉適集》，《水心文集》卷12，頁225。

50　〈巽岩集序〉，《葉適集》，《水心文集》卷12，頁210。

51　李學勤主編：〈繫辭上〉，《周易正義》卷7，《十三經注疏》本，頁291。

52　范曄：〈獄中與諸甥姪書〉，《後漢書》卷末附錄，北京：中華書局，1965年，頁1。

53　杜牧：〈答莊充書〉，《樊川文集》北京：中華書局，2008年，吳在慶撰《杜牧集繫年校注》本，卷13，頁884。

54　葛立方：《韻語陽秋》北京：中華書局，1981年，何文煥輯《歷代詩話》本，卷3，頁509。

55　陳騤：《文則・乙五》，《歷代文話》冊1，頁144-145。

四步驟，認為「第一看大概、主張」。所謂「主張」，即「主意」、「大意」，就是文意。呂氏將「主張」（文意）與「大概」（文體）同置於「看文字法」之第一步，且將文意緊隨文體之後，可見在呂祖謙看來，立意是僅次於文字體式的文章要素。

浙東文派不僅闡發「重意」之主張，而且揭示「煉意」之途徑，這主要體現在呂祖謙《古文關鍵》。該書「論作文法」明確提出了「題常則意新」、「意深而不晦」、「意常則語新」的煉意要津。

浙東文派重視文意表達的含蓄性和豐富性，這主要體現在陳騤《文則》、呂祖謙《古文關鍵》。陳氏明確提出：「文之作也，以載事為難；事之載也，以蓄意為工。」[56]呂氏則首肯「意外生意」，強調文意的言近旨遠、豐富新穎。《古文關鍵》中蘇轍〈春秋論〉有云「然則假天子之權宜如何？曰：如齊桓、晉文可也。夫子欲魯如齊桓、晉文，而不遂以天子之權與齊、晉，何也」，呂氏在「夫子欲魯如齊桓、晉文」旁批云「此意外生意」[57]，指出此處文意表達的折裡有折、曲中再曲。

浙東文派還有鼓勵出新的「創意」主張，這主要體現在葉適身上。葉適不僅在思想學術上「喜為新奇，不屑摭拾陳語」，不憚立異，敢於出新，在文學上也主張創新，反對因襲。吳子良《荊溪林下偶談》卷三「水心文不蹈襲」條載，葉適強調作文要有「自家物色」，就是要「融會古今文字於胸中，而灑然自出一機軸」[58]，簡言之，就是要有創新和特色。基於此理，葉適一方面對蹈襲之文疾言厲色，批評「出奇吐穎，何地無材，近宗歐曾，高揖秦漢，未脫摹擬之習，徒為陵肆之資」[59]之類文章；另一方面又對出新之作大加讚賞，如稱揚鄭伯英之文「片辭半簡，必獨出肺腑，不規仿眾作也」[60]。抑揚之際，可見葉適強調創新的文論主張。

（六）「曲折」、「雄健」與文勢論

「勢」是中國古代文學理論批評的重要範疇。先秦時期，「勢」已成為兵法、政論等著述闡析的重要話語，《管子》有〈形勢〉篇、《孫子兵法》有〈勢〉篇，《孫臏兵法》有〈勢備〉篇，《呂氏春秋》有〈慎勢〉篇等等。漢末魏晉，「勢」開始被用於評書論畫，如蔡邕《九勢》、衛恆《四體書勢》、索靖《草書勢》等以「勢」評書，又如顧愷之等以「勢」論畫。就在這個時期，「勢」也開始被用於論文。「建安七子」之一的劉楨曾曰：「文之體指實強弱（一本為「文之體勢，實有強弱」，引者注），使其辭已盡而勢

56　陳騤：《文則‧甲五》，《歷代文話》冊1，頁138-139。

57　呂祖謙：《古文關鍵》卷上，《呂祖謙全集》冊11，頁67。

58　吳子良：《荊溪林下偶談》，《歷代文話》冊1，頁562。

59　〈題陳壽老文集後〉，《葉適集》，《水心文集》卷29，頁610。

60　〈歸愚翁文集序〉，《葉適集》，《水心文集》卷12，頁217。

有餘，天下一人耳，不可得也。」[61]南北朝時期，出現了劉勰《文心雕龍・定勢》這一最早系統論述文勢的專篇。唐代詩歌創作極其繁盛，出現了較多以「勢」論詩的論斷，如《文鏡秘府論》地卷所錄王昌齡論詩「十七勢」，皎然《詩式》有〈明勢〉等。宋代則出現了較多以「勢」論文的言辭，如洪邁《容齋三筆・韓歐文語》：「歐公文勢，大抵化韓語也。」[62]

宋代浙東文派繼承了以「勢」論文的傳統，為文頗有「文勢」，論文亦重「文勢」。文派作家不少人為文，其「勢」皆非常突出，可圈可點。呂祖謙《左氏博議》「能近取譬，尤巧設喻，波瀾頓挫，蓋源出蘇軾而能變化」[63]，頗類蘇軾之文，頗具雄健文勢。陳亮之文「海涵澤聚，天霽風止，無狂浪暴流，而迴旋起伏，縈映妙巧，極天下之奇險」[64]文勢雄放。葉適「文章雄贍，才氣奔逸，在南渡後卓然為一大宗」[65]，其文勢亦不同凡響。陳耆卿之文「波浩渺而濤起伏，麓秀鬱而峰崚嶒，戶管攝而樞運轉，輿衛設而冠冕雍容，其奇也非怪，其麗也非靡，其密也不亂，其疏也不斷」[66]，其文勢亦超乎流俗。浙東文派論文也強調「文勢」。葉適主張「文欲肆」，提倡雄肆的文風，此種文風自然與雄放的文勢相生相伴。呂祖謙《古文關鍵》評點古文更是將「文勢」作為重要內容。該書〈總論〉談到「看文字法」四步驟，第一步看大概、主張，第二步看文勢、規模。呂氏將文勢緊接於「大概」（文體）、「主張」（文意）之後，可見其對「文勢」的高度重視。

浙東文派的「文勢論」，最重要的價值在於通過細緻的評點，揭示出佳作造勢之術，即其醞釀文勢的堂奧，這主要體現在呂祖謙《古文關鍵》。該書評點，對曲折自然而成「勢」之作頗多闡釋。曾鞏〈送趙宏序〉首批云：「句雖少，意極多，文勢曲折，極有味，峻潔有力。」[67]點出曾文的「文勢曲折」與「峻潔有力」，可謂恰中肯綮。

《古文關鍵》的評點，還對雄健脫灑而造「勢」之作頗為激賞，並詳細點出其文勢醞釀的具體技法，如用字反覆、用力繳結、催生波瀾等方面的匠心。呂氏對蘇軾文章氣勢的醞釀之法多有揭示。〈潮州韓文公廟碑〉「孟子曰：『我善養吾浩然之氣。』是氣也，寓於尋常之中，而塞乎天地之間。卒然遇之，則王公失其貴，晉、楚失其富，良、平失其智，賁、育失其勇，儀、秦失其辯」，呂氏旁批云：「五個『失』字，如破竹之勢。」緊接著原文「是孰使之然哉？其必有不依形而立，不恃力而行；不待生而存，不

61 劉勰著，范文瀾注：〈定勢〉，《文心雕龍注》北京：人民文學出版社，1958年，卷6，頁531。

62 洪邁：《容齋三筆》北京：中華書局，2005年，卷1「韓歐文語」條，頁437。

63 錢基博：《中國文學史》北京：中華書局，1993年，頁640-642。

64 葉適：〈書龍川集後〉，《葉適集》，《水心文集》卷29，頁596。

65 〈水心集提要〉，《欽定四庫全書總目》北京：中華書局，1997年，卷160，頁2145。

66 吳子良：〈筧窗續集序〉，《全宋文》上海：上海辭書出版社，2006年，冊341，頁19。

67 呂祖謙：《古文關鍵》卷下，《呂祖謙全集》冊11，頁123。

隨死而亡者矣」，呂氏旁批云：「此四『不』字亦是有力。」指出蘇軾連用五個「失」字，四個「不」字，營造出一種異常雄健的破竹之勢。

　　《古文關鍵》的評點，對藏鋒不露而蘊「勢」之作也頗為首肯。曾鞏〈戰國策目錄序〉首批云：「此篇節奏從容和緩，且有條理，又藏鋒不露。初讀若大羹元酒，須當仔細味之。若他練字，好過換處，不覺其間又有深意存。」指出曾文的「從容和緩」與「藏鋒不露」。該文末段「或曰：邪說之害正也，宜放而絕之，則此書之不泯，其可乎」云云，呂氏旁批云：「雖平易中有千鈞之力量，至此一段甚有力勢。」[68]揭櫫曾文的力勢含蘊於平易之中，可謂知音之言。

（七）「綱目」、「關鍵」與文法論

　　先秦時期，先賢已有關於「言」、「辭」表達方面的精彩論斷，可以視為文法論的萌芽。《左傳》所概括的「《春秋》五例」，前四例總結《春秋》的修辭原則，實則也涉及到文法。漢魏六朝，探究文道關係、闡發文章功用、追溯文體源流乃至論析作家修養的較多，而研究文章技法的較少。但頗可一提的是，《文心雕龍》的〈聲律〉、〈章句〉、〈麗辭〉、〈比興〉、〈誇飾〉、〈事類〉、〈練字〉、〈隱秀〉、〈指瑕〉共九篇詳細探討用字造句和修辭方法等內容，也可算是比較系統的文法論了。隋唐五代，文法論的探討，最主要地集中在古文技法的闡析上。

　　宋代是文章學的成熟期，一個非常重要的方面是文法理論的成熟。歐陽修吸納「《春秋》義法」之精髓，提倡「簡而有法」，蘇軾提出「辭至於能達，則文不可勝用」、「文理自然」、「隨物賦形」等散文理論主張，都涉及到文法論。當然，歐蘇與韓柳等古文大家一樣，在文法論方面的主要貢獻，並不在於理論上的探討，而在於以創作立法，即後人所謂「文成法立」。宋代文法技巧的探討、文法理論的闡揚，真正達到繁盛，是在南渡以後。這個時期，湧現了大量文章學著述探討文章技法，促成了文法理論的成熟。這當中，浙東文派起了非常重要的作用。

　　浙東文派的文法論，在繼承前賢的基礎上，又更為細密、更為廣泛、更有體系。文派中堅人物大多重視文法。陳騤對文之法則分外留意，編撰《文則》以揭櫫、闡發之。呂祖謙對文法高度重視，其《古文關鍵》精心選評古文以洞悉文法堂奧。該書總論部分「看古文要法」：「第一看大概、主張，第二看文勢、規模，第三看綱目、關鍵，第四看警策、句法。」其中第二涉及到文法，第三、第四就是專門看文法。在「論作文法」和「論文字病」中，更是具體論及字法、句法、章法等文法內容。而在具體的評點中，文法與文意一樣，都是東萊關注的「關鍵」。吳子良對文法也甚為關注，認為「為文大要有

68　呂祖謙：《古文關鍵》卷下，《呂祖謙全集》冊11，頁121-123。

三，主之以理，張之以氣，束之以法」[69]，將「法」與「理」、「氣」同列為作文三要素。

浙東文派通過非常細緻的古文評點，將古文的篇法、句法、字法一一揀出，這主要體現在呂祖謙《古文關鍵》與樓昉《崇古文訣》，而前者尤為典型。篇法層面，《古文關鍵・總論》談到「看文字法」四步驟，第二步看文勢、規模。所謂「規模」，指文章的布局，指謀篇之法，結構之術。呂氏在評點中論析謀篇布局，涉及綱目、關鍵、起頭、繳結等多個層面的篇法技巧。句法層面，《古文關鍵・總論》「看文字法」四步驟，第四步看警策、句法，即看「如何是一篇警策，如何是下句、下字有力處，如何是起頭換頭佳處。如何是繳結有力處，如何是融化屈折、剪截有力處，如何是實體、貼題目處。」呂氏善於總結古文中運用句型、句式之法，強調長短結合、整散結合、句型穿插，又主張句子銜接要緊湊，上句為下句鋪墊，下句從上句引出。字法層面，《古文關鍵・總論》指出了諸多文字病：「深，晦，怪，冗……」[70]呂氏在評點中常將好的造語、下字標示出來，並主張造語當健壯，下字須不苟，以避免上述文字病。

呂氏《古文關鍵》在評點中不僅論及篇法、句法、字法這些層面的定法，也論及貫通這些層面的活法。《古文關鍵・總論》「論作文法」云：「筆健而不粗，意深而不晦，句新而不怪，語新而不狂。常中有變，正中有奇。」指出用筆行文應達到一種辯證、適度之境界。「論作文法」還提及「上下，離合，聚散」等格制，這些其實都涉及文法運用的辯證性，乃是跳出定法苑囿的行文活法。這些活法源於定法，但又高於定法，用呂氏之言概括之，即「常中有變」，「正中有奇」。[71]

浙東文派對文法修辭的探討也頗為詳備，涉及修辭原則、語法修辭、篇章修辭和辭格運用，這主要體現在陳騤《文則》。修辭原則方面，提出了「言有宜也」、「文協尚矣」、「文貴其簡」、「少施斷削」的修辭表達原則和「究意深考」的修辭接受原則。語法修辭方面，闡發使用助辭的重要性和使用方式的多樣化，還注意到助辭與轉類辭（詞類活用）的關係。篇章修辭方面，總結出「先總而後數之」、「先數之而後總之」、「先既總之而後復總之」三種數人行事之法，又總結出「先事而斷以起事」、「後事而斷以盡事」兩種篇章貫串照應之法。辭格運用方面，闡發了取喻之法、援引之法、繼踵之體、交錯之體、同目之法、類字之法、對偶之法、析字之法等辭格用法。

---

69 吳子良〈箴窗集跋〉，《全宋文》冊341，頁24。

70 呂祖謙《古文關鍵・看古文要法》，《呂祖謙全集》冊11，頁1-3。

71 同上註。

三　浙東文派與文章學的成熟

（一）文章批評體系的完備和成熟

浙東文派文章批評方面的理論建樹，基於歷時性角度，置於中國文章學史進行縱向觀照，可以更清楚地彰顯出重要價值。

文道論上，浙東文派最重要的貢獻，是在道學家「作文害道」、「文從道中流出」之類偏頗論斷盛行的時代語境下「重道而不輕文」，每每能從「文」自身規律出發揭櫫其特質。如呂祖謙講「理」又講「情」，提倡詩文中情之真與情之正；又如葉適認為「古人文字固極天下之麗巧」，明確表示要「以文為華」。可以說，浙東文派的文道論繼承了中國文章學關於文道關係的正確認知和優良傳統，在文章學史上具有糾偏扶正、繼往開來的重要意義。

文用論上，浙東文派對文章經世功能尤其是「致治」功用的強調，在宋代文章流派中可謂最強音。比較而言，道學派文章家在文章價值觀之明道、經世這兩個基點中，更為強調明道；當然他們也提「書以載道，文以經世」，但所言「經世」往往更側重於「文以教化」，而非「文以致治」。而其他的文章流派如江湖文派，因其主體為「處江湖之遠」的中下層文人，大多數屬於「體制外的不入仕作家」，故而「對現實政治保持一定的疏離」，他們對「文以致治」的認知肯定不如浙東文派這一「體制內的入仕作家群」真切。放在這樣的語境下，浙東文派對文章經世致治功用的強調更顯得彌足珍貴。

文體論上，浙東文派對「體式」的標舉彰顯出強烈的辨體意識。呂祖謙《宋文鑒》在總集文體分類基礎上的推陳出新，陳騤《文則》根據文章功能進行的文體分類，在文體分類學上都頗有價值。王應麟《辭學指南》逐體闡發詞科十二體，其頗具特色的解析體例，以及對文體異同正變的精當論析，呈現出辨體批評的理論色彩，在文體形態學上頗有貢獻。另外，陳騤《文則》在文體源流學和文體風格學上也有真知灼見。可以說，浙東文派通過文章選本、詩文總集、文話著述等，在文體分類學、文體形態學、文體源流學和文體風格學等方面的建樹，在宋代文章流派中應該是最有實績，同時在整個中國文章學史上也是頗為顯眼，值得我們充分重視。

文風論上，浙東文派善於運用細讀法、比較法、溯源法等方法闡發典籍、文章之風格，解讀往往非常精到，其方法值得重視。同時，文派在承繼傳統的「平和」文風論時，論析也常有新見，如呂祖謙強調「治氣」重於「治言」，「氣」和方能「辭」和，而樓鑰以水喻文，說明平和乃文之正體，都較有新意。更重要的是，葉適提倡的「文欲肆」說，可謂南宋最有特色的文風論，真正凸顯了文派的特色。在南宋道學文論風靡一時，導致文章因過分內斂而走向細弱，質木無文而淪為粗拙之際，「文欲肆」說可謂最有針對性的引導文章健康發展的文論觀點。

文意論上，浙東文派不僅闡發「重意」之主張，而且揭示「煉意」之途徑，主張「題常則意新」，「意深而不晦」，「意常則語新」。同時，文派重視文意表達的含蓄性，強調「蓄意為工」、「意外生意」，強調文意的含蓄蘊藉、豐富新穎。另外，文派還有強調「自家物色」、「自出一機軸」的「創意」主張。文派「重意」、「蓄意」、「創意」之主張，承繼傳統又有新的發展，自有其價值；而「煉意」途徑之揭示，在中國文章學史上乃是較早之相關論述，更不可小覷。

文勢論上，浙東文派最重要的價值在於通過細緻的評點，揭示出醞釀文勢的具體技法，或曲折自然而成「勢」，或通過用字反覆、用力繳結、催生波瀾等手法，雄健脫灑而造「勢」，或藏鋒不露而蘊「勢」等等。浙東文派的文勢論尤其是對文勢醞釀技法的精細解析，在中國文章學史上較早也較為系統，具有一定的價值。

文法論上，浙東文派通過古文評點和文話著述所進行的文章技法解析，不僅論及綱目關鍵與起首結尾之篇法、句型穿插與句子承應之句法、造語健壯與下字不苟之字法，還論及超越上述定法、追求「常中有變」、「正中有奇」之活法，同時還揭示出語法修辭、篇章修辭、辭格運用等文法修辭方面的法則，實際上已經具有「定法（篇法、句法、字法）——活法（常變、正奇）——文法修辭（語法修辭、篇章修辭、辭格運用）」這樣一個文法論體系。可以說，浙東文派以文法解析為核心的文法論，比前賢和同儕都更為細密、更為廣泛，也更有體系，為宋代文法理論的成熟做出了重要貢獻，在中國文法論史上具有重要地位。

總之，浙東文派在文道論、文用論、文體論、文風論、文意論、文勢論、文法論等文章批評核心範疇上，都有自己比較成熟的觀點，構建出比較完備的文章批評理論體系，在中國文章學史上具有重要地位。

浙東文派文章批評方面的理論建樹，基於共時性角度，置於宋代散文流派之林進行橫向比較，也顯示出重要價值。

宋代文人有比較強烈的群體意識，同氣相求，同聲相應，由此而形成眾多的文學流派。就散文而言，北宋最有影響的是歐陽修、蘇軾為代表的歐蘇古文派，以及周敦頤、張載、程顥、程頤為代表的道學文派。南宋最有影響的是呂祖謙、葉適為代表的浙東文派，以及朱熹、陸九淵為代表的道學文派，另外林希逸、方嶽為代表的江湖文派也有一定影響。這些文派之中，歐蘇古文派最具文學造詣，最有文學實績，同時在文意論、文勢論、文風論、文體論等方面都有精見卓識，但在文章學的重要範疇文法論上主要是以創作立法，理論探討相對較少。兩宋的道學文派聲勢浩大，在創作上也有一定的成績，在文道論、文用論、文風論等方面也有一些影響很大的論斷，但在文意論、文勢論等方面論述較少，在文法論方面更是不屑為之。江湖文派主要成員是「體制外的不入仕作家」，他們「處江湖之遠」，疏離、淡化文章的社會功用，而偏好其怡情的審美功用，在文意論、文風論等方面有一些精彩論斷，但在文章學的其他方面理論貢獻不大。相比上

述這些文派，浙東文派的科舉色彩最為濃厚，核心成員中三分之二都是進士出身，同時呂祖謙、陳傅良、葉適等還是從事科舉教育的名家，他們幾乎都擅長科舉文章，都認真鑽研過時文套路、文法技巧，故而在文法論上最有成就。同時，文派主要成員都是能文之士，故而論述文道、文用、文體、文風、文意、文勢等也大多能恰中肯綮。更為重要的是，浙東文派作家所撰文話著述、所編文章選本在宋代文派中數量最多，影響最大，這些文章批評論著闡發文章學思想的全面、細緻和成熟，是其他文派難以企及的。

總之，與歐蘇古文派、道學文派、江湖文派等宋代其他文派相比，浙東文派的文章批評理論，更為周全，更為細緻，更成體系，也更為成熟，可以說是宋代文章學理論體系的核心內容之一。文章學在宋代的成熟，浙東文派發揮了主力軍的作用。[72]

綜上所述，不管是基於歷時性角度，或從中國文章學史進行縱向觀照，還是基於共時性角度，在宋代散文流派之林進行橫向比較，宋代浙東文派的文章學貢獻都是非常顯著的。可以說，宋代浙東文派文章批評理論體系的完備和成熟，在很大程度上代表著中國文章批評理論的成熟。

（二）文章批評體式的豐富和成熟

文章學在宋代的成熟，除了文章批評體系的完備和成熟，還有文章批評體式的豐富和成熟。評點類選本（如呂祖謙《古文關鍵》等）、雜記類文話（如樓昉《過庭錄》等）、資料彙編類文話（如王正德《餘師錄》等）、理論著作類文話（如陳騤《文則》等）等文章批評論著體制逐漸成型，並為後世所承襲。宋代文章批評體式的豐富和成熟，浙東文派發揮了非常重要的作用。

浙東文派的文話著述與文章選本數量多，品質佳，在宋代文章批評論著中舉足輕重。從文章批評的最重要載體——文話著述來看，宋代該類著述流傳至今者有二十種，浙東文派有八種，占到四成；並且文話著述的四種類型中，浙東文派就有三種類型，可謂類型豐富；尤為難得的是，宋代文話著述中最有系統性的理論著作類文話，總共三種，其中兩種都為浙東文派著述。詳見下表[73]：

---

72 祝尚書先生〈論中國文章學正式成立的時限：南宋孝宗朝〉認為理學事功派是文章學正式成立的主力，並明確指出呂祖謙、陳傅良、陳亮等在孝宗朝創立文章學。其實，祝先生所謂「理學事功派」，其主體即是浙東事功學派，亦即筆者本文所謂的浙東文派。筆者認為，呂祖謙、陳傅良、陳亮等為主的浙東文派並非「文章學正式成立的主力」，而是「文章學正式成熟的主力」，與祝先生之論異（「成立」與「成熟」之異）中有同（「主力」）。

73 依據王水照先生主編：《歷代文話》上海：復旦大學出版社，2007年，某種文話具體歸入某類參照慈波：《文話發展史略》上海：復旦大學博士論文，2007年相關論述。

宋代文話著述歸類一覽表

文話類別	文話作者及名稱	是否屬於浙東文派	文話類別	文話作者及名稱	是否屬於浙東文派
隨筆雜記類	謝伋《四六談麈》	是	選本評點類	呂祖謙《古文關鍵‧看古文要法》	是
	葉適《習學記言‧皇朝文鑒》	是		樓昉《崇古文訣‧評文》	是
	樓昉《過庭錄》	是		謝枋得《文章軌範‧評文》	否
	吳子良《荊溪林下偶談》	是		魏天應《論學繩尺‧行文要法》	否
	王銍《四六話》	否	理論著作類	陳騤《文則》	是
	洪邁《容齋四六叢談》	否		王應麟《玉海‧辭學指南》	是
	楊囷道《雲莊四六餘話》	否		孫奕《履齋示兒編‧文說》	否
	朱熹《朱子語類‧論文》	否	資料彙編類	張鎡《仕學規範‧作文》	否
	陳模《懷古錄‧論文》	否		王正德《餘師錄》	否
	黃震《黃氏日抄‧讀文集》	否			
	周密《浩然齋雅談‧評文》	否			

　　再從文章批評的另一種重要載體——文章選本來看，宋人所編通代選本有名者如呂祖謙《古文關鍵》、樓昉《崇古文訣》、真德秀《文章正宗》、謝枋得《文章軌範》、王霆震《古文集成》、湯漢《妙絕古今》等，其中前兩種即為浙東文派著述；宋人選宋文之知名選本如呂祖謙《宋文鑒》，江鈿《宋文海》，葉棻、魏齊賢《聖宋名賢五百家播芳大全文粹》，葉棻《聖宋名賢四六叢珠》，虞祖南、虞夔《二十先生回瀾文鑒》，無名氏《國朝二百家名賢文粹》等，其中浙東文派作家呂祖謙的《宋文鑒》乃該類選本之典範；宋人所編數人或個人文章選本知名者如呂祖謙《東萊標注三蘇文集》、陳亮《蘇門六君子文粹》、陳亮《歐陽文粹》、黃大輿《韓柳文章譜》、杜仁傑《歐蘇手簡》、饒輝《圈點龍川水心二先生文粹》、無名氏《南豐文粹》等，其中前三種為浙東文派著述。由此可見，宋人所編文章選本中，浙東文派作家所編占有重要地位。

　　在文章批評體式的創新方面，浙東文派更是可圈可點。陳騤《文則》是現存文話第一書，開創了以文話形式進行文章批評的新紀元；謝伋《四六談麈》與王銍《四六話》一道，共同開創了「四六話」這種駢文批評新形式；呂祖謙《古文關鍵》是現存評點第一書，開創了評點式選本批評法。這些文章批評體式的創新，有力推動了文章學的發展。這些體式創新中，尤以評點式選本批評法的開創，價值更為明顯，影響更為深遠。呂氏《古文關鍵》熔選、評、點為一爐，創建了文章選本評點比較完備的體例。樓昉《崇古文訣》繼承了該書體例，並進一步完善。從《古文關鍵》到《崇古文訣》，體例更加完備，隨文評點式的新型選本批評法更加成熟，並為後來者所繼承，成為文章選本評點的經典範式。

　　總之，在文章批評體式的豐富性和創新性上，浙東文派較之其他文派更為突出。如果說文派文章批評體系的完備和成熟，從內核維度推動著文章學的內涵發展，那麼文派文章批評體式的豐富和成熟，則從載體維度完善著文章學的呈現方式。兩者和合，共同推動了文章學在宋代的成熟。

五言詩：陸游投贈場合的詩體選擇

諸雨辰

北京師範大學文學院古典文獻學

　　陸游是一位多產的作家，自言「六十年間萬首詩」（卷四十九，《小飲梅花下作》，頁2972）[1]，陸游駕馭最嫻熟的是七言詩，《劍南詩稿》中確為陸游所作詩中有七律三千一百七十四首、七絕兩千一百五十首、七古五百二十六首，占其創作總數九千一百一十八首的百分之六十四點二，近人顧隨指出「陸放翁詩七律、七絕好，尤以七絕為佳」[2]，可以說七言詩是陸游最熟悉、最擅長的詩體。而考察陸游詩歌中與他人酬唱應和的作品，可以發現一個突出現象：儘管在六百八十八首交遊應酬題材作品中，仍有四百八十五首是七言詩，占了百分之七十點五，但是其中寫給上級、長輩與逝者的作品中，五律與五古卻佔了多數，計有五十一首，而對應的七言詩只有三十首（主要是七絕和七律）。雖然從絕對數量上看差距並不太大，但對於擅長七言詩的陸游來說，這類詩歌的詩體選擇還是有傾向性的，而陸游有意選擇自己並不非常擅長的詩體寫作這類詩歌就是一個值得分析的問題。

　　本文將這一類寫給長輩、上級與逝者的詩作統一稱為「投贈詩」，它們是詩人有意識地為實現必要的人際往來與現實需要而寫作的。陸游之所以選擇五言體進行投贈詩的寫作，應該和五言詩內在的詩體特徵有關，本文將重點從詩歌的語言與情感的角度對陸游以五言寫作投贈詩的現象進行分析。

一　投贈詩的語言表達：典雅

　　閱讀陸游的五言投贈詩，最直接鮮明的印象就是語言上的典雅，例如：

> 道行端有命，身隱更須名？旰食煩明主，胡沙暗舊京。（卷一，〈送李德遠寺丞奉祠歸臨川〉，頁38）
> 大將上兵符，軍容備掃除。恭惟陛下聖，方採直臣書。（卷一，〈送王龜齡著作赴會稽大宗丞〉，頁42）

1　陸游著，錢仲聯校注：《劍南詩稿校注》上海：上海古籍出版社，2005年，頁2972。後文所引所以陸游詩作均出自此書，以下只隨文註明卷數、篇名、頁數，不再單注。

2　顧隨：《中國古典詩詞感發》（葉嘉瑩筆記）北京：北京大學出版社，2012年，頁217。

　　煌煌帝堯典，推擇首秉筆。愚忠雖懇款，野性實坦率。（卷二十，〈上書乞祠輒述
　　鄙懷〉，頁1558）
　　懸知新天子，虛懷須啟沃，願公論其大，始為天下福。（卷三十二，〈送葉尚
　　書〉，頁2166）

　　以上詩句的典雅明顯地體現在所用詞彙上，如「明主」、「陛下」、「煌煌」、「啟沃」等，但對詩人來說，詩歌首先應該是節奏，是句子、段落而不是詞彙，所以有必要探討形成典雅感的深層原因。上述詩句中一個常見的構句模式是形成簡單的主謂賓結構，如「胡沙暗舊京」、「大將上兵符」，詩句中間的修飾語很少，而倘若有修飾成分，那麼就會變成一個定中短語，如「煌煌帝堯典」，需要借助下一句的敘述才能補完詩意。這體現出一種類似於修辭學上「消極修辭」[3]的藝術效果，以簡練質樸的方式完成詩意表達。而反觀一些出現同樣詞彙的七言詩情況則有細微的差別，如：

　　敢恨帝城如日遠，喜聞天語似春溫。翰林惟奉還山詔，湘水空招去國魂。（卷十
　　三，〈行至嚴州壽昌縣界得請許免入奏仍除外官感恩述懷〉，頁1027）
　　珥貂中使傳天語，一片驚塵飛輦路。清霜粲瓦初作寒，天為明時生帝傅。（卷五
　　十二，〈韓太傅生日〉，頁3074）
　　流輩凋疏情話少，年光遲暮壯心違。倚樓不用悲身世，倦鵑無風亦退飛。（卷
　　七，〈感事〉，頁593）

　　這些詩中同樣出現了諸如「帝城」、「翰林」、「珥貂」、「明時」等典雅的詞彙，但是仔細品味這些詩句，它們和上面的五言句畢竟還有所不同，一個明顯的語言現象是這些七言詩增加了更多修飾成分，如副詞「敢」、「喜」、「如」、「似」，或數量詞「一片」等等，它們直接的效果是把詩句拉長，從而附加了情感的內涵，比如〈行至嚴州壽昌縣界得請許免入奏仍除外官感恩述懷〉，雖是「感恩述懷」，但實際是陸游在被朝廷召還途中，因為趙汝愚所駁，不得已奉祠而作，因而這首詩中難免會有微詞，不滿情緒通過「敢恨」、「惟奉」而含蓄地表達出來，最後的「空招」則更為明顯地表達了壯志難酬的悲慨，故而語詞雖然也是比較典雅的，但終究語帶感情，這和前面幾首少有修飾語、僅由主謂賓構成簡單句所呈現的感覺是非常不一樣的（〈上書乞祠輒述鄙懷〉中的「愚忠雖懇款，野性實坦率」就幾乎沒有情感的注入，基本上是單純地敘述）。同樣，像「一

3　陳望道在《修辭學發凡》中定義了消極修辭與積極修辭兩個概念，「消極修辭是抽象的、概念的。
　　必須處處同事理符合。說事實必須合乎事情的實際，說理論又須合乎理論的聯繫。」而「積極的修
　　辭，卻是具體的，體驗的。價值的高下全憑意境的高下而定。」見陳望道：《修辭學發凡》上海：
　　復旦大學出版社，2011年，頁37-39。

片驚塵飛輦路」這樣的句子，也因為「一片」的數量詞而為「飛」營造了更為廣闊的意境，間接增強了「飛」的動態效果，這和「雍雍肅肅」的典雅風格也是不同的。

修飾語的效果在〈感事〉這首詩中尤其明顯，故而雖然這並不是投贈詩，但卻值得特別加以分析。〈感事〉詩中「倦鶂無風亦退飛」運用了《春秋》「十有六年春王正月戊申朔，隕石於宋五。是月，六鶂退飛，過宋都。」[4]的典故，而詩中加了「倦」、「無風」、「亦」這樣三個修飾詞，其效果是使整句詩顯得更為舒緩，這就大大減弱了《春秋》凝鍊典雅的修辭效果而帶上了更為飄逸曠達的審美體驗。反觀〈送葉尚書〉中的「虛懷須啟沃」，也是用《尚書》的典故：「啟乃心，沃朕心」（〈說命〉）[5]，但是這和「倦鶂無風亦退飛」把整句拓展、拉長正相反，它是將原來的兩個動賓短語凝鍊成一個詞而成為一個語法單位，保持了原有的凝鍊風格，從而使得這兩句比起「倦鶂無風亦退飛」來說要更為接近原典的語言風格。

古詩對典雅的追求來源於中國古典詩歌的源頭《詩經》，《毛詩序》謂：「雅者，正也。言王政之所以興廢也。」[6]撇去其中的政治指向，那麼「雅」可以視為一種詩歌的話語規範，揚雄在《法言》中說：「或問：『交五聲、十二律也，或雅，或鄭，何也？』曰：『中正則雅，多哇則鄭。』曰：『黃鐘以生之，中正以平之，確乎鄭、衛不能入也！』」[7]以雅聲和鄭聲對舉，而其評判標準在於「中正」還是「多哇」，也就是以有沒有繁冗的修飾雕琢為準則，而以儒家「樂而不淫，哀而不傷」的詩學傳統來說，明顯有一種克制自我、克制抒情的意味。帶著這樣的思維來反觀五、七言詩中的典雅風格，那麼很明顯限制性的敘事才是更契合「雅」這一詩歌傳統的。五言詩由於字數限制，在完成了主謂賓句式的構建後，由於沒有字數充當定語、狀語等修飾語，自然就限制了主觀的抒情，只能呈現為一種「消極修辭」的效果。而如果五言詩還要主觀抒情，就會竭力去煉字、去騰挪布局，這種「努力」又只能促使五言詩句意密度更大，使其更為典雅。

我們還可以從詩歌語音發展的角度解釋這個問題。從語音節奏上說，五言詩只有「二三」之間「頓」這一個停延，而七言詩除了「四三」之間「頓」的停延外，還有一個「二二」的「逗」的停延，表面上只是添了兩個字，前後頓逗之間依然保持字數的相對一致，但卻會帶來根本性的差別，多了一個停延節奏就使七言詩明顯地更自由。這是因為五言詩的一頓與四言詩的一頓相一致，而七言詩多了一「逗」就從《詩經》的四言經典模式中解放了出來，從詩歌發展的角度看，五言與四言的關係相對接近而七言與三言的關係相對接近[8]，這就影響到兩類詩歌體制不同的表達效果，林庚說：「五言的上半

4　楊伯峻：《春秋左傳注》北京：中華書局，1990年，頁368。

5　孔安國傳，孔穎達正義：《尚書正義》上海：上海古籍出版社，2007年，頁367。

6　馬瑞辰：《毛詩傳箋通釋》北京：中華書局，1989年，頁10。

7　揚雄：《法言》北京：中華書局，2012年，頁36。

8　關於這一點可以參考葛曉音在《先秦漢魏六朝詩歌體式研究》一書中多篇文章的詳細論述。

行還具有四言的節奏性質，所以就更文雅些、持重些」，「七言本質上既是更單純更徹底的『三字節奏』詩行（這從『三三七』的關係上也很容易看得出），它比起五言來更為俚俗而豪放的特點，在這裡也就更為便於出現。」[9]

正是這些原因，使得擅長七言詩的陸游在寫作投贈詩歌時，為了有意識地追求典雅的語言，也自然要運用五言詩的體制，以一種簡單的句法組織形成限制自我情感的「消極修辭」。

二　投贈詩的情感表達：崇敬

一般來說，投贈詩的基調就是表達對對方的絕對尊重，當詩人要表達對師長或先賢的崇敬之心時，內心常常是緊張而忐忑的，必定會仔細斟酌如何下筆才能妥帖，非到一字不可易為止。這就要求至少兩點：一是語詞上典雅、得體，二是內容上周全、明晰，諸如誇張、鋪敘等手法都是不適宜的，所以表達崇敬之情的詩作往往出現在五言詩、特別是五言古詩中。例如：

> 夜輒夢見公，皎若月在天，起坐三嘆息，欲見無由緣。忽聞高軒過，歡喜忘食眠，袖書拜轅下，此意私自憐。（卷一，〈別曾學士〉，頁1）
> 平生事賢意，寸心渴生塵，樂哉得所從，貧病忘呻吟。恭惟大雅姿，信是邦國珍。（卷一，〈送陳德邵宮教赴行在二十韻〉，頁24）
> 公時立殿上，措置極雍容。南荒竄驕將，京口起元戎。舊勳與宿貴，屏氣聽指蹤。規模一朝定，強虜終歸窮。（卷一，〈送湯岐公鎮會稽〉，頁50）

這幾首詩分別贈予陸游的老師曾幾、陸游的長輩陳棠和丞相湯思退，他們都是陸游所敬重或者對他有知遇之恩的人。從中可以看到兩個特點：首先，詩中充滿了典雅的詞彙，如「高軒」、「拜轅下」、「大雅姿」、「邦國珍」、「雍容」等等，另一個特點是句間關係密切，如果前面對語言的分析還可以摘出一聯或兩聯進行討論的話，這裡就不得不摘出三至四聯來，因為這些詩句與句間的聯繫是異常緊密的，〈別曾學士〉和〈送陳德邵宮教赴行在二十韻〉都是四句詩完成一個語意的表達，而〈送湯岐公鎮會稽〉為了虛飾湯思退的功勞，更將紹興三十一年（1161）完顏亮南侵時京口、采石磯保衛戰的前前後後都照應周詳。換言之，它們在表達崇敬之情的時候，都使用以敘事代抒情的手法，無論是敘述自己對與對方相見的渴望還是敘述對方的生平事蹟，都使用了邏輯性較強的推論性語言，這是崇敬類詩句在語言上的第二個特點。

9　林庚：〈略談唐詩的語言〉，《文學評論》，1964年第1期，頁73-85。

　　第一個特點是很好理解的，因為在人們的潛意識裡典雅的就是值得稱讚的，所以要稱頌別人就很自然地會在措辭上使用這些話，即使今天我們在稱讚一個人的時候還是喜歡用四字成語，就是這種內在意識的體現。而第二個特點需要從接受的角度來解釋。從詩歌的功能上說，這些詩絕不是簡單地寫給自己看的，而是一種交際的工具，常常作於送別、拜謁、寄贈的場合，錢仲聯認為「蓋送行之辭，不無誇諛」[10]，這是很有道理的。但要誇諛是一回事，怎麼誇又是另一回事，也就是說怎麼寫最終決定著詩歌在表情過程中是否誠摯。

　　英國學者特雷・伊格爾頓在《如何讀詩》中提出一個觀點：「『文學的』情感是對詩的反應，並不就是發生在它們的存在中的感情狀態。」[11]伊格爾頓的意思是說，詩歌的情感並不完全是詩歌直接呈現出來的，而是經由讀者的閱讀而「反映」在讀者心中的，他舉出卡爾・桑德伯格的《芝加哥》中一些詩句為例，說明這首詩中「率意的語言，跛行的老套的短句和宏大的盛氣凌人表明，情感本身是偽造的。」[12]儘管這是西方理論家解讀西方詩歌的案例，但這種現象在中國詩中也是存在的，當詩人用誇張、宏大、放肆的語言來高揚某種價值的時候，讀者並不會真的相信詩人所標舉的那些東西，比如後人在讀到像員半千〈陳情表〉那樣的文章時，肯定不相信員半千真的像他自我吹噓的那樣好，而如果把這種自誇之文改成稱頌之詩，那麼寫得過於宏大、率意，甚至過分使用典故也不能有效打動人，這就是詩歌的不誠摯，是一種失敗的放肆和炫耀。

　　陸游的〈送湯岐公鎮會稽〉這首詩就很有典型性，湯思退本身在政治上依附於主和派的秦檜，陸游卻對此不置一詞，在京口擊敗金兵的也是虞允文和楊存中，而陸游卻將此推功於湯思退的指揮自若，這些不完全合乎歷史真實或者遮蔽了部分歷史真實的詩句，因詩歌前後緊密的關係以及毫無藻飾的句子，給人的感覺就像是客觀地描述了事實一樣，這正是作為收到贈詩的湯思退所期待的閱讀效果。如伊格爾頓所說，在詩歌中「就虛構化來說，它並不真的在乎爭議中的體驗是否真的發生過」，因為「一個陳述的意義，部分地由它期待的何種類型的接受決定」。[13]在湯思退的閱讀期待中排除了歷史現實對他不利的一面，詩歌虛飾出來的頌揚與崇敬也由此被「反映」出來。

---

10 陸游著，錢仲聯校注：《劍南詩稿校注》，頁52。

11 Terry Eagleton, *How to Read a Poem* (New Jersey: Blackwell Publishing, 2007), 114.本文所使用的本書譯文均為陳太勝譯本。

12 詩句為：Come and show me another city with lifted head singing so proud to be alive and coarse and strong and cunning. /Flinging magnrtic curses amid the toil of piling job on job, here is a tall bold slugger set vivid against the little soft cities; / Fierce as a dog with tongue lapping for action, cunning as a savage pitted against the wilderness... 中譯為：來吧，向我展示另一個城市，能用高昂的頭顱如此驕傲地歌唱活著、粗魯、強壯和狡詐。把誘人的詛咒投進工作推著工作的勞苦中間，在這裡，高大勇猛的拳擊手對這小又柔軟的城市釋放著活力；／兇狠得像狗用舌頭舔著準備行動，狡詐得像野蠻人對抗荒漠……（陳太勝譯）

13 Terry Eagleton,"How to Read a Poem," 33.

　　五言詩在典雅的語言與崇敬的情感兩個方面具有特異於七言詩的獨特意蘊，這使得陸游在寫作投贈詩時，有意識地選擇了五言詩體。而進一步分析，我們還會注意到陸游寫作輓詞與拜謁詩時選用的詩體又微有差異：陸游共作輓詞五十三首，其中三十首都是五律，而他寫作的二十九首拜謁詩，選用詩體最多的是五古，計有九首，同樣使用五言句，二者還是有所區別的，這其中又有不同的表達需要與不同的詩歌體制相適應的問題，下面分別加以說明。

三　輓詞的最佳載體：五律

　　陸游所作輓詞非常鮮明地集中於五律，這樣詩歌可以更為莊重，例如：

> 位歷公卿貴，身兼將相榮。珥貂儀一品，錫帶價連城。入告推忠厚，躬行本志誠。斯民何以報，萬里遍春耕。（卷三十，〈太師魏國史公輓歌詞〉，2064）
>
> 屢出專戎閫，遄歸上政途。勳勞光竹帛，風采震羌胡。簽帙新藏富，園林勝事殊。知公仙去日，遺恨一毫無。（卷三十三，〈范參政輓詞〉，頁2185）
>
> 爵邑恩榮盛，鄉閭譽望尊。儒科傳累葉，上壽萃高門。阡茂新栽柏，堂餘舊樹萱。故民何以報，沾灑望秋原。（卷四十四，〈汪給事太夫人程氏輓辭〉，頁2752）

　　〈太師魏國史公輓歌詞〉是陸游為史浩所作，史浩在紹興三十二年（1162）曾向宋孝宗舉薦過陸游，陸游因而被召見並獲賜進士出身，可以說史浩對他有知遇之恩，又據陸游〈陸郎中墓誌銘〉史家與陸家還有姻誼。但史浩在南宋歷史上也是主和派，這與陸游的主戰理想不一致，因而陸游與史浩之間就是一種比較微妙的關係。詩的首聯及頷聯點明史浩「位歷公卿貴，身兼將相榮」的榮耀，頸聯寫史浩忠厚、至誠的人品，尾聯寫他死後人們對他的情感。典雅的語言在凝鍊而又對仗的五言句中得到了很好的展現（值得注意的是此詩首聯就開始對仗）。同時，就像前面分析崇敬情感時我們指出的，崇敬這種有節制的情感本身就消除了讀者對於誇張的藻飾的質疑，因而詩歌本身也能帶來一種誠摯的情意，這樣就能最大限度地彌合歷史現實中存在的情感與政治意見之間的分歧與張力。

　　〈范參政輓詞〉是陸游為上級兼詩友的范成大去世而作，詩在內容上與前一首沒有太大區別，首聯寫范成大一生功業，頷聯盛讚他的功名與地位，這些都是輓詞必備的內容。頸聯寫范成大私家園林的物是人非，最後落筆在他因為實現了人生理想，所以去世也沒有遺恨上，在處理方式上和前一首中的「斯民何以報，萬里遍春耕」比較類似，都是宕開一筆寫一個相對悠遠或長久的時空中悼念對象的精神魅力與人生價值。而且首聯對仗的特點在這首輓詞中也出現了，這可以算是輓詞的一種常見寫作模式，這種模式發

展到明代如湯顯祖為皇帝作輓詞甚至使用了五言排律的詩體，可見對仗對於輓詞的重要性之高。

最後一首〈汪給事太夫人程氏輓辭〉是陸游寫給一位女性的輓詞，但拿這首詩放在男性身上也並無不適感，這就明顯看出了輓詞高度程式化的特點，起句也是寫這位夫人的地位與榮譽之高，和前面寫史浩、范成大的語言沒有什麼區別，接著寫她培養出一家的儒士都榮登高第，是在肯定其一生所做的辛勞很有價值，頸聯以樹木的茂盛寫她留於世間的恩澤，這種思維方式上接《召南·甘棠》篇以對甘棠的愛惜表達人們對召公的思念，暗用典故。最後一句還是拉到一個闊遠的時空中寫人們的懷念之情，在寫作模式上與前面對男性寫作的輓詞如出一轍。

從上面幾首詩中我們可以看出具有悼念功能的輓詞的典型特徵——程式化，無論是寫給恩人還是詩友、甚至女性，輓詞都無一例外地要寫他們的榮譽與地位、他們的一生功業、他們的道德人格以及人們對他們的懷念。這種程式化的內容就很有必要通過五律來寫，五律本來就要在頷聯與頸聯形成對仗，而這些詩更從首聯就對仗，這在一般性的抒懷或記事的詩作中很少見，因為對仗的句子是不太容易實現自由抒情的，特別是作為詩歌的起句就更是如此，明人楊慎在《升庵詩話》中對此有一個經典的論述：

> 五言律起句最難，六朝人稱謝朓工於發端。如「大江流日夜，客心悲未央」，雄壓千古矣。唐人多以對偶起，雖森嚴，而乏高古。宋周伯弼選唐三體詩，取起句之工者二：「酒渴愛江清，餘酣漱晚汀。」又「江天清更愁，風柳入江樓」是也。語誠工，而氣衰颯。余愛柳惲「汀洲采白蘋，日落江南春」……雖律也，而含古意，皆起句之妙，可以為法，何必效晚唐哉？[14]

在楊慎看來，五言律詩起句難點在於能以高格發端，從而不失古意，所以他所推崇的詩例都是不對仗的，認為這些詩「雖律也，而含古意」，而他認為「唐人多以對偶起，雖森嚴，而乏高古」、「語誠工，而氣衰颯。」楊慎雖然是從提倡詩歌要有高格的角度立論的，但他對首句入韻五律的批評之詞也正是這類詩作對於輓詞來說的優點，即筆法森嚴而工穩。出於對逝者的尊重，即使其地位與詩人相當或者還低一點，也依然有必要做到穩重、恭敬，所以即使有損詩歌的格調，但能做到穩重這點對於輓詞這種功能性詩作來說，就已經符合標準了。

---

14 丁福保：《歷代詩話續編》北京：中華書局，2006年，頁661。

四　拜謁詩的優勢載體：五古

　　寫給上級、長輩的拜謁詩，也需要對寫作對象表示絕對尊重，因為拜謁之作往往都是晚輩、下級獻給長輩或高官的，所以在風格上也會追求典雅、工穩。但略有差異的是輓詞一般集中於悼念對象的表現，不會有太多的筆墨寫詩人自我的感情，寫作時一般也不會大篇幅地描繪寫作對象的事蹟，它們一般都以凝鍊為要。而拜謁之作在這方面可以相對靈活，詩人表達自己對所獻之人的仰慕是很有必要的，因而篇幅上多回環往復、語言上靈活自由的五古是投贈之作比較常見的詩體，下面分別舉例分析：

> 兒時聞公名，謂在千載前。稍長誦公文，雜之韓杜編。夜輒夢見公，皎若月在天。起坐三嘆息，欲見亡繇緣。忽聞高軒過，歡喜忘食眠。袖書拜轅下，此意私自憐。道若九達衢，小智妄鑿穿。所願瞻德容，頑固或少瘳。公不謂狂疏，屈體與周旋。騎氣動原隰，霜日明山川。鞄繫不得從，瞻望抱悁悁。畫石或十日，刻楮有三年。賤貧未即死，聞道期華顛。他時得公心，敢不知所傳。（卷一，〈別曾學士〉，頁1）
>
> 浮生無根株，志士惜浪死。雞鳴何預人，推枕中夕起。遊也本無奇，腰折百僚底。流離鬢成絲，悲吒淚如洗。殘年走巴峽，辛苦為斗米，遠衝三伏熱，前指九月水。回首長安城，未忍便萬里。袖詩叩東府，再拜求望履。平生實易足，名倖汙黃紙，但憂死無聞，功不掛清史。頗聞匈奴亂，天意殄蛇豕。何時嫖姚師，大刷渭橋恥？士各奮所長，儒生未宜鄙。覆氈草軍書，不畏寒墮指。（卷一，〈投梁參政〉，頁135）

　　這兩首詩用古體詩回環往復的篇法來表現陸游對曾幾、梁克家的崇敬以及對二人的稱讚，古體詩的體制使得這種表達比律詩來說相對自由。如〈別曾學士〉一首，前四句一層客觀陳述陸游少時對曾幾的仰慕及閱讀情況，接著四句寫他希望見到曾幾的懇切心情，轉入主觀表達，再來又一轉寫拜見曾幾的喜悅，從「道若九達衢」開始歌頌曾幾的道德與學問，到「騎氣動原隰」開始又轉一層寫告別曾幾時的心情，最後落到曾幾對陸游的影響，「他時得公心，敢不知所傳」很有表忠心的意思。詩歌就在不斷地「十步一回頭，要照題目，五步一消息，要閒語讚嘆」[15]的「回照」中把陸游對曾幾的仰慕、期盼，相見時的喜悅、崇拜，告別時的不捨，以及對自己的影響等內容從容不迫地一一道來，把圍繞著陸游見曾幾這一事件的方方面面都寫得很詳細，而每次轉折都照應著對曾

15　范德機：《木天禁語》，載何文煥：《歷代詩話》北京：中華書局，2004年，頁745。

幾的崇敬心情，這種全面細緻的表達也是近體詩做不到的，而正是因為全面細緻才使得詩歌稱讚對方時具備極大的真實、客觀之感，又因為熔鑄了陸游自己的各種心理感受，使詩歌具有了更多的人情味，雖是拜謁之作，卻絲毫沒有因誇讚而帶來的虛偽、枯燥之感。

〈投梁參政〉是陸游入蜀途中拜謁參知政事梁克家而作，詩歌的妙處在於拜謁梁克家卻從自己寫起，先寫自己的發奮以及志向，進而轉入自己「遊也本無奇，腰折百僚底」的沉淪下僚，以及在殘年入蜀的無奈。然後又是一轉，「回首長安城，未忍便萬里」表露自己對國家安危的掛念，再一轉進入詩歌的核心部分，也就是陸游希望向梁參政表達的：「袖詩叩東府，再拜求望履」，希望梁克家能幫助推薦自己去參戰，實現「何時嫖姚師，大刷渭橋恥」的願望，結句再一次表達自己堅定的信念和希望為國效力的決心：「覆氈草軍書，不畏寒墮指」。作為具有明確目的性的拜謁之作（希望得到梁克家的舉薦），肯定不能一上來就切入主題向對方提出自己的要求，而需要在前面有一個鋪墊，如寫自己的志向、境遇等，這才能凸顯對方此時的知遇之恩對自己來說是多麼重要，這就需要不斷用曲筆進行兜轉、回照，之後才能提出自己的要求。而且僅僅提出要求仍然不夠，還需要有對這種要求或者希望的堅定信念，這就還需要再轉一面、再鋪一層，必得如此詩歌才能委婉周詳，也才有可能實現拜謁的最終目的。蔡義江對五言古詩有一個非常到位的總結：「投呈上官顯要之詩，用五古的最多，因為此體端莊穩重，且用以言事抒懷，不受格律和篇幅的限制，較為自由。」[16]換言之，無論是像〈別曾學士〉那樣細緻入微地表達對曾幾的崇拜，還是像〈投梁參政〉這樣拜謁高官，都既需要莊重、典雅的語言，又需要足夠的篇幅為敘事和言志抒情布局，這就真的非五古莫屬了。

綜上所述，陸游雖以七言詩為人稱道，但是他在寫作贈與長輩、上級與逝者的投贈詩時，卻有意識地選擇了五律或五古的詩體，這是因為和七言詩相比，五言詩在語言上句式簡單，可以利用抑制情感的「消極修辭」效果，形成典雅的語言，同時在崇敬情感的表達上，可以通過限制性的語言營造沒有誇飾的「誠摯」感，便於頌美功能的實現。在五言詩中，五律以其精緻的對仗與四聯詩程式化的表達內容，使它更適合輓詞的悼念場合。五古則可以通過鋪敘與迴環往復的章法交代詩人對拜謁對象的崇敬、虛飾出對象的英姿偉業，使得它在贈與上級、長輩的拜謁詩中更具優勢。

---

16 蔡義江：《陸游詩詞選評》上海：上海古籍出版社，2002年，頁31。

陸游「以詩為詞」辨

楊靜

中國人民大學國學院

　　陸游，南宋初期文人，現存作品近萬首，為一代大家的姿態受各代文人關注。他以洋溢著強烈的愛國主義激情的詩作為後代人稱讚，有「小李白」之稱，也自言「六十年間萬首詩」。相對於詩作而言，陸游詞的研究就薄弱了很多，對於當時被當作「詩餘」的詞而言，陸游是持有怎樣的態度，而其創作又有怎樣的特色呢？筆者在整體觀察陸游詞後，想用「以詩為詞」來概括其詞的特徵，「以詩為詞」的概念自宋代就有，文章中不探討它的具體定義，只從陸游詞的特徵出發，意圖說明讀者更好的欣賞陸游詞作。全文分為五大部分，第一部分主要概述陸游「以詩為詞」這一問題的研究現狀。第二部分是本文的重點，解釋陸游詞「以詩為詞」的具體創作手法，包括在語言、內容、題材以及情感表達上的多種創作特徵。第三部分展現陸游詞的「詩化」，是由「以詩為詞」導向的具體表象，打破了詩詞之間的文體區別。第四部分闡釋陸游「以詩為詞」出現的原因，分時代背景、陸游生平性格以及詩詞觀三個方面。最後一部分，作為全文的結尾，論述陸游使用這種創作手法的具體得失。同時，也通過全文的論述，辯證了「以詩為詞」的相關問題。本文從「以詩為詞」是一種創作手法出發，具體分析這種創作手法，進而分析由這種手法導致的現象，也就是陸游詞的「詩化」，最後分析原因和得失。

一　陸游「以詩為詞」研究現狀

　　「以詩為詞」最早出現在陳師道的《後山詩話》中：「退之以文為詩，子瞻以詩為詞，如教坊雷大使之舞，雖極天下之工，要非本色。」[1]是用來評論蘇軾詞作的，雷大使為宋神宗時著名舞人，舞藝極天下之工，但陳師道認為舞者應為妙齡女子，以男子而舞，雖舞藝及工，亦非本色，蘇軾詞就如雷大使之舞，雖然寫得很好，但卻並非詞的本色，對蘇軾「以詩為詞」的創作手法是持質疑態度的。自蘇軾這樣刻意使用這種創作手法之後，其受到的褒貶不一。褒者群起效仿之，為詞體的確立作出了極大的貢獻，而貶者多持詞乃「詩餘」、為「小道」，不值得創作，而陸游一方面認為詞乃「詩餘」，另一方面又隨時創作，在晚年仍然為其詞作編冊，他的「矛盾」詩詞觀在後文會有詳細講解。

---

1 何文煥：《歷代詩話》北京：中華書局，1981年，頁309。

　　對陸游的現世研究如江水波濤滾滾，品相繁多，卻大多集中在對其詩作的研究，相比之下，對其詞的關注就少了很多。農遼林先生作《陸游詞研究綜述》[2]，對近現代學者關於陸游詞的研究成果作了文獻綜述。首先指出，陸游詞的研究沒有受到足夠的重視，一直被大家忽視，直到上世紀八、九〇年代，陸詞的研究才漸漸多了起來，同時也趨於細化。但通過筆者閱讀，大多數學者都只關注到了陸游詞某一方面的特殊性，會從陸游詞的風格特點、思想感情、題材類型以及藝術表現這些方面中挑取某一方面進行鑒賞解析，卻沒有整體觀察陸游詞作的研究。而筆者在系統的讀完陸游詞之後，關注到了陸游詞一個顯著的特徵，就是它的「詩化」，這是陸游運用「以詩為詞」創作手法所致的。對於陸游的「以詩為詞」，也有幾位學者對其進行了論述，見下：

　　房日晰先生在《陸游詞「以詩為詞」說》[3]中重點分析了陸游詞的氣勢、意境和語言，得出陸游大量雜糅前人詩句，詩境不同於之前的婉約，表現手法上也作出了改變的結論。莊庭蘭在《陸游詞體探析》[4]中重點分析和統計了陸游詞化用前人詩句的現象，主要在文章中作了實證分析，提供了大量的依據。而劉家麗在《陸游的以詩為詞》[5]中從三個方面進行了分析，分別是陸游的愛國情懷、雜糅詩句以及詞境宏大。而以上學者所分析的這些，確實都是陸游「以詩為詞」創作手法的表現，但可以看出，這些分析都不夠全面，學者們只是截取陸游詞中比較顯著的特徵作了重點的分析，並沒有對其手法進行很系統的總體論述。再者，對陸游詞的「詩化」現象出現的原因以及影響，也沒有詳細的論述。以至於大家並沒有一個對陸游的「以詩為詞」很明確的認識。因此，這篇文章會涉及到陸游「以詩為詞」的具體表現、「詩化」特色、形成原因以及影響各方面，以形成一個對陸游「以詩為詞」的整體觀照。

二　陸游「以詩為詞」創作手法的具體展現

　　關於陸游「以詩為詞」創作手法的具體展現，本文將從四個方面進行論述，分別是語言、內容、題材以及情感表達方面。

（一）語言

　　「以詩為詞」的創作手法表現最為明顯的就是在語言上，主要有兩個方面。首先就是大量化用前人的詩句，致使其詞出現很明顯的「詩化」現象。而關於這一點，現存的

2　農遼林：〈陸游詞研究綜述〉，《南寧師範高等專科學校學報》，2008年第2期，頁37-39。

3　房日晰：〈陸游詞「以詩為詞」說〉，《古典文學知識》，2008年第2期，頁120-127。

4　莊庭蘭：〈陸游詞體探析〉，《華南師範大學學報（社會科學版）》，2012年第5期，頁89-93。

5　劉家麗：〈陸游的以詩為詞〉，《文教資料》，2013年第31期，頁52-54。

分析中已經有了很詳細的論述，無論是從直接引用、拆用、隱用等方面化用詩句都有詳細的解釋，特別是在莊庭蘭的《陸游詞體探析》中，統計陸游「在詞中共化用詩句九十四次，這相對於一百四十多首放翁詞而言，其比例不可謂不高；並且他所化用的詩句也極為豐富，從《詩經》到宋詩，可以說他汲取了眾家的精華於詞中。」並且指出陸游化用杜詩次數之多，有多達十八次，化用自己詩句二十四次。對化用杜甫的詞句，她在文中也作了詳細的列舉和對比。將杜甫〈閣夜〉中的「五更鼓角聲悲壯」改成〈水調歌頭〉中的「鼓角臨風悲壯」；將〈春日〉中的「春日春盤細生菜」改為〈感皇恩〉中的「正好春盤細生菜」；〈奉贈韋左丞丈二十二韻〉中的「儒冠多誤身」改為〈謝池春〉中的「笑儒冠自來多誤」。這樣明顯和大規模的化用，可見陸游對杜甫詩的喜愛，也不免讓人想到他與杜甫相似的人生經歷和相同的愛國憂民情懷。而杜甫詩本就具有「沉鬱頓挫」的風格，大量化用他的詩句，也對陸游詞的風格產生了一定的影響，帶有了一定的「沉鬱」風。除了杜甫的詩句，他也化用了很多其他唐代文人的詩句，其中包括李白、杜牧、李賀等人。取李白〈草書歌行〉中「時時只見龍蛇走」中的龍蛇二字入〈漢宮春〉中「看龍蛇，飛落蠻箋」、〈少年行〉中的「呼盧百萬終不惜」為〈鷓鴣天〉中的「百萬呼盧錦瑟傍」；而杜牧的〈題禪院〉「今日鬢絲禪榻畔，茶煙輕颺落花風」也被陸游化用為〈漁家傲·寄仲高〉裡的「愁無寐，鬢絲幾縷茶煙裡」；化用李賀〈金銅仙人辭漢歌〉中的「天若有情天亦老」為〈蝶戀花〉中的「天若有情終欲問」；化用白居易的〈賦得古原草送別〉中的「離離原上草」為〈桃源憶故人〉中的「離離芳草長亭暮」；晚唐賈島〈客喜〉中的「鬢邊雖有絲，不堪織寒衣」被化用在〈滿江紅〉中「問鬢邊、都有幾多絲？真堪織。」除了這些唐代詩句外，他還直接引用《詩經》中的句子「元戎十乘」以及《古詩十九首》中的「人生非金石，豈能長壽考」為「壽非金石」。從以上所取的例子可以看出，陸游會採用直接引用詩句、在前人詩句基礎上增字、減字、打亂結構化用以及採用其中的經典字詞等方式來作詞。而這些詩句，大家本就耳熟能詳，這樣直接拿來化用，更加讓他的詞讀起來有詩的感覺。詞中化用詩句定然不是陸游的首創，但他的大規模化用為其詞帶來了濃濃的「詩味」。

　　另一方面表現在語言格式上。陸游極其所能，在詞作中使用對仗手法。詞體不像律詩整齊，頷聯與頸聯嚴格要求對仗。詞調多為長短句，句式不齊，對仗也很自由，可以對仗，也可以選擇不對。很多作者為了情感的表達方便，任性而發，便不注重形式，比如與陸游同時的辛棄疾，〈滿江紅〉中下片第七、八句，〈游清風峽〉「人似秋雁無定柱，事如飛彈須圓熟」使用對仗，而〈山居即事〉「若要足時今足矣，以為未足何時足？」就不對仗，形式非常靈活。詞體確立之後，對仗靈活也成為其顯著的特徵，帶來了輕鬆靈動的風格。而在陸游的詞中，陸游極其所能，只要可以使用對仗的地方均使用對仗，據統計，其使用頻率甚至比宋詞的大家柳永、周邦彥還要高出一些。而且詞中的七字對、六字對、五字對都非常工整，「雙雙新燕飛春岸，片片輕鷗落晚沙。」疊詞相

對，動詞與名詞對仗也非常的工整。「鳩雨催成新綠，燕泥收盡殘紅；攜酒何妨處處，尋梅共約年年；一枕蘋風午醉，二升菰米晨炊。」上下句句式整齊，連詞的屬性和類別也區分得很清楚，動詞組「催成」對「收盡」、「攜酒」對「尋梅」、「午醉」對「晨炊」；名片語「鳩雨」對「燕泥」、「新綠」對「殘紅」、「處處」對「年年」。「半廊花院月，一帽柳橋風。」對仗也非常的工整。由首字領的四字句，陸游也都使用對仗，「粉破梅梢，綠動萱叢，春意已深。漸珠簾低卷，筍枝微步，冰開躍鯉，林暖鳴禽。荔子扶疏，竹枝哀怨，濁酒一尊和淚斟。憑欄久，歎山川冉冉，歲月駸駸。」這首〈沁園春〉僅上半闋中就用了五組四言對仗詞，由「漸、歎」所領的句子也都對仗。可見，陸游對詞中對仗的高要求，他忽視了詞這種文體對仗靈活的特徵，放棄了任由感情隨性而發、放棄了詞應有的自由，而是有所注重的在可以使用對仗的地方均使用對仗，可以看出陸游填詞時也抱著一種寫詩的態度，對詞的對仗形式也有較高的要求，因此為詞賦予了律詩的韻味。

（二）內容

在內容方面，最顯著的體現就是大量化用典故以及使用詩中常用意象。陸游詞中大量的使用典故，據統計，一百四十五首詞中，除去斷句，還有少量的小令沒有使用典故以外，其餘的詞均使用了典故，使用頻率相當高。而使用的典故主要有兩類，一類是封侯拜相、建功立業的故事，像班超、揚雄、蘇秦舊事以及甘泉、梁園、延英殿、淩煙閣、麒麟閣等地名的使用；另一類是隱逸江林，休閒度日的典故，如五湖、張翰、嚴陵等。「自許封侯在萬里」（〈夜游宮〉），班超自幼家貧，嘗輟業投筆歎曰：「大丈夫無他志略，猶當效傅介子、張騫立功異域，以取封侯，安能久事筆研間乎？」[6] 陸游想要效仿班超封侯萬里，可見他的雄心壯志，想要報效祖國，而班超的事蹟也不止一次的出現在陸游的詞中；「早信此生終不遇，常年悔草〈長楊賦〉」（〈蝶戀花〉），揚雄當年賦〈長楊賦〉以諷當時時事，告誡成帝守住國家基業，而陸游一心仕進，卻終生不遇，內心充滿苦悶和煩躁；「替卻淩煙像」，唐太宗時期圖畫秦府功臣長孫無忌等二十四人於淩煙閣，特為表彰功臣；「慕封侯定遠，圖像麒麟」（〈洞庭春色〉），麒麟閣，漢代閣名，在未央宮中，漢宣帝時期圖霍光等十一功臣像於閣上，以表揚其功績。「甘泉宮」為漢武帝時期的行政區域，「上甘泉」表明陸游內心對仕途的渴望。「淩煙、麒麟、甘泉」都是建功立業的代表，這些詞的頻頻出現，更是表明了陸游的心態。而另一方面，他也大量引用了歸隱典故，「五湖歸棹」是指春秋末越國大夫范蠡，輔佐越王勾踐滅亡吳國之後功成身退，乘輕舟以隱於五湖；「眼底榮華元是夢，身後聲名不自知。」（〈破陣子〉）則引用

6　〔南朝〕范曄：〈班梁列傳第三十下〉，《後漢書》北京：中華書局，2014年，卷47，頁256。

晉朝張翰「使我有身後名，不如即時一杯酒」的曠達事蹟，表達自己看破榮華和名聲；而嚴光為東漢著名隱士，少有高名，光武即位之後，多次聘請他，但他隱姓埋名，高風亮節為後人所稱頌。在歸隱詞中引用這些典故，使得他的意向顯而易見，在仕途不順時，也產生了想要歸隱的念頭。而無論是引用擁有豐功偉業，還是成功隱退的事蹟，這些典故都極少出現在前人的詞作之中，這自然和詞的題材是有關的，之前的詞侷限在男女情事或者女性情思之上，儘管之後很多文人通過女性視角來寄託自己的愁思，但是這樣直接化用相應典故表達自己的情感還是很少的，因此，這些典故的使用，也代表了陸游詞的特殊性。使用這些典故，便於陸游情感的表達，容易引起讀者的共鳴，同時，不可避免，它也會增強作品的歷史厚重感。而詞向來都是輕鬆靈動的，用典無疑把詞向詩的方向更推近了一步。

　　另一方面，陸游詞一百四十五首，其中某些意象的高頻出現，使得陸游詞的主題集中在愛國情懷和休閒隱逸兩大方面，同時也揭示了陸游詞的一大弊端。

　　「角聲（鼓角臨風悲壯、角殘鐘晚）、邊城（秋到邊城角聲哀）、烽火（烽火連空明滅、烽火照高臺）、風雨（西風攜雨聲翻浪、醉聽風雨）」等這些常常出現在陸游愛國詩中的詞也高頻出現在其詞中，增強了詞的氣勢，形成一種激昂慷慨的似詩的詞風。而鬢髮變白更是陸游常用的意象，用來表達時光匆匆而功名未成的無奈。「扁舟（潮落舟橫、聚散漁舟、醉弄扁舟）、梅（遙指梅山、人共梅花、探溪梅消息）、飛花（空花塵世、岩花開落、花影亂、寒食落花天）、煙雨（一葉飄然煙雨中、一蓑煙雨、湘湖煙雨、煙雨初晴）、月（月下吹笛、空江秋月明、江頭月底、明月梅山笛夜）」等這些詞也頻頻出現，增強了陸游詞的意境，使其帶有一種清新的風氣，有了閒適飄逸的風格。以上這些意象的使用讓陸游的詞和詩具有了相同的感情色彩，他的詞就更添了一種似詩的風格。

　　但以上意象的高度集中使用，也使得陸游詞並沒有太大的新意，讀幾首典型代表作就可以洞悉陸游詞的整體風格，很多相同主題的詞作都很雷同，不值得每篇進行深究。比如以下幾首〈烏夜啼〉：

> 世事從來慣見，吾生更欲何之。鏡湖西畔秋千頃，鷗鷺共忘機。一枕蘋風午醉，二升菰米晨炊。故人莫訝音書絕，釣侶是新知。
> 素意幽棲物外，塵緣浪走天涯。歸來猶幸身強健，隨分作山家。已趁餘寒泥酒，還乘小雨移花。柴門盡日無人到，一徑傍溪斜。
> 從宦元知漫浪，還家更覺清真。蘭亭道上多修竹，隨處岸綸巾。泉冽偏宜雪茗，粳香雅稱絲蓴。翛然一飽西窗下，天地有閒人。

都是講述自己想要歸隱，放棄世俗的詞作，淺顯易懂，意象和格調都有所重複，這樣讀下來，不免會覺得有些無聊，不夠精緻。因此，並不是陸游的每一篇詞作都值得仔細深入研究。

（三）題材

　　從擴大詞的題材上來看，蘇軾的詞風曾被稱為「無意不可入，無事不可成。」詞的題材涉及到談禪說理、酬贈留別、傷春感時、登高懷古、農村風光等各個方面，他托物言志、借古喻今，將詞的發展向前推進了一大步。而陸游在詞的題材上也有所貢獻。首先是富含他愛國情懷的愛國詞，這類型的詞往往寫的豪邁奔放，是他詞作中的優秀代表，如「鼓角臨風悲壯，烽火連空明滅，往事憶孫劉、壯歲從戎，曾是氣吞殘虜。陣雲高，狼煙夜舉。朱顏青鬢，擁雕戈西戍、七十衰翁，不減當年豪氣、功名不信由天」等豪言壯語，激勵人心；寫於流浪漂泊中的羈旅行役詞，陸游一生仕途不順，顛沛流離，有大部詞作於驛站或者在路上表達厭倦漂泊，志向無法實現的，題序中的「離果州作、葭萌驛作（看盡巴山看蜀山以及歎往事、不堪重省）、離小益作（海角天涯行略盡。三十年間，無處無遺恨）、左綿道中（行人乍依孤店）」以及詞句中的「三年流落巴蜀道，破盡青衫塵滿帽、羈雁未成歸，腸斷寶箏零落、一身浮萍，酒徒雲散，佳人天遠」等都是這類詞作的代表，而其中所蘊含的滄桑和愁緒也是陸游在漂泊中心情的真實寫照；東歸之後表達想要返居自然的隱居詞，「漁家真個好，悔不歸來早〈菩薩蠻〉、幽谷雲蘿朝採藥，靜院軒窗夕對棋。不歸真個癡〈破陣子〉、笻杖穿林自在行〈破陣子〉」以及五首〈漁父〉詞所表達的歸隱情景都是很美好恬靜的，但這也是對現實無望之後的選擇，不得不說陸游的骨子裡擺脫不了仕進的道路，他所放棄的在詞中提到的「塵世、浮名、功名」也是他內心所在乎的東西，歸隱也是略帶無奈的；和朋友之間交往、參加各種宴會的交際應酬詞，均以詞的小序標明，如「和無咎韻、丹陽浮玉亭席上作、進賢道上見梅贈王伯壽、送伯禮、送葉夢錫」等，可見，朋友之間舉行宴會或者出行時，陸游都會填詞來應景，詞也可以用來祝壽；托物言志的詠景詠懷詞，「催成清淚，驚殘孤夢，又撩深枝飛去」（借杜鵑感歎自己的身世）、在〈朝中措〉中對自己身世的寫照「一個飄零身世，十分冷淡心腸」以及〈詠梅〉「零落成泥碾作塵，只有香如故」的品格象徵；對於之前詞的主調，怨婦閨思詞和男歡女愛的愛情詞，陸游也有所創作，但往往覆蓋上了一層濃濃的哀怨，是陸游自身情感的比照，如「佳人多命薄、堪悲處，身落柳陌花叢」來借喻陸游自身漂泊的經歷，以及寫愁思的「新仇舊恨何時盡，感事添惆悵」也無不有此意，以及愛情詞中也有著名的〈釵頭鳳〉「山盟雖在，錦書難托」來寫自己的感情生活，情感真摯，感人淚下。另外，還有少量的具有仙風道骨的神仙修道詞等。由此可以看出陸游詞題材的多樣和繁雜，改變了之前詞的題材比較單一的現象。特別是大量的愛國詞和隱居閒適詞對後世詞作的創作有所影響。

（四）情感表達

　　在情感表達方面，陸游的大膽直接和健拔的筆法也改變了詞的風貌。淺顯直白最直接的體現就是陸游在詞中大量使用代表自己情緒的詞，如「恨（恨君心、恨難窮）、愁（只愁風斷青衣渡、愁無寐、愁似繭絲千緒、愁鬢點新霜）、孤（驚殘孤夢、孤絕）、閑（真個閒人、身閑、作個閒人）、殘（殘年、殘生）」等。可見，陸游詞的情感主調就是愁悶和無奈，無論是表達歲月流逝而功名未成、一生孤獨，漂泊流浪無所定居還是想要歸隱林間不理世事，都帶有深深的無奈和感慨，但在這無奈中還帶有了一絲倔強，讓陸游始終堅持自己的愛國心。另一方面，淺顯直白還體現在語言的直白上，陸游毫不掩飾的將自己的感情在詞中一泄無餘。比如：

　　壯歲從戎，曾是氣吞殘虜。陣雲高、狼煙夜舉。朱顏青鬢，擁雕戈西戍。
笑儒冠自來多誤。　　功名夢斷，卻泛扁舟吳楚。漫悲歌、傷懷吊古。
煙波無際，望秦關何處？歎流年又成虛度。

　　這首詞可以體現陸游詞的多種風格，「氣吞殘虜」的豪放大氣愛國風、想要「扁舟吳楚」歸隱江湖的閑適風以及感慨「流年又成虛度」的歲月流逝的蹉跎風，都在詞中毫無掩飾的表達出來。這樣直白的表達，使陸游詞非常的淺顯易懂，但是也少了很多的韻味，這樣的一洩無餘不可不說是陸游詞的一大弊端。另一方面來講，陸游的詞雖淺顯直白，但直抒胸臆，一氣呵成，也代表了陸游本人的文學積澱。

　　另一方面，陸游詞的寫作手法健拔，以健筆寫豪情，不似傳統的詞那樣細膩微妙。傳統詞的情感表達一般都很含蓄，或者會借助景物來抒發感情，而在陸游的詞中，大量的話語都是自己感情的自白，沒有細膩的景物和內心描寫，如〈大聖樂〉：

　　電轉雷驚，自歎浮生，四十二年。試思量往事，虛無似夢，悲歡萬狀，合散如煙。苦海無邊，愛河無底，流浪看成百漏船。何人解，問無常火裡，鐵打身堅。須臾便是華顛。好收拾形體歸自然。又何須著意，求田問舍，生須宦達，死要名傳。壽夭窮通，是非榮辱，此事由來都在天。從今去，任東西南北，作個飛仙。

　　整首長詞之中，所有的內容都是在自述，已經過去的四十二年間，虛無似夢，愁苦不斷，倒不如退出紅塵，做個自在飛仙。用這樣健拔的筆法來抒寫豪情，毫無掩飾，少了詞的委婉，添加了陸游詞的「詩味」。像這樣的詞，在陸游詞作中比比皆是。

　　綜上，陸游「以詩為詞」的寫作筆法可以由以上四個方面來進行展現，首先是語言

方面，大量化用前人的詩句，讓陸游詞帶上詩的感覺，另外對詞中的對仗要求嚴格；內容方面，化用前人多用於詩句中的典故，使得詞帶有歷史厚重感，而且，大量運用詩中出現的意象，使詞擁有似詩的風格；題材方面，擴充了詞的題材，對後世的創作產生了影響；最後便是情感表達方面，陸游的大膽直接和以健拔筆法寫出的豪情都對詞境有很大的影響。

三　陸游詞的「詩化」特徵

運用了以上的創作手法，陸游的詞也帶有了詩的感覺。更進一步的，也賦予了詞更多的功能和特徵。因此本部分將從以下兩個方面進行論述，第一，「詩言志，詞言情」的功能論。第二，「詩之境闊，詞之言長」以及「詩顯而詞隱」的詩詞文體區別。陸游打破了以上的觀念，為詞賦予了詩的功能和特色。

（一）功能

自古以來「詩言志，詞言情」的傳統，在他的筆下，詞也有了言志的作用，並增添了很多新的功能。《詩經》自漢代以來，被認為主要是教化的功能，之後的詩一直以來以「言志」為目的，表達一些較為嚴肅、莊重的思想感情。而詞一開始便始於娛樂場所，抒發男女之間悲歡離合的情感，詞調比較輕鬆，有了一種易於大膽抒情的特徵。而自蘇軾開始，賦予詞與詩一樣的功能作用。蘇軾追求自由的審美境界。其〈自評文〉說：「吾文如萬斛泉源，不擇地皆可出。在平地滔滔汩汩，雖一日千里無難。及其與山石曲折，隨物賦形，而不可知也。所可知者，常行於所當行，常止於不可不止，如是而已矣。」[7]他認為文學乃是陶冶情性的工作，從而在一定程度上肯定了詩詞平等的地位，陸游雖然沒有詩詞文體的獨立認識，但是在寫作方面還是效仿蘇軾的，也賦予了詞陶寫情性和抒發志向的功能。表現最為明顯的便是他將愛國抱負和志向大量的傾注在詞中。如「鼓角臨風悲壯，烽火連空明滅，往事憶孫劉、壯歲從戎，曾是氣吞殘虜。陣雲高，狼煙夜舉。朱顏青鬢，擁雕戈西戍、七十衰翁，不減當年豪氣。」等這次詞句表達自己年邁但始終無法磨滅的愛國情懷。但是這種愛國又不同於辛棄疾的豪邁奔放，還有好多都是感慨自己的鬱鬱不得志，如「胡未滅，鬢先秋，淚空流。此生誰料，心在天山，身老滄州！時易失，志難成，鬢絲生。平章風月，彈壓江山，別是功名生。」陸游一生仕途受阻，自然苦悶。可見，陸游的詞有了言志的功能。

自古以來，朋友之間用詩作來相互唱和使得詩有了交際應酬方面的功能，而陸游也

7　蘇軾：《蘇軾文集》北京：中華書局，1986年，卷66，頁2074。

同樣為他的詞賦予了這種功能。其詞中用於朋友之間的交際應酬的，據筆者粗略統計，大概有十八首，佔到陸游詞整體比重的八分之一。其中包括了和朋友之間的唱和、賀壽以及在與朋友舉行宴會遊覽之時所作。而交友唱和一直以來是詩的一個顯著的功能，而詞很多都是寫來贈妓的，陸游這樣大規模的將詞引入到交友應酬之中，也賦予了詞更多的功能和作用。

（二）風格

「詩之境闊，詞之言長。」[8]是王國維在《人間詞話》中提出的詩詞文體區別。詩的境界開闊深厚，而詞一般韻味無窮。「詩顯詞隱」則是繆鉞先生在《詩詞散論・論詞》中提出的：「詩顯而詞隱，詩直而詞婉，詩有時質言而詞更多比興。」[9]詩一般直接大膽明瞭，而詞比較隱晦和委婉含蓄，因此而詩詞有了不同的韻味。而陸游詞的風格就打破了這些特徵。

關於陸游詞的風格，之前學者們已經進行了很多的探討，大家所公認的就是陸游的詞風很雜，混雜了多種風格，而歷來各家形容陸游詞用的詞語更是數不勝數，有「纖麗、雄慨、超爽、激昂、感慨、飄逸、高妙、流麗、綿密、通峭、沉鬱、遒逸、陡健、圓轉」等。但陸游詞卻還是有主要風格的。楊慎《詞品》謂其「纖麗處似淮海，雄快處似東坡」。[10]劉克莊《後村詩話續集》：「放翁長短句，其激昂感慨者，稼軒不能過；飄逸高妙者，與陳簡齋、朱希真頡頏；流麗綿密者，欲出晏叔原、賀方回之上，而歌之者絕少。」[11]近代學者胡適也說到「（陸游詞）有激昂慷慨和閒適飄逸的兩種境界。」[12]可見，「豪放」和「閒適」確實是陸游詞的兩種主要風格，筆者通過閱讀，也證明了這一點。陸游詞的主要題材在愛國抒懷和隱逸兩種，兩種詞所具有的風格可以代表陸游詞的主要風格。在表達自己的愛國情懷上，陸游以豪放粗獷的筆法寫作，所表達的感情也激昂慷慨，會用到一些誇張強硬的語氣來寫詞，造就了豪放的風格；而在表達自己想要隱逸的情懷時，陸游以清麗的筆法來描述鄉間生活，讓人心嚮往之，風格就很閒適，如「幽谷雲蘿朝採藥，靜院軒窗夕對棋、苔紙閑題溪上句，菱唱遙聞煙外聲、橋如虹，水如空，一葉飄然煙雨中」，幽谷採藥，靜院下棋，苔紙題句，煙外歌聲，煙雨濛濛這些十分美好恬靜的場景正促成了陸游詞閒適的一面。而無論是哪種風格，淺顯直白都是陸游詞最大的特徵。而在表達的情感中，陸游詞裡至少有半數以上的詞作都在表達歲月蹉

8　王國維：《人間詞話》江蘇：江蘇文藝出版社，2007年，頁12。

9　繆鉞：《詩詞散論・論詞》陝西：陝西師範大學出版社，2008年，頁55。

10　楊慎：《詞品》上海：上海古籍出版社，2009年，頁98。

11　劉克莊：《後村詩話續集・卷二》。

12　胡適：《詞選》北京：中華書局，2007年，頁214。

跎，感慨自己功名未成的煩悶，這些煩悶的情緒表達在了陸游各種類型的題材之中，這種「無奈」也成為陸游詞風的主調。因此，筆者用「淺直鬱厚」來歸納陸游詞的風格，而豪邁和清麗的筆風混存在陸游的詞中，也可以看作詩詞風的混雜。「淺直」打破了詩顯詞隱和詞言長的特徵，「鬱厚」也為陸游的詞提供了寬厚的境界。

因此，陸游詞富含的功能和風格就是其「詩化」最顯然的體現。

四　陸游「以詩為詞」的形成原因

以上兩大部分是對陸游「以詩為詞」的具體闡述，分別論述了這種筆法的具體表現和陸游詞展現出的「詩化」特徵，可見他的詞在南宋詞壇的獨特性。因此，在對他「以詩為詞」的創作方式有了大致的了解之後，應該進一步的探究這種現象出現的原因是什麼？當然特殊性都是包含於普遍性之中的，這種創作自然也會受到大的時代背景的影響，但陸游本身的主觀性也不容忽視。因此，本部分將從時代背景及陸游的生平性格和詩詞觀念三個方面進行解釋。

（一）時代背景

背景的闡述就包括「以詩為詞」的發展進程以及當時南宋整個大的時代背景。關於「以詩為詞」的發展進程，前面已經有所講述，蘇軾代表了「以詩為詞」較為成熟的水準，陸游在《渭南文集》（卷二十八）的〈跋東坡七夕詞後〉寫到「昔人作七夕詩，率不免有珠櫳綺疏惜別之意，唯東波此篇，居然是星漢上語。歌之曲終，覺天風海雨逼人，學詩者當以是求之。」[13]他對蘇軾詞的高度評價可以看出他對蘇軾寫作筆法的認可，而不可避免的，他必然也會向這個方向發展，從而走上「以詩為詞」的道路。但實際上，蘇軾的這種倡導在北宋後期並沒有很大範圍的效仿，但在南宋時期卻又掀起了一陣高潮，與當時的時代背景密不可分。南宋南渡之後，對文人的內心影響也是很大的。家國情懷和時勢充盈於文人的內心，國土淪喪、家破人亡、顛沛流離的慘痛現實使詞人們再也唱不出原先歡快的詞調，轉而為悲悶和忠憤的旋律，詞中充滿了亡國之痛和身世之感，這種題材的擴充使得詞在「以詩為詞」的路上進一步發展，而受此影響的悲愴詞風也一改傳統的豔麗。就在這樣大的時代背景下，陸游對國家的關心，對想要收復失地趕走侵略者的渴望都清楚的表達在了自己的詞作中。

13　陸游：《渭南文集》吉林：吉林出版集團公司，2005年，頁221。

（二）生平性格

　　而說起陸游的經歷，可以說是相當的坎坷。宣和七年，陸游出生，同年冬天，金兵南下。靖康二年，靖康之恥，北宋滅亡。隔年，金兵南侵，陸游家人也遷到東陽，家境才逐步安定相下來，是年陸游四歲，這些家國的滅亡，家庭的流變離亂都對陸游產生了很大的影響。但陸游出身名門望族，自幼喜愛讀書，聰慧過人，相傳十二歲便能詩文，但仕途卻一直不順，起初是科舉之時，受到秦檜的嫉恨，無法順利進入關鍵位置，直到後來秦檜去世，才獲得入世的機會。初涉官場，因主戰被降職後在山陰閒居四年，這個時期生活條件也比較艱苦，到四十六時離鄉入蜀做官，其間一直鬱鬱而不得志，後來做了王炎的幕府，本以為有機會一展抱負，但是時日很短，王炎的幕府就被解散了，陸游繼續回到四川做官，依舊只是閒職，因此陸游的抱負始終無法實現，他的主戰主張也一直沒有被採納和認可。而這些只能越來越激勵陸游心中的愛國情懷，同時也在詞這種更易於抒情的文體中表達自己的憤懣不滿。而陸游的性格用他自己的話說就是，「說與君知只是頑」，一個「頑」字，較為形象的代表了他的性格。一生坎坷不平卻始終堅持自己愛國情懷，汲汲於仕途，不管接受多少次的打擊，他的心中仍然存在著希望，期望可以挽救朝廷，收復失地。可見，在他心中，認準的事情就是無法改變的。一生坎坷，卻仍舊有八十五歲的高齡，可以看出他的忍耐力很強，也擁有積極樂觀的心態，雖然表達在詞中很多的不滿情緒，但卻也改變不了他的初衷。正如他自己筆下梅花的氣節「零落成泥碾作塵，只有香如故」。

（三）詩詞觀

　　關於陸游的詩詞觀，從本質上來講，正如葉嘉瑩先生所說的，陸游對詩詞的文體並沒有很明白的分界，他確實具有「詩人之胸襟」，卻沒有「詞人之詞心。」對於詞體的確立，他沒有明確的概念。這可以從他在《渭南文集》中對《花間集》的評價和〈長短句序〉中看出來。

> 《花間集》皆唐末五代時人作，方斯時天下岌岌，生民救死不暇，士大夫乃流宕如此，可歎也哉！或者亦出於無聊故耶？（《渭南文集》卷十四）
>
> 飛卿〈南歌子〉八闋，語意工妙，殆可追配劉夢得〈竹枝〉，信一時傑作也。予少時汩於世俗，頗有所為，晚而悔之。然漁歌菱唱，猶不能止。今絕筆已數年，念舊作終不可掩，因書其首，以志吾過。（以上二則均引自《渭南文集》卷三十）

從他對《花間集》的評價中，看出他對當時作家們所作的豔詞是持批評態度的，置生民與天下於不顧，單獨貪圖自己的享樂，迷於聲色是一心以家國為天下的陸游所不能接受的。從他這一態度便可以看出，他對詞體的確立並沒有明確的觀念。詞體確立於晚唐五代時期，以《花間集》為顯著的代表，而其中這些豔詞正是當時詞的代表。詞產生於娛樂場所，本就是以娛人為目的，用於歌女的演唱，在娛樂場所中發展起來的，因此風格多豔麗，這也是詞體確立的初衷，得以在功能上與詩進行根本的區分，而陸游顯然是從本質上就沒有認清詞體的確立。而之後對飛卿的評價看出，他只是不贊同詞中的享樂主題，與他自己的家國情懷有所衝突，但對其中的作家卻不是一概而論的。對飛卿的認可，也可以看出他對可寫出人內心細膩情感的詞體還是認同的。而他自己在〈長短句序〉中的話更加揭示了他的矛盾心理。認為詞乃是「泪於世俗」所作，到了晚年有些後悔之前輕浮的作品，但是又將這些作品拿出成書，顯示他對詞還是比較喜愛，不忍丟棄的。認為詞為小、不屑為之，似乎是理性的陸游應該有的態度，但是又不忍丟棄，喜愛非常卻是感性的陸游的選擇。他的矛盾心理其實源於他自身是從詩的角度去看待和評價詞，並沒有給詞與詩平等的地位。自始至終，在他心理，詞只能作為「詩餘」存在，而他的一生確實沒有將大部精力放於詞上。

而關於「詩餘」，並不是陸游一人擁有這樣的看法，這種觀念也是存在歷史繼承的。蘇軾在〈題張子野詩集後〉亦稱詞為詩之餘：「張子野詩筆老妙，歌詞乃其餘技耳。」[14] 儒家歷來重視修身治國平天下，當然在陸游的心中，治國事大，文學事小，而詩言志，明顯比詞的地位要高的很多，詞就此淪為詩之餘。但另一方面，用於娛樂時所填的詞也就失去了詩那樣嚴格的規制，而顯得輕鬆自如了很多，這樣做真情流露也就自然順暢了很多。因此陸游在閒時也無法完全的捨棄詞作。而陸游在評價陳師道時的話也可以看出詩詞在陸游心中的地位。他說：「陳無己詩妙天下，以其餘作詞，宜其工矣，顧其不然，殆未易曉也。」[15] 工於詩就必然工於詞，恐怕這才是陸游心中真實的想法，詩詞的創作似乎並沒有很大的區別，可以以一種方式創作的。而陸游也確實實踐了這一理論，用寫詩的筆法來創作詞。他自己一直很重視「詩外功夫」，他曾為幼子學詩示以徑路：「我初學詩日，但欲工藻繪。中年始少悟，漸若窺宏大。……汝果欲學詩，工夫在詩外。」[16] 功夫時一套的，為詩磨練的「詩外功夫」自然也用在了詞的創作之上。

因此，生活在北宋剛剛滅亡，南宋剛剛建立，而人民仍處在水深火熱之中的時代，從小受家族因素的影響，陸游的愛國之火一直猛烈燃燒著，從未被熄滅。而陸游一生坎坷的經歷，使得承襲了蘇軾「以詩為詞」風格的陸游詞始終擺脫不了一股無奈哀怨的情

---

14 蘇軾：《蘇軾文集・卷六十八》北京：中華書局，2008年，頁2146。

15 陸游：《渭南文集・卷二十八》，頁223。

16 陸游：《劍南詩稿校注》上海：上海古籍出版社，2005年，頁3211。

調。而陸游也一直將詞看作「詩餘」，但又對這種便與表達自己感情的工具愛不釋手，不免將自己積澱的「詩外功夫」也用在了填詞上，完全用詩的筆法去作詞了。

五　陸游「以詩為詞」的得失成敗

陸游現存的一百四十五首詞中，僅有二十多首慢詞，其餘皆是小令。慢詞和小令的區別就是字數篇幅上的不同，小令短小，寫作起來更加容易把握節奏，短小的篇幅加上大量的對仗，也更加具有律詩的韻味。相比之下，慢詞篇幅較大，一般需要一定的邏輯，便於安排結構，具有一定的敘事性，更加適合使用「以文為詞」的創作手法。陸游的小令短小精幹，筆風雄健，是「以詩為詞」筆法的顯著代表，而他的慢詞則沒有什麼嚴謹的結構而言，大量都是情感的自白和表述，顯然沒有小令的成就高。而小令也是極適合使用「以詩為詞」創作筆法的。

說到陸游「以詩為詞」筆法之得，他用這種筆法去寫詞，主要改變了詞的題材和風格，在擴充詞的題材方面可謂是作出了很大的貢獻，將愛國和隱逸情懷引入詞中，為詞開拓了新的風貌，也為詞提供了更多的可能性，不再侷限於傳統的「豔詞」中。詞也因此擁有了更多的功能，表達文人志向、用於交際應酬、賀壽交往以及記事等。晁無咎在評論蘇軾詞的時候曾經說道：「居士詞，人謂多不協音律，然橫放傑出，自是曲子內縛不住者。」[17]胡元任也說：「東坡詞皆絕去筆墨畦徑間，直造古人不到處，真可使人一唱而三歎。」[18]陸游效仿蘇軾「以詩為詞」，這樣的評價也是可以借鑒的。陸游詞也確實有豪放傑出的一面，也有清逸灑脫的時候，而這樣的感受是傳統的詞所不具有的。因此，「以詩為詞」為詞提供了更多的可能性，也為它的發展提供了更廣闊的路徑。

其次，關注到陸游「以詩為詞」筆法之失，自從蘇軾有意識的大幅度運用「以詩為詞」手法後，出現了很多的批評。就像篇頭提到的陳師道的評論，說蘇軾詞「要非本色」，加之李清照《詞論》云：「至晏元獻、歐陽永叔、蘇子瞻，學際天人，作為小歌詞，直如酌蠡水於大海。然皆句讀不葺之詩爾，又往往不協音律。」批評這種「以詩為詞」不協音律，不尊詞體本色。詞的本色論出現在詞體確立之後，詩詞形成了一種文體區別，而「以詩為詞」的筆法打破了這種區別，讓詞帶有了詩的韻味，確實削弱了詞的文體特徵和文體獨立性。而關注到陸游的「以詩為詞」上，也有幾個顯著弊端。首先，陸游運用「以詩為詞」筆法，無論是大量使用對仗或者化用典故，都增強了詞的厚重感，使得有些詞失去了它原本的活潑靈動，而又過於流於形式，有堆砌之嫌。其次，淺顯直白的表達使詞失去了韻味，沒有了含蓄之美，也很難給人留下深刻的印象。再者，

---

17 胡仔：《苕溪漁隱叢話·後集》（卷33引《復齋漫錄》、《能改齋漫錄》載晁無咎評本朝樂章中語）北京：人民文學出版社，1981年，頁253。

18 同上註，頁192-193。

大量的情感自白，使陸游的詞不具有新意，出現很多重複的意象和意境，讀一篇便可領會其餘的精神，寫作不夠細膩和精緻。因此，「以詩為詞」的寫作筆法有得有失，而這種情況的出現也是不可避免的，屬於文體之間的相互影響。

「以詩為詞」有其本質表現和相應的創作手法，以前的學者對其有一定的混雜，所以無法明確一個標準。而多把目光投向於題材功能、音律、抒情方式、表現手法和風格五個方面，王兆鵬先生在〈宋詞流變史論綱〉中注重抒情言志的自由和詞的音律特徵。[19] 謝雪清在〈北宋初中期「以詩為詞」創作傾向〉中關注詞的語言形式和題材內容」。[20] 而劉石則比較贊同以作品風格為標準來判斷「以詩為詞」。[21]胡敏在〈論宋代「以詩入詞」現象及其發展與成因〉中將「以詩為詞」解釋為化用詩句。[22]王佺則認為「以詩為詞」是「一種審美感受，是詩人才情、膽識、學養和個性共同孕育的。」[23]而本文將「以詩為詞」看作是陸游的一種創作手法，表現在題材、語言、內容和情感表達多個方面，是導致陸游詞「詩化」的主要原因。正因為在以上幾個方面運用了特殊的手法，導致了陸游詞帶有了詩的韻味。而同時，「以詩為詞」也是陸游的創作理念，本質上，陸游就是在拿寫詩的方法去寫詞。而後的學者又拿「以詩為詞」作為評論來定義陸游詞的創作，其實就是陸游詞的詩化，表現在題材功能和風格兩個方面，打破了一些傳統的詩詞文體區別，給讀者一種詩的審美感覺。

19　王兆鵬：〈宋詞流變史論綱〉，《湖北大學學報（哲學科學版）》，1997年第5期，頁1-6。

20　謝雪清：〈北宋初中期「以詩為詞」創作傾向〉，《內蒙古社會科學（漢文版）》，2006年第5期，頁52-55。

21　劉石：〈試論「以詩為詞」的判斷標準〉，《詞學》2000年第12輯，頁20-33。

22　胡敏：〈論宋代「以詩入詞」現象及其發展與成因〉，《南昌大學學報（人文社會科學版）》，2004年第5期，頁86-91。

23　王佺：〈東坡「以詩為詞」辨〉，《上饒師範學院學報（社會科學版）》，2005年第5期，頁5-9。

《古泉匯考》抄本、流傳及與
《永樂大典》關係考[*]

張升

北京師範大學歷史學院

　　翁樹培（1765-1811），字宜泉，號申之，清朝順天府大興（今北京市）人，翁方綱（號覃溪）次子，著名泉幣學家；乾隆五十二年（1787）進士，官至刑部員外郎。他一生潛心於古泉學，著《古泉匯考》、《古泉匯》等。[1]《古泉匯考》為未刊稿，原稿現已散佚難考[2]，但其在流傳過程中曾被整理和輾轉傳抄，一些抄本還流傳至今，其中山東圖書館所藏的抄本分別被北京圖書館出版社於一九九四年和山東大學出版社於二〇〇六年（收入《山東文獻集成》第一輯）影印出版，得以廣為流播。那麼，存世的傳抄本一共有多少種？它們是如何流傳至今的？另外，《古泉匯考》中多引《永樂大典》之文，那麼，《古泉匯考》與《永樂大典》是什麼關係呢？本文主要想解答以上三個問題。

一　《古泉匯考》的抄本及流傳

　　就本人所見，目前存世的抄本《古泉匯考》有三種：

（一）山圖本

　　山東圖書館所藏抄本，共八冊，是王獻唐於民國年間抄自劉喜海（字燕庭、吉甫）之整理批註本（該本出自翁氏稿本），其詳細情況可參張書學〈王獻唐與翁氏《古泉匯考》之流傳〉一文。[3]那麼，劉氏所據以整理的翁氏稿本又是從何而來？史料記載有兩種說法：

---

* 本文為國家社科基金項目「《永樂大典》流傳與輯佚研究」階段成果，項目編號：10BZS007。

1 此外，翁樹培還著有《三十漢瓦軒遺詩》二卷、《翁比部詩鈔》一卷附一卷。

2 目前只知道南京博物院藏有翁樹培《古泉匯考》稿本一卷。

3 張書學：〈王獻唐與翁氏〈古泉匯考〉之流傳〉，《文獻》，1994年第2期，頁197-202。

其一，購自翁家臧獲（即僕人）之手

據翁樹培之好友金錫鬯記載：「（宜泉）專心收輯古錢，積數十年不倦，所得亦多，重見疊出，藏棄摩挲，不輕示人。所著《古泉匯考》一書，終日隨身，聞其夜臥亦置之枕畔，簽改黏綴，不遺餘力。……翁君無子，聞其歿後所積古金一散而盡。道光辛巳，予於劉生喜海齋頭見其遺書，知劉生購之伊家臧獲，不覺為之太息。」[4]另據李佐賢《古泉匯》首集卷三《歷代著錄》載：「《（古泉）匯考》八卷，……又無倫次，……則仍係未成之書。……未及刊刻而宜泉謝世，其草本被臧獲竊出，幸為劉燕庭方伯所購得，為之補缺訂訛，抄錄成帙。」[5]以上均說此書是劉氏從翁家臧獲（僕人）之手購得的。不過，需要注意的是，翁樹培去世時，翁方綱還在，而且曾給翁樹培作小傳：「（樹培）於洪、顧諸家《泉志》更為該悉，予亦望其將來從此博涉考訂之學，庶幾有成，而孰意竟止於此。……著有《錢錄》若干卷，應鑴板以成其志。」[6]所謂「錢錄」，應指的是《古泉匯考》。翁方綱有意將其刻印出來，當然不會任其流散。據此分析，如果說《古泉匯考》真的是被翁家僕人竊出賣掉，那也應該是在翁方綱去世（1818）後，而不應該是在翁樹培去世（1811）後。

其二，借自葉志詵[7]

據劉喜海《嘉蔭簃古泉隨筆》書前題記載：「道光初元，從葉東卿處借得大興翁宜泉《古泉匯考》稿本八冊，手自編香成書，後有所聞見輒書於簡端，積有年所，未曾收拾。」[8]其時，劉喜海與好友葉志詵（字東卿）、徐松、許瀚、許槤、吳式芬等朝夕過從，互觀所藏金石書畫，因此，劉氏於道光元年（辛巳，1821年）從葉志詵處借得翁樹培所撰《古泉匯考》稿本是有可能的。前述金錫鬯在京師「於劉生喜海齋頭見其遺書」，應即此本。

以上兩說互有出入，以何者為準？本人認為，相對來說，劉氏自己的說法應該更可信。也就是說，劉氏所得的翁氏稿本是借自葉志詵的，而非購自翁家之僕人。那麼，

4　〔清〕金錫鬯：《晴韻館收藏古泉述記》，南京圖書館藏稿本，附錄，頁14。另可參該書「自序」頁2載：「道光辛巳，又至都下，于劉吉甫案頭見翁宜泉所著《古錢匯考》稿本，已有殘缺，因詢所得之由，知得自彼家，臧獲出以售人耳。」

5　〔清〕李佐賢：《古泉匯》北京：北京出版社，1993年影印本，頁115-116。

6　〔清〕翁方綱：〈次兒樹培小傳〉，《復初齋文集》上海：上海古籍出版社，1996-2003年《續修四庫全書》影印本，卷13。

7　葉志詵（1779-1863），翁方綱門人，清代金石家、藏書家，字東卿，晚號遂翁、淡翁，湖北漢陽人；貢生出身，官至兵部武選司郎中；著作有《詠古錄》、《識字錄》、《金山鼎考》、《平安館詩文集》等。

8　〔清〕劉喜海：《嘉蔭簃古泉隨筆》八卷，清劉氏嘉蔭簃抄本，一冊，藏中國國家圖書館善本部。

葉氏何以得到翁氏《古泉匯考》稿本呢？

　　葉志詵作為翁方綱的門人，與翁方綱交往頗多（尤其在翁氏晚年）。翁方綱於嘉慶二十三年（1818）去世時，其子均已不存，唯一的孫子翁引達還不滿五歲[9]，因此，葉氏不但親理其喪，而且還以撫育翁氏後人自任：「我師覃溪老夫子，於本月二十六日夜半逝矣，痛哉！痛哉！……煢煢弱孫，舉目無親，詵與一二子弟，親視含殮，附身拊棺，可稱無憾。現在酌籌葬地，撫育孤兒，頗不易易，然不敢弛此重負也。」[10]

　　翁方綱的藏書與遺稿，在其去世時即受到多方的關注，其中既有人覬覦，亦有人設法護持：「覃溪師上元前尚寄手示，不意竟歸道山。……吾師一生心血，全在書籍金石，所藏卷軸碑版不少，而生平著作已刻及未刊皆有，聞此時琉璃廠店戶業經勾串零售，殊可浩歎！望為分別檢點妥貯，造冊二本，一存尊處，一交四世嫂收存，每年曬晾一次，以免損失。」[11]據上述可知，其時已有翁氏之遺稿因內外串通而流出於外。況且，翁家主事者終屬女流，而翁孫引達後來亦頗不肖，加之維持大家庭的日用不足，故其藏書及遺稿不可避免地很快流入他人之手[12]，其中獲得最多者，除葉志詵外，還有同是翁氏門人的孫烺。[13]更有甚者，翁氏的故居不久也歸了葉氏。[14]

　　葉氏在翁氏身故後獲致其遺稿、藏書及故居，不免予人巧取豪奪之嫌疑，但是，就本人所見，當時人及後人並未有因此而責難葉氏的。這是否說明，當時葉氏之所為是正常地救助翁家？此姑存以待考。不管如何，讓翁氏在地下略感欣慰的是，葉氏此後不斷整理與刊刻翁氏之遺稿，例如，請劉喜海整理翁樹培《古泉匯考》，並擬將其刊入《連筠簃叢書》；咸豐二年（1852）刊刻翁方綱《焦山鼎銘考》一卷，刊刻翁方綱《孔子廟堂碑唐本存字》一卷；道光間摹刻翁方綱《金石圖像四種》四卷；道光二十五年（1845）補刻翁方綱《復初齋詩集》七十卷；校勘抄本翁方綱《蘇齋筆記》。此外，道光年間，

9　翁引達，是翁方綱第六子樹崑之子，嘉慶十九年出生。參沈津：《翁方綱年譜》臺北：中央研究院中國文哲研究所，2002年，頁471。另據（朝鮮）申緯著，韓國民族文化推進會編：《警修堂全稿》韓國：景仁文化社，2002年，《韓國文集叢刊》本，冊21《北轅集（二）》小注載：「覃溪孫引達，別字蘇孫。」可知，「蘇孫」為翁引達之號。翁方綱藏書中即有一些鈐有「蘇孫」之印章，但是，有學者卻不清楚「蘇孫」所指，例如，李豐琳：〈翁方綱著述考〉，《書目季刊》第8卷第3期，頁39-57提到，翁方綱親筆批校過的《史記》中有「蘇孫、蘇孫讀本、蘇孫之賞方印三，未詳何意」。

10　沈津：《翁方綱年譜》，頁491，葉志詵致朝鮮金正喜劄。

11　同上註，頁492，蔣攸銛致翁方綱婿戈寶樹劄。

12　同上註，頁492，蔣攸銛致翁方綱婿戈寶樹劄所附葉昌熾按語。

13　〔清〕翁方綱：《復初齋集外文》（民國間嘉業堂刻本）劉承幹跋云：「（方綱）晚年頗窘，歿後僅存一子，諸孫幼弱。門人杭州孫侍御烺，賻以千金，完厥葬事，所藏精拓及手稿均歸之。手稿四十巨冊，按年編次，內缺十餘年，詩文聯語筆記全載。」

14　參〔朝鮮〕申緯：《警修堂全稿》，冊18《北禪院續稿四》（道光十一年）載：「鶴田言，覃溪之孫亦夭而不壽，故宅文藻遂無人可傳云云。」冊23《祝聖三稿》（道光十六年）載：「保安寺街覃溪舊宅，聞已易主，今屬葉東卿云。」

陶梁輯刻《國朝畿輔詩鈔》，來向葉氏索翁樹培遺稿，葉氏即錄副奉贈，並以所藏翁樹培小印印於卷端。[15]從上述看，葉氏所得只是翁氏遺稿中的一部分，其中主要是翁方綱編著的金石類書籍及翁樹培的遺著。這與葉氏喜好金石學有密切關係。

　　綜上所述，葉志詵在翁方綱去世後獲得了翁樹培《古泉匯考》稿本，然後借給劉喜海整理。據劉喜海云：「北平翁學士覃溪先生子宜泉比部著《古泉匯考》，其家止存稿本，塗乙幾不可讀。余為費三年功，校錄正本藏之。」[16]可知，劉氏將此稿本整理成清本後自己收藏，而有可能再過錄一部清本和原稿一起交還給葉氏。此後，劉氏陸續在此整理本上加批註（一般是加在書眉，也有加在正文中的）。此整理批註本在劉氏去世後輾轉為福山王懿榮、安邱趙孝錄收藏，山圖本即是王獻唐於一九三三年據趙氏收藏的劉氏整理批註本傳抄而來的。

　　此外，還需說明的一點是，《古泉匯考》既然是劉氏借自葉氏的，那麼，金錫鬯為何說此書是劉氏購自翁家的？本人推測，劉氏當時有可能是說此書是葉氏購自翁家僕人之手，而後來金氏追記此事，而誤記為劉氏購自翁家僕人之手。至於李佐賢《古泉匯》所記，則可能也是受金氏所述的影響。

（二）北大本

　　北京大學藏舊抄本《古泉匯考》及翁氏泉拓《古泉匯》，是一九三七年秋容庚從北平琉璃廠文奎堂為燕京大學購入的，其中《古泉匯考》計八卷（共一千〇一十九頁），泉拓《古泉匯》共十冊。容庚曾撰〈記翁樹培《古泉匯考》及《古泉匯》〉一文對兩書作了介紹，並提到《古泉匯考》是一部待刻之書，歷經葉志詵、楊繼震遞藏。[17]但是，容文並沒有談到葉氏此本是從何而來的，也沒有談到其與劉氏整理本的關係，因此，有必要作進一步的考證。

1 北大本之概況

　　查北大藏《古泉匯考》，二函，六冊，抄本；每半葉九行，每行二十四字；書衣有兩印：「燕京大學圖書館珍藏」、「蘇陸齋」。內封有王懿榮題記一紙：「翁氏《古泉匯考》十四卷，幼云尊丈藏棄。懿榮署」。前護葉及正文首葉有楊繼震、楊彥起等印。護葉背面貼有一紙（該紙是印紙，版心上印「靈石楊氏刊連筠簃叢書」），為提示刊印之樣式：

---

15 參考翁樹培：《三十漢瓦軒遺詩》書前葉志詵題識，載《清代詩文集彙編》上海：上海古籍出版社，2010年影印本，冊478，頁558。

16 〔清〕劉喜海：《嘉蔭簃論泉絕句》下二十三注，掃葉山房，民國十二年（1923）影印本。

17 容庚：《頌齋述林》，《容庚學術著作全集》本北京：中華書局，2011年，頁869-874。楊繼震（1820-1901），晚清古泉名家，字幼雲，號蓮公，室名差不貧於古齋，漢軍鑲黃旗人，官至工部郎中。

　　　　古泉匯考卷之一上

　　　　大興翁樹培申之著

　　　　漢陽葉志詵東卿摹篆

　　　　平定張穆石州覆審

　　　　光澤何秋濤願船

　　　　易曰上古至（為卷三）匯考卷之一（穆案：今區為上中下三卷）

　　　　上古

　　　　遂人氏

　　　　管子揆度……。

　　此葉之欄外還有墨筆題：「每卷之式皆同。」

　　據上述刊印樣式可以看出：其一，張穆等擬將原書卷一分為上、中、下三卷。其二，刊本擬以《管子·揆度》引文為首，而原書則以金履祥《通鑑前編》引文為首，表明刊本擬對原書的順序作調整。其三、「漢陽葉志詵東卿摹篆」，「篆」原寫作「式」，旁邊用紅筆改為「篆」。葉氏「摹篆」，大概是指由葉氏對抄本中摹寫的錢幣篆文作核對、修正。此本第一冊中一些篆文旁即加了△符號，提示其需要核對。其四、「平定張穆石州覆審」[18]、「光澤何秋濤願船」之下有墨筆題「覆審寫兩行中」，意思是指：張穆、何秋濤均為覆審，「覆審」兩字應寫在兩人中間。據此可知，此書應該是先由張氏覆審，最後再由何氏覆審。其五、「光澤何秋濤願船」，原稿用墨筆寫為「靈石楊尚文墨林校梓」，之後用紅筆刪去，在旁改寫為「光澤何秋濤願船」。也就是說，此書原定為楊氏校，後改由何秋濤校。書中寫在天頭的藍筆字，前有「濤案」或「秋濤案」，即是何氏之修改。

　　從上述看，此書是擬刻入《連筠簃叢書》的。《連筠簃叢書》是山西楊尚文主持編刻的一套叢書[19]，參與校對者有張穆、何秋濤等人。但是，因為此套叢書是陸續開印的，一共要印多少種書，楊氏並沒有一個明確的規劃。目前存世的該套叢書一共收十六種書，但這只是表明已印的種數，至於計畫要印的書有多少種，則不得而知。[20]從北大本《古泉匯考》看，顯然，該書亦擬刻入叢書，而這一點是以往研究該叢書者絕少提及的。據〈張石洲致許印林書第二劄〉云：「翁宜泉《古泉考》，東翁已許借刻。」[21]可

18　原寫為審，後改為編，後又將編字刪去。

19　連筠簃，是楊尚文在北京的居所。楊氏為山西靈石人，但長期寓居北京，故叢書局其實是開在其北京之居所。不過，叢書局的實際主持者基本上是張穆。

20　參閱麗萍：〈《連筠簃叢書》刊印始末〉，《晉陽學刊》，2012年第2期。該文提到，張穆擬刻《營造法式》、《古泉匯考》而未果。

21　王獻唐輯：《顧黃書寮雜錄》濟南：齊魯書社，1984年，頁23。

見，此書為葉氏借給張穆（字石洲）來刻入叢書的。楊氏與張氏均愛好金石，因此選擇刻《古泉匯考》入叢書是可以理解的。而且，葉氏與張穆關係不錯[22]，故得以借刻此書。不過，此書中的改動，第一冊稍多，第二冊也有一些，而第三冊以後則絕少，只有個別疑是後來收藏者所加的按語。可見，此本之校改還遠未完工。

儘管如此，北大本《古泉匯考》曾經多人校對，對一些錯字作了改正，又補充了一些文字，與山圖本相較互有短長。

2　北大本之源流

以北大本與山圖本相較可看出，兩者實是同源的，不但文字相同，而且所摹寫的錢圖篆文也同，因此，北大本應該也是出自劉喜海的整理本。而據〈張石洲所藏書籍總目〉「史部二號」（即史部的第二部分）載：「翁氏古泉匯考（葉氏書，取出），六本。」[23]取出，是指取出還給葉氏。因此，此書應該在張穆去世後還給了葉氏。

另據楊繼震在《古泉匯》的題記云：「大興翁宜泉三十漢瓦之軒所藏歷代古泉拓本，己巳三月得於京師琉璃廠寶名堂，蓋漢陽葉東翁故物，受之翁孫引達者。伯斂。」可知，葉氏從翁方綱之孫引達手裡獲得了翁樹培的稿本《古泉匯》。聯繫到前述的葉氏從翁家獲得稿本《古泉匯考》的情況看，估計稿本《古泉匯》、《古泉匯考》兩書應該是葉氏同時得自於翁家的。己巳為同治八年，葉氏剛去世不久，其藏書已流散於外。

綜上所述，大致可以推斷北大本的流傳情況如下：

葉志詵從翁家獲得稿本《古泉匯考》及《古泉匯》。葉氏將《古泉匯考》借給劉喜海，請其襄助整理。整理完後，劉氏將稿本與過錄的整理本交還葉氏。葉氏將此整理本借給張穆，擬刻入《連筠簃叢書》中。張穆去世後，此整理本又還給葉氏。葉氏去世後，此本與稿本《古泉匯》從葉家流出，被楊繼震於同治八年從琉璃廠購得。[24]楊氏去世後，此兩書復流入廠肆，被燕大於一九三七年購得，現藏北京大學圖書館。

22　葉氏《御覽集》所附〈周鼎題詠〉一卷中收有張穆〈遂啟祺鼎記〉，參《清代詩文集彙編》，冊531，頁358。

23　〔清〕張穆：《張石洲所藏書籍總目》，稿本，一冊，中國國家圖書館善本部藏，為張穆去世後其藏書的清點目錄。該目「其單內之目查檢不著者」載：「古泉考（七本，葉東卿）。」此書應與前述的六本之書不同，因為前面已記載的書，此單內是不收的，例如，該目「子部二號」載：「說鈴（出，葉氏書）廿九本。」此《說鈴》就不收在此單內。如此說來，張氏可能還從葉氏手借得一部七本之《古泉考》，而這七本之書則有可能是翁氏之原稿本。

24　關於葉氏藏書散入廠肆的情況，還可參孫殿起：《琉璃廠小志》北京：北京古籍出版社，2001年，頁104引繆荃孫《琉璃廠書肆後記》載：「路北有寶名齋，主人李衷山，山西人，才具開展，結交權貴，為御史李璠所糾，發配天津；漢陽葉氏藏書歸之，裝潢最佳。」漢陽葉氏，即葉志詵。

3　《古泉匯考》、《古泉匯》之卷、冊數

北大本《古泉匯考》最末一冊跋文（應是楊繼震所作）云：「翁比部平生篤嗜古泉，旁搜類比，匯為鉅編，起癸巳，訖甲寅，共成《古泉匯考》十四卷，刪定蛻本十五冊，計泉四千五百九十又四枚。……余得二稿於葉氏，考只八卷，蛻本共九冊，……非甲寅覆定之舊。然稽之時代後先，品制沿革，次第鑿然，不得謂非全裘。或甲寅後又經刪定，亦未可知。拓本則僅闕刀錢一種，暇日擬為補之。仍依翁氏舊例，取昭代泉法為首，卷次上古列國秦漢三國六朝唐五代宋遼金元明，附以僭偽各國、不知年代及外洋、厭勝、撒帳、吉語、馬格之類，都為十鉅冊，亦云備矣。」（此跋最後有缺文）可見，楊氏在獲得稿本《古泉匯》後，又對其作了不少補充。又據翁樹培《古泉匯》自序載：「乃蒐集史乘，為《古泉匯考》十四卷，成於壬寅之九月。至壬寅除夕，總計所藏古錢為一萬二千四百有十枚。……爰排次前後，拓裝為十五冊，統計四千五百九十四枚。……時乾隆甲寅除夕。」（壬寅為乾隆四十七年，甲寅為乾隆五十九年）可知，乾隆四十七年九月，翁氏已編成《古泉匯考》十四卷。至於《古泉匯》十五冊，是乾隆五十九年編成的。在此之後，翁氏又對此兩書不斷修訂，到劉喜海獲見翁氏稿本時，《古泉匯考》已只有八卷。從每卷卷首均有翁氏之引言看，八卷應是翁氏確定的最終卷數。至於《古泉匯》原有十五冊，到楊氏購入時只有九冊。楊氏將其修訂、補充為十冊，即今之北大本《古泉匯》。

（三）國圖本

劉喜海據翁氏稿本整理出清本後，應有多個傳抄本，據鮑康《鮑臆園文手劄》載：「篛齋書來云：燕翁《古泉苑》一百一卷，底稿在伊處，宜為代刻。……翁氏《匯考》，所見皆寫本而無圖，採取過多，未經刪削，二書皆未可付梓，強為之亦不能愜心。」[25]「所見皆寫本」，可見，當時此書之寫本不止一種，前述的北大藏本即是其中之一。此外，傳世的還有國圖本。

據查，中國國家圖書館藏《古泉匯考》，清翁樹培撰，清抄本，九行二十一字，無格，八卷八冊。此書沒有劉喜海的眉批按語，除此之外，正文部分（包括正文內的小字注。這些小字注均應為翁氏的原注）與山圖本均同，可見，此本與山圖本是同源的，也是出自於劉氏整理的清本。而且，可能為謄抄方便，此書每行的字數、抄寫格式（包括留空）等與山圖本都相同，只不過，此本每半葉九行，而山圖本每半葉十二行。

那麼，此本傳抄於何時，流傳情況如何呢？

25　《石刻史料新編》第三輯，臺灣新文豐出版公司，1982年，冊35，頁375上。

　　此本最後部分的文字較山圖本多了三葉餘，內容為：「彥超銀鹿，背烏雛，二種，容軒藏。……」以上約補入三十餘種打馬格錢。其內容一般只是簡單記錄錢名及出處，而其出處包括：容軒（不詳何人）、燕庭（劉喜海）、劉青園[26]、《吉金所見錄》、《泉志新編》。前三者均為直接引自其人之收藏，而不稱引自何書，可推知此本之過錄者應該是與劉喜海、劉青園同時期之人，而且與他們均有交往，故知其所藏。山圖本最後部分也有不少劉喜海補入的打馬格錢，但是，與此本相較，頗有異同，亦可推知此本並未過錄劉氏之校語。綜上，此本應是抄自劉氏整理出的清本，但抄寫時間應在劉氏自己加校語之前（約在道光年間）。

　　最後，談談此本之流傳。此本卷一正文首葉有印兩方：「元方心賞」、「曾在趙元方家」。全書末葉有印：「無悔齋校讀記」。以上三方印均為趙鈁（1905-1984，字元方）的藏書印，據此推測，此本之流傳過程比較簡單：其約在道光年間抄成後，於民國時期流入趙元方之手，然後約於一九四九至一九五九年間入藏北圖（國圖）。[27]

二　《古泉匯考》與《永樂大典》的關係

　　北圖影印本《古泉匯考》書前〈翁樹培《古泉匯考》及其流傳〉一文云：「著者曾費數年時間，全部抄錄《永樂大典》有關記載，然後分繫於各條目之下。《永樂大典》久已缺佚，而其中『古泉』一門，今全賴《古泉匯考》一書得以保存。」[28]那麼，《大典》「古泉」一門是怎麼回事？《匯考》中哪些內容是出自《大典》？以下主要想討論這兩個問題。

（一）《大典》收錢譜的情況

　　《大典》中其實並沒有所謂「古泉」一門，其中關於「古泉」的內容是收在《大典》卷四六六八至四六七三中，共六卷，包括：卷四六六八「歷代錢幣一，伏羲神農至漢」，卷四六六九「錢幣二，漢至宋」，卷四六七〇「錢幣三，宋」，卷四六七一「錢幣四，宋遼金元，國朝」，卷四六七二「僭偽錢，異品錢一」，卷四六七三「異品錢二，外

26　劉師陸，清代藏書家、金石學家，字青園，號子欽，山西洪洞人，嘉慶五年（1800）進士，官編
　　修；著有《女直字碑考》、《女直字碑續考》、《虞夏贖金釋文》等。

27　北京圖書館編：《北京圖書館善本書目》北京：中華書局，1959年，「史部・金石類・錢幣」載：
　　「《古泉匯考》八卷，清翁樹培撰，清抄本，八冊。」該書目主要收載一九四九至一九五九年新入
　　藏北圖之善本。

28　〔清〕翁樹培：《古泉匯考》北京：北京圖書館出版社，1994年影印本，卷首，頁3。下文所使用的
　　《古泉匯考》均據此影印本。

國錢」。[29]除此之外，《大典》中再無集中記載古錢幣的內容，因此，所謂「古泉」一門，應該就是以上內容，而翁氏《匯考》所抄自《大典》者，也主要是此部分內容。

《古泉匯考》分為八卷，其中卷一自上古至商周，卷二自秦漢至三國，卷三自晉至隋，卷四自唐至五代，卷五兩宋，卷六自遼金至明末，卷七為外國錢和不知年代品，卷八為撒帳、吉語等錢。與《大典》卷四六六八至四六七三相較，兩者基本相同，唯最後兩卷有些差異。

那麼，《古泉匯考》的內容是否全部抄自《大典》？顯然不是，因為：其一，《古泉匯考》中還有不少內容是《大典》沒有的，如所引的一些清人著作，以及與翁氏同時人的言論等。此外，每卷卷首引言，引文後的按語，均是翁氏自撰的。其二，《古泉匯考》是翁氏陸續編成的，在他獲得《大典》材料以前，已經有一部分初稿；而且，利用《大典》之後，翁氏也續有增改。例如，《匯考》如果基本都是抄自《大典》，那麼原稿應該很整齊，而不會像劉喜海描述的那麼亂。又如，《大典》「歷代錢幣一」是從伏羲、神農講起的，而《匯考》在此之前還增加了一些錢幣。可見，《匯考》中有不少非《大典》的內容。其三，《大典》卷四六六八至四六七三共六卷，每卷約為二萬字，共約十二萬字[30]，而《匯考》則有三十餘萬字[31]，可見，即使《大典》六卷內容均收入《匯考》中，也僅佔《匯考》的三分之一。綜上所述，《古泉匯考》的內容並非全是出自《大典》。那麼，《匯考》中哪些內容是出自《大典》？

（二）《古泉匯考》所引《大典》情況分析

《古泉匯考》對《大典》的利用，可以分為如下幾種情況[32]：

1 明言出自《大典》者

《古泉匯考》中明言出自《大典》者有：

---

29 這六卷《大典》已亡佚。艾俊川：〈讀《永樂大典》校本《泉志》劄記〉，載中國國家圖書館編：《《永樂大典》編纂600周年國際研討會論文集》北京：北京圖書館出版社，2003年，頁212-239，認為錢書在《大典》中是打散排列的。

30 虞萬里：〈有關《永樂大典》幾個問題的辨正〉，《史林》2005年第6期，頁29-30。

31 張書學：〈王獻唐與翁氏《古泉匯考》之流傳〉，《文獻》1994年第2期，頁197-202。

32 由於目前存世的《古泉匯考》版本（包括北圖影印本）均源於劉喜海整理本，而劉氏整理本肯定與翁氏原稿有差異，因此，《古泉匯考》中一些地方的引書出處有可能被劉氏改動過（或修正，或誤改，或刪省，或添加）。但是，目前我們無法釐清其中的改動情況，故只好將《古泉匯考》所標之出處均視為翁氏原稿即如此。

表一

原文	出處	書名	備註
永樂大典張淏雲谷雜記：王觀國學林云：……	頁588	雲谷雜記	佚書。有四庫館輯大典本。
永樂大典學齋佔畢馮鑒事始載：……於此（永樂大典引於此二字作此非也三字），……。	頁589	學齋佔畢	有傳本。《四庫》著錄為通行本。
永樂大典考古質疑：學林謂：……（培按，此說非確論，學林所云為是）。	頁671	考古質疑	佚書。有四庫館輯大典本。
永樂大典，考古質疑，王觀國學林新編謂：五代有天祐、天福、唐國等錢，……。	頁749-750		
永樂大典，考古質疑：……。	頁782		
永樂大典通志……。	頁704	通志	有傳本。
永樂大典，乾元重寶，泉志按……。	頁705	泉志	有傳本。
永樂大典，泉志：……。	頁770		
永樂大典，敬齋泛說……。	頁705	敬齋泛說	佚書。有四庫館輯大典本《敬齋古今注》，其中附錄部分收有該書少量的佚文。
培案：永樂大典引吳氏能改齋漫錄辨誤篇，王觀國學林新編云云。	頁749-750	能改齋漫錄	有傳本。
永樂大典，唐書食貨志：……。	頁752	唐書	有傳本。
永樂大典，事林廣記：……。	頁797	事林廣記	有傳本。
永樂大典，五代史：乾亨重寶……。	頁802	（舊）五代史	佚書。此三段引文均不見於目前的《舊五代史》及《新五代史》，因為《舊五代史》為輯本，會有遺缺，而《新五代史》無缺文，故此三段應為《舊五代史》之佚文，可補目前之《舊五代史》。
永樂大典，五代史：天德重寶……。	頁812		
永樂大典，五代史（十四巧寶字所引，有引雜傳二字[33]）：仁恭之子得罪於父……	頁815		

---

[33] 《大典》十四巧「寶」字在卷一一五七二至一一五七九，可見，翁氏搜檢《大典》很廣泛，並非只從「錢」字韻中找材料。

原文	出處	書名	備註
永樂大典曰，陶岳貨泉錄，王審知云云，……。	頁810	陶岳貨泉錄	佚書。李佐賢《古泉匯》引此書，但無此條。
永樂大典，齊王倧，唐逸史：……。	頁813	唐逸史	佚書。
永樂大典曰，續通鑒長編：……。	頁828	續通鑒長編	即《續資治通鑒長編》。有傳本，但有缺。四庫館有大典輯本（輯補）。
永樂大典曰，續通鑒長編：……。	頁856		
永樂大典曰，續通鑒長編：……。	頁857		
永樂大典曰，續通鑒長編：……。	頁868		
永樂大典曰，續通鑒長編：……	頁915		
永樂大典曰，宋史：太平興國元年鑄。	頁832	宋史	有傳本。
永樂大典曰，宋史：……。	頁837		
永樂大典曰，宋史：……。	頁838		
永樂大典曰，宋史：……。	頁845		
永樂大典曰，宋史：……。	頁847		
永樂大典曰，宋史：……。	頁849		
永樂大典曰，宋史：……。	頁853		
永樂大典曰，宋史：……。	頁858		
永樂大典曰，宋史：……	頁895		
永樂大典曰，宋史：……	頁901		
永樂大典曰，宋史：……	頁903		
永樂大典曰，宋史：……	頁983		
永樂大典曰，宋史：……	頁990		
永樂大典曰，宋史：……	頁994		
永樂大典曰，宋史：……	頁1004		
永樂大典曰，宋史：……	頁1005		
永樂大典引宋史：……	頁1006		
永樂大典曰，宋史：……	頁1013		
永樂大典曰，宋史：……	頁1016		
永樂大典曰，宋史：……	頁1041		
永樂大典曰，宋史：……	頁1042		
永樂大典曰，宋史：……	頁1050		
永樂大典曰，宋史：……	頁1061		
永樂大典曰，宋史：……	頁1072		

原文	出處	書名	備註
永樂大典曰，宋史：……	頁1091		
永樂大典曰，宋史：……	頁1096		
永樂大典曰，宋史：……	頁1104		
永樂大典曰，宋史：……	頁1110		
永樂大典曰，宋史：……	頁1112		
永樂大典曰，宋史：……	頁1121		
永樂大典曰，宋史：……	頁1122		
永樂大典曰，宋史：……	頁1124		
永樂大典曰，宋史：……	頁1126		
永樂大典曰，金史：……	頁1138	金史	有傳本。
永樂大典引金史：……	頁1167		
永樂大典曰，王黃州小畜集：……。	頁836	王黃州小畜集	有傳本。
永樂大典曰，宋會要：……。	頁863	宋會要	佚書。
永樂大典曰，宋會要：……。	頁864		
永樂大典曰，三槐王氏雜錄：……。	頁882	三槐王氏雜錄	佚書。
永樂大典曰，畢衍備對：……。	頁886	畢衍備對	佚書。畢仲衍《中書備對》。
永樂大典曰，朱彧萍州可談：……	頁957	萍州可談	佚書。四庫館輯有大典本。
永樂大典曰，蔡條（通考有國字）史補：……	頁964	（國）史補	佚書。李佐賢《古泉匯》有此條。
永樂大典曰，朝野雜記：……	頁1071	朝野雜記	即《建炎以來朝野雜記》。有傳本。
永樂大典曰，晉王子年拾遺記：……	頁1426	王子年拾遺記	有傳本。
永樂大典，圖經志書：……	頁1269	圖經志書	具體書名不詳。
永樂大典曰，歷代錢譜（培按，四字初見於此）：……。	頁883	歷代錢譜	可能是照抄了《大典》事目名。
永樂大典曰，歷代錢譜：……	頁913		
永樂大典曰，歷代錢譜：……	頁929		
永樂大典曰，歷代錢譜：……	頁934		
永樂大典曰，歷代錢譜：……	頁938		
永樂大典所云熙寧中鑄聖宋錢也……	頁940	不詳	此處非照錄《大典》原文，而只是節引。

原文	出處	書名	備註
永樂大典曰（無引書名，後仿此[34]）：……。	頁874	不詳	
永樂大典曰：……。	頁878		
永樂大典曰：……。	頁881		
永樂大典曰：……	頁887		
永樂大典曰：……	頁891		
永樂大典曰：……	頁918		
永樂大典曰：……	頁920		
永樂大典曰：……	頁960		
永樂大典曰：……	頁968		
永樂大典曰：……	頁976		
永樂大典曰：……	頁978		
永樂大典曰：……	頁980		
永樂大典曰：……	頁985		
永樂大典曰：……	頁992		
永樂大典曰：……	頁1000		
永樂大典曰：……	頁1001		
永樂大典曰：……	頁1065		
永樂大典曰：……	頁1067		
永樂大典曰：……	頁1086		
永樂大典曰：……	頁1116		
永樂大典曰：……	頁1118		
永樂大典圖，小錢折二，背俱有星月。	頁1008	不詳	《大典》是有錢圖的。此外，頁932、頁952，也提到《永樂大典》錢圖。
永樂大典圖，面文楷書，熙在右，上舒下同，與此合。	頁1024		
永樂大典圖二種，……。	頁1116		

　　以上明言引自《大典》者，又可分為四類：一、佚書。當時翁氏不太可能從其他地方找，只能抄自《大典》。二、傳世之書，包括《學齋佔畢》、《通志》、《泉志》、《能改齋漫錄》、《唐書》、《事林廣記》、《續通鑑長編》、《宋史》、《金史》、《王黃州小畜集》、《建炎以來朝野雜記》、《王子年拾遺記》。這些書絕大多數是常見之書，那麼，翁氏為何要引自《大典》呢？這可能是因為：翁氏將《大典》中有關古泉內容基本都抄出了，然後分置於《古泉匯考》相應條目之下，而不管這些材料是否在傳世之書中。三、只提《大典》，不提原引書名。這可能是翁氏或劉喜海在將《大典》相關內容剪貼或迻錄於

---

34 此小注北圖本亦有，應是翁氏的原注。該小注可能說明：有些抄自《大典》的材料沒有標明原引書名，翁氏只好標為引自《永樂大典》。

《古泉匯考》相應條目之下時，沒有標明《大典》原引書名所致。四、只提《大典》「歷代錢譜」、「圖經志書」、「錢圖」（這些並不是準確的書名），有可能是翁氏在標注時只標了《大典》的事目名（如「歷代錢譜」），或者是在標注時忘了具體的引書名，而只是據其內容大致標示（如「圖經志書」、「錢圖」）。

　　據上述可知，翁氏應該是將《大典》有關古泉的內容基本都抄出了，並且分置於《古泉匯考》相應條目之下。

2　未明言出自《大典》者，也有可能出自《大典》

　　《古泉匯考》所徵引之佚書，雖有一些未明言出自《大典》，但其中大部分應該也是出自《大典》[35]，例如：

表二

書名	出處	備註
張台《錢錄》	頁15	《古泉匯考》中有時引書只標作者，而不標書名。例如，頁56，「張臺曰……。」此處所引也應該是出自張臺《錢錄》。
李孝美《錢譜》	頁22	另可參：頁67，頁74，頁83，李孝美曰……。
董逌《錢譜》	頁22	另可參：頁130，頁146，董逌曰……。
封演《錢譜》	頁37	
顧烜《錢譜》	頁74	
《劉馮事始》	頁85	
姚元澤《錢譜》	頁247	
施青臣《繼古叢編》	頁369	
嚴有翼《藝苑雌黃》	頁371	
黃瑞節《蔡子成書》	頁422	
闕名《獻帝春秋》	頁477	
裴子野《宋略》	頁526	
《三國典略》	頁594、頁1664	

---

[35] 當然，也有極個別的例外，例如，翁樹培《古泉匯考》頁1502載：「今考《雞林類事》曰……（與《泉志》所引小異，茲於《說郛》本採出）。」可見，其所引的《雞林類事》雖為佚書，但卻是採自《說郛》，而不是《大典》。

書名	出處	備註
鄭虔《會粹》	頁667	李佐賢《古泉匯》有此條。
《肅宗實錄》	頁704	應為《唐肅宗實錄》。
宋白《續通典》	頁757	李佐賢《古泉匯》引此書，但無此條。
薛居正《舊五代史》	頁759	
《五代開皇記》	頁760	
《開譚錄》	頁766	李佐賢《古泉匯》有此條。
《大定錄》	頁787	
《十國紀年》	頁790	李氏《古泉匯》多處引此書，但無此條。
黃秉石《書奕》	頁835	黃秉石，原文誤為「黃董石」。
《漏刻經》	頁835	
熊克《中興小紀》	頁1004	
《神宗國史》	頁1425	
《寶檟記》	頁1427	
韋節《西番記》	頁1440	
杜還《經行記》	頁1440	
張騫《出關志》	頁1441	
《廣州記》	頁1445	
《國朝會要》	頁1446、1448、1508	應為《宋會要》。
《諸蕃風俗》	頁1447	
宋陳振孫《書錄解題》	頁1755	即《直齋書錄解題》，四庫館輯有大典本。李佐賢《古泉匯》有此條。
崔豹《古今注》	頁1767	

　　上表所列的這些書應出自《大典》，原因有二：一、這些書均為佚書，除了《大典》外，翁氏不太可能從別處抄得。二、同書異名，承前而省。例如，《古泉匯考》所引的《國朝會要》，實即《宋會要》，為佚書。前一表中已提到《匯考》所引《宋會要》出自《大典》，那麼，《國朝會要》應該也是出自《大典》。因此，《匯考》所引的一些佚書，雖未標《大典》，但大多應是出自《大典》。換言之，翁氏在引用《大典》材料時，並沒有都標明「永樂大典」字樣。而且，尤其需要注意的是，《匯考》徵引許多佚書時，只標作者名，而不標書名，其實這些徵引的內容也應該多出自《大典》。

3 據《大典》校勘者，《大典》中應有相應之內容

　　《匯考》中有的引文，雖不出自《大典》，但以《大典》引文校過，說明《大典》肯定收載這些內容，而且應該被翁氏從《大典》中抄出了，因為翁氏不太可能將《大典》原本拿來校對。例如：

　　頁三四〇至三四一，「王惲《秋澗文集·周景王大泉說》曰：……。培案：……幾（《永樂大典》作歲）……被（《永樂大典》作弊）……。」

　　頁八三六，「趙德麟《侯鯖錄》曰：……皇帝（《說郛》本、《永樂大典》並有此二字）……譎（《說郛》本、《永樂大典》俱作責）……。」

　　頁八七一，「《歸田錄》曰：……著（按：《永樂大典》引江少虞《類苑》，著作鑄）……。」

　　頁八七五，「傅求（《永樂大典》作傅永）傳曰：……。」[36]

　　頁八八六，「至和重寶。培按：此錢楷書徑九分，折二錢也。和字在右，《永樂大典》圖與此合。……」

　　頁九一七至九一八，「《（文獻）通考》曰：……。」該段文字翁氏據《永樂大典》等校過。

　　據上述可推知，翁氏將《大典》古泉部分基本都抄出了，在分置於《匯考》各條之下時，若為《匯考》原稿已有之內容（即獲得《大典》材料之前翁氏已搜集並編入《古泉匯考》的內容），則用之以為校勘之資料。與此相對，那些正文為《大典》內容，而翁氏在按語中以傳世之本作校的，則應是翁氏原稿（獲得《大典》材料之前）中沒有的。

4 其他有可能出自《大典》的內容

　　據表一可知，《匯考》所引的傳世文獻中也有不少是出自《大典》的；而據表二可知，《匯考》所引《大典》的內容，有時候並不標明出自《大典》。那麼，《匯考》所引之傳世文獻而不標明是出自《大典》的內容中，除上述外，還會有哪些是出自《大典》？本人認為這些內容如符合以下兩個條件就有可能是出自《大典》：一、出自《永樂大典》徵引之書。目前《永樂大典》只剩下百分之四的篇幅，因此，我們無法獲知《大典》所有徵引之書，但是，明初《文淵閣書目》可以作為考察其徵引書的基本依據。也就是說，如果是收入《文淵閣書目》之書，則基本上有可能被《大典》徵引。與之相對，未收入《文淵閣書目》之書，則一般不會被《大典》徵引。二、與表一中的傳世本相同之書，包括《學齋佔畢》、《通志》、《泉志》、《能改齋漫錄》、《唐書》、《事林廣記》、《續通鑑長編》、《宋史》、《金史》、《王黃州小畜集》、《建炎以來朝野雜記》、《王子

---

36 該段引文出自《宋史·傅求傳》。

年拾遺記》等。例如，《匯考》頁九〇三，「永樂大典曰，宋史：……。」同一頁隨後一條引文載：「又曰，宋史：……。」顯然後一條是承前而省「永樂大典」四字。又如，頁一四二六，「永樂大典曰，晉王子年拾遺記：……。」說明此段引《拾遺記》的文字是出自《大典》。但是，在此前還有一段出自《拾遺記》的引文，卻只標「王子年拾遺記曰」而沒有標「永樂大典曰」。如果此處所據是傳世之本，那麼為何緊隨其後所引同一部書的文字又引自《大典》呢？因此，本人估計《匯考》所引的王子年《拾遺記》均出自《大典》。

綜上所述，本文的主要觀點可以歸納為：

其一，目前存世的抄本《古泉匯考》共三種，即山圖本、北大本和國圖本。其流傳過程分別為：山圖本，一九三三年山圖館長王獻唐抄自山東安邱趙孝錄所藏的劉喜海整理批註本，保藏至今；北大本，經由葉志詵——張穆——葉志詵——楊繼震——燕京大學——北京大學遞藏；國圖本，曾經趙元方收藏，解放後入藏中國國家圖書館。這三種抄本均來源於劉喜海整理本，但互有優劣，可以相互校勘、補正。

其二，翁氏以以下方式處理所獲得的《大典》古泉部分內容：將其內容直接抄入《匯考》相應條目之下；如果《匯考》原有這部分內容，則以其作為校勘材料。不過，由於過錄、編纂或整理時不夠注意，引自《大典》的內容不是特別準確、完整、清晰地反映在《匯考》中。[37] 儘管如此，通過對《匯考》原文進行仔細分析，我們還是可以大致獲知其中哪些內容是徵引或參考了《大典》古泉部分的：一、明言引自《大典》者；二、《匯考》所引的絕大多數當時的佚書；三、以《大典》內容校勘過的材料，《大典》中應有相應的內容；四、《匯考》所引之傳世文獻而不標明是出自《大典》中的文字，也有相當一部分是據《大典》轉引的。

總之，隨著《古泉匯考》的影印出版，《古泉匯考》在古泉學上的研究價值越來越受到相關學者的重視，但其在輯佚學、大典本研究等方面的價值則有待我們去進一步開發和利用。因此，本文關於《古泉匯考》抄本、流傳及與《永樂大典》關係的探討，應該對我們今後校勘與整理《古泉匯考》、復原《永樂大典》、輯佚古書等均有重要的參考價值。

---

37 例如，關於外國錢、厭勝錢部分，《古泉匯考》基本不提《大典》，但《大典》是有這部分內容的，而且翁氏肯定參考並引用過。

明朝中後期中國儒佛會通的發展與困境

賀志韌

中國人民大學哲學院

　　明朝中後期是中國思想的一個總結和轉型的特殊時期。在這一時期王陽明心學譜寫了中國儒學思想的最後一個高潮曲章，他的「良知」學說對程朱理學進行了一個一百八十度的大轉彎、大糾正，把「在明明德」的認識「天理」的「大學之道」由外向延伸的「格物致知」轉變成了內向回歸的「致良知」，這樣程朱理學和陸王心學就從外向和內向兩個方向，從事與理的兩個層面上對儒家哲學進行了一個系統、完整、深入的構建。隨後出現的黃宗羲、王夫之等人則在對程朱理學和陸王心學的反思的基礎上對整個儒家哲學思想進行了總結和梳理。與此同時道教和佛教也都在自身內部進行了十分深刻、完整的融會與整理，但仍然存在很多矛盾與問題。道教內部的融合主要表現在天師道與全真教的互融互通，這二者的融通一方面表現在教理教義上的互借互融，另一方面表現在修行方式和齋醮儀式上的借鑒、統一。佛教內部的融合主要表現在禪宗、淨土宗、律宗、密宗、天臺宗、華嚴宗和法相唯識宗等各大宗派思想的歸一，尤其是自唐末五代時期永明延壽禪師倡導的禪淨合一。儒釋道三教之間又經歷自宋代以來的合流趨勢，在這一時期最終形成了你中有我、我中有你的「三教合流」形態，其中儒佛會通表現得最為明顯和重要。

　　雖然儒佛會通的大潮流已成定局，但是儒家知識份子和佛教門人之間仍存在很大的離齟，其中又以儒家對佛教的排斥、批判為主。儒家對佛教的批判有的是繼續從慧遠時代以來就存在的老生常談，如批評僧人剃髮出家是「無父」，不務生產是「無君」；有的是繼承程朱理學對佛教空的思想的批判，如佛教的空是教人變成「朽木枯槁」，對世間無用；有的則提出了自己的新觀點。而在這背後最直接也最強有力的推動則是明朝政府，尤其是皇帝個人對佛教的態度及其制定、推行的相關管理制度，即僧制。

一　明朝前期儒佛會通所面臨的阻力

　　整個明朝的僧官制度總體上來說是十分嚴厲和苛刻的，明朝前期，太祖朱元璋和成祖朱棣雖然利用佛教為其奪取政權及維護統治服務，但卻從制度上嚴格限制佛教的擴張，包括從寺廟的數量和規模、僧人的數量和審核標準、僧官的數量和等級等等。洪武元年（1368），朱元璋就設置了「善世院」專門管理佛教僧伽事宜。洪武六年（1373），

朱元璋命禮部推行度牒制，嚴格限制僧人出家，並將僧人畫分為禪、講、教三大類，
「禪」指主張「不立文字」的禪宗，「講」指天臺、華嚴各精於教義演說的教門，「教」
指崇尚瑜伽密法修行的密宗。三者嚴格區分，禁止互相交涉，甚至連僧服的顏色也各有
不同。朱元璋還嚴格限制全國寺廟的數量，命令「府州縣止存大寺觀一所，並其徒而處
之。」[1]英宗正統朝時，主持輔國的「三楊」（楊士奇、楊榮、楊溥明）令限制僧尼和寺
院，對京師內的僧人「量數存留，餘皆遣回本土」；對申請出家的人，要由禮部主持考
試，考試嚴格到要「頗通梵語」方發放度牒；對曾經私自創建的寺院准許其存在，但今
後嚴禁再建，否則治以重罪。至孝宗弘治新政時，佛教受到了官方更大的限制和打擊。
弘治元年（1488），孝宗下令：「革法王、佛子、國師、真人封號。」「華人為禪師及善
世、覺義諸僧官一百二十人……請俱貶黜。」[2]大量僧官被降級、免職，大量僧尼被勒
令還俗，大量私自創建的寺院被嚴令拆毀。其中許多與政治有交涉的僧人被處以重刑，
甚至處死。

　　在這一系列的逆佛運動中，作為朝廷中堅的儒家士大夫所起的推波助瀾的作用是不
容小覷的。洪武時期，李仕魯和陳文輝不惜以生命為代價，反對朱元璋設置僧官，認為
應該把佛教同政治隔離開。雖然這二人的死諫在當時並沒有影響到朱元璋的決策，但是
卻開啟了明王朝儒生對佛教進行擯斥的局面。其中，主要以推崇程朱理學者對佛教進行
敵視和擯斥，李仕魯和陳文輝二人也正是忠實的程朱理學的門徒。由於明朝朱元璋把朱
熹的著作定為科舉取士的教材，所以明朝很多知識份子，尤其是陽明心學出現以前的知
識份子，都受朱熹學說中抑佛學說的影響而反對佛教。弘治時推動孝宗沙汰佛教的禮部
給事中屈伸認為古往今來政府推崇佛教不過是希望利用高僧大德們來為國家求得「冥
福」，而達摩、佛圖澄、慧能這些歷代名僧也未能對當時的國運有所益處，又何從談
「冥福」？然而佛教在民間發展的規模卻日新月異，更有甚者私造度牒，嚴重威脅國家
的經濟收入，所以沙汰佛教是很有必要的。明朝前期的理學大家胡敬齋認為佛教的說教
「只是想像這道理，故勞而無功。」是一種空談，不是「真見」。胡的這種觀點是當時
儒家理學界普遍所持的一種觀點，即認為佛教教義是一種陷入虛無主義的理論，對個人
的修養，乃至於對世俗、對社會起不到積極的作用。另一位理學大家吳與弼更是極端地
認為「宦官、釋氏不除，而欲天下之治，難矣。」

　　因此，可以看出，在明朝前期無論是從國家制度、皇帝個人，還是儒家主流思想上
來看，對佛教都是持不太友好的態度的。並且這三者又不能完全割裂開來認識，而是相
互交織，共同發生作用的。社會上的理學大家會影響其身在朝堂之上的弟子的思想主
張，作為大臣的儒家知識份子又會影響皇帝的判斷和態度。反過來，皇帝的態度又會直

1　《鈔本明實錄・太祖實錄》北京：線裝書局，2005年1月。

2　〔清〕張廷玉：《明史・孝宗本紀》北京：中華書局，1974年4月。

接影響整個國家和社會對佛教的態度和認識。這就使得整個明朝前期，儒家同佛家幾乎是完全對立的，佛家無論是在朝堂之上，還是在主流意識形態上都很難擁有話語權。這也決定了儒佛會通的興起必然面臨重大的阻力和考驗。

二　明朝中後期儒佛會通的興起和困境

（一）明朝中期儒佛會通狀況

　　明朝中葉對佛教沒有像以前那樣的嚴加限制，但也並沒有放開管理。明武宗曾經一度耽溺於藏傳佛教的神秘儀式和藥物治療之中，但對佛教的整體發展以及儒佛會通並沒有起到積極的作用。嘉靖皇帝一生醉心道教丹藥，但也並沒有因此而對佛教進行特別嚴厲的打擊，當他發動「毀皇姑寺」事件時已到了晚年。因此明朝中葉大部分時間中，政府在儒佛會通這方面既沒有給予推進也沒有進行打壓，儒佛會通思潮的興起及其所遇到的阻力基本上都是發生在民間思想界中的。總體上來說，推力大於阻力。並且，明朝中葉佛教因為長期以來受到壓制，加上教內「狂禪」勢力甚囂塵上，很少出現十分突出的有能力、志向兼通三教的思想家，所以在這一時期扮演推動儒佛會通思潮的主力軍是儒家知識份子，其中起最突出作用的是陽明學派。明朝前期的理學家大多都是崇奉程朱理學，而程朱理學對佛教是持批判、貶抑態度的，所以明朝前期的理學家對佛教基本上是持否定的態度。當然其中不排除如陳白沙這樣的與佛教思想很接近的理學大家，但陳白沙也同樣因此而頗受時人的詬病。朱熹對佛教的批判大致可分為二類，一類是延續自《牟子理惑論》及慧遠時期以來就有的夷夏風俗論和忠孝倫理論，認為佛教勸人出家是「滅絕人倫，拋棄君臣父子夫婦之道，是貪生怕死，唯利棄義。」[3] 是對「三綱五常」的巨大挑戰，而這些恰恰是儒家在封建王朝統治中最重要最有影響力的主張；另一類即是對佛教「空」的學說的駁斥，錯誤地將佛教的「空」簡單、籠統地看成是「空壑壑然，和有都無了」的一無所有、絕對虛空的空，並進一步提出「佛氏偏處只是虛其理，理是實理，他卻虛了，故於大本不立也。」認為佛教在形而上的本體層面上就是虛的，所以其建立在這一本體基礎上的一切理論也必將是空中樓閣，無所作用的。朱熹對佛教的貶抑不但對陽明心學興起前的明代前期理學家們的思想起到重大的影響，甚至對陽明學興起後的明代中後期的儒家知識份子的思想影響深遠，「明末四大高僧」之一的蕅益智旭在出家之前就曾以「闢抑佛老」為己任，大量著述批判佛教、道教，這也看出儒佛會通一直到明代末年都是存在巨大的阻礙和困境的。王陽明在早年也深受朱熹思想的影響，對佛教的理論持批判態度，但隨著「龍場悟道」的思想轉變之後，他對佛教理論越

3　〔宋〕黎靖德編：《朱子語類》北京：中華書局，1986年3月。

來越持正面態度，與僧人的接觸也越來越頻繁，其中最著名的一段經歷就是他在平定宸濠之亂之後因功高受嫉去官隱居九華山佛寺之中。

　　王陽明的心學思想中充斥著大量與佛教，尤其是禪宗相近的內容，目前學界研究王陽明學說與佛教思想之間關係的著作和論文有很多，著名的有日本學者荒木見悟著述的《佛教與陽明學》、《陽明學的開展與佛教》、《陽明學與佛教心學》，日本學者佐藤龍太郎發表的〈關於陽明學中的狂禪〉，大西晴隆發表的〈王陽明與禪〉，以及我國陳永革著述的《陽明學與晚明佛教》、柳存仁的《王陽明與佛道二教》等。荒木見悟認為陽明學與「大慧禪」聯繫密切，「大慧禪」是南宋臨濟宗大慧宗杲禪師創立的一種禪法，又稱「話頭禪」、「看話禪」或「公案禪」，這種禪法的特點就是通過對一段包含機鋒的話頭或公案進行尋根究柢地探索，從而達到開發智慧，直達佛理。而實際上，王陽明的思想與「默照禪」的聯繫也是很大的，「龍場悟道」就是一個典型例證。「默照禪」是曹洞宗宏智正覺禪師創立的，他認為大慧宗杲的「話頭禪」不夠究竟，容易使人停留在言辭的層面，而不是體會於心，所以創立了「默照禪」。「默照禪」的特點就是通過打坐這種方式將「止」與「觀」相結合，使修行者在入定中進行觀想，獲得開悟。王陽明「龍場悟道」正是通過他自身在陽明洞中日夜打坐參悟而證得的。

　　王陽明通過這場徹悟之後，開始建立起了他的心學理論體系，一反程朱理學的」格物致知「修行理論模式，認為通過」，今日格一物，明日格一物「這樣的繁瑣功夫很難以大道真正的對」天理「大道的」致知。反過來，如果從人的自心出發，通過不斷的對自心的觀照、護持，認識、發動自己的「良知」，那麼人的一切起心動念也就自然而然合乎天道，一切行為也就自然而然合乎「天理」。因為「良知」乃是「天理」在人心中的呈現，猶如月亮把影子倒映在水中一樣。「良知」學說正是陽明心學的中心和基礎，而這一學說與佛教的學說又是極其接近的。佛教認為眾生的心中都有一個純淨無汙的本體，即佛性。佛性是每個人都有的，是先天就存在的，也是宇宙一切事物所存在的共性。對佛性的回歸就是解脫煩惱、證得佛果的關鍵途徑。王陽明說：「良知，心之本體，即所謂性善也，未發之中也，寂然不動之體也，廓然大公也，何常人皆不能而必待于學邪？中也，寂也，公也，既以屬心之二體，則良知是已。」[4] 認為「良知」就是人心中的本質、本性、本然的本體部分，是先天存在而且純然至善的，它具有內在性、靜止性、普遍性，是所有人心中都具有的，而不是哪一個才有。王陽明曾引佛家的名詞「照心」與「妄心」提出「照心非動，妄心亦照」的理論觀點，認為「照心」是指觀照、指導人的意念活動的心之本體的良知是光明清淨、寂然不動的。同時，「妄心」雖然受到了外在不純潔的氣質的薰染，但其本身的內在核心部分卻仍然是乾淨、純潔的「良知」，即「照心」。王陽明在此對「照心」和「妄心」這兩個佛教詞彙的引用並不僅

4　王陽明：《傳習錄》鄭州：中州古籍出版社，2008年1月。

僅是單純概念意義上的名詞借用，其在相當程度上也保留了這兩個詞的原本意味。王陽明甚至還將慧能的「菩提本無樹，明鏡亦非臺。本來無一物，莫使染塵埃。」一偈發揮成一首詩：「一竅誰將混沌開，千年樣子道州來。須知太極原無極，始信心非明鏡臺。始信心非明鏡臺，須知明鏡亦塵埃。人人有個圓圈在，莫向蒲團坐死灰。」[5]認為心的本體並不存在光明、晦暗之分，只是人的意識有了分別之後，才出現了善惡好壞的差別。他因此勸告人們只要在日常生活中護持好本心本性的「天理良知」就好，而不要一味地坐枯禪。這種思想同南嶽、馬祖一系的禪法思想很接近，唐代的馬祖道一禪師在遇到南嶽懷讓禪師時正在打坐，南嶽懷讓用磨磚不能成鏡警示他一味坐禪並不能成佛，而是要載日常生活中觀照自己的清淨本性。後來馬祖道一將此禪法思想發展為「平常心是道，觸類是真」的禪法理念，對後世禪宗影響深遠。

　　王陽明的思想對明朝中後期儒家知識份子的影響是巨大的，他的弟子和再傳弟子們分布各方，形成了浙中王門、江右王門、南中王門、泰州王門和北方王門等等。這些學派之間雖然理論上互相之間有很大的差別，但都對佛學表現出極大的興趣，與佛教積極地展開交流，對整個明朝中葉的思想界產生巨大的震動。如浙中王門的董澐因受王陽明影響，一度耽溺於佛典之中，並與僧人玉芝法聚在海門精廬結蓮社，拜訪了陽來精舍、天真精舍、千佛寺、靈岩寺、龍泉寺、報國寺等諸多寺院；萬表也經常同澐谷法會、和風自然等禪師一同參禪，認為「儒能體佛，可以為真儒」，將擯斥佛教的儒生比如為「猶不孝子，反恨於父母」；對浙中王門貢獻最大的王畿因其思想過於強調心性之學，而被人成為「龍溪禪」。江右王門的王時槐對佛教的心性論頗有研究，認為「彼主於不染一切以完其性，而吾儒則不離一切以完其性」。泰州王門的王艮早年「出入二氏」，而後師從陽明，也常與玉芝法聚相來往，他提出「百姓日用是道」的觀點，實際上是對馬祖道一的「隨緣任用，日用是道」的禪法思想的繼承與發展。陳永革在他的《陽明學與晚明佛教》一書中指出，陽明學派的叢林郊遊主要是與禪宗中的曹洞、臨濟二宗的交往，同其他宗派的交往很少，這一方面與當時中國佛教界禪宗一枝獨秀有關，另一方面也與陽明心學本身重視心性之學和禪悟有關。另一方面，王門學派的分布主要在江、浙、閩、廣一帶，遠離中原文化區，與佛教當時興盛的區域相重合，這也是王門與佛教關係密切的一大原因。

　　在佛教這邊，對儒佛會通起最重要貢獻的是雲棲株宏。雲棲株宏少年習儒，至三十二歲時方出家修佛，儒學素養很高。在教內，他高唱禪、教、律、淨歸一，反對狂禪，主張恢復律學，弘揚淨土。在教外，他推崇儒、釋、道三教合流，聲稱三教「理無二致，而深淺歷然；深淺雖殊，而同歸一理。此所以為三教一家也。」認為儒、釋、道三教雖然在枝節上有所不同，但根本的形而上的「理」上是一致的，所以應為「一家」。

5　王陽明：《王陽明全集》上海：上海古籍出版社，2011年9月。

但他同時又認為佛教比道教、儒家要高出一截層次，認為儒家停留在修身治世的層面，道教停留在修仙長生的層面都不夠究竟，不如佛教直接體認宇宙大道，認識萬物眾生生化、解脫之機的層次高。同時，他認為佛教和儒家有互補互助的作用，佛能「陰助王化之所不及」，儒能「顯助佛法之所不及」。認為佛雖然重點在於出世，但同樣能夠對世俗社會發生重要作用，而且是通過儒家的方法所達不到的；反過來，佛教雖然主張出世，當作為一種現實存在又必須依靠世俗力量的支持來維持生存和發展，這就需要借助於儒家士大夫的援手。另外如玉芝法聚等輩因經常同王學門人交接，也將許多儒學思想帶入佛教，同樣對儒佛會通的發展起到了重要的作用。尤其是玉芝法聚本人還曾拜王陽明為師，與王陽明的高足王畿、羅汝芳、聶豹、王艮等交往密切。

（二）明朝後期儒佛會通的狀況

根據學界的一般認定，明朝後期是從隆慶，或萬曆年間開始起算。這一時期，佛教曾經一度受到政府的高度推崇，其主要推動者是萬曆皇帝的生母慈聖皇太后。憨山德清在她的支持之下大修五臺山和報恩寺，耗費甚巨，朝野震動。佛教在當時民間社會發展得過於龐大，嚴重影響國家的經濟收入。並且大量的農民起義者打著彌勒降世的佛教旗號，自稱「白蓮教」、「白雲教」等等，給明王朝的統治造成極大的威脅。佛教內部又積極混亂複雜，風化敗壞，大量私自剃度的僧人充斥其中，有的甚至夫妻二人把頭一剃在自己家裡開起了夫妻廟，許多社會流氓、官府要犯也混跡僧團。這些嚴重的問題都給萬曆皇帝和當朝大臣形成了極其不好的印象，萬曆不但下令大量拆毀寺院，將僧尼收為官奴或勒令還俗，甚至將當時佛教界聲望最大的紫柏真可逼死獄中，將憨山德清流放嶺南。原為泰州王門，後出家修禪的李贄也因性格過於孤高狂悖、學說大違程朱理學而被捕下獄，不久自刎於獄中。佛教至此受到整個明朝以來從所未有的最嚴重的打擊，儒佛會通在強大的政治壓力下受到極大的阻礙。陽明學此時也盛極而衰，舉張宗經復古的東林黨復社文人佔據了中國儒學思想界的主流位置，程朱理學重新受到推崇，佛教學說再一次被受到排斥和貶低。在這一時期對儒佛會通作出主要貢獻的已經不是王門學派的學者，佛教中的許多高僧扮演了更為突出角色，其中最為突出的代表就是被稱為「明末四大高僧」的雲棲袾宏、憨山德清、紫柏真可和蕅益智旭，雲棲袾宏一生縱貫明代中葉和後期，前面已經就他對儒佛會通的貢獻作過介紹，此處不再重複。

憨山德清提出：「為學有三要：所謂不知春秋，不能涉世；不精老莊，不能忘世；不參禪，不能出世。」[6]認為三者缺一不可，其根本是為了使心地明澈清淨，沒有煩惱；使心地清淨的關鍵在於參禪，參禪就需要脫離世俗塵緣的牽絆，所以要出世；出世

6　曹越主編：《憨山大師夢遊集》北京：北京圖書館出版社，2005年1月。

的關鍵在於一個「忘」字，要將世間的一切因緣忘得乾乾淨淨，這就需要從形而上的層面上對天理大道有個清晰的認識，懂得世間一切無非都是大道流行，無有差別；而要能夠認識天理大道的本質和流行，就必須對通權達變，對世間的事物、情由有所認知和把握，這就需要懂得儒家所倡導的「春秋大義」。他利用佛教判教的方法將儒、釋、道三教歸入人、天、聲聞、緣覺、菩薩五乘之中，認為孔子是人乘之聖，老子是天乘之聖，而佛則是超越五乘的至聖。臺灣師範大學的王開府在〈憨山德清儒佛會通思想述評〉中對此進行了總結：「他認為『三教之學皆防學者之心，緣淺以及深；由近以至遠。』孔子希望人有別於禽獸，故以仁義禮智教人。唯人欲橫行之時，人每用仁義為手段，足其貪欲。老子見於貪欲之害，故以離欲清淨、澹泊無為教人。老子之言又深沉難懂，莊子因展無礙之辯才，發揚老學。惜後人讀莊子，茫然不知歸趣，驚怖而不入。莊子乃以萬世之後而一遇大聖，知其解者，是旦暮遇之也，而此大聖就是佛。」[7]可以看出憨山德清的儒佛會通思想總體上是有崇佛貶儒的傾向性的，認為儒學是三教中層面最低的學問。但他同時也承認了儒學思想的重要性，認為它是一個通向道教和佛教的基礎，沒有儒學的基礎是無法真正體認天理大道，並最終解脫成佛的。

　　憨山德清的儒佛會通思想雖然援用了佛教的五乘天人理論，但在根本上並沒有對魏晉南北朝時代的《牟子理惑論》和廬山慧遠大師的思想有所超越，其本質都是人為儒家是治世的學問，佛教是出世的學問；儒家的學問是必不可少的，佛教的學問是絕對超越的。憨山德清的進步性表現在他認為儒家學說是學習佛教學說的基礎，這一觀點為明末時代的許多高僧所接受，包括紫柏真可和蕅益智旭。紫柏真可針對當時社會三教之間互相貶低的情況提出「最可敬者，不以釋迦壓孔老，不以內典廢子史」，主張一視同仁、平等交流，這種包容、大度的觀念是十分難得的。

　　蕅益智旭是一個學識極為淵博的人，他從小熟諳程朱理學，出家後曾三次遍閱古印度毗尼律藏，精通佛教內禪宗、淨土宗、律宗、天臺宗等諸多宗派的學問，一生著述如山。蕅益智旭在他的《四書蕅益解》中將佛教的「五戒」比附於儒家的「五常」，認為：「不殺即仁，不盜即義，不邪淫即禮，不妄言即信，不飲酒即智。」[8]不同的是儒家的「五常」只能使人成為「世間聖賢」，為世俗社會服務；而「五戒」則能使人超脫生死，成為「無上菩提」。他還將佛教的「戒體」同王陽明的「良知」學說聯繫起來，認為人的良知覺悟、不迷失就是戒體的清淨，就是佛寶。儒家的「明明德」就是將當下一念之間的心體、良知把握、護持住，使其由「本覺」轉為「始覺」，由「未發之中」轉為「已發之和」，由「識」轉為「智」。關於「孝道」方面，蕅益智旭認為孝的關鍵在於

7　王開府：〈憨山德清儒佛會通思想述評〉，收入《第三次儒佛會通學術研討會論文選輯》臺北：華
　　梵大學哲學系，1998年，頁169-191。
8　蕅益智旭：《蕅益大師全集》四川：巴蜀書社，2013年12月。

成就自身，這樣才能讓父母心裡得到滿足和安慰，因為父母沒有不希望自己的子女好的。根據這一前提，孝可以分為兩大類：一是世間之孝，一是出世間之孝。世間之孝在於立德和立志，即做一個在道德上完善，在功名上有所成就的人，是小孝；出世間之孝在於修道成佛，這樣不但能夠將自己的親生父母度脫輪迴，甚至可以將世間的一切眾生視為父母而度脫之，是真正的大孝。

　　明末僧界為儒佛會通作出積極貢獻的人很多，除「四大高僧」以外，還有永覺元賢、圓悟克勤、覺浪道盛、湛然圓澄、寶峰如意等等。在儒家這方面，王門後學的鄧豁渠、李贄、何心隱、鄒元標、管志道等人也為儒佛會通做出了重要貢獻外，其中鄧豁渠、李贄最終歸入佛門，鄧豁渠甚至效仿雲水僧人四處乞食、雲遊。

　　晚明的儒生鑒於王學末流受「狂禪」的影響墮入「狂儒」的境地，開始對陽明心學提出質疑和批判，程朱理學在一定程度上得以復興。不僅如此，先秦儒家的崇天思想和張載的氣學思想也隨之興起，其中以郝敬的氣學十分具有特色，而他們都是在對陽明心學的反思的基礎上，進一步對佛教提出批判和駁斥的。郝敬早年沈心於佛教十五年，後轉過來批判佛教大講苦、空是一種十分消極有害的異端思想，會敗壞風俗倫常。他在《四書攝提》中說：「浮屠所以害道者，不始於滅倫，而始於苦空，惟其以眾生為苦，故並父母君師，皆為之魔。惟其以世界為空，故舉天地萬物，皆為之幻……是以聖人言學必言悅，悅則無往不學，隨在自得……所以與浮屠異也。」認為儒家思想是使人積極愉悅的學問，能使人在學習中得到真正的快樂，跟佛教是有截然不同的差別的。他還站在氣學的立場，對佛教的因果報應論和地獄觀提出質疑，認為人作為世間萬物的一份子，是從太虛中來，死後必向太虛中去，不可能存在所謂的死後的世界。

　　明末儒家士大夫多主張崇經奉古，對整個宋明理學，尤其是陽明心學持以否定態度，認為宋學使人陷入空談，誤國誤民。朱舜水說：「講正心誠意，大資非笑，於是分門標榜，遂成水火，而國家被其禍。」顧亭林說：「劉、石亂華，本於清談之流禍，人人知之。孰知今日之清談，有甚於前代者。」認為明朝晚期政治上的頹勢根本上是由士大夫專務空談引發的，將使國家像東晉一樣因清談誤國被外民族入侵並取代。這暗示了當時後金政權已經對明王朝構成了嚴重的威脅。清王朝入主中原以後，以黃宗羲為代表的復社文人的復古風潮得以延續和發展，形成了樸學。而陽明心學則作為引起明王朝沒落、亡國的罪魁禍首而被嚴厲地批判。佛教一度失去在政治上的地位，再次陷入低谷，晚明僧人憨山德清和藕益智旭等人嘔心瀝血的振興佛教的努力也化為烏有。儒佛會通思潮至此告一段落，而三教合流的文化意識卻早已深入人心，在民間信仰、風俗以及文學、藝術中廣為流播。

運河上橋樑的修築

——以紹興龍華橋、廣寧橋為例

蔡彥

浙江省紹興市圖書館

　　紹興作為我國首批二十四座歷史文化名城之一，素有「水鄉」和「橋鄉」的讚譽。據清光緒癸巳年（1893）繪製的〈紹興府城衢路圖〉所示，當時紹興城面積七點四平方公里，河流三十三條，有橋樑兩百二十九座，平均每零點零三二平方公里就有一座橋。近代周作人在其《河與橋》中說「（紹興）城中多水路，河小劣容舟刃。曲折行屋後，合櫓但用篙。約行二三里，橋影錯相交。既出水城門，風景變一朝。河港俄空闊，野板風蕭蕭」。[1]道出了這裡河道縱橫，舟車如織的水鄉風情。經統計，紹興全市有橋一萬〇六百多座，橋樑的密度為每平方公里一點四座，為全國之最，故被譽為中國「萬橋市」和「橋樑博物館」。二〇一四年六月二十二日，聯合國教科文組織第三十八屆世界遺產大會批准將中國大運河列入世界文化遺產。運河紹興段被列入世界遺產的點共有三個，即八字橋、八字橋歷史街區和紹興古纖道；河道總長一百〇一點四公里，佔全國申遺運河的十分之一，至今仍然可以看到許多保存完整的古橋。

一　運河演變和遺產價值

　　世界遺產是全球公認的具有突出意義和普遍價值的文物古蹟及自然景觀。運河紹興段，位於大運河的南端，是大運河連接內河航道與外海航道的紐帶，也是古代海上絲綢之路的重要端點之一。它以紹興城為中心，向西經柯橋至錢清出境，向東經皋埠、陶堰至曹娥江，而後分為南北兩線，北線經百官、驛亭至五夫長壩出境，南線經梁湖、豐惠至安家渡出境。早在春秋時期，越國在建都紹興同時，便開鑿了人工運河「山陰故水道」。西元前四百九十年，即東周敬王匄三十年，越王勾踐七年，在勾踐回國的當年，就命大夫范蠡利用今紹興城所在的八個孤丘，修建小城。據《越絕書·卷八》：「城周二里二百二十三步，設陸門四處，水門一處」。隨即又在小城以東增築大城，就是今天的紹興城。同書載「山陰故水道，出東郭，從郡陽春亭，去縣五十里」。「山陰故水道」的

1　周作人：《往昔三十首》，見王仲三：《周作人詩全編箋注》上海：學林出版社，1995年，頁86。

開鑿應該不遲於這一時間。又說「山陰古故陸道，出東郭，隨直瀆陽春亭。」[2]可見早在春秋時期，運河兩岸就已經是一個聚落中心。運河橋樑的修築當開始於這一時期。到西晉永泰元年（307），會稽內史賀遁開鑿西陵運河（後稱西興運河），使大運河紹興段基本成形。據明萬曆《紹興府志・卷七》：

> 運河自西興抵曹娥，橫亙二百餘里，歷三縣。蕭山河至錢清長五十里，東入山陰，經府城中至小江橋，長五十五里，又東入會稽，長一百里。其縱，南自蒿壩，北抵海塘，亦幾二百里。《舊經》云：晉司徒賀循臨郡，鑿此以溉田。雖旱不涸，至今民飽其利。

《舊經》就是編於北宋大中祥符年間（1008-1016）的《越州圖經》。這次修築，奠定了運河穿紹興城而過的格局，橋樑數量必然大大增加。南宋時，隨著大運河的全線貫通，終於形成「堰限江河，津通漕輸，航甌舶閩，浮鄞達吳，浪槳風帆，千艘萬艫」[3]的宏大漕運體系，也使紹興成為我國東南地區交通發達、經濟繁榮和文化燦爛的「海內劇邑」。可以說，正是運河養育了紹興人，托起了紹興的繁榮。在運河沿線，留下了數量眾多文物古蹟，具有豐富的歷史、科學和藝術價值。

二　龍華橋和廣寧橋溯源

八字橋歷史街區位於紹興城東北部，北鄰勝利路，南至紡車橋，西臨中興路，東靠東池路。總面積〇點三一九四平方公里，其中街區〇點一九六六平方公里，周邊風貌控制區〇點一二二八平方公里。運河紹興段橫穿中心，是我國納入運河世界文化遺產點僅有的兩個街區之一。

沿著都泗門路，盡頭為丁字河。其河南接運河，北至東大池，東西橫跨一橋，這就是龍華橋，也是目前紹興城僅存的明代閘橋，紹興市重點文物保護單位。

龍華橋為抬梁式，單孔。長五點五米，寬二點九米，高四點三米。西面踏道緊貼龍華寺牆壁呈南北向。橋北側，沿河立有二根石槽，高三點八米，寬〇點五米，是為閘門遺址。橋墩用條石砌築，中間鑲「龍華寺東閘橋碑」，敘述了募修龍華橋經過和捐建者姓名，表明該橋重建於明崇禎三年（1630）七月，共耗銀六十八兩四錢，距今約四百年。龍華寺東閘橋碑，直三尺二寸橫一尺三寸，全文如下：

2　〔東漢〕袁康、吳平輯，俞紀東譯注：《越絕書全譯》貴陽：貴州人民出版社，1996年，頁191。

3　〔宋〕王十朋：《會稽三賦・風俗賦並序》北京：中國檔案出版社，2005年。

龍華寺東閘橋一座，相傳為趙福王所創建，以資灌溉。語具東府東坊土谷祠碑記中。日久漸圮，居民口口等發心置簿，募緣重建。□□居士。

□月十八日興工，逾月告成，煥然一新。往來普渡非復舊日簡陋之象矣。

今將善信喜舍銀數，詳開左方，以志不朽。

一女眷。商門太夫人劉氏拾兩。商門祁氏貳兩。王門商氏壹兩。朱門商氏壹兩。商門祝氏伍錢。

一士民。商周祚拾兩。商周初貳兩。祁彪佳貳兩。王璸貳兩。柴雲漢壹兩伍錢。王燈壹兩。黃希達壹兩。吳邦輔壹兩。張蕚壹兩。劉官壹兩。劉寅壹兩。劉宓壹兩。劉寧壹兩。劉世祝壹兩。劉世益壹兩。商維治壹兩。商維源壹兩。商周祜壹兩。商周祺壹兩。商周礽壹兩。商念祖壹兩。商似祖壹兩。商紹祖壹兩。萬訥壹兩。張賢臣壹兩。唐應科壹兩。董用中伍錢。

劉士璵伍錢。劉宏伍錢。商周祥伍錢。商周祜伍錢。商周襌伍錢。商周鼎伍錢。商周彝伍錢。商周胤伍錢。商光祖伍錢。王毓蘭伍錢。王毓著伍錢。朱曾伊伍錢。朱曾萊伍錢。□□襃伍錢。劉宰三錢。劉宋三錢。沈應鳳三錢。趙崇曾貳錢。酈雲程壹兩伍錢。吳應春壹兩。□□壹兩。魯應朝壹兩。景星耀伍錢。凌鳳翱伍錢。王萬化三錢。石工華朝宵、朱惟龍、鄭維先仝造。皇明崇禎三年歲在庚午七月吉立。（辨識不清以□代替）

趙福王，就是趙與芮。據清乾隆《紹興府志·卷七十一》：宋福王府。在東府坊。宋嘉定十七年（1224），理宗即位，以同母弟與芮奉榮王祀，開府山陰蕺山之南。今東大池，其台沼也。

據上碑，修建龍華橋的目的是為了控制東大池水位。那麼，龍華橋的初建年代，也應該在此時，即南宋理宗在位期間（1224-1264）。

商周祚，字明兼，號等軒，會稽人（今紹興）。明萬曆二十九年（1601）進士，授邵武縣令五載。入京，累官太僕寺少卿，四十八年（1620）擢都察院右僉都御史，巡撫福建。據《熹宗天啟實錄·卷三十》：

乙酉（二十六），巡撫福建候代商周祚奏言：紅夷久據彭湖，臣行南路副總兵張嘉策節次禁諭，所約折城徙舟及不許動內地一草一木者，今皆背之，犬羊之性，不可以常理測。臣姑差官齎牌，責其背約，嚴行驅逐。如夷悍不聽命，順逆之情，判於茲矣。惟有速修戰守之具，以保萬全，或移會粵中，出奇夾擊。上以紅夷久住，著巡撫官督率將吏設法撫諭驅逐，毋致生患，兵餉等事，聽便宜行。

他在任期間不動民間一錢，設法支應王事；擒斬巨盜，抗擊倭寇侵擾，故離任之

日，閩人為之立祠。明天啟五年（1625），再起兵部右侍郎，總督兩廣。翌年，升兵部尚書，以母年老，請告歸養，里居十載。據《越中雜識》一書八字橋條：「明塚宰商周祚宅在橋西」。[4]崇禎六年（1633）商周祚撰〈水澄劉氏家譜序〉：

> 「聖經稱：治國平天下而必先齊家，豈家屬身外之物。……祚之先贈君屬劉門館甥，母太夫人生祚於外家，受外大父太素公鞠育教誨之恩，欲報罔極，追溯所自，劉固水木本源也，於大京兆序為中表兄弟，少同應童子試，同舉於鄉，同登進士，同朝且三十年。大京兆為理學節義宗主，鄉邦交重，祚自愧庸劣，而嚮往之誠，雖屬執鞭，所忻慕焉」。[5]

　　據記載，「明天啟六年（1626）十二月壬戌，升總督兩廣、兵部右侍郎兼都察院右僉都御史商周祚為南京工部尚書。崇禎元年（1628）三月壬戌，商周祚為南京兵部尚書。」[6]〈譜序〉署名為「崇禎乙亥孟夏，賜進士第、資政大夫、南京兵部尚書郎奉敕參贊機務予養，前戶科給事中、太僕寺少卿、兩奉敕巡福建地方、總督兩廣軍務兵部右侍郎兼都察院右僉都御史、外甥商周祚頓首謹序」，此時他尚在「里居」期間。商周祚認為治國必先齊家，重「鄉邦」，因此帶頭捐資重建龍華橋，還辦學、賑災，著實為地方辦了不少好事。直到明崇禎十年（1637）才起復都察院右僉都御史，掌院事。崇禎十一年（1638）五月戌，任吏部尚書。「復職四議，皆民聲起」。[7]由於剛正不阿，屢違聖意而丟職歸里。

　　今紹興圖書館藏有民國拓其弟商周初誥命碑，對於了解他家族概況是有益的。商周初誥命碑，直三尺八寸橫三尺五分，全文如下：

> 奉天承運。皇帝勅曰：河南汝甯府光州商城縣知縣商周初，駿骨權奇，鳳毛絢麗，自為諸生己興，而兄大司馬祚，兢爽連辟，而良工戒於示，樸大音尚其希聲。雖鴻雁異時，而塤篪終合。朕龍習飛榜，葉應昌期，妙選四科，寄之百里。蓋廉足以勵俗，敏足以任繁；斷以決疑，慈以息物，商城得爾，民其廖乎。……王祖父、祖父及爾兄俱以甲科騰光竹帛。爾牽絲筮仕即徵殊典貴於所生爵，而後官不俟。

─────────────────────

4　〔清〕悔堂老人：《越中雜識》杭州：浙江人民出版社，1983年，頁7-8、頁134。

5　〔明〕劉宗周：《水澄橋劉氏家譜》，明崇禎六年（1633）刻本。

6　江蘇省地方誌編纂委員會辦公室：《江蘇省通志稿大事志・卷三十八明泰昌天啟》南京：江蘇古籍出版社，1991年，頁615-616。

7　〔民國〕紹興縣修志委員會：《紹興縣資資料第一輯・人物》紹興：紹興縣修志委員會民國二十八年（1939）鉛印本，頁95。

勅曰：風雨之感，糟糠之助，士之所不能忘也。……河南汝寧府光州商城縣知縣商周初之妻張氏，家為聖女，歸稱淑媛，養不迨□，言每懷於屬，纘瞻則有母事。罔怠於承歡，膏火相助，絲麻勵儉，敦娣姒之，好韡若棠花。……一任河南汝寧府光州商城縣知縣。二任兵科給事中。三任海南提學兵巡道廣東按察司僉事。四任常鎮兵僕道湖廣布政司右參議。崇禎元年十月□日。

　　刻碑時間在明崇禎元年（1628）十月。《誥命》稱讚商氏一門堪為「諸生己興」，淑媛榜樣。修橋當在此後。在五十七位捐銀者中，商氏一族佔二十二位，其中五位「女眷」捐銀十四兩五錢，佔總數五分之一強。作為積善人家，商周祚和商周初兄弟帶頭捐資，不僅激勵了外人，更給族人莫大鼓舞。所謂「志不朽」，實際上就是紹興士紳歷代相沿的治水傳統。「如遇大路、橋樑、要津往來的，或倡率修造，或獨立完成。」[8]民國《紹興縣誌採訪稿》就將修橋排在〈義舉〉第二位。

　　祁彪佳，字虎子，一字幼文，又字宏吉，號世培，山陰人（今紹興）。明天啟二年（1622）進士，曾任福建都御史、蘇松巡按等職。明亡，祁彪佳恪守「忠臣不事二主」節義，自沉於寓園梅花閣前水池中。南明朝廷追贈其為少保、兵部尚書，謚「忠敏」；清乾隆朝追謚「忠惠」。為建龍華橋，他捐銀二兩。祁彪佳之父祁承爜，為明萬曆三十二年（1604）進士，官至江西布政司右參政。他一生嗜書成癖，創立「澹生堂」藏書樓，藏書十萬餘卷，多為善本、孤本，其數量之多、規格之高，堪和寧波天一閣媲美，在我國圖書館史上有一席之地。祁彪佳與商周祚是翁婿，其妻商景蘭，字媚生，會稽人（今紹興）。她是商周祚長女，能書善畫。據《兩浙輶軒錄·卷四十》：夫人有二媳四女，咸工詩。每暇日登臨，則令媳女輩載筆床一硯匣以隨，一時傳為盛事。[9]著有《錦囊集》等，是明清為數不多的女詩人之一。

　　龍華橋西，有一東晉古寺龍華寺。據明萬曆《紹興府志·卷二十一》：

龍華寺，在都泗門內，即陳江總避難所憩也，俗呼龍王堂。江總《修心賦並序》：太清四年秋七月，避地於會稽龍華寺。此伽藍者，余六世祖宋尚書右僕射州陵侯元嘉二十四年之所構也。侯之王父晉護軍將軍彪，昔蒞此邦，卜居山陰都賜里，貽厥子孫，有終焉之志。寺域則宅之舊居，左江右湖，面山背壑，東西連跨，南北紆縈，聊與苦節名僧，同銷日用，曉修經戒，夕覽圖書，寢處風雲，憑棲水月。不意華戎莫辨，朝市傾淪，以此傷情，可知矣。啜泣濡翰，豈擄鬱結，

8　石成金：《官紳約》，見周炳麟：《公門勸懲錄》附錄，清光緒二十三年〔1897〕儀徵吳氏有福讀書堂重刊本，頁12。

9　〔清〕阮元、楊秉初輯，夏勇整理：《兩浙輶軒錄·卷四十》杭州：浙江古籍出版社，2012年，頁2884。

庶後生君子，閔余此概焉。

嘉南斗之分次，肇東越之靈秘。表《檜風》於韓什，著鎮山於周記。蘊大禹之金書，鑣暴秦之狂字。太史來而探穴，鐘離去而開笥。信竹箭之為珍，何斌玫之罕值。奉盛德之鴻祠，寓安然之古寺。實豫章之舊圃，成黃金之勝地。遂寂默之幽心，若鏡中而遠尋。面層阜之超忽，逦平湖之迥深。山條傴塞，水葉浸淫。掛猿朝落，饑鼯夜吟。果叢藥苑，桃溪橘林。梢雲拂日，結暗生陰。保自然之雅趣，鄙人間之荒雜。望島嶼之邅回，面江源之重沓。泛流月之夜迥，曳光煙之曉匜。風引蜩而嘶噪，雨鳴林而俯颯。鳥稍狎而知來，雲無情而自合。逦乃野開靈塔，地築禪居。喜園迢造，樂樹扶疏。經行籍草，宴坐臨渠。持戒振錫，度影甘蔬。堅固之林可喻，寂滅之場暫如。異曲終而悲起，非木落而悲始。豈降志而辱身，不露才而揚己。鐘風雨之如晦，倦雞鳴而聒耳。幸避地而高棲，憑調御之遺旨。抑四辨之微言，悟三乘之妙理。遺十纏之繫縛，祛五惑之塵滓。久遺榮於勢利，庶忘累於妻子。感意氣於疇日，寄知音於來祀。何遠客之可悲，知自憐其何已。

龍華寺係南朝宋元嘉二十四年（447），由吏部尚書江夷所建。夷父江彪，東晉永和中（345-356）任會稽內史，卜居山陰都賜里。後舍宅為寺。其七世孫江總於南朝梁太清年間（547-549）避難會稽龍華寺，撰〈修心賦〉敘述寺中的清幽景致：「左江右湖，面山背壑；東西連跨，南北紆縈。曉修經成，夕覽圖書，寢處風雲，憑樓水月。」據《越中雜識》一書：「江總，字總持，濟陽考城人。侯景寇京師，台城陷，總避難會稽，憩於龍華寺。後入陳，為僕射尚書令。今蕭山有江丞相祠，人作江淹，誤。」[10]站在寺內遠望會稽山，四周綠水環繞，風景絕佳，故民間將這一帶通稱為「龍王堂」。從江總〈修心賦〉字裡行間看，龍華橋在南朝時已有。據民國二十年（1931）尹幼蓮〈紹興街市圖〉和民國二十二年（1933）紹興縣政府建設科測繪五千分一之比例尺〈紹興城區圖〉所繪，是時寺、橋相印的景觀還存在（見表一）。

10　〔清〕悔堂老人：《越中雜識》杭州：浙江人民出版社，1983年，頁7-8、頁134。

表一　紹興縣佛教寺院庵堂一覽表

名稱	地址	建立時代	住持人（僧尼或俗家）	公建募建或私建及建修人或重修人姓名、時代	屋中間數	玉石器、銅佛像尊數及藏經古物、名人之碑記刻聯	採集所自	備考
龍華寺。	都泗坊廣寧橋下。	嘉慶辛酉（佛教會載乾隆）。	僧達慧。	陳維信助石柱，民國丁巳。宋陳氏助枅桁，光緒廿四年重修四天王殿。	二十餘間，後有園。		俞大可、童谷乾。	今一部分作龍華小學，餘作農業倉庫。民國十一年水警隊長王紹庸於河埠建亭，以憩行旅，今毀。

詳見：《紹興縣誌資料第二輯・宗教》

　　據記載，寺內的彌勒佛像為戴顒的作品。戴顒（385-448），字仲者，譙郡銍縣人（今濉溪）。父逵（326-396），字安道。父子二人同為東晉南朝時期的藝術家，尤其擅長雕塑佛像。據《剡錄》記載：逵有清操、性高潔。善圖畫，巧丹青。慕剡地山水之勝，攜子隱居剡縣。王子猷雪夜乘小舟訪戴，經宿方至，造門不前而返，這就是典故「乘興而來，興盡而返」由來。戴顒在巨大佛像的製作上，有豐富的經驗。一次，他看到吳郡紹靈寺的丈六釋迦金像過於古樸，於是「治像手面，威相若真，自肩以上，短舊六寸，足躩之下，削除一寸」[11]，使比例更加勻稱。戴顒與江夷是朋友。

　　民國至五〇年代初，紹興佛教會曾設此。抗戰期間為免遭日寇搶奪，南朝齊維衛尊佛造像被從開元寺移置到寺內保護。佛像背面刻有「齊永明六年太歲戊辰於吳郡敬造維衛尊佛」十八字，南朝齊永明六年即西元四八八年，這是研究我國南方佛教造像的重要實物。「文化大革命」中，龍華寺被移作他用。二〇〇五年按照「修舊如舊」原則，利用老的廊柱、地磚、門檻重建了大雄寶殿、天王殿和寮房，恢復了歷史上龍華寺的盛況。寺內現存清嘉慶辛酉（1801）年「重建龍華寺碑」，明確提到龍華橋和廣寧橋。

　　廣寧橋在龍華橋西，系全國重點文物保護單位，這是國內最長的一座七折邊拱橋。橋拱下有縴道，將橋基石挑出零點七米，供縴夫拉縴時行走，也可供人通行。據南宋嘉泰《會稽志・卷十一》：

11　〔唐〕釋道世著，周叔迦、蘇晉仁校注：《法苑珠林・卷十三》北京：中華書局，2003年，頁463。

> 廣寧橋，在長橋東。漕河至此頗廣，屋舍鮮少，獨士民數家在焉。宋紹興中，有鄉先生韓有功復禹，為士子領袖，暑月多與諸生納涼橋上。有功沒，朱襲封亢宗追懷風度，作詩云：河梁風月故時秋，不見先生曳杖游。萬疊遠青愁對起，一川漲綠淚爭流。蓋橋上正見城南諸山也。襲封，亦修潔士云。

漕河就是大運河。韓有功是當時紹興「士子領袖」，「河梁風月」、「一川漲綠」說的是運河流經廣寧橋的情形。這段話告訴我們，廣寧橋在南宋嘉泰年間（1201-1204）已有，而且是一處重要的公共活動場所。據明萬曆《紹興府志·卷八》：

> 廣寧橋。在都泗門內。漕河至此頗廣，屋舍鮮少，獨士民數家在焉。橋上正見城南諸山。宋紹興中，有鄉先生韓有功復禹，為士子領袖，暑月多與諸生納涼橋上。有功沒，其徒朱襲封亢宗作詩懷之。朱亦修潔士云。明隆慶中，漸圮，華嚴寺僧性賢募緣重修。朱亢宗詩：河梁風月故時秋，不見先生曳杖游。萬疊遠青愁對起，一川漲綠淚爭流。

到了明隆慶年間（1567-1572），廣寧橋由華嚴寺僧性賢組織募修。華嚴寺在紹興城內，建於南宋淳熙年間（1174-1189）。這就是現在我們看到的廣寧橋。今測橋長六十米，寬六點九米，高五點九米。拱高四點二米，寬三點五八米，跨徑六點二五米。拱券為縱向分節並列砌築，拱頂龍門石刻六幅圓獸，堅立一排。這些獸面中雕刻的龍是三爪龍，三爪龍為宋以前風格，此石雕圖案可證明該橋始建時間應在宋之前。整個橋身用塊石疊砌，兩側置須彌座狀實體石欄，間立覆蓮墩石望柱，欄末置抱鼓石收結。南、北各有二十三檔石階，條石鋪就。每級長三米，厚〇點一二米，寬〇點五米。

廣寧橋北立有明商廷試撰〈重修廣寧橋碑記〉，直六尺一寸橫二尺一寸：

> 賜進士出身大中大夫行太僕寺卿邑人商廷試撰文。中實大夫太常寺少卿管尚寶司事謝敏行書單。賜進士出身中憲大夫知西楚明郡前川邰雲南清吏司郎中葉應春篆額。嘗聞橋樑：王政之大事也。老怯溪橋，不惜千金之費，窮臨野渡，應遣一生之愁。昔人所詠，良有以也。矧作邑建邦，必標山川之會；行人利涉，每當水陸之沖。廢隧允藉於作新幹濟，必資於才力。是故垂虹應星，有光與圖，回障川，式增形勝，而可不務者乎！吾越古稱澤國，城環四十里，列為九門，水門居其六，皆水道之所經也。其地枕江面山，千岩萬壑，溪澗溝渠之水，匯於鑒湖，而北注於江，其問蕩為巨浸，分為支流，皆經行城堙闤之中，勢不得不為橋樑，以通往來。廣寧橋在邑城最為衝要，南北數百尺，上聯八字橋，東西與長安、寶佑對峙而起，遂以雄壯甲於越中。自創以來，凡幾修築，吾不能記其詳。而重建於

宋紹聖四年，則盧普安之志石尚存，迄今將五百祀矣。橋之傾圮殆甚，行道者危之，維時謝蘭阜氏、時鎮山氏、成省白氏，相與倡其議。擇僧之有戒行才幹，如性賢等者，使董其役，則以聞於郡邑之賢士大夫。適紹坪彭公蒞郡事政心，先大體惠存兼列。爰及寮屬龍石王公、儉齊伍公、半野陳公、理齊張公、孺東徐公、星泉楊公皆銳意修舉，各捐俸有差，以為民倡。顧自筮日以至落成，諸大夫咸親蒞之，而士民之好義者，亦知所感發而樂於輸。故財不衰而集，工不督而勸，盡撤其舊，而一新之。下盤基石，旁築焊塘，罔不堅致鞏固，可垂長久。其工益倍於昔，而費亦不下千金，逾年而告成，亦可謂難矣。橋在予交界，當泗水之會，凡經畫規度多遍訪而行。事成，諸公以記相屬。顧昔人言惟作新之幾振於上，而效勞之力競於下。登是橋者，其無忘所自而已，抑予重有所感焉？廣寧之基址舊矣，宋時福邸於是地即也。為水晶宮行樂其問，朝出廣寧，暮歸長安，遂為貴游繁華之地，若韓處士抱德而隱時，曳杖納涼其上，萬疊遠青，一川漲綠，河樑風月之詠。今繁華之跡銷歌泯滅而不可追矣，而風月之景固在也。好修之士，亦有續前賢之遊者乎！則此橋將以名勝聞於天下，豈徒以利涉而已耶？故為之記。萬曆三年己亥冬十一月至日立石。

　　商廷試（1498-1585），字汝明，號明洲，會稽人（今紹興）。明嘉靖二十年（1541）進士。三十年（1551）至三十四年（1555）任黃州知府，累官至陝西行太僕卿，致仕歸。《碑記》確認廣寧橋重建於北宋紹聖四年（1097），「在邑城最為衝要。上聯八字橋，東西與長安、寶佑對峙而起。」八字橋在廣寧橋南。據南宋嘉泰《會稽志·卷十一》：「八字橋，在府城東南。二橋相對而斜，狀如八字，故得名」，係拱梁橋，今為全國重點文物保護單位。樑下西側第五根石柱，刻「時寶祐丙辰仲冬吉日建」，直三尺二寸橫五尺一寸。此橋南宋嘉泰間（1201-1204）即存，「寶祐丙辰」（1256）當為重建時間。橋身嵌助石碑，直三尺八寸橫一尺一寸。刻「信士□□」。長安橋即長橋。據明萬曆《紹興府志·卷八》：「長橋，在城東北支，鹽倉側西。」寶佑橋在寶佑橋河沿。寶佑橋題字碑，直三尺八寸橫一尺一寸。刻「歲旹寶祐癸醜。重陽吉日立」。這表明寶佑橋建於南宋寶佑癸醜年，即西元一二五三年。今均拆除。《碑記》稱：橋樑為「王政之大事也」。「吾越古稱澤國，勢不得不為橋樑，以通往來。」記敘了明萬曆三年（1575），在僧性善「董領」下，地方官、士民集資整修廣寧橋的熱鬧場面，最後「盡撤其舊，而一新之」。

　　廣寧橋身帶有明萬曆年間（1573-1620）的多處募修刻石。廣寧橋石刻，直三尺九寸橫九寸。刻「萬曆二年八月□日□捨」。廣寧橋助石碑，直三尺八寸橫二尺二寸四分。刻「會稽縣廿一都章家□，信士章天祥，壽命延。萬曆二年八月」。廣寧橋洞碑，直三尺六寸橫二尺二寸。刻「山陰縣大善寺，僧善。僧綱司，都綱德。萬曆二年八

月」。廣寧橋信官題刻，直三尺一寸橫一尺一寸。刻「會稽縣。信官楊。妻氏。」廣寧橋信士捐助碑，直三尺六寸橫一尺五分。刻「會稽縣石童坊。信士。□氏。」捨、信士和信官都是捐資的意思。據明萬曆《紹興府志・卷二十一》：

> 大善寺，在府東一里，中有七層浮屠，梁天監三年，民黃元寶舍地，有錢氏女未嫁而死，遺言以奩賞建寺，僧澄貫主其役，未期年而成，賜名大善，屋棟有題字云：梁天監三年歲次甲申十二月庚子朔八日丁未建。宋建炎中，大駕巡幸，以州治為行宮，而守臣寓治於大善。及移蹕臨安，乃復以行宮賜守臣為治所。歲時，內人及使命朝攢陵，猶館於大善。乾道中，蓬萊館成，乃止。……明永樂元年，寺僧重修，寺塔復煥然。

　　僧綱司是明代管理僧人的機構。《明史・職官志》載：府有僧綱司，設都綱。都綱一人從九品，副都綱一人。州僧正司，僧正一人。縣僧會司，僧會一人。府道紀司，都紀一人從九品，副都紀一人。州道正司，道正一人。縣道會司，道會一人。俱洪武十五年置，設官不給祿。[12]明代紹興府的僧綱司設在大善寺內。刻「僧綱司，都綱德」含有見證、勸募的意思。

三　其他橋樑題刻

　　在紹興，橋修成之後，一般要立碑或勒石記其事，詳述建橋始末，或者刻上捐資人姓名及捐資數額，有的還記錄治水心得、管理制度，以鄭重其事，昭示後人。舊時對立碑之舉極為重視，一些碑文往往出自名士之手，成為水利史研究的重要資料。位於人民西路的酒務橋，據明萬曆《紹興府志・卷八》：「酒務橋，在府南一里」。酒務橋石欄刻記，直二尺橫九寸。刻「萬曆戊午仲秋重修。里人吳應□。石欄一塊。」□推斷為「捐」。

　　運河在紹興城內尚存光相橋、北海橋和小江橋三座古橋。光相橋在北海橋直街。據南宋嘉泰《會稽志・卷十一》：「光相橋，在城西北」。光相橋荷花石柱題字，直二尺二寸橫九寸。刻「隆慶元年。吉日重修。」光相橋題刻，直三尺二寸橫一尺一寸。刻「□有光相橋，□頹圮，妨礙經行□。今自備己資，鼎新重建，光相洞橋，意圖永固。歲旹辛巳至正□年吉立。□石匠丁壽造。」至正是元惠宗的年號，即西元一三四一至一三六八年。光相橋的修築形式為獨立捐修。

　　北海橋在北海橋直街。據南宋嘉泰《會稽志・卷十一》：「北海橋，在府西北二里

---

12 張廷玉：《明史・卷七十五》北京：中華書局，2000年，頁1236。

許。俗傳唐李邕寓居之地」。北海橋題字，直二尺二寸橫九寸。刻「己丑至正九年九月十一日建」。這些題刻有助於我們了解古代橋樑的建造歷史。

小江橋在蕭山街口。據南宋嘉泰《會稽志‧卷十一》：「小江橋，在城東北」。清乾隆《紹興府志‧卷十四》：「〈山陰縣志〉：在江橋邊，故以小名」。還據南宋嘉泰《會稽志‧卷十一》：「江橋，在府東北二里許。〈寰宇記〉引〈山陰記〉云：江橋乃宋江彪所居之地，因以名焉。今郡人以為江文通故居」。橋南立有「永作屏藩」石碑一塊，直五十五尺六寸橫二十二尺。據蔣士銓《忠雅堂文集卷八》中〈貽紹興太守張椿山書〉：

> 越郡為澤國，城中河流眾橫，界畫若棋局，其闊處可並三艇，狹處僅容舟。自昌安門入，由斜橋之小江橋數十武為城河孔道，兩岸列市肆，貨船填集，載者卸者鱗鱗然，每擁阻竟不能通。惟飭一誠實小官，查丈附近河身，有稍寬者押令空船分泊各岸，不得聚此一處，嚴禁疊泊，仍不時往查。又立禁碑，大書深嵌小江橋下，永垂屬禁。

蔣士銓，字心餘，一字清容、苕生，號藏園，江西鉛山（今鉛山）人。清乾隆二十二年（1757）進士。主講紹興蕺山書院。立碑的目的是要大小船隻「分泊各岸」，保證暢通。

四　「士大夫親蒞，士民樂於輸」的傳統

紹興地處浙江省中北部，寧紹平原西部。全市地貌可概括為「四山二江一平原」，其中山地和丘陵佔百分之七十點四，平原和盆地佔百分之二十三點二，河流和湖泊佔百分之六點四，故有「七山一水兩分田」之說。對第四紀古地理的研究表明，這裡從晚更新世以來，經過三次海侵。其中最後一次卷轉蟲海侵在距今六千年達到高潮，此後發生海退。這就是管仲在西元前七世紀看到的「越之水重，濁而洎」景象。[13]直到東漢永和五年（140），會稽太守馬臻創築鑒湖，才使原本潮水出沒的沼澤，迅速向山會水網平原轉變。千百年來紹興人民依水而居，改造水、利用水，縱觀紹興一部文明史無不滲透著水的痕跡。

早在上世紀二十年代，著名學者顧頡剛就指出「商周間，南方的新民族有平水土的需要，醞釀為禹的神話，這個神話的中心點在越（會稽），越人奉禹為祖先。自越傳至群舒（塗山），自群舒傳至楚，自楚傳至中原。」[14]顧先生認為「由於長江流域的特殊

---

13 管子：《管子‧水地三十九》濟南：齊魯書社，2006年，頁315。
14 顧頡剛：《禹的來歷在何處》，見《古史辨》北京：景山書社，1926年，冊1，頁126。

地理條件，即森林、野獸與沼澤的威脅，洪水災害，特別是錢塘江的洪水災害，以及由此而產生的對於治水的迫切要求，就產生了禹和洪水的傳說。」[15]在《莊子·天下》中記錄有一段大禹治水的故事，「昔者，禹之湮洪水，決江河而通四夷九州也。名川三百，支川三千，小者無數。禹親自操稿耜而九雜天下之川，腓無胈，脛無毛，沐甚雨，櫛疾風，置萬國。禹，大聖也，而形老天下也如此。」[16]對他堅持不懈、公而忘私精神予充分肯定。通過治水，到了東晉「顧長康從會稽還，人問山川之美，顧云『千岩競秀，萬壑爭流，草木蒙籠其上，若雲興霞蔚』。」[17]從這時起，紹興就被譽為山水國了。

隋唐時期，文人雅士的活動由府城向新昌、嵊州深入，「東南山水越為先」，以後發展成為著名的唐詩之路。宋代隨著鑑湖湮廢，原先的一片湖水變成像北部平原一樣，河湖橋閘棋布，於是山水國逐漸被水鄉取代。對於紹興城河網的形成，明王士性《廣志繹·卷四》分析說：

> 紹興城市，一街則有一河，鄉村半里一里亦然。水道如棋局布列，此非天造地設也。或云「漕渠增一支河月河，動費官帑數十萬，而當時疏鑿之時，何以用得如許民力不竭？」余曰「不然此地本澤國，其初隻漫水，稍有漲成沙洲處則聚居之，故曰菰蘆中人。久之，居者或運泥土平基，或作圩岸溝瀆種藝，或浚浦港行舟往來……故河道漸成，甕砌漸起，橋樑街市漸飾。」[18]

有河必有橋，橋樑的歷史與人類活動密不可分。在紹興民間捐資修橋逐漸成為社會共識。在南宋嘉泰《會稽志·卷十一》所列出的兩百四十座橋樑中，明確官修的六座，獨立捐修的二十八座（表二）；明萬曆《紹興府志·卷八》所列出的六十四座橋樑中，明確官修的四座，獨立捐修的二十七座（表三）。大多數橋樑屬於民間集資修築。

表二　南宋嘉泰《會稽志》所載橋樑

	總計	府城	山陰	會稽	蕭山	諸暨	餘姚	上虞	嵊縣	新昌
總數	240	99	28	33	9	13	20	22	13	3
其中：官修	6	2		1		1		2		
獨立捐修	28	17	1	1	2	1	3	3		

---

15 冀朝鼎：《中國歷史上的基本經濟區與水利事業的發展》北京：中國社會科學出版社，1981年，頁45。

16 〔戰國〕莊周：《莊子》南京：鳳凰出版社，2010年，頁217。

17 〔南朝宋〕劉義慶：《世說新語·言語》長春：時代文藝出版社，2005年，頁37。

18 〔明〕王士性：《廣志繹·卷四》北京：中華書局，1982年，頁72。

表三　明萬曆《紹興府志》所載橋樑

	總計	府城	山陰	會稽	蕭山	諸暨	餘姚	上虞	嵊縣	新昌
總數	64	19	8	9	3	3	10	6	3	3
其中：官修	4	1				2	1			
獨立捐修	27	9	2	2	2	1	5	5	1	

從宋代開始橋樑的類型變得豐富多彩。單從結構上看，就有索橋、浮橋、樑橋、拱橋、浮樑結合橋、拱樑結合橋和堤樑結合橋等不同形制。不少樑橋、拱橋，有的立亭、有的建廊，成了亭橋和廊橋。拱橋橋形從初始的伸臂樑橋，發展到折邊形拱橋、弧邊形拱橋和懸鏈線拱橋。在功能上，宋代以後橋樑的功能逐漸多樣化。首先，橋上設市成為一種常見的做法。隨著經濟發展，商業繁榮，處於交通要道的一些橋樑，成為當時的交易之所。如「府城內府橋，在鎮東閣東。〈寶慶志〉云：舊以磚甃，不能堅久，守汪綱乃盡易以石。橋既寬廣，翕然成市。」其次，橋上立祠設龕，朋友聚會，成為大眾活動和交際場所。如「山陰杜浦橋，在府城西北十五里漕河傍。〈嘉泰志〉云：自此而南，煙水無際，鷗鷺翔集。過三山，遂自湖桑埭入鏡湖。」成為文人集會場所。第三，有些橋樑兼具水利功能。橋上行人，橋下設閘。

閘橋亦稱為橋閘。雖說都是水上建築，可原本的功能幾乎是完全相反的。橋，通水而上行；閘，有門，用來阻擋水流而達到可控目的。而橋閘正是將這兩種不同功能的建築組合起來，既可排洪擋潮，蓄水灌溉，又便於人畜通行，車輛運輸。東漢時，會稽太守馬臻主持修築鑑湖湖堤時，建造了「三大斗門」，創造性的把閘與橋結合在一起。紹興造橋歷史之悠久，可見一斑。除了上面提到的龍華橋外，著名的還有三江閘橋。它始建於唐大和七年（833），明嘉靖十六年（1537）重建，因橫跨錢塘、錢清和曹娥三江而得名。橋全長一百○八米，寬九點一六米，高十米，依峽而築，用巨石砌成，每層每塊大石之間均有榫卯銜接，最底層與岩層合卯，並灌注生鐵，石縫用灰秫膠合。該橋共二十八個洞閘，分別以二十八星宿名稱編號，故又名「應宿閘」。一九六三年被公佈為浙江省重點文物保護單位。

這些古橋承載著中華民族特有的精神價值、思維方式和創造能力，在鋼筋混凝土出現之前，代表了當時世界上先進的水工技術。「士大夫親蒞，士民樂於輸」，建橋者造福桑梓的情懷「功在黃雲白浪，事同闢土開疆」。

翰林院編纂《各國政藝通考》考論

舒習龍

韓山師範學院歷史系

　　光緒二十八年（1902），清廷決定由翰林院開館編纂《各國政藝通考》，至一九〇九年三月全書告成，這是一部分類匯纂世界主要國家政藝的政書類史書，是官方因應清末新政和學制改革，由管廷鶚奏請，光緒帝詔准，由翰林院揀選人員負責修撰。該書雖是分類彙集、抄纂國內譯介的西方政藝之書而成，但編纂者組成編書處，積數年之心血，從浩繁的國內譯注中揀選有裨於政治、藝學的時策之書，並熟商體例、加意剪裁，編纂成體例謹嚴、部帙繁富的政書體通考，對近代官修史書編纂視角轉換具有重要的價值。揆諸目前國內中國史學史研究的教材和著述，對《各國政藝通考》編纂始末、編纂人員、體例和價值等大都語焉不詳，缺乏細緻深入地探討。[1]本文擬在前人既有的研究基礎上，將《各國政藝通考》編纂置於清末新政和教育改革的背景下，梳理和解讀西方政藝學勃興背景下官方層面的應對，藉此解讀《各國政藝通考》編纂的時代氛圍。同時，借助官方檔案和實錄等文獻，並主要以惲毓鼎《澄齋日記》為重要史料，試圖尋繹與還原《各國政藝通考》編纂始末、人員、體例等問題，以期在考證的基礎上，剖析該著的內容和價值，期望對官方編纂的政書體價值能做出相對客觀準確地評估。

一

　　清末新政提出改革科舉考試的內容，培養通曉中西學術的人才。一九〇一年八月二十八日，清廷下詔明確指出改革科舉考試的內容，「近來各國通商，智巧日闢，尤貴博通中外，儲為有用之材。所有各項考試，不得不因時變通，以資造就。著自明年為始，嗣後鄉會試，頭場試中國政治史事論五篇，二場試各國政治藝學策五道，三場試四書義二篇，五經義一篇」。[2]科舉「改試策論」，第二場專試各國政藝策學，表明清廷上層決

1　檢索目前國內的著作和論文，尚無著作和論文來解讀《各國政藝通考》的編纂。喬治忠有兩百多字述及該書，他認為，該書以國內已有譯著為依據，將世界主要國家政治、制度、技藝等分類彙纂，其中有一百一十三卷記載了各國歷史的簡況。這雖為抄纂而成，但畢竟是唯一大型的以世界各國為內容題材的官修史書。喬治忠：《中國史學史》北京：中國人民大學出版社，2011年，頁282。喬先生雖承認該書的價值，但可能因為史料的原因，並沒有對該書的撰著過程進行深入地探討。其他學者如汪受寬等，在著述中也偶有涉及，但對該書的撰著情況，似乎不如喬先生熟悉。

2　中國第一歷史檔案館編：《光緒朝上諭檔》桂林：廣西師範大學出版社，1996年，冊27，頁151-152。

心順應中外通商的時代潮流，造作人才，培養科舉士子的西學視野。此舉激發了清末中國政治藝學的勃興，可以視為中國本土知識界回應科舉改革的有效嘗試，嚴復在致張元濟的信函中，對此頗有生動的描繪，「科舉改弦，譯纂方始，南北各局執筆之士甚多……則此舉不獨使譯家風氣日上，而求所譯之有用與治彼學者之日多，皆可於此寓其微權。」[3]正如章清教授指出的：「這些例證皆顯示出改試策論與西學頗為攸關，也催生了各種西學彙編資料的出版。可以說，晚清西學彙編資料的出版，因應著科舉改試策論這一大局」。[4]可以說，政藝策學在一九〇一年後的勃興與科舉改革有密切的關係，這一時期各大書局和印書機構出版了大量的政藝策學彙編著作，其中比較知名的有：《時務策學統宗》、《新輯各國政治藝學策論》、《分類各國藝學策》、《各國政治藝學策》、《各國藝學策》、《中西政藝策府統宗》、《萬國分類時務興國策》、《分類時務通纂》、《各國政藝通考》、《各國政治藝學簡要錄》、《皇朝新學類纂》等。

　　政藝「策學」編者著力搜集各國政藝之書，彙集各國的政治、法律、地理、自然科學等區分類例，別編成書，如《時務策學統宗》敘言：「遍訪西國之善法，譯為《策學統宗》一書，大則天地名物，小則水、火、聲、光、重、電、化、氣各學，別為十四種，莫不至精至微，兼收並蓄，瞭若指掌。」[5]再如一九〇一年鴻寶書局編纂的《中外政治策論彙編》，強調了以「政治」為中心的編纂宗旨，「士生斯世，宜上體聖心，以政治為當務之急，其有關於政治者，均宜曲證旁通。」[6]一九〇一年編纂的《中外政藝策府統宗》，則標揭「藝學」攸關富強，其「藝學」之稱乃西方科技之統稱，清末之新政當在關注西方政治之得失之外，肆力於藝學，政藝兼通，方可肇富強之根基，所以科舉士子在「政」之外，「孰不當精究藝學哉？」[7]再如《萬國政治藝學全書》也持中西政藝兼通的編纂宗旨：「特是以向所研精八股之人，而驟欲其縱談萬機，橫議五洲，雖其中未始無博通古今之士，不難出向所學以應上求，而在鄉曲迂墟見聞未廣，使無彙集大成之書以資觀覽，何以藉通曉而便討究？」[8]該書分〈政治叢考〉、〈藝學叢考〉，舉凡官制、民俗、疆域、禮政、刑政、學校、科技等皆分門別類加以考察。

　　綜觀一九〇一年後出版的眾多政藝學彙編著述，其編纂的宗旨與科舉改革和西方新學傳播相契合，其內容則是西方典制和各門學科知識的總匯。其編纂者依傍於各大書局、新學機構，秉承服務於科舉時務的目的編纂各種不同的政藝策學，這些倉促創編的政藝「急就章」，汗牛充棟、好壞兼有，所以致使士子別擇產生障礙，「近年來譯西書者

3　嚴復：〈與張元濟書〉，見王栻主編：《嚴復集》北京：中華書局，1986年，冊3，頁544。

4　章清：〈晚清西學「彙編」與本土回應〉，《復旦學報（社會科學版）》，2009年6期，頁48-57。

5　〈敘言〉，《時務策學統宗》上海：上海書局，光緒二十四年（1898年）。

6　鴻寶齋主人編：《中外政治策論彙編》上海：鴻寶書局，1901年石印，頁1。

7　陳文洙：〈序〉，《中外政藝策府統宗》上海：中西譯書會，1901-1902年，頁1-2。

8　朱大文：《萬國政治藝學全書》上海：鴻文書局，1901年石印，頁1-2。

汗牛充棟，而重複拉雜難覓全壁，有志者不免望洋而歎矣。況科場改式學堂復制士子需西書研究，苦其浩無津涯。」[9]面對各地群起編纂政藝策學的狀況，從中央層面來回應這種急求西方政藝的思潮，推進學制改革，並以中央的權威來統一士子的思想就顯得尤為必要。清廷之所以選擇翰林院諸臣來編纂《各國政藝統考》，即在於翰林院為儲才重地，在館各員自應講求實學，通達古今，以備朝廷任使。乃近日風氣，專以詩賦小楷為工，敝精神於無用。而經世事務，或轉不暇考求殊，非造就人才之意。茲當變通政治之初，允宜首先整頓，嗣後編檢以上各官，應專課政治之學。[10]

二

清末之所以編纂《各國政藝通考》，其目的主要為士子策二場時務之需，因為科舉考試關乎國家的掄才大典：

> （管廷鶚）原奏稱學堂由備齊升專齊必歷十年，內外乃可有所成就，即速成一科，一時亦未能充用。目下取士掄才自以科場為淵藪，現改制藝為策論，考官擬題，士子課業非有欽定之書以為准，將恐有驚入旁門而惑於異說者。現經政務處議定鄉會試二場策外國政治，猶未明示以所據。[11]

由清廷來統攝各國政藝的編纂權，一方面可見清廷對外國典章的重視，呼應新政改革；另一方面，由中央權威裁決的欽定時策之書可以消解各地新學機構和士人所編政藝時策之書魚龍混雜的狀態，給學制改革提供權威的時策之書，使得考官和士子都能有權威有效的時務參考書，避免為異說所蒙蔽。應該說，清廷接受管廷鶚的建議，並迅速責成京師大學堂和翰林院妥議實行，體現了清廷銳意改革科舉的決心。

編纂《各國政藝通考》涉及到人員、體例、經費、史料來源等問題，因此揀選人員、選擇恰切的體例、別擇史料等就成為該書能否編纂成功的保障，為此必須開館設局來推進編纂工作。關於編纂人員的選擇，管廷鶚的建議是：

> 臣（管廷鶚）思翰林諸臣本職司編纂，可否即飭掌院學士或管學大臣為總裁官，聚外國時務各書開館設局，其中有未翻譯洋文者除備翻譯數員外，即將編檢各官悉數派出……且翰林編檢諸員即應充試官之人，亦正可籍此推廣見聞、自求學

9　謝若潮：〈敘〉，見袁宗濂、晏志清輯：《西學三通》上海：文盛堂，1902年，頁2-3。

10　《大清德宗實錄》，卷482。

11　北京大學、中國第一歷史檔案館編：《京師大學堂檔案選編》北京：北京大學出版社，2001年，頁378-379。

業，將來為考官所得自多真才。應請准如所奏，由翰林院開館纂書，編為科舉時務書一部，即在本衙門辦理。惟事關撰著，自應慎選學問精深、事理通達之員，方足從事編輯。

從引文中可知，管廷鶚選擇翰林院諸臣來編纂《各國政藝通考》，是因為翰林院是清廷儲才和修史最重要的機構，清代多種部帙繁富的官修史書都出於翰林諸臣之手，所以管氏建議將「編檢各官悉數派出」，並酌添「翻譯數員」。對於管氏的建議，光緒帝認為可以開館編纂，只是提醒編纂人員需「學問精深、事理通達之員」。針對管氏建議，管學大臣張百熙既有所接受，也有所駁難：

原奏將編檢諸員悉數派出，似嫌過濫。又此書之取材，翰林院編檢能任翻譯者無多，只好就中國已譯之書，刪除重複，課正訛謬，整齊故事，勒為長編。至東西各國未譯之書不下數億萬種，若倉促添譯數種以供依據考校之需，亦屬無俾實用，原奏所陳備數員一節，應請著無庸置議。[12]

張百熙從情理和事實兩個方面來申述自己的觀點。平心而論，翰林院編檢諸員各有職守，既要備皇帝顧問，又要承擔各種史書的編纂工作，群驅而編纂《各國政藝通考》，似於情不合；而酌添「翻譯數員」，也不可能窮盡東西各國政藝之書，且翰林諸員通翻譯者本就極少，所以只能暫擱此建議。

關於編纂《各國政藝通考》的內容、經費、史料來源等，在管廷鶚的奏議和張百熙的回復中也有清晰地表述。管氏建議，《各國政藝通考》應關注各國疆域形勢、風土民情、學校農田、百工技藝，但有關於政治者分門纂輯等語。[13] 並指出，該書的價值在於：「無論科舉、學堂總期於開明明智、整齊風氣二事而有裨益，若於學堂課本之外，另編一書為科舉應用之本，俾未入學者閱之亦可勉求津逮，進為通才，所關良非鮮淺」。[14] 對於如何籌措經費，張百熙指出：

惟是大學堂款項有限，翰林院又無款可籌，所有經費再四籌維，必無良法，萬不得已只有由大學堂從權協助一萬貳千兩，分作兩年撥付，限定兩年成書。一萬貳千兩之外，如經費尚有不敷，由掌院學士奏請增撥另款。

---

12 同上註，頁378-379。
13 同上註。
14 同上註。

　　因為《各國政藝通考》編纂涉及到京師大學堂和翰林院兩個機構，加之翰林院本為清水衙門，所以只能由大學堂支付一萬貳千兩，不足部分由掌院學士向清廷奏派另行撥付。關於史料來源，張氏指出可由大學堂諮送部分圖書：「至所需已譯西書，並中國人所著西國政治法律等書籍，亦由大學堂購買數百種，諮送翰林院備查。書成後仍送回大學堂，一併歸入藏書樓」。[15] 從中可見，大學堂在編纂經費、圖書上盡力滿足翰林院編書的需要，可以說《各國政藝通考》成書凝聚著京師大學堂和翰林院兩個機構的心血。對於時務類各國政書的編纂，京師大學堂除供給經費和圖書外，還承擔審核和稽查任務，「中贊以上各官分司校勘，務令刪其繁複，核其訛謬，其不能任職者，總裁官隨時甄別」，「凡成一卷，由總裁官詳定，恭呈御覽，飭下外務部及各國出使大臣複加精核，以衷一是」。[16] 對於該書的編纂和審查，管學大臣張百熙回覆如下：「臣當向翰林院掌院學士崑岡面商一切，彼此意見一致。仍照管廷鶚所奏，翰林院專編科舉應用之書，由臣擬定名目條例，再會同掌院學士酌派人員分門編纂，書成之後，送大學堂復審，由臣奏請欽定頒行」。[17] 張氏同意由大學堂審查，並會同翰林院熟商相關事宜。

三

　　京師大學堂和翰林院關於《各國政藝通考》的奏摺只是一個初步的編纂構想，在該書的編纂中確定了主題和基調。但該書編纂的始末、編纂的內容、體例、人員等問題，非一份奏議所能涵括，所以有必要搜集相關史料對這些問題做出細緻地解讀和分析。可喜的是，晚清學人日記、年譜眾多，筆者所搜集到的《惲毓鼎澄齋日記》中就有許多關於該書編纂的翔實記錄，《黃壽衰太史年略》、《溫侍御毅夫年譜》中也有一些相關的記錄。通過這些日記和年譜，我們可以基本理清以惲毓鼎為核心的翰林院諸臣為該書編纂所付出的心血以及該書編纂背後豐富的細節。

　　《惲毓鼎澄齋日記》等紀事頗有條理，文筆也很生動。從一九〇二年八月翰林院設館編纂《各國政藝通考》開始，惲毓鼎、黃壽衰就擔任該書總纂，黃壽衰一九〇六年後離開總纂之職，而惲毓鼎後被任命為總辦和總校，對該書的編纂成功用力最勤。從日記和年譜可知，該書編纂經過了三個階段：一、第一階段從一九〇二年八月至一九〇五年五月。這一階段翰林院掌院學士先後為崑岡、榮慶、裕祿等人，他們對編纂通考責人不專、領導不力，故使得原定兩年完成的編纂工作進展遲緩。第一階段的亮點表現在黃壽衰上書翰林院學士孫家鼎，提出五點整改意見。二、第二階段從一九〇五年六月至一九

15　同上註，頁380。

16　〈管廷鶚奏請開館纂書由〉，中國第一歷史檔案館藏軍機處錄副奏摺，膠片535卷3-145至7175-7。

17　〈大學堂遵議編纂書籍事宜由〉，中國第一歷史檔案館藏軍機處錄副奏摺，膠片535卷3-145至7175-9。

〇九年一月，因為慈禧太后親自過問，孫家鼐和裕祿指定惲毓鼎為總辦，侍講（齊慶）、夏編修（孫桐）副之，並指定於海帆為提調，選定纂修和協修，制定較嚴密的管理制度，切實推進通考的編纂。正因為責有專人，故該書的主要工作都是在這一時期完成的。三、第三階段從一九〇九年二月至四月，書成編纂總目、上進書表、告成議敘。

黃壽袞（1860-1918），字補臣，號小沖，又號夢南雷齋，浙江省紹興市人，清末官員、詩人。光緒二十四年（1898）戊戌科三甲進士。同年五月，改翰林院庶吉士。光緒二十九年四月，散館，授翰林院檢討。[18]後被任命為翰林院編書處總辦。黃壽袞向大學士孫家鼐提出整頓翰林院編書處，提出從五個方面改革編書處，即「編輯宜廣」、「編本宜清」、「編例宜整」、「編限宜立」以及「編員宜定」等五個方面。[19]這五個方面從史料來源、版本、編纂體例、編纂時限、人員選定等做了較有條理、較有見地的梳理和闡釋，如能切實推行，當會對《各國政藝通考》編纂助益良多。可惜因為翰林院掌院擇人不專、督催無方，致使第一階段成果寥寥，能算得上精品的應推黃壽袞《國際公法通纂》，該書被孫家鼐所激賞，後有單行本問世。第一階段，因為事權不清、責任不明，又沒有嚴格的館規，故惲毓鼎並沒有全身心投入編纂中。從惲毓鼎日記中可以看出，他對編書處的記載只有寥寥幾筆，並沒有實際的編纂工作的記錄。一九〇三年，「編書局開館，未暇往」。[20]一九〇四年「午刻至編書處開館」。[21]「四月，署掌院榮尚書（慶）午刻到任，余往接見」。[22]以上所記從一個側面說明翰林院編書處成立之初編纂工作的實態。

編纂的第二階段，因為慈禧太后親自過問，孫家鼐和裕祿指定惲毓鼎為總辦，致使該書在惲毓鼎的領導之下，聘用相關人員，商酌體例，確定編纂的步驟，有條理的推進，《惲毓鼎澄齋日記》對此有詳細記載。關於慈禧太后親自過問，孫家鼐和裕德[23]指定惲毓鼎為總辦，惲氏日記記載如下：「（1905年）五月，未刻至編書局，壽州師甚注意此事，恐將來進書不免歧誤，特委餘代閱，以總其成。[24]午後至編書處。先是，翰林院編書久不成，慈聖召見掌院裕相國，頗有責問語，裕對因責成不專，故散漫不就，宜有人總其成，任督催之役。慈聖詢以何人，裕以毓鼎姓名對。既退，遂與壽州師派余為總辦，任編纂校閱一切事宜，而以於侍講（齊慶）、夏編修（孫桐）副之。月來三、六、九堂期，無期不到，將以本月進呈第一期書。」[25]正是在孫家鼐和裕德的鼎力推薦下，

18 《光緒皇帝實錄》，卷514。

19 黃壽袞：〈上翰林院學士孫中堂〉，《黃壽袞太史年略》。轉引自俞婉君：〈被人遺忘的維新志士黃壽袞〉，《浙江檔案》，2004年12期，頁38。

20 惲毓鼎著、史曉風整理：《惲毓鼎澄齋日記》杭州：浙江古籍出版社，2004年，頁179。

21 同上註，頁198。

22 同上註，頁210。

23 裕德（？-1905），字壽田，滿洲正白旗人，一九〇三年任翰林院掌院學士。

24 惲毓鼎著，史曉風整理：《惲毓鼎澄齋日記》杭州：浙江古籍出版社，2004年，頁233。

25 同上註，頁236。

惲氏被任命為該書的總辦，凡編纂校閱一切事宜由其負責，這樣使得該書編纂權清責明，可以視為該書編纂過程中最為重要的人事任命，對推進編纂工作有重要的幫助。

　　從惲氏日記記載可知，惲氏常因編纂的相關事宜與孫家鼐師及同事諸君會商，日記對此記載頗多。「午後詣壽州師（孫家鼐）談。[26]散後訪閏枝，再偕謁壽州師。[27]至編書處，適壽州師在焉，料檢公事，薄暮始返。[28]見壽州商辦國史館、編書處各公事。[29]訪王仲度，偕詣壽州師處，請點總校、總纂、詳校各差，余擬數人，俱照行。[30]午後至編書局，與同事商酌條例及追呈事宜。[31]稍坐即詣編書處，兩掌院皆在焉，議疏通翰林院各員。[32]徐季龍來談，與商編纂法律體例，留其午飯。[33]午刻到編書處，倚冰箱，瀹香茗，飲荷蘭水，與同事諸君劇談逭暑（橘農[34]、新吾[35]、星橋（聯奎，字星橋）、閏枝（夏孫桐）。[36]范俊臣以所編《公法類》來商榷，余頗嘉其詳而知要，繁而不碎。[37]在家看史館及書局書，知交過問，則臥而對談。[38]萬、耆二主事來議公事。」[39]從以上所引的數條日記記載可知，惲氏對管學大臣、《各國政藝通考》總裁孫家鼐頗為敬重，凡有關編纂的事宜都願意向孫家鼐彙報，希翼孫家鼐的垂教和支持；其他諸人中，惲氏聯繫最多的是徐謙和門人范俊臣，圍繞該書的體例和編纂的相關事宜，經常和他們商酌，以求得編纂的順利進行。

　　從日記可知，該書的編纂程序大致是先農學——次法學——次財政——次地理、學校——最後各國歷史，每門編纂完竣後會有校勘和進呈。日記對化學、官制、兵政門沒有記載，可能這三門已於第一階段編纂完竣，亦或是分配給別人主持完成。農學門第一階段已經有所纂輯，但主要工作是在第二階段完成的。該門計編成各國農學一百零四卷，惲氏對此門編纂刪削、校勘頗費心力。日記對仲鈞安的《種洋棉法》記載甚詳細：

26　同上註，頁248。

27　同上註，頁286。

28　同上註，頁242。

29　同上註，頁313。

30　同上註，頁292。

31　同上註，頁234。

32　同上註，頁242。

33　同上註，頁244。

34　李傳元，字橘農，江蘇新陽縣（今江蘇省昆山縣）人，清朝政治人物、進士出身。光緒二十八年，任編書處提調，以提調身份參與通考的編纂。

35　李經（1857-？）安徽合肥人。字新吾，號橘洲，光緒十六年進士。長居北京，輯有《合肥李勤恪公政書》。

36　惲毓鼎著，史曉風整理：《惲毓鼎澄齋日記》杭州：浙江古籍出版社，2004年，頁275。

37　同上註，頁301。

38　同上註，頁372。

39　同上註，頁373。

「陳石麟[40]出示《種洋棉法》一小冊，乃山東青州府仲教士（仲鈞安[41]）論著，選取西國棉花種移植中華，依法播種，所獲豐於土棉數倍。試之山東已有成效。書中論下種、加肥、剪枝、拾花各法，明白詳盡，余甚喜其有用，欲採入《政藝通考・蠶桑門・種棉》後，而苦其文筆鄙俚，因於燈下特為刪潤，約成一千四百餘言，簡明可誦。」[42]日記記載了洋棉引入山東種植的效果，記錄了該書的內容和文筆，並說明了惲氏仔細刪潤後欲編次入《政藝通考・蠶桑門・種棉》中。惲氏精心籌思體例，按其編纂的分類可知，惲氏仿「三通」之體例，將《政藝通考》分為九門，門下設目，目下再設子目、子目下再設細目，分門別類記載各國政藝通典，試以此條日記可推知也。此外，關於農學門還有類似的記載，如燈下刪訂編書處農學書。「三鼓人定，始就枕。連日修改局書蠶桑一門。西人於植桑育蠶之法，檢驗利病至精至詳，而於補救之方尤為精密。江浙絲業日見退象，必宜設法改良，而商部未聞實力考求而維持之，何也？[43]午刻至編書處整齊進呈書。[44]客去，至編書處排校副本，以家中事雜，不得靜坐也。[45]飯後赴編書處複閱進呈正本。」[46]以上所記主要涉及該門的校勘和進呈，頗有味也。通過編纂農學門，惲氏對各國農學發生了濃厚的興趣。與惲氏因編纂農書而發生興趣相對照，作為協修的溫肅卻因為苦無實驗，而對編纂農書提不起興趣。一九〇六年九月，充編書處協修官，余不樂就進士館學。時于海帆[47]師為編書處提調，咨調余為該處協修。進士館法政學余既厭聽，而編書處委農書亦苦無實驗，遂仍理舊業。[48]

　　關於法學門的編纂，日記記載非常清晰、完整，該工作主要在一九〇六年七月至十月進行。茲錄如下：「復至編書處，徐季龍[49]以所擬法學凡例交來，攜歸斟酌。自去冬至今，已將農學進竣，接進法律門，先憲法，次民法，次刑事訴訟法，次民事訴訟法（附裁制所構成法），次國際公法，次國際私法。季龍、俊臣將憲法編成二十卷。余須破除各事，盡三五天之力，仔細斟酌。在家苦煩擾，擬逐日到局，專意看書，亦藉以研究法學也。」[50]從此條日記可知，法學門的編纂體例由徐謙提出了初步的構想，惲氏對

40 陳石麟（1885-1944），名石麟，字瑞生，號南坡居士，「夢祺」為筆名，博讀經史，通曉百家.

41 仲鈞安（Alfred G.Jones? -1905）英國人。一八七六年來華，初在煙臺學習漢語。一八七七年在青州協助李提摩太賑災。李提摩太到山西救災後，他負責浸禮會在山東的教會事務。

42 惲毓鼎著，史曉風整理：《惲毓鼎澄齋日記》杭州：浙江古籍出版社，2004年，頁277。

43 同上註，頁267。

44 同上註，頁280。

45 同上註，頁290。

46 同上註，頁246。

47 于滄瀾（1845-1920），字海帆，山東平度人，光緒三年（1877）中進士，一九〇五年後任編書處提調。

48 王雲五主編，溫肅著：《清溫侍御毅夫年譜》，《新編中國名人年譜集成》臺灣：商務印書館，1986年，第20輯，頁50。

49 徐謙（1872-1940），字季龍。原籍安徽歙縣，生於江西南昌。早年曾中舉人、進士。

50 惲毓鼎著、史曉風整理：《惲毓鼎澄齋日記》杭州：浙江古籍出版社，2004年，頁282。

體例非常重視，並對法學門的編纂步驟提出了頗具實行的建議。此後惲氏斟酌取捨將徐謙等人的體例匯定為凡例九則：

> 午刻詣編書處，撰法律凡例九則，合品三、季龍、俊臣三稿而改定之。法律一門精深閎實，非可貿貿操觚。予以憲法、民法屬季龍、俊臣，以刑律屬品三。從前曾以公法屬黃補臣，編纂粗就，今亦擬屬季龍。四子者皆研究此學而有得者也。予於法學粗知其義，而不能通。此次複加校定，逐細編摩，當可獲益，所謂從政即為學也。[51]

惲氏自謙初通法學，所以對徐謙等人寄予厚望，希望三人分工配合，慎重從事編纂。按，黃壽袞的《國際公法通纂》自視甚高，也受到通典總裁的賞識，然而惲氏卻認為「編纂粗就」，不知是意氣之爭，還是該書有缺陷？所以最終惲氏將國際公法委諸徐謙來編纂，此甚有趣也。

惲氏作為總辦和總校，當然要負擔起審閱、校勘的義務，日記記載如次：「偕閏枝訪壽州師處商榷《憲法書》體例，未見。一九〇六年十二月，范俊臣來談，斟酌續編公法書體例。[52]飯後杜門謝客，靜看《法律門‧憲法》稿本三卷。[53]午前看《憲法》書，譯筆陋劣不堪，幾於無句無之字，余與痛加刪節，稍覺可誦。[54]看《憲法》書一卷。近人文，其法佳者，條分縷析，善搜剔，工往復，亦自有可喜處。所謂抽蕉剝繭，分風擘流之妙，時復見之。其根底仍在先通中文耳。[55]午刻至編書處，整理進呈正本。此次所進《憲法》九卷，乃雋臣一手所編，殊有條理，持擇亦不苟。[56]看午前詣編書處。學士每年可分五百金。[57]二十一日晴。看《民法編》一卷。校閱《民法編》，作目錄後謹案一篇。[58]飯後看《民法編》二卷。燈下校閱《民法編》二卷（三十二卷俱閱竣）。」[59]從日記所記可知，《憲法》九卷完全由范俊臣一手編纂，《民法》三十二卷由徐謙和范俊臣合力完成。惲氏作為總辦不僅居間協調，還負責體例之確定、稿本之審閱以及目錄案語之撰寫等，惲氏雖覺修史之難，但卻孜孜以求，頗著勞績。

關於財政、地理、學校門的編纂，財政三十九卷、地理四十六卷、學校五十六卷，

---

51 同上註，頁274-275。
52 同上註，頁295。
53 同上註，頁283。
54 同上註。
55 同上註，頁275。
56 同上註，頁286。
57 同上註，頁290。
58 同上註，頁284。
59 同上註，頁301。

三門共編一百三十一卷，日記也有一些記載，茲錄如下：「約水巨樵、范俊臣同編財政類，商定體例而去。[60]連日看《財政學新編》[61]，紀各國理財法極詳，議論亦精細。[62]近人所編此種專門書，實為舊籍所不及。下帷刪改財政書三卷。刪改財政書一卷，發交供事謄真。飯後看編書處財政三卷，文筆冗漫，虛字多不通，痛加刪潤，稍覺可誦（學生譯東文書，最喜用「之」字、「而」字、「然」字，有一句而四五「之」字者，「而」字、「然」字往往不通。文法之弊一至於此）。[63]看編書處《輿地》兩卷。[64]看編書處《地理門》五卷。[65]燈下看編書二卷。余於學校門詳錄西儒學派，頗近中國學案。西儒發明為學宗旨及教授之法各不同，細閱之亦殊有味，惜譯筆太劣，未能達其所見耳。」[66]至編書處，發繕《學校門》。[67]閱《學校考》三卷。[68]至編書處中餐。復校書五卷（地理、學校）。[69]總括而言，水巨樵、范俊臣對財政編的體例貢獻良多，惲氏特別看重《財政學新編》一書，對該書評價頗高，並收入財政門中。惲氏對學校門的編纂頗有心得，擬仿中國傳統的學案體體例，以西儒學派分合、學術流變為主線，以為學宗旨及教授之法來區隔類例，頗得中國學案體的旨趣，對反映西方學校學術流派的發展脈絡、傳承關係及學術宗旨有重要的助益。

　　關於各國歷史紀事本末，該門共一百十三卷，惲氏對此記述頗詳，議論也頗有可採之處：「又，與纂協諸君商辦分修歷史。[70]晚歸，燈下閱《英史紀事》二卷。[71]燈下猶看《英史紀事》一卷，多所刪正。《英史紀事》凡十七卷，歐介持、尹翔墀合編，搜採翔實，行文雅馴，敘次亦剪裁有法，若能將地名、人名畫一，旁列英文以定之，可為單行善本。余月來專閱一過，獲益非淺。[72]認為《英史紀事》搜採翔實，行文雅馴，敘次亦剪裁有法，但也提出了修改意見。又以《俄史》、《義大利史》發繕。[73]飯後至編書處，

---

60 同上註，頁314。

61 《財政學新編》，又稱《最新財政學》，〔日〕和田垣謙三著，作新社譯，上海廣智書局於一九〇三年出版，該書是最早關於各國財政的撰述之一。

62 惲毓鼎著，史曉風整理：《惲毓鼎澄齋日記》杭州：浙江古籍出版社，2004年，頁303。

63 同上註，頁355。

64 同上註，頁313。

65 同上註，頁303。

66 同上註，頁325。。

67 同上註，頁306。

68 同上註，頁315。

69 同上註，頁318。

70 同上註，頁327。

71 同上註，頁349。

72 同上註。

73 同上註，頁358。

闃其無人，臥看《土耳基志》一卷。[74]燈下看《德史》三卷。[75]午飯後詣編書處發通考、歷史各八卷。[76]午後詣編書處，因程學川（字伊，翰林院編修）所纂《奧大利紀事》體例未劃一，囑其重修。[77]刪改《美國歷史》四卷。[78]飯後詣編書處，刪併王小東所編美史。原編二十四卷，余併為七卷。[79]飯後詣編書處，發繕土耳基、比利時、葡萄牙各史。各國歷史一律告竣矣。通過修纂各國歷史紀事本末，惲氏對修纂較好的各史皆有評價，他認為歐家唐、尹翔墀合編的《英史》、郭則澐、顧承曾合編《俄史》最佳，認為《英史》、《俄史》敘次有條理、剪裁有章法；認為藍鈺的《德史》、李哲明的《荷蘭史》、李經畬的《日本史》、畢太昌的《土耳基史》次之）。」[80]從其評論中，可見他對《英史》、《俄史》的評價最高。總體來看，惲氏對修纂史料翔實、行文雅馴、編次有章法的著述不乏溢美之詞，但對修纂不好的著述也會明確指出，並令其修改，比如上引的程伊所纂的《奧大利紀事》體例未劃一，所以囑其重修。由此可見，惲氏對各國歷史門的編纂是比較嚴謹的，這對保障全書的品質不無裨益。

　　第三階段從一九○九年二月至四月，書成編纂總目、上進書表、告成議敘。這一階段，惲氏奉孫家鼐之命，對進書辦法，編纂總目等善加斟酌：「一九○九年二月，翰林院崇主事奉壽州師之命來談進書分合辦法。編書處自去冬未進書，此次掃數進呈，共四大函，余擬併為一次，作一大結束，即可奏請撤局。[81]請顧伯寅、范俊臣至編書處編前後進呈書總目。飯後詣編書處編定總目錄三卷，批發支款單，此為最後一次矣。[82]翰林院京察保送一等二十一員，編書處纂校各員皆與焉。歸途詣編書處取功課檔，比較纂校諸員勞績。午後杜門為兩掌院擬〈編書處全書告成請獎編纂諸員折〉，密具應獎姓名單呈掌院。[83]〈編書處全書告成請獎編纂諸員折〉奏稱：竊准光緒二十八年三月大學堂奏請由翰林院開館纂輯中國已譯東西各國政藝通考書，奉旨依議。欽此。臣等當即遴派提調、總纂、纂修、總校各員，分司編纂，奏明於八月十六日開館，至三十一年九月成書及半，繕成樣本書圖二函，先呈德宗景皇帝聖鑒，並謹陳辦書情形，幸蒙留覽。自此次進呈之後，按月陸續繕進，至本年閏二月止，計編成各國農學一百零四卷、化學一百六十三卷、法律八十九卷、官制一百十七卷，地理四十六卷、學校五十六卷、兵政四十九

---

74 同上註，頁331。
75 同上註，頁344。
76 同上註。
77 同上註，頁345。
78 同上註，頁366。
79 同上註，頁367。
80 同上註，頁368。
81 同上註，頁371。
82 同上註，頁374。
83 同上註。

卷、財政三十九卷、各國歷史紀事本末一百十三卷，合七百七十五卷。前因全書未成，次第先後不敢輒定，是以未能排次總目。茲特補繕目錄三卷，裝成一函，進呈御覽。全書一律告成，臣等擬即將編書處裁撤，遵旨設立講習館，為翰林諸臣研究政學之資，臣等另擬章程具奏。伏思東西載籍傳譯不齊，散見眾編，網羅非易，館中各員鉤稽排比，以類相從，刪除重複，稍加潤色，雖僅據已譯之本，未敢遽謂精詳，而勒為統宗之書，亦復粗成條理。」[84]該奏摺將編纂該書的始末、編纂各門的卷數、編纂的目的與方法等做了清晰地闡釋，對其編纂的價值做了初步的衡估。

梳理《各國政藝統考》編纂始末，我們似可以總結該書編纂的一些啟示：一、「失之東隅，收之桑榆」。翰林院和京師大學堂本為科舉士子提供各國政藝的策論而編纂通考，其目的不僅為科舉士子提供外國時務參考書，同時也希望藉此培養翰林諸臣政藝學素養。但從該書編纂的實際效果來看，第一個目的因為一九〇五年清廷廢科舉，因而也不再需要中央權威編纂的《各國政藝統考》，所以所謂士子的參考書也為新式學堂的教科書所取代；對於第二個目的，通過編纂通考確實培養了一批逐漸知曉各國政藝的翰林院諸臣，最有代表性的當數翰林院惲毓鼎。從惲氏日記中，我們可以清楚地看到，最初惲氏對西方的政藝策學是相當牴觸的，如：各房二場卷，往往頌揚東西國為堯舜湯武，鄙夷中國則無一而可，至有稱中朝為支那者。西學發策之弊，一至於此！以此知二場西策之法斷乎其不可行也。枕上思之，不勝憤懣。[85]通考編纂過程中，惲氏因編纂之需，大量接觸西方的政藝之書，並逐漸對它們發生濃厚的興趣，此後關於西書閱讀和購買的例子在日記中所在多有，由此不難看出惲氏的西方政藝之學的視野不斷擴大。「失之東隅，收之桑榆」，通考之編纂很好地詮釋了這句成語的意思。二、清末新政因學習西方政藝，所以急於編纂成書，但該書搜採不易、部帙繁富，雖歷六年蕆事，但該書在門類上與各書局所編纂的政藝之書略顯疏略。因此編纂部頭較大的史書需要足夠的時間來保證。三、史館必須要有完備的制度。前引第一階段修史效果不彰，主要在於擇人不專、分工不明、協商機制缺失，第二階段因委惲毓鼎負責，這樣修史的效果明顯提升。

84　同上註，頁182。

85　同上註，頁220。

清末民初詩人三多的詩歌創作和詩歌特色

李橋松

北京師範大學文學院

　　三多是晚清民初著名的政治人物，同時也是活躍在當時文壇上的詩人和詞人，被稱為近代以來繼延清後最有名的蒙古族漢文詩人。[1]由於缺乏對三多詩歌整體風貌的研究，在評價三多詩歌風格和特徵時，後人多因襲前人評斷，有片面草率之嫌。本文將在考證三多生平的基礎上，梳理三多詩歌的發展軌跡，並詳論其詩歌風格和特徵的形成和發展。

　　三多（1871-1941），號六橋，晚年又號鹿樵[2]，鍾木依氏，蒙古正白旗杭州駐防。歷任浙江杭州知府、浙江武備學堂總辦、洋務局總辦、京師大學堂提調、民政部參議、歸化城副都統、庫倫辦事大臣。民國後任盛京副都統、金州副都統、華工事務局總裁、銓敘局局長。南京政府成立，任東北邊防軍司令長官公署諮議。三多身在仕途，卻從小喜好作詩填詞，著有《可園詩抄》、《粉雲庵詞》、《柳營謠》等。

　　三多先後師從王廷鼎、俞樾學習，在這期間接受了俞樾「唐宋並兼」的詩歌創作理論。後期又受到樊增祥、易順鼎詩風的影響，形成了藻麗絕豔的詩詞特色，被歸入清末民初「晚唐詩派」。在繼承中國古典詩詞創作方式的同時，三多能突破傳統束縛，嘗試創作出蒙、滿、漢三種語言相互混雜的詩歌作品，形成一番獨特的詩詞審美體驗。

一　唐、宋詩歌對三多詩風的塑造

　　三多師從王廷鼎，俞樾二人。俞樾的詩學主張頗具開放性，其作詩主張「消除門戶，調和唐宋」，其詩多效仿白居易，陸游。三多在如此教育方針下廣泛學習前代諸家詩學。唐代除杜牧外，他也學習李杜詩歌，同時，在俞樾影響下，他對白居易，陸游諸家也頗為留心。三多曾作〈題唐宋人詩集〉，以表達自己對傾慕詩人之讚賞和褒揚：

1　郭延禮：《中國近代文學發展史‧第三卷》北京：高等教育出版社，2001年，頁225。

2　在日常生活中，三多以「鹿樵」為號的實例較為稀見。只在〔清〕玉並：《香珊瑚館悼詞》，民國刻本中，何振岱用此號指稱三多。陳玉堂：《中國近代人物名號大辭典》杭州：浙江古籍出版社，2005年；江慶柏：《清代人物生卒年表》北京：人民文學出版社，2005年中均有收錄，陳文新主編：《中國文學編年史‧晚清卷》長沙：湖南人民出版社，2006年中為「鹿翁」，不確。

唐到韓潮宋到蘇，詩壇健將可言無。他人縱具通身膽，不似偏裨便武夫。除卻坡
公與謫仙，低頭止拜杜樊川。性靈偶有相同處，范陸無心類樂天。[3]

三多的其他詩作：「樂於蘇玉局，閒是杜樊川」(〈湖上絕句四首〉)、「詩從杜甫集中補，
詞學秦觀柱上填」(〈回憶海棠作歌〉)，也可見出三多廣闊的詩歌視野。

三多十七歲北上入京所寫〈初夏旅窗漫興次白香山閒居詩韻〉云：

羈棲閣三間，小拓詩酒地。錯落金叵羅，縱橫鐵如意。醉擬南薰歌，倦學北窗
睡。但得夢長圓，莫干軟紅事。

詩中首聯先說自己是淹留他鄉，點明自己身處北京，後用陸游「高秋風雨天，幽居詩酒
地」(〈題柴言山水（三）〉)，表達其自得其樂之心境。領聯化用清代武進人劉翰的〈李
克用置酒三垂崗賦〉：「鐵如意，指揮倜儻，一座皆驚；金叵羅，顛倒淋漓，千杯未
醉。」[4]表現自己年少輕狂、意氣風發之態。頸聯又用「南薰」、「北窗」之典，意欲表
達自己超然脫俗之情，最後一句化用自范成大〈醉落魄〉詞：「涼滿北窗，休共軟紅
說」，「軟紅」是指「紅塵」，杜牧有「一騎紅塵妃子笑」句，此處三多藉由范成大的詞
句，表達自己看淡世俗名利，意欲歸隱田園，求得平和安樂之心。此詩題目註明是次韻
白居易的詩作，可見其熟讀白居易之詩，詩歌頻繁用典隸事，有陸游、范成大、杜牧等
人詩句，或化用、或引用，雖然過於明顯，卻絲毫不露違和之感。暫且拋開詩歌意境不
談，僅就技法本身而言，此詩也可以代表三多的一種寫作風格。

三多一生尤好杜牧。在《柳營詩傳》中，三多談論其外祖裕貴，有「昔杜牧之將
卒，取其詩文盡付焚如，公亦殆其人乎」語，說明三多對杜牧詩歌的情有獨鍾是受家學
影響。蔡玉瀛在《可園詩抄》評跋中就稱讚三多才華橫溢如同杜牧。[5]然而，三多鍾情
於杜牧詩歌的原因，更傾向於其與杜詩中所散發出的精神氣質的強烈共鳴。杜牧因傳承
了家族的榮耀和責任，於是在詩中迸發出渴求實現自我理想的力量，所以杜牧詩歌中有
很大部分是懷古傷今之作。杜牧身處一個朝代的尾聲，懷才不遇與世風日下的頹唐社會
兩相激盪，共同奏出杜牧哀婉的心曲。與眾不同的是，杜牧試圖是在精神解放的過程中
尋求解脫，用放浪形骸來表現內心的矛盾。所以「他的詩中雖然有頹唐的成分，卻並不

3　〔清〕三多：《可園詩抄》，光緒年間石印本。此後所引詩句未標出處皆出自《可園詩抄》中，不再
　　另行標註。

4　本文收入清末王先謙：《清嘉集初編》，此書是作者在南菁書院（江蘇江陰）講學時學員試卷習作的
　　選編集，此文作為科舉範文收錄。三多原本一直準備科考，後因承襲世職，不能參加考試，可以推
　　斷，其對科場範文應較為熟識。

5　蔡玉瀛：《可園詩抄》題詞詩：「交好俞荸老，才華杜牧之」，光緒年間石印本。

顯得侷促陰暗，相反，無論感慨往事、針砭現實還是抒寫懷抱、描摹自然，都能在憂鬱中透出高朗爽健、意氣風發、俊逸明麗的氣格。」[6]三多有著與杜牧相似的家庭背景，相近的社會狀況，更重要的是，杜牧希望實現抱負的雄心壯志也與三多的心性最為契合。不同之處在於，三多把實現自我價值定位在個人的成功，尤其是自我的成功，而杜牧卻將自我的理想與國家興亡緊密聯繫起來。兩者的精神氣質不可同日而語，由此可以推斷，三多只學到了晚唐詩歌明亮鮮豔的色彩、流利婉轉的聲韻。其詩與杜牧詩歌相較，實乃貌合神離。

如三多〈春申江〉一詩：

春江花月不知愁，十里珠簾盡上鉤。看遍梢頭紅芍藥，渾如小杜在揚州。

首句先化用杜牧「春風十里揚州路，卷上珠簾總不如」，後化用姜夔由杜牧「二十四橋明月夜，玉人何處教吹簫」生發出的「念橋邊紅藥，年年知為誰生」而感興，本在穠麗背景之下隱隱有歲月流轉、國家興亡之恨。「渾如小杜在揚州」一句，三多以杜牧自比，卻將整個詩歌意境打破，可見其不過自我欣賞，詩格高下立辨。

三多詩中曾多次提及杜牧，如「風流難繼杜樊川，況乏江郎彩筆傳」（〈二月廿二日同人於可園作買春第一集秦散之敏樹先生繪圖紀事自題六絕並呈諸社長〉）、「長安燈市今猶昔，爭羨樊川杜牧閒」（〈新年作〉）等。

杜牧並非三多學習揣摩的唯一對象，俞樾太夫子的教導使三多開始學習白居易的詩歌。俞樾自語：「所為詩終不外香山劍南一派」，並說「諸君子興高采烈，更唱疊和，……以期入香山劍南之門徑」[7]，可見，三多從對王廷鼎、俞樾詩歌的模仿中自覺接受了白居易的詩歌理論和風格。這一點俞樾在《可園詩抄》序言中已首肯：「自曲園而瓠樓，自瓠樓而六橋，沆瀣一氣洵不虛矣。」[8]

三多接受了白詩風格淺俗直白的語言特色，並非其「文章合為時而著，歌詩合為事而作」的創作宗旨。如其〈新葺可園擬「琴隱園十八詠」並次原韻〉詩：「種得森森樹，綠雲環我家。桃李亦有陰，不獨賞其花」（〈種樹〉），「不可居無竹，多竹可消暑。先連此君來，數竿風自古」（〈乞竹〉），再如「不可居無竹，有竹使不俗」（〈種竹篇〉）等，淺白如話，倒也算得上清新自然。

三多年少聰慧，善於學習，很快運用自如地掌握了中國傳統文人的文學語言和表達方式。這突出地表現在三多開始理解到，詩人們表現恬靜閒適生活的詩句背後，實際上

6　章培恆、駱玉明主編：《中國文學史》上海：復旦大學出版社，2001年，頁239。

7　〔清〕俞樾：〈序〉，《可園詩抄》，光緒年間石印本。

8　〔清〕俞樾：〈序〉，《可園詩抄》，光緒年間石印本。

是對胸中苦悶的排解。詩人雖身在官場位居將相，其詩詞內容卻常常抒寫歸隱田園的渴望。三多深得其味，其詩中亦常表現出渴望退隱山林，躬耕自足的願望。如前所舉〈初夏旅窗漫興次白香山閒居詩韻〉詩。再如「水有錦鱗且拂竿，山有白鹿勿用鞍，明朝一笑騎入山。山山或復飛，我亦從之還。」(〈湖中望諸山感而作歌〉)「七十二沽煙水闊，不如同泛釣魚蓬」(〈無題〉)等。

《可園詩抄》中除明快艷麗風格的作品外，〈過黑水洋放歌〉、〈湖中望諸山感而作歌〉、〈觀岳鄂王銅印歌〉等詩，風格灑脫豪邁，與其他詩作不類。來裕恂〈贈三六橋〉詩中寫道：「長歌高和李青蓮，新詞學譜姜白石」[9]，俞陛雲在題詩中亦云：「詩成健者誰敢攖，仙氣磐薄驕長庚。猶如太白樓大會名諸生，白袷少年一詩出，上客壓倒樓君卿」[10]，詩中將三多比作黃景仁，黃景仁詩即效仿李白。由此可見當時文士認為可在三多詩中看見李白之身影。

三多家族本杭州駐防，歷代武將，三多血液中天生繼承有灑脫豪放的基因，無疑，這種性情會在其詩作中自然流露。三多所學習的杜牧詩作本身，就含有曠達豪邁的因素，加之三多後期任職邊塞，開闊視野和胸懷，共同作用下，《可園詩抄》中出現很多詩風豪邁的篇章就不足為奇。三多喜歡用歌行體來描寫壯闊恢弘的景物，抒發豪情壯志，很多篇章想像大膽，色彩瑰麗。如〈拍案歌〉：

> 拍案悶欲死，奇叫跳而起。丈夫貴有為，食粟吾所恥。
> 人生百年過隙駒，束髮便合遊山水。結識犬屠牛販流，締交鳳翥龍蟠士。儲材廣蓄藥籠物，求訪何必宰相始。一朝抵掌黃金台，貢之廟堂量器使。如指應手手應身，中外合併事求是。電激雷砰號令新，砲利船堅何足恃。兵固凶器不可用，用乃不得已而已。和歌猛士守四方，決勝強鄰動千里。天下大事猶可為，其奈諸公婦人耳。默者明哲以保身，弱者優柔可臧否。主和主盟為老謀，割地棄城如敝屣。事後紛然策富強，一言九梗無定止。滅此朝食尚嫌遲，更不奮發將何俟。一戰直須霸地球，判人獸替有巢氏。止戈永逸樂昇平，儒將填詞同奉旨。吁嗟吁！找今所生真不辰，路鬼揄揶道虎兒。低頭折腰以事之，辱等穿人胯於市。天地生必有用才，何為嶙峋骨亦爾。素餐俸錢三十萬，蹉跎忽長仲華齒。那得尚方斬馬劍，庶幾天下聽揮指。行矣當垂萬世名，藏則去尋赤松子。不然靮匕首報知己，安能石破天驚尚坐此！

此詩創作於戊戌變法之前。整首詩慷慨激昂，諷刺了在朝廷內部勾心鬥角，在強敵

9　來裕恂：《匏園詩集》天津：天津古籍出版社，1996年，頁63。

10　俞陛云：《可園詩抄》題詩，光緒年間石印本。

面前軟弱無能的清廷大臣。全詩表現出三多意欲做出一番偉業的宏願。詩中「低頭折腰以事之」、「天地生必有用才」、「素餐俸錢三十萬」明顯化用自李白詩句。不久，三多又作〈觀岳鄂王銅印歌〉，藉由觀瞻岳飛印之機，要「試為忠裔一放歌」。詩中云：「關壯繆印玉同堅，並向湖山鎮妖魅。豈獨湖山妖魅多，神州處處待降魔」，說明當時社會動蕩，三多想「靈旗天上曷飛來，來掛九頭獅子印」來實現己志。

三多歸綏任職後，詩風更加豪情，如〈出獵〉詩，不由讓人把它與蘇軾的〈江城子‧密州出獵〉並為一處：

> 大漠先霜昨夜風，手揮小隊出雲中。拂雲堆下無雕射，一笑重韜霹靂弓。

整詩起承轉合錯落有致，氣度瀟灑豪放。此時「喜逢瑞雪今冬足，處月西郊笑數程」（〈奉敕毋用來見迅即赴任六疊前韻恭記〉）、「金桃枝儼扶疏發，從此長聽好鳥聲」（〈人日〉）等詩，皆能表現出三多豪邁的胸懷。

在效仿唐詩之時，三多還傾慕蘇軾的人品和詩歌境界。在〈自題攝影〉中三多云：「百不如人蘇玉局，三須對我李青蓮」，可見其對李白、蘇軾感情之深厚。三多集中有〈漁父擬東坡〉、〈臨安懷東坡〉等詩，另有「疆域新思開北漠，湖山舊治愧東坡」（〈次和厚卿歸化秋感八首〉），「我與世人多殊科，戀於汲黯如東坡」（〈自題讀書秋樹根鏡影〉）等句，可見，三多有意自比於蘇軾。他在詩中也常用「蘇玉局」誇讚自己所尊敬的師長先賢。三多一生摯愛海棠，在杭州居所可園內專門種植海棠，命名為「粉雲庵」。三多〈粉雲庵賞海棠〉（選其一）云：

> 何必人烹雪錦茶，品題吟管自拈牙。一身多節堅於竹，萬口無香屈此花。
> 斜插粉瓶青玉案，高燭紅燒碧窗紗。環肥燕瘦誰堪贈，贈與東鄰助臉霞。

「高燭紅燒碧窗紗」就是對蘇軾〈海棠〉詩「故燒高燭照紅妝」的化用。當然，這並不能推斷出三多喜愛海棠一定受蘇軾影響，然而，不可否認，蘇軾對三多的日常生活和創作思想產生過不可忽視的作用。

三多的部分詩作中還出現了宋詩言理的特色，如〈感鷺〉詩：

> 煙水蒼茫際，悠然可一生。自招攻擊處，白質太分明。

此詩在通俗曉暢的語言中有所寄寓，頗值玩味。

三多一直努力將唐宋詩歌糅雜一體，化為自用。令人頗為遺憾的是，他位居高官，充分地完成了自我社會化，性格越來越世故老練，故其詩讀來，總有疏離隔閡之感，真

味寡淡。賞景登山定要牽扯故實，附庸風雅定要退隱避世，大部分中國文化中有代表性的基本要素都曾現於他的筆下，雖然排布再巧妙，技巧再高超，終不能讓人有所感動，反不如其幼作，來得自然清新：

> 樓外紅牆一道斜，吹來消息比鄰家。聲聲似勸拋書睡，早起披衣看杏花。（〈春雨〉）

二　三多詩風與晚唐詩派的關係

　　三多被歸入「晚唐詩派」，因其學詩即尊晚唐，後與樊增祥、易順鼎往來密切，詩風切近。然而，如此推斷三多只是單純地向樊、易二人學詩，未免過於草率。

　　錢基博認為三多詩歌藻麗絕艷，屬於樊、易一派：「三多稱增祥詩弟子，工於隸事，得其師法。於清末，歷官綏遠都統，庫倫駐防大臣；尤熟於滿蒙各地方言，與故實稍雅馴者，多以入詩。而歌行似增祥，尤似易順鼎；七律似順鼎，尤似增祥。……贈羅惇曧詩有句云：「人品如西晉，家居愛北平」，穩稱雅切，咸得增祥師法。」[11]此語影響甚大，後人大多因襲此論，直接寫三多乃向樊、易學詩。然而，此觀點承襲於陳衍在《石遺室詩話》中的評斷：

> 六橋歌行似樊山，尤似實甫；七律似實甫，尤似樊山。近見其〈十疊牙字韻和夔盦主人〉云：「兼併文武大林牙，（《遼百官志》：「大林牙，翰林學士也。」又行樞密有左右林牙。）天錫能詩敢比誇。潑墨如傾饒樂水，（喀喇沁為古鮮卑地，饒樂水出焉。）運籌當賽瀋陽瓜。（近人《瀋陽百詠》詩云：「批紅判白知何事？盡有輸贏說賽瓜。」）人才《金史》師安石，王位元朝脫不花。莫笑梁園舊賓客，春風不坐坐東衙。（此間稱副都統署曰東衙門。）《弔耶律倍》云：「天子能為薄不為，此心千古有誰知？聯唐未必全無力，立木甘吟去國詩。讓國名如太伯賢，乘槎計比范蠡全。美人書卷同浮海，勝作遼皇廿一年。」句如「鞭馬電馳登柳子，（峪名）樓船風順度鬆花」、「倦遊莫對王維竹，好學曾嘗鄭灼瓜」、「兀良北伐思阿術，耶律南來盼禿花」、「身復在官殊善果（唐鄭善果）脅能擒將讓奴瓜。（遼耶律奴瓜）」、「十分熱血烏拉草，一片冰心哈蜜瓜」，皆極似樊山處。[12]

又「近來詩派，海藏以伉爽，散原以奧衍，學詩者不此則彼矣。若樊山之工整，祈嚮者

11 錢基博：《現代中國文學史》北京：中國人民大學出版社，2004年，頁202。

12 陳衍著，鄭朝宗、石文英校點：《石遺室詩話》北京：人民文學出版社，2004年，頁142。

百不一二，六橋、合公其最也。」[13]後汪闢疆、錢仲聯先生皆沿用此說，遂為定語。

　　三多後期確實和樊增祥、易順鼎交往頻繁。樊增祥比三多大二十五歲，考察二人的生平軌跡並無多少重合。光緒二十六年（1900）樊氏應召至京，三多恰巧此時也在京城。樊增祥與袁爽秋關係密切，三多在京也要拜會同鄉前輩袁爽秋，三多很可能經由袁氏的推薦，結實了當時已有詩名的樊增祥。此後，三多與樊增祥保持著密切聯繫，雖然在樊增祥的詩集中很難發現與三多有關的詩作，可是，三多在歸化城副都統任上所作〈邊塞苦寒蒔花不易，偶夠盆梅數株，紅者尤佳，適讀樊樊山師「紅梅七律」八首，和而賞焉〉即是為唱和樊增祥詩作所寫。另外在《粉雲庵詞》中，還可看到樊增祥的批註，三多自標為「樊山師曰」。三多妾玉並病故後，樊增祥也應邀寫詩悼念，輯於《香珊瑚館悼詞》中。由此推斷，二人交往實屬頻繁密切。

　　三多認識易順鼎亦是在光緒二十六年（1900）年。三多在京中寫下了〈易時甫順鼎觀察示讀「召對記恩詩」次和原韻送行〉[14]詩：

> 欲買京華五色絲，繡君拜詔出丹墀。文章久炙群公口，經濟深邀聖母知。
> 宣室應陳三策稿，甘泉待賦九莖芝。日邊指日還聯襼，只恨今生識面遲。
> 才名如水溢鄉邦，今見長河與大江。湘社詩人推第一，淮陰國士本無雙。
> 粉身何處圖同報（原詩有：「小臣真恨粉身遲」句），熱血憂時共沸腔。不盡傷春傷別感，葡萄美酒豈能降。

此詩表達了三多對這位詩人的仰慕之情，並希望得到易順鼎在詩藝上的指教。易順鼎亦寫有〈寄三六橋即題其詩集〉，存於自己的詩集中。

　　這個時期，三多的詩歌風格已然自成一格。上文所述，三多詩走的是「唐宋兼收」的路子。「鳥啼密樹聲逾靜，人踏層嶇影共高」（〈侍仲修師暨雪漁筱甫古醖諸先生讌集淨慈寺並訪南湖諸勝〉）同樣對仗工巧，辭藻華麗。如果說三多詩的格律嚴謹得益於俞樾的教導，那麼，其用辭綺麗實源於其對晚唐詩風的偏好。由此推斷，三多詩風格多來自於樊增祥和易順鼎的結論未免過於草率。

　　樊、易二人論詩受到了張之洞，李慈銘二人的直接影響，他們兩個都主張詩歌風格要兼收並蓄。樊增祥認為作詩要博採眾長，不名一家，並在此基礎上形成自己的詩歌風格。錢仲聯先生評樊增祥詩風是「取徑隨園、甌北，上及梅村」。[15]易順鼎也說：「故其所作，皆抒寫己意，初不敢依附漢、魏、六朝、唐、宋之格調以為格調，亦不敢率合

---

13 同上註。

14 〔清〕三多：《可園詩抄》，光緒年間石印本。

15 錢仲聯：《夢苕庵清代文學論集》濟南：齊魯書社，1983年，頁149。

《三百篇》之性情以為性情。於古者所以重，及世所目為甚輕，均未有當也。」[16]二人均反對當時流行的同光體，主張唐宋兼容。錢基博比較二人後，云：「順鼎詩才綺絕，自少至壯，所做將萬首，尤工裁對，與樊增祥稱二雄。惟在增祥不喜用眼前習見故實，而順鼎則必用人人所知之典。增祥詩境到老不變，而順鼎則變動不居，學大小謝，學杜，學元、白，學皮、陸，學李賀、盧全，無所不學，無所不似，而風流自賞，以學晚唐溫、李者為最佳。」[17]

從效仿學習的對象而言，樊、鼎二人所推舉效仿的詩人同三多頗為相似：都學元、白、溫、李，故其詩歌風格近似非常。亦可推斷，三多的詩風本與樊、易接近，他才會由衷欣賞並傾慕二人。那麼，三多在詩歌風格上受其二人影響也再自然不過。此番說法，也可反證出三多的藻麗綺豔的詩歌風格，頗具晚唐詩歌風韻。

三多學習晚唐詩歌亦有佳作，其於光緒十七年（1891）作〈吳門周次〉：

姑蘇城外夜行船，人自欣然我黯然。百八鐘聲楊柳岸，兩三點雨杏花天。
紅樓近水皆燈火，翠幕深宵尚管弦。此是神州新樂土，不知旰食正籌邊。

以眼前所見所聞入詩，語言平易，不乏明麗，對仗工整，立意深刻。如此之作集中寥寥，只因三多詩作在總體上缺乏深刻的精神境界和高遠的人生追求，只是單純效仿晚唐藝術風格，詩作終流於庸俗。正如劉世南在《清詩流派史》中說：「向他們（樊、易二人）學習的「少年後進」，除了一批批變成遺少，還有什麼呢？」[18]

三　三多詩歌語言上的大膽實踐

三多北上任職後，將滿、蒙俚語融入到詩詞創作中，別具一格。陳衍《石遺室詩話》載：「六橋尤熟於滿蒙各地方言，凡故實稍雅馴者，多以入詩。可誦者，如：『沙亥無塵即珠履，板申不夜況華簷』。沙亥，蒙言鞋也。板申，蒙言房屋也。又『尚嫌會面太星更，萬里軺車我忽徵』。星更，綏遠方言稀也。又『蔬餐塞上回回白，樓比江南寺寺紅』。蓋蒙人不事耕種，六七八等月，稍有蔬食。回回，白菜名，而廟宇窮極精華也。」[19]汪辟疆、陳聲聰、錢仲聯等亦由此而論[20]，該點因此成為三多詩歌的又一特色。

16　〔清〕易順鼎著，王飆校點：《琴志樓詩集》上海：上海古籍出版社，2004年，頁1481。

17　錢基博：《現代中國文學史》北京：中國人民大學出版社，2004年，頁195。

18　劉世南：《清詩流派史》北京：人民文學出版社，2004年，頁499。

19　此話被反覆徵引，最早見於陳衍著《石遺室詩話》，但無後面的舉例，此轉引自鄭逸梅：《鄭逸梅選集》哈爾濱：黑龍江人民出版社，2001年，卷4，頁565。

20　參見汪辟疆著，王培軍箋證：《光宣詩壇點將錄箋證》北京：中華書局，2008年中〈地隱星白花蛇楊春　楊忠義　一作志銳、唐晏、三多〉條注釋中對三多的評論有一個系統總結，頁332。

陳衍所舉的是三多在歸化作〈歸綏得冬雪次尖義韻〉詩，共兩首：

> 白鳳群飛墜羽纖，大青山上朔風嚴。精明積玉欺和璧，皎潔堆池奪塞鹽（蒙鹽產
> 於池）。沙亥無塵即珠履（沙亥，蒙言鞋也），板申不夜況華簷（板申，蒙言房
> 屋。《明史》作板升，此間作板申）。鐵衣冷著猶東望，極目觚稜第幾尖。
>
> 無垠一白莫塗鴉，大放光明篾戾車（篾戾車，佛經言邊地也）。難得遐荒皆縞
> 素，不分榆柳盡梨花。瓊樓玉宇三千界，毛幕氈廬十萬家。預兆春耕同穎瑞，陳
> 平宰社餉烏義（滿蒙以少牢祀神，饋餉其膊曰烏義）。

這是三多在歸綏冬日見雪，感而所賦。詩中雖嵌蒙語，但貴在對仗工整、自然熨切，再如「尚嫌會面太星更（星更，綏遠方言，稀也）」（〈答悵別〉）、「恪素易名菩薩白（蒙言雪曰恪素，有堆雪人者笑謂此真白普薩也），垂金左道喇麻黃（黃金喇嘛，黃教謂能馴伏一切妖魅）」等，不僅聲韻和諧，也使整首詩呈現出鮮明的民族特色。同時期的詞集中也有「扣肯胭脂山下過（蒙古姑娘曰扣肯）」（〈長相思〉）、「比烏剌奈（一名歐李，蒙古處處皆有），塞沙接子，紅得尤殷」（〈眼兒媚·次和成容若「紅姑娘」〉）[21]，給人耳目一新之感。

實際上，此類詩在三多的詩集中並不多見，僅限於其在歸化城以及庫倫任職期間的詩作。這種語言實驗最早可以追溯到唐朝詩人顧況的〈囝〉，其是少有的嵌入閩南方言的詩作。三多在詩中運用此法則很有可能是發展自俞樾，而俞樾則是師法白居易，兩者俱是發展了元白詩歌創作的語言風格。

俞樾作詩主張溫柔敦厚，自云：「所為詩終不外香山劍南一派」，雖世人以白詩淺白而訴病之，但俞樾卻認為：

> 世傳白香山詩必老嫗能解而後存之，故多流於率易，此不知詩者也。白香山使老
> 嫗解詩，正其經營慘淡之苦心也。文章家貴深入顯出，惟詩亦然。使老嫗讀之而
> 不解，必其深入而未能顯出也。故方其求入之深也，徑路絕而風雲通，雖鬼神不
> 能喻及其求出之顯也。[22]

如俞樾作〈穀雨日，陳竹川、沈蘭舫兩廣文招作龍井虎跑之遊，遍歷九溪十八澗及煙霞水樂石屋諸洞之勝，得詩五章〉其三云：「九溪十八澗，山中最勝處。昔久聞其名，今始窮其趣。重重疊疊山，曲曲環環路。咚咚叮叮泉，高高下下樹。」[23]感覺是信手拈

---

21 〔清〕三多：《粉雲庵詞》，1942年，中國國家圖書館藏微縮膠卷。

22 〔清〕俞樾：〈序〉，《可園詩抄》，光緒年間石印本，中國國家圖書館藏。

23 〔清〕俞樾：《春在堂詩編》癸丁編，清光緒二十五年刻春在堂全書本。

來，實則寓深於淺，妙趣橫生。又如晚年作「三春常是雨簾纖，永晝如年不捲簾。窗下
喃喃貓念佛，床頭唧唧鼠求籤。」[24]當中就嵌入了杭州諺語，對仗精工，風趣自然。三
多自王廷鼎辭世後，一直跟隨俞樾學習，因此其詩直接受到俞樾詩教的影響。三多青年
時期作詩效仿俞樾，在明麗俊逸風格的基礎上，追求平易雅切，如果說「薜荔牆垣涂素
粉，梅花院落撒香鹽。侵晨密似風搓絮，永夜明於夜掛簷」（〈對雪次尖義韻〉）還覺雅
致，其「不可居無竹，有竹使不俗」（〈種竹篇〉）、「湖上月即天上月，月中人即意中
人」（〈湖上對月〉）、「春來最好是清明，處處鶯鶯燕燕聲」（〈清明遊松木場口號〉）等，
俱是淺顯直白口語入詩，頗近俞樾。故俞樾贊三多曰：「六橋年少而才美，得吾說而深
思之，與其師瓠樓互相切磋，以求其深而又深，又求其顯而又顯。」[25]由此可見，這正
是三多後將滿、蒙俗語入詩的發端之一。

　　除此以外，三多北上入京，不斷接觸到與南方迥異的文化娛樂形式，這一點應該是
三多能夠將蒙、滿語入詩的另一因素。當時北京流行的俗文學樣式主要是《竹枝詞》。
嘉慶二十二年（1817），刊行的滿洲旗人得碩亭的〈草珠一串〉中就有將滿、蒙語嵌入
竹枝詞的作法，如「奶茶有舖獨京華，乳酪（奶茶舖所賣，惟乳酪可食，其餘為茶曰奶
茶，以油麵奶皮為茶曰麵茶，熬茶曰喀拉茶）如冰浸齒牙。名喚喀拉顏色黑（拉讀平
聲，蒙古語也），一文錢買一杯茶」。[26]「喀拉」即蒙語「黑」，「喀拉茶」即黑茶。而在
「子弟書」、「牌子曲」、「岔曲兒」等廣泛流行的民間的曲藝形式中，類似的用法數不勝
數。[27]三多在京中多與八旗官員交往密切，有很多機會接觸到這些表演形式。值得一提
的是，當時有些八旗貴族自己就參與到「子弟書」的創作中，由此推斷，三多極有可能
受到曲辭等藝術形式的啟發，將滿、蒙方言寫入詩歌。

　　由於滿蒙八旗人中詩詞出眾者較少，同時漢族文人懂滿、蒙語者亦少之又少，加之
三多自幼生長於文化繁盛的江南之地，詩書畫皆精，又慣熟滿、蒙語言，由此便利，他
大可以把方言口語與文人詩詞完美結合。三多詩一出，即得到圈內好友的稱道，因此，
滿、蒙俗語入詩成為了三多詩廣受稱道詩歌風格，也成為其詩歌的一大標誌。

四　結語

　　三多詩作展現了嫻熟的詩歌寫作技巧。其詩歌寫作與家學有很大關係。三多自幼生

---

24 〔清〕俞樾：〈排悶偶成〉，《春在堂詩編》丁戊編，清光緒二十五年刻春在堂全書本。
25 〔清〕俞樾：〈序〉，《可園詩鈔》，光緒年間石印本，中國國家圖書館藏。
26 〔清〕得碩亭：〈草珠一串〉，楊米人等著，路工選編：《清代北京竹枝詞》北京：北京出版社，
　　1962年，頁50。
27 有關此研究，可參見太田辰夫著，白希智譯：《滿洲族文學考》，中國滿族文學史編委會編印，1980
　　年。

活在杭州，旗營文化氛圍濃厚。三多從小就接受正規的啟蒙教育，後從名師王廷鼎、大儒俞樾學習，打下了深厚的文化基礎。三多雖為蒙古八旗，卻從小學習漢文化，並拜入俞樾門下，詩歌呈現出唐宋詩歌兼容並包的特色。三多對晚唐詩歌的偏愛和效仿，也讓他在與樊增祥、易順鼎來往酬答詩作中顯現出明豔藻麗的語言風格，以致學者將其歸入「晚唐詩派」當中。隨著人生閱歷的增加，他將蒙、滿俚語創造性地融入詩詞中，形成了一番獨特的詩詞審美體驗。這恰好體現了三多的多元文化背景。

　　三多終生沉浮宦海，謀求顯達，無意於文史留名。他創作詩詞，多當做公事之餘的消遣娛樂，詩詞不過是他生活中的雅好和官場社交必備技能，因此，他的詩詞雖在當時有些聲名，最終湮沒無聞。縱然如此，三多作為晚清民初的政治人物，其詩詞創作仍然在當時有不小的影響力。他的作品經常見諸報端，也受到當世文學家的肯定。值得一提的是，他身出名門，喜好交遊，經常參加文學團體，如詩社、詞社。從文學作品和文學活動兩方面而言，三多無愧於晚清民國優秀的蒙古族詩人之稱謂。

「孔乙己之死」論略

何玉國

天津財經大學文學院

　　魯迅小說〈孔乙己〉研究者眾多。以往研究多從主題思想、人物形象、小說結構、敘事特色等四方面立論，或將「孔乙己之死」歸結於科舉制度的毒害，或將其落實於社會新舊轉換之大勢下知識份子「不適應」的必然結局。本文從「流言結構」方面入手，緊扣文本，落實於魯迅思想演進之歷程，認為「孔乙己之死」，其本身的行為性格之固有缺陷是根本原因，但「流言」則是刺向孔乙己軀體的刀槍匕首。

一　〈孔乙己〉研究史概要

　　「研究史」的學術回顧，一般採用歷時的時間線索，從小說文本誕生起，按圖索驥延續至今。這種概述自然也體大周全，但從「研究史的回顧，其根本目的是回應當前學術研究的起點」而言，這種研究範式也有其弊端。大致而言，其弊端在於不能重點突出地映照當前繼續研究的「問題意識」。

　　所謂「問題意識」就是在學術研究中要探索和解決的問題是什麼。就本文而言，如前所述，本文試圖思考：孔乙己是怎麼死的？或者因為什麼而死？那麼，我們對〈孔乙己〉研究史的學術回顧，就要突出以往研究中關於「孔乙己之死」的探索和概括。

　　大致而言，以往的學術研究，多從主題思想、人物形象、小說結構、敘事特色等四方面立論。

　　從主題思想方面，普遍認為魯迅小說〈孔乙己〉凸顯了封建制度（教育制度、科舉制度）對知識份子的戕害，孔乙己之死是其必然結局。現代新文學的開創者王瑤先生，在上個世紀五〇年代就認為，作品〈孔乙己〉「對封建科舉制度戕害人們精神的罪惡，提出了有力的控訴」。[1]這一結論也基本上成了後來從主題思想方面認識〈孔乙己〉的定論，二十世紀七〇年代，有人說「歸根結柢，作品所嘲笑的是麻醉人們的封建文化和封建意識，是那種吃人的並使人毫無覺悟的封建制度。笑的目的是激發人們起來改造這可笑的封建社會」。[2]孔乙己之死應該歸結於「科舉制度對知識份子的迫害」，孔乙己是

1　王瑤：《中國新文學史稿》上海：新文藝出版社，1955年，頁98；同論還有劉綬松：《中國新文學史初稿》北京：作家出版社，1956年，頁58。

2　榮太之：〈關於〈孔乙己〉的幾個問題〉，《山東師範大學學報》，1976年第1期，頁86-89。

「被孔孟之道摧殘殆盡的靈魂和肉體」[3]；夏志清則認為「他的悲劇是在於他不自知自己在傳統社會中地位的日漸式微，還一味保持著讀書人的酸味」。[4]魯迅是在「向那腐朽反動的封建教育、科舉制度，進行了憤怒的控訴和無情的鞭笞」。[5]自二十世紀八〇年代至今，這種從主題思想來研究「孔乙己之死」的學術範式依然存在。[6]

　　如果從「制度上論人」，那麼，對「人」的分析也就不可避免，所以與主題思想緊密相連的就是孔乙己本人的「人物形象」分析。在二十世紀八〇年代之前的學術界，到處充斥著「階級分析論」的影子，因此，從階級立場而言，孔乙己是一個「廢物」，是「一個二十世紀的『多餘人』」，因為「反動的腐朽的封建教育培養出來的人才，不是吸血鬼就是廢物」，孔乙己是「孔孟之道毒害下的窮酸腐儒的典型，他的全身的每一個神經細胞中充滿了孔孟的毒汁，他從精神到肉體上嚴重地受到孔孟之道的摧殘，而至死不覺悟」[7]，這一觀點基本上道盡了「孔乙己」的知識份子立場。

　　當然，作為「孔乙己的沒落」的必然（要）性條件[8]，還有其人物性格和個人行為特點上的缺點。這在逐漸冷落的「階級立場分析論」之後就有了之後的「人物性格論」的集中出場，孔乙己好吃懶做、孔乙己不識「時勢」，極力維護「長衫」讀書人的立場、孔乙己怯懦慣偷等「病態性格」，成了「孔乙己之死」原因的「人物性格論」分析。[9]因此，「我們在看到民眾對孔乙己『涼薄』態度的同時還是應該認識到在這『涼薄』的背後所存在著的文化傳統的影響──數千年來統治者及普通老百姓對盜竊的態度，以及與此相關的孔乙己自身存在的某些缺陷」。而這些缺陷就是「任何辯解也掩蓋不了孔乙己『好吃懶做』和『竊書』的事實」。[10]當然這一人物原型，周作人比較早的

3　秦家琪：〈談談〈孔乙己〉的思想和形象〉，《南京師大學報（社會科學版）》，1978年第3期，頁78-81。

4　夏志清：《中國現代小說史》上海：復旦大學出版社，2005年，頁27。

5　方伯榮：〈孔乙己──二十世紀的多餘人〉，《南京師大學報》，1977年第4期，頁56-58。

6　專著有盧今：《吶喊記》西安：陝西人民教育出版社，1996年，頁32；唐弢主編：《中國現代文學史》（一）北京：人民文學出版社，1984年，頁98-99；王富仁：《中國反封建思想革命的一面鏡子》北京：北京師範大學出版社，1986年，頁39-40；嚴家炎主編：《二十世紀中國文學史》（上冊）北京：高等教育出版社，2010年，頁177；論文有：金芹：《關於〈孔乙己〉寫作年月及其主題思想的探索》，《鄭州大學學報（哲學社會科學版）》，1987年第6期，頁66-73。時從祥：〈「孔乙己」：一個「半懂不懂」靈魂的載體〉，《山東師大學報（社會科學版）》，1992年第2期，頁90-92；歲涵：〈異化與孤絕〉，《海南師範大學學報（人文社會科學版）》，2001年第3期，頁45-48；王玉紅：〈長衫下的麻木自戀與哄笑中的世態炎涼〉，《名作欣賞》，2014年第23期，頁56-57。

7　方伯榮：〈孔乙己──二十世紀的多餘人〉，《南京師大學報》，1977年第4期，頁56-58。

8　唐弢主編：《中國現代文學史》（一）北京：人民文學出版社，1984年，頁99。

9　朱明雄：〈〈孔乙己〉淺析〉，《南京師大學報》，1975年第1期，頁77-80；王富仁：《中國反封建思想革命的一面鏡子》北京：北京師範大學出版社，1986年，頁39-40；嚴家炎主編：《二十世紀中國文學史》（上冊）北京：高等教育出版社，2010年，頁177。

10　史建國：〈「涼薄」的背後──重讀〈孔乙己〉〉，《社會科學評論》，2006年第3期，頁74-78；類似觀

進行了「事實論證」：原來叫「孟夫子」，在魯迅的「本家中間也見過類似的人物，不過只是一鱗一爪，沒有像他那麼整個那麼突出的」。[11]後來的學者又從行事、用詞與魯迅的敘述、用詞等方面進行了「相似度比對」，臆測「孔乙己」的原型可能是我國十六世紀傑出的文學家、戲曲家和書畫家徐渭。[12]

那麼，作者是如何「敘述」這個「病態性格」的人物——孔乙己的呢？不少研究者在研究小說結構的同時也展開了對小說敘事藝術的研究。這一「問題意識」實際上涵蓋了兩個問題：〈孔乙己〉是『誰在敘述』？」和「〈孔乙己〉是『如何敘述』的？」。[13]

對於前者，錢理群認為是以「小伙計」作為小說敘述者的[14]；王富仁也認為，「擔任具體敘述任務的是一個十二三歲的孩子，小說就嚴格按照這樣一個十二三歲的孩子的眼光看待他周圍的世界，看待包括孔乙己在內的所有其他人物」。[15]而嚴家炎對此表示異議，認為〈孔乙己〉的敘述者並不是十二三歲的咸亨酒店的「小伙計」。如果是小伙計的話，那麼他眼中的「孔乙己」可能就不會像文中那樣豐滿立體，而是單薄、簡單的。魯迅的貢獻就在於，在一篇文章中安排了同一個人的「雙重身分」的「敘述者」，即一個是二十年前的「我」——酒店「小伙計」；一個是二十年後的「我」，即成年後的「作者」。[16]但有人從「敘事話語」的角度認為，〈孔乙己〉中「真正的敘述者是掌握文化統治權卻又把自己隱匿起來的穿長衫者」。[17]

對於後者，從文本出發，有人認為「魯迅竟用了近四分之一的篇幅描寫咸亨酒店的格局，以及酒店的各種活動」，其目的就是為了給後文「孔乙己」的「敘事」開展做好鋪墊[18]；錢理群從敘述者和敘述對象「被看／看」模式出發，認為「在這個模式裏，作為被看者的孔乙己（知識份子）的自我審視與主觀評價（自以為是國家、社會不可或缺的『君子』『清白』而高人一等）與他（們）在社會上實際所處的『被看』（亦即充當人

點還有王華麗：〈在冷暴力之中走向死亡〉，《劍南文學》，2013年第7期，頁84。

11 周作人：《周作人自編文集・魯迅小說裏的人物》石家莊：河北教育出版社，2002年，頁20。

12 高道一：〈關於孔乙己原型及其他〉，《魯迅研究月刊》，2006年第10期，頁17-20。

13 李鐵秀：〈〈孔乙己〉：是誰在如何敘述？〉，《黑龍江社會科學》，2008年第6期，頁101-104；李鐵秀：〈敘事：〈孔乙己〉〉，《文藝理論與批評》，2004年第1期，頁57-62；劉家慶：〈〈孔乙己〉敘述藝術的現代性特徵〉，《天津師大學報》，1999年第3期，頁77-80。

14 錢理群：〈〈孔乙己〉敘事者的選擇〉，見《走進當代的魯迅》北京：北京大學出版社，1999年，頁173。

15 王富仁：《中國文化的守夜人——魯迅》北京：人民文學出版社，2002年，頁164-165。

16 嚴家炎：〈複調小說：魯迅的突出貢獻〉，《中國現代文學研究叢刊》，2001年第3期，頁1-20。

17 王曉瑜、王利娥：〈被敘述圍困的窘境——重讀〈孔乙己〉〉，《名作欣賞》，2013年第10期，頁20-22。

18 周海波、苗欣雨：〈「魯鎮」的生存哲學——重讀〈孔乙己〉〉，《山東社會科學》，2003年第1期，頁86-88。類似認識還有劉彥榮：〈咸亨酒店的氛圍與孔乙己的兩個世界〉，《江漢論壇》，2005年第1期，頁136-140。

們無聊生活的『笑料』）地位，兩者形成的巨大反差，集中反映了中國知識份子地位與命運的悲劇性與荒謬性」[19]，其分析深刻而又獨到。

到了新世紀，隨著研究方式和對西方多元化理論借鑒的加深，各種視角、立場和研究手段層出不窮，有從「身分認同」和「文化表徵」方面進行研究的[20]，有從「身體政治」方面研究的[21]，有從「知識份子精神生活」角度研究的[22]，有從「文本話語」分析角度研究的。[23]

總之，以上四個方面的研究，之於「孔乙己之死」這一問題，或將其歸結於科舉制度的毒害，或將其落實於社會新舊轉換之大勢下知識份子「不適應」的必然結局。這些解讀「往往侷限於宏大主題上，而沒有從孔乙己具體的生存境遇中加以闡釋」。[24]雖說以上的研究中，將「孔乙己之死」歸結為「封建禮教、封建科舉制度的吃人」是正確的，但這一概括是「魯迅在新文學運動時期創作的一系列小說中，在主題思想和創作構思上的共性特徵」[25]，之於小說〈孔乙己〉也不具有「恰如其分、具體而微」的「貼切性」。

二　「孔乙己之死」與「流言結構」

魯迅小說〈孔乙己〉的敘事方式確實比較特殊。小說開頭，魯迅用了近四分之一的篇幅描寫咸亨酒店的格局，以及酒店的各種活動，為「孔乙己」的「出場」做了鋪墊。[26]但孔乙己「登場」之後，也沒有對其作詳細介紹，僅僅「提及」了「孔乙己」這

19　錢理群等：《中國現代文學三十年》（修訂本）北京：北京大學出版社1998年，頁34-35。

20　任湘雲：〈孔乙己的金錢、身體與身份〉，《山東師範大學學報》，2012年第1期，頁46-53；孫遜：〈新文化運動：清末民初知識份子群體的彷徨與求索——對〈孔乙己〉的深讀與再詮釋〉，《理論界》，2013年第10期，頁116-119；劉進才：〈文言白話之爭下的文化隱喻——關於〈孔乙己〉創作主題另一解〉，《魯迅研究月刊》，2014年第9期，頁10-15；方習文：〈為孔乙己正言〉，《名作欣賞》，2008年第11期，頁86-90。

21　王貴祿：〈辮子、長衫及癩瘡疤：作為政治符號的身體〉，《天水師範學院》，2011年第3期，頁83-87；黨西民：〈象徵的失敗〉，《名作欣賞》，2011年第12期，頁96-97。

22　李友益：〈〈孔乙己〉的空間形式及其歷史性誤讀〉，《魯迅研究月刊》，1994年第1期，頁25-30；謝晴雯：〈知識份子無力的自卑和隔世德孤獨〉，《社會科學家》，2007年6月增刊，頁75-76；原鵬：〈有意味的形式：〈孔乙己〉文本之藝術符號解讀〉，《河南師範大學學報》，2007年第3期，頁171-173；王明科、柴平：〈孔乙己：真正的中國知識份子形象〉，《社會科學論壇》，2009年第11期上，頁35-41。

23　牛寶彤：〈魯迅〈孔乙己〉的「複現修辭系統」〉，《浙江師範大學學報（社會科學版）》，1986年第2期，頁40-44。

24　李宗剛：〈父權缺失與孔乙己的人生悲劇〉，《魯迅研究月刊》，2013年第4期，頁4-11。

25　金芹：〈關於〈孔乙己〉寫作年月及其主題思想的探索〉，《鄭州大學學報（哲學社會科學版）》，1987年第6期，頁66-73。

26　周海波、苗欣雨：〈「魯鎮」的生存哲學——重讀〈孔乙己〉〉，《山東社會科學》，2003年第1期，頁

一綽號的由來，這一敘事方式不僅「有悖於小說的基本敘事方式」，而且也直接對讀者的「閱讀期待」提出了挑戰，整篇小說僅僅「留下了幾個典型場面，便預示了孔乙己式知識份子的『悲劇人生』」[27]，因此，胡適稱之為「橫斷面的小說」。

而「幾個典型場面」或「橫斷面」就是作為小伙計的「我」親身經歷、「親眼所見」的孔乙己的「四次」到店和唯一的一次「背後聽聞」孔乙己的「私下活動」（「鈔書偷竊」）。

很多學者都注意到，在〈孔乙己〉中，「笑」是一個很重要的藝術手段，孔乙己在「笑」中出場，又在「笑」中死去[28]，但在四個「孔乙己出場」的諸多「笑」中，沒有一次屬於孔乙己自己的「笑」，也沒有一次是真正健康的喜劇式的「笑」[29]，有的學者因此得出結論，說孔乙己是「在諷刺和哄笑裡的受了損傷的人物」[30]，將孔乙己「置身於冷漠的國民」之中，也決定了「孔乙己之死」（悲劇）。[31] 這種判斷是正確的，但是，還不夠「具體貼切」。

回歸文本，進一步審視孔乙己的「四次出場」，其中第一次：

> 孔乙己一到店，所有喝酒的人便都看著他笑，有的叫道，「孔乙己，你臉上又添上新傷疤了！」他不回答，對櫃裡說，「溫兩碗酒，要一碟茴香豆。」便排出九文大錢。他們又故意的高聲嚷道，「你一定又偷了人家的東西了！」孔乙己睜大眼睛說，「你怎麼這樣憑空汙人清白……」「什麼清白？我前天親眼見你偷了何家的書，吊著打。」孔乙己便漲紅了臉，額上的青筋條條綻出，爭辯道，「竊書不能算偷……竊書！……讀書人的事，能算偷麼？」接連便是難懂的話，什麼「君子固窮」，什麼「者乎」之類，引得眾人都哄笑起來：店內外充滿了快活的空氣。

其行文邏輯是「『一到店』──臉上新傷疤──偷何家的書被打──眾人『哄笑』」。為了文章篇幅，省卻後三次出場，僅將其「四次出場」的邏輯結構羅列如下：

86-88；類似認識還有劉彥榮：〈咸亨酒店的氛圍與孔乙己的兩個世界〉，《江漢論壇》，2005年第1期，頁136-140。

27　趙光亞：〈時間形式與文本內涵──〈孔乙己〉別解〉，《名作欣賞》，2007年2期，頁70-76。

28　徐百泉：〈〈孔乙己〉「笑」的結構線索〉，《教育實踐與研究》，2014年第24期，頁76。

29　牛寶彤：〈魯迅〈孔乙己〉的「複現修辭系統」〉，《浙江師範大學學報（社會科學版）》，1986年第2期，頁40-44。

30　李長之：〈魯迅批判〉，《李長之批評文集》珠海：珠海出版社，1999年，頁48。

31　李長中：〈交流悲劇與自我成長式敘述──〈孔乙己〉的敘事學解讀〉，《河北科技大學學報》，2008年第12期，頁74-80。

次數	形貌或行為	相關事實	效果
「1」一到店	臉上新傷疤	偷何家的書被打[32]	眾人「哄笑」
「2」有一回	教「我」茴香豆的「茴」有四種寫法	兩個指頭的長指甲敲著櫃檯，點頭說，「對呀對呀！」……回字有四樣寫法	（孔乙己）歎一口氣，顯出極惋惜
「3」有幾回	給孩子分茴香豆吃	伸開五指將碟子罩住，彎腰下去說道，「不多了，我已經不多了。……不多不多！多乎哉？不多也。」	一群孩子都在笑聲裏走散了
「4」中秋後	臉上黑而且瘦，已經不成樣子；穿一件破夾襖，盤著兩腿，下面墊一個蒲包，用草繩在肩上掛住	偷丁舉人家的東西被打折了腿	在旁人的說笑聲中，坐著用這手慢慢走去了（死）

　　由上表可見，小說〈孔乙己〉的「四次出場」，作者分別用了「一到店」、「有一回」、「有幾回」、「中秋後」。其中「一到店」、「有幾回」直接表明了孔乙己的出場頻率，以及經常性行為，而「有一回」和「中秋後」，除了顯現作者的敘事藝術之外，也表達了作者對於孔乙己「出場」的不確定性。

　　從「四次出場」的孔乙己的「形貌、行為」和「事實」來看，「一些資訊被省略和簡化，比如孔乙己為什麼受了傷？怎麼受了傷？受傷怎麼樣？孔乙己為什麼偷書？在什麼情況下偷的書？偷了什麼書？而「另一些資訊被突出和強化」，比如孔乙己的傷是被「打」的，而不是「跌的」；孔乙己的「書」是「偷的」的而不是「竊的」；孔乙己是「清白的」而不應該被「憑空污蔑」[33]，而在「省略和簡化」和「突出和強化」之間有一部分資訊被重新進行了「意義建構活動」，這就說所謂的「流言結構」[34]，其建構的結果就是直接「逼迫」孔乙己走上了「囧途」：

---

32 需要注意的是，小說〈孔乙己〉中出現「偷」字有十餘次，有很多學者據此認為，「孔乙己之死」實屬應該。參見牛寶彤：〈魯迅〈孔乙己〉的「復現修辭系統」〉，《浙江師範大學學報（社會科學版）》1986年第2期，頁40-44；王明科、柴平：〈孔乙己：真正的中國知識份子形象〉，《社會科學論壇》，2009年第11期上，頁35-41。這種解釋也不免隔靴搔癢，其實孔乙己「偷書」是「生存意志迫使下的不得已之手段」，這種「不得已」也源於「封建禮教、封建科舉制度」沒有給予舊社會讀書人更多的「生存技能」，這是「科舉制度」取締之後，大部分讀書人的共同「窘境」，只不過孔乙己選擇了「偷書」這一「不光彩」行為。

33 雖然後者——轉折之後的是孔乙己的「狡辯」，但在孔乙己的「世界裏」，前者——轉折之前的內容都是被酒店裏的「看客」——「冷漠的民眾」所「突出和強化」的資訊。

34 鄭亦心：〈網路流言的傳播機制——特徵及對策研究〉，2010年度「人民網優秀論文獎」優秀獎論文，網址：〈http://radio.jxntv.cn/xwzx/2011-6-9/12163.htm〉。

次數	訴諸手段或方式	效果
「1」一到店	「孔乙己便漲紅了臉，額上的青筋條條綻出，爭辯道，竊書不能算偷……竊書！……讀書人的事，能算偷麼？接連便是難懂的話，什麼「君子固窮」，什麼「者乎」之類	眾人「哄笑」
「2」有一回		（孔乙己）歎一口氣，顯出極惋惜
「3」有幾回	直起身又看一看豆，自己搖頭說，「不多不多！多乎哉？不多也。」	一群孩子都在笑聲裏走散了
「4」中秋後		在旁人的說笑聲中，坐著用這手慢慢走去了（死）

　　「咸亨酒店」是一個「資訊場」[35]：「裏面有戴著各種符號的人走來走去，長衫和短衫是兩類符號，長衫客在裏屋，短衫客在櫃檯外，資訊是隔開的。掌櫃的和夥計是在兩者之間走串聯的。酒客和孩子們各有各的符號」。這篇小說就是把「這個酒店資訊場上的孔乙己及其看客來『示眾』，同時也傳達一種資訊顯出看示眾和被示眾的心態。孔乙己是長衫客，卻不在裏屋而在櫃檯外」孔乙己在小說的環境裏，其實是一個深處「資訊場」的「示眾」的對象。[36]其實，我們也可以將其視為在「固定範圍內限定於特定對象、事件或議題」——孔乙己——的多次社會資訊交換：

　　第一，「只有孔乙己到店，才可以笑幾聲，所以至今還記得」。

　　第二，「孔乙己是站著喝酒而穿長衫的唯一的人」。

　　第三，「他對人說話，總是滿口之乎者也，教人半懂不懂的」。

　　第四，「他在我們店裏，品行卻比別人都好，就是從不拖欠；雖然間或沒有現錢，暫時記在粉板上，但不出一月，定然還清，從粉板上拭去了孔乙己的名字」。

　　第五：「他喝完酒，便又在旁人的談笑聲中，坐著用這手慢慢走去了」。一個『又』字表明了，他經常就是如此離去的。

　　這種有關「流言」的社會資訊交換，其本身具有「使人娛樂和引發人們興趣的價值」[37]，所以，「我總覺得有些單調，有些無聊。掌櫃是一副凶臉孔，主顧也沒有好生

35　魯迅在小說《風波》中也曾借助七斤嫂討論「皇帝要不要辮子的問題」，最後落腳點也是「資訊」來源於「咸亨酒店」，「咸亨酒店是消息靈通的所在」。參見魯迅：《風波》（1920年），《魯迅全集》北京：人民文學出版社，2005年，卷1，頁491-500。

36　金克木：〈從孔夫子到孔乙己〉，《讀書》，1992年1期，頁78-87。

37　魯迅在小說《風波》中也曾借助七斤嫂討論「皇帝要不要辮子的問題」，最後落腳點也是「資訊」來源於「咸亨酒店」，「咸亨酒店是消息靈通的所在」。參見魯迅：《風波》（1920年），《魯迅全集》北京：人民文學出版社，2005年，卷1，頁491-500。

氣，教人活潑不得」，而「只有孔乙己到店，才可以笑幾聲，所以至今還記得」，但是「沒有他，別人也便這麼過」。但實際上這一過程卻間接並致命地造成流言波及者「孔乙己」的某種疑惑、恐慌和不安。而不明真相之人則在「不明真相」中形成一個「無物之陣」，進一步加劇了流言波及者「孔乙己」的疑惑、恐慌和不安。

因此，如果說「封建禮教、封建科舉制度」是孔乙己之死的根本，「冷漠的民眾」應該是其幫兇[38]，因為他們組成了「無主名無意識的殺人團」（魯迅：〈我之節烈觀〉），形成了「無物之陣」（魯迅：〈這樣的戰士〉），成了「做捏造事實和傳佈流言的樞紐」（魯迅：〈不是信〉），那麼「流言結構」應該是孔乙己之死的「匕首」、「冷箭」（魯迅：〈無花的薔薇〉）或工具——「冷漠的民眾」借助於「流言」作為途徑和方式間接「殺死」了孔乙己，造成孔乙己「在無物之陣中老衰，壽終」（〈這樣的戰士〉）；而「笑」不過是伴隨孔乙己之死「喜劇悲劇化」過程中的「氛圍」和情調而已。

三　「流言」：作為理解〈孔乙己〉小說的鑰匙

魯迅在一九〇六年之前側重於「翻譯和譯介工作」，除了在日本寫就的《斯巴達之魂》之外，鮮有文學創作問世。一九〇六年夏秋之間，魯迅「奉母命回國與紹興府山陰縣朱安女士完婚」，之後的很長時間文學創作也時斷時續，比較著名的有一九〇七年的《人間之歷史》（後改為《人之歷史》、《摩羅詩力說》、《文化偏至論》）、一九〇八年的《破惡聲論》，直至一九一一年才寫了第一篇文言小說《懷舊》；一九一八年〈狂人日記〉、〈孔乙己〉等小說的相繼發表拉開了魯迅「文學創作」的生涯，一直延續至一九三六年十月其生前的最後一篇文章〈因太炎先生而想起的二三事〉一文。[39]在其長達近二十年的文學創作活動中，無論其文學體裁、文學視角和創作方式如何變化，無論其關注點是「傳統文化批判」，抑或是「國民性批判」和「立人學說」的反覆闡釋，「流言」都是魯迅筆端關注和批判的重心所在。

而小說〈孔乙己〉，誠如上所言，既是魯迅最喜歡的短篇小說[40]，而且也在「流言」寫作方面首開端緒（1918年）。今以時間為序簡例如下：

在一九一八年的〈我之節烈觀〉裡，魯迅說中國古代的婦女「其實他是生前死後，竟與社會漠不相關的……這一類無主名無意識的殺人團裏……生前也要受隨便什麼人的

38　魯迅也說，「其實乃是殺人者的幫兇而已」。見魯迅：《論秦理齋夫人事》（1934年），《魯迅全集》北京：人民文學出版社，2005年，卷5，頁508-510。

39　關於魯迅創作經，參見魯迅：〈魯迅生平著譯簡表〉，《魯迅全集》北京：人民文學出版社，2005年，卷18。

40　孫伏園：〈魯迅先生二三事〉，《魯迅回憶錄》，收入《魯迅研究月刊》北京：北京出版社，1997年，頁83。

唾罵，無主名的虐待」。一九一九年創作的〈藥〉，實際上是敘述了一個「茶館」為核心
的「流言」集散地；到了一九二〇年的〈風波〉，魯迅實際上是在寫一九一七年張勳復
辟之後給魯鎮帶來的一場圍繞辮子的風波以及各種「流言蜚語」，還有同一年創作的
〈頭髮的故事〉，實際上也是在諷刺國民性的衰敗，以及中華民國誕生所付出的流血代
價和普通民眾對於「剪辮子前後」的各種「議論流言」；二十世紀二〇年代中期以後，
魯迅對於「流言」 的認識越來越清晰，也越來越果敢，魯迅說「『流言』本是畜類的武
器，鬼蜮的手段，實在應該不信它」，「想到近來有些人，凡是自己善於在暗中播弄鼓動
的，一看見別人明白質直的言動，便往往反噬他是播弄和鼓動，是某黨，是某系」，「可
見流言也有種種，某種流言，大抵是奔湊到某種耳朵，寫出在某種筆下的」，「有誰明說
出自己所觀察的是非來的，他便用了『流言』來做不負責任的武器：這種蛆蟲充滿的
『臭毛廁』，是難於打掃乾淨的」（魯迅：《並非閒話》）。可以說魯迅一生遭遇的「流
言」太多（魯迅：《不是信》），以至於魯迅在〈瑣記〉（1926年）中說「流言的來源，我
是明白的……那時太年輕，一遇流言，便連自己也彷彿覺得真是犯了罪，怕遇見人們的
眼睛，怕受到母親的愛撫」。所以到了晚年（1933年），魯迅說「我想撕掉別人給我貼起
來的名不符實的『百科全書』的假招帖」（魯迅：〈通信復魏猛克〉）。所以著名的魯迅研
究專家錢理群先生就認為，中年以後的魯迅在其文中提及「公理」四十七次、「流言」
六十次。[41]這不得不說是一個值得關注和研究的現象。

　　需要特別強調的是，在魯迅諸多關注「流言」的作品中，〈孔乙己〉是唯一一部主
人公在「冷漠的國民」的「議論紛紛」和「笑」中死去的作品，因此，我們可以將「流
言」作為理解〈孔乙己〉小說的鑰匙。

四　結語

　　概而言之，「孔乙己之死」，以往研究，或將其歸結於科舉制度的毒害，或將其落實
於社會新舊轉換之大勢下知識份子「不適應」的必然結局，但似乎都不夠「貼切」，所
謂「大而不當」。本文從「流言結構」方面入手，緊扣文本，落實於魯迅思想演進之歷
程，認為「孔乙己之死」，其本身的行為性格之固有缺陷是根本原因，但「流言」則是
刺向孔乙己軀體的刀槍匕首。性格缺陷決定「孔乙己之死」的註定結局，而「流言毒
害」則導致了「孔乙己」死在缺少關愛、「涼薄」的「流言」裏。惟獨這樣的解釋對於
「孔乙己之死」具有「恰如其分、具體而微」的「貼切性」。

---

41 錢理群：《與魯迅相遇：北大演講錄》北京：生活・讀書・新知三聯書店，2003年，頁246。

孔聖堂歷史及對香港的貢獻

楊永漢

香港樹仁大學

一 孔聖堂建立的背景

自清末以來，外患日亟，政局動盪，繼而辛亥革命，軍閥割據，中原大戰等相繼發生。香港是英國政府殖民地，成為國內外舊學宿儒，新學西潮的聚集發展場地。寓居香港學者，不少以挽世道人心為念，建立與儒家思想有關的學會，如孔聖會、中華聖教總會、孔教學院等，與各地孔教組織互為呼應，期以儒學重振中國人心。

孔聖堂之創立，首先在民國十七年（1928），由曾富[1]先生建議成立孔聖講堂，以推行儒家思想為重心。簡孔昭先生[2]捐贈十二萬多方呎土地作堂址，其初意為仿內地文廟之制，建大成殿以奉孔子四配十二哲，兩廡奉先賢，備櫺星門、泮池等以為海濱鄒魯，正人心而厚風俗；其後以事局變動，世界經濟不景，原議未克付諸實行。

孔聖堂位於加路連山道，依山建築為宮殿式，有大禮堂花園及運動場，故孔聖堂不是一個禮堂，而是一個孔學團體組織，孔聖講堂是一座大禮堂，可容納千人。簡孔昭先生捐地十二萬多英方呎為堂址後，曾富、葉蘭泉、雷蔭蓀、盧湘父、馮其焯、區廉泉、鄧肇堅、劉星昶、譚紹康、周竣年、羅文錦、顏成坤、何東等響應募捐，擬集款二十萬元，拓展堂務，由周壽臣負責成立籌備委員會及統籌運用建築費，但初只籌得經費半數，大殿兩廡得暫擱建築。[3]當時參與籌建孔聖講堂計畫，還有陳煥章。[4]陳氏並在南洋

---

1 曾富先生，又名曾兆榮，曾主「曾富洋煤公司」及「成昌雜貨鋪」。一九二四年建立「曾富別墅」，推廣道教、佛教文化，內附「曾富家塾」，開辦貧民義學，教授儒家經典。由此可知，曾富先生對儒、釋、道三家思想並無抗拒之心。

2 簡孔昭先祖是清末創辦廣東南洋兄弟煙草公司的簡銘石，一九二八年簡孔昭慨捐銅鑼灣加路連山土地建立孔聖講堂。

3 〈孔聖堂宣學史略〉，見楊永漢主編：《孔聖堂詩詞集》，附錄二，頁343。

4 陳煥章（1880-1933），字重遠，廣東高要人，清末民初思想家，社會活動家，「孔教」徒。十五歲入廣州萬木草堂，師從康有為。光緒二十九年（1903）鄉試中舉。光緒三十年（1904），聯捷甲辰恩科進士。一九〇五年赴美留學。一九一一年獲哥倫比亞大學哲學博士學位。一九一二年（民國元年）歸國，模仿基督教建制在上海創「孔教會」，任總幹事，康有為任會長。一九一三年被聘為袁世凱總統府顧問，入京，與嚴復、梁啟超等聯名致書參眾兩院，請定孔教為國教。一九一五年反對袁世凱稱帝，離京返鄉。一九三〇年在香港設「孔教學院」，自任院長。陳氏主要在南洋一帶，為孔聖講堂籌款。〈http://zh.wikipedia.org/zh-tw/〉，瀏覽日期：2015年3月10日。

奔走，為建堂籌款。[5]

　　一九二八年，曾富與簡孔昭發起召集同志達百餘人，五月二十一日在上環東街口杏花酒樓聚會，即席推曾富、尤列[6]、何東、劉毓芸、曹善允、李亦梅、陳公壽、黃季熙、李景康等十一位籌備員籌建孔聖堂，並由尤列起草宣言。茲錄部分內容，以記當時建堂的目的，〈為籌建香港孔聖講堂宣言〉：

> 昔者孔子適衛，而嘆其富庶。冉有請益，則曰教之。是我聖人欲使斯世斯民無不得所之深衷，隨遇而施，概不以地域而限也。教之之謂何？曰夐乎倫理之學，教之而使其皆至於善也。……芸芸之眾，聚此樂都，耳濡目染之餘，昧者不察，以為日遷善而不自知者矣。豈知體究實情，適得其反比例。
> 近年以來，同僑之中，子逆其親，妻薄其夫，兄弟鬩牆，主賓涉訟，朋友搆怨，甚至少年男女，不知平等之在法律，誤自由以為口實，而蕩檢踰閑者，均數數見，無可諱言者也。[7]

　　建立孔聖講堂，主要是針對當時社會的形勢，依內文所示，當時香港的情況相對國內應是較為穩定，而且華洋雜處，西方之平等自由思想影響當代青年。故有「對我同胞敬告一言」的說話：

> 我旅港華僑同胞，當共急起直追，合群力以振興孔教。即以書冊具存之道，講其有教無類之方。蓋父兄之教不先，斯子弟之率弗謹，寡廉鮮恥，而風俗不長厚也。[8]

　　當時在推行堂務方面，分兩個方向，一是以「會」為主體：

> 每年孔子誕日，釀飲高會，以為一年一日之作用者，一也；設立會所，招集會友，分科辦事，稍助義學，亦有宣講員，儼然一極大社會也者，又一也。[9]

5　見關應良手稿：〈孔聖堂中學校史〉，1985年7月19日。

6　尤列，與孫中山、陳少白、楊鶴齡於清末被目為「四大寇」，四人經常在香港中環歌賦街二十四號的楊鶴齡祖產商店楊耀記處會面，並議論中國時政，大談反清逐滿，倡言革命，鼓吹共和。尤列創立「中和堂」，即後來的「中國中和黨」，他曾與孫中山手訂國號「中華民國」。

7　尤氏家族編印：《尤列傳》，頁248。

8　同上註，頁248-249。

9　同上註，頁250。

二是以「教」為主體，然而，尤氏認為以「教」為主體，則發展不可同日而語：

> 教師之設，亦分兩途：一由同人推舉，一由孔教宣道學校畢業者也。……不獨為
> 港僑一方計，且為內地各方同胞計，而更為外洋各埠僑胞計，……[10]

「教」的終極目標，可期達至儒學復興：

> 扶大雅以重斯文，表同情而匡盛舉，功同不朽。……物阜民康，化行俗美，行見
> 海濱鄒魯，遠紹述聖人治世之深心，而羈旅絃歌，復助響於祖國維新之雅奏，實
> 同僑永久之一大幸福。[11]

尤氏主張的「教」可理解為教化。可知，講堂當日的設立，不獨是在香港發展儒家思
想，而是由港及於內地；由港而伸展至其他國家的華人，不可謂不遠大理想。當時，就
孔子思想推展，分為兩組思維，一是以宗教形式推展，可堅固人心，成為信仰，可視之
為孔教派；一是主張推展教義，不視之為宗教，以正人心，厚風俗為目的，可視之為義
理派。從人物的生平來判斷，陳煥章、朱汝珍、盧湘父[12]當為宗教派。孔聖堂成立之
初，各方人士為之奔走籌募經費，學者與富商通力合作，共同推動儒家思想。故當時商
紳、名流及學者，如香港首富何東先生、香港大老周壽臣、前清榜眼朱汝珍、革命先鋒
尤列等，都分別加入孔聖堂、孔教學院[13]及孔聖會[14]成為會員。

10　同上註，頁250。

11　同上註，頁251。

12　盧湘父先生 名子駿，以字行，廣東省新會縣人，戊戌（1898）變法，改試策論，以時務經古，成
　　五洲教派表，受知於學使張治秋尚書。嘗與梁任公、徐君勉輩從南海康長素先生游，時同學多客日
　　本，已亥（1899）應召東渡，就橫濱大同學校教席。庚子（1900）歸國，設帳於澳門者十一年。後
　　移硯香港，設湘父男女中學又三十餘年，生平服膺孔教，並致力於孔教事業，孔聖會、中華聖教總
　　會，均為董事。孔聖堂經治，亦為創辦人。陳煥章博士創辦孔教學院時，先生多所勸助，及繼任院
　　長時，已是耄耋之年，仍於星期日講學宣道不輟，謂聖道所以救世也。〈http://www.confucianacademy.
　　com/load.php?link_id=27613〉，瀏覽網頁日期：2015年10月16日。

13　一九三〇年由前清進士，康有為弟子陳煥章所創，詳細資料可參考其機構網頁。

14　區志堅：〈闡揚聖道，息邪距詖：香港尊孔活動初探（1909～今）〉，國際儒學大會網頁：「其實早於
　　一九〇九年已有學者在香港倡導設立弘揚孔學的機構，這就是香港孔聖會。孔聖會創辦自晚清宣統
　　元年（1909-1910），倡辦者為華商劉鑄伯、楊碧池、李葆葵、李樂余、黎晴軒等，平日每星期均在
　　灣仔官立書院，研究孔學，宣講四書，互相討論，並辦《祖國文明報》，及派員往輪船宣講，華商
　　劉鑄伯更邀請李樂余、楊碧池等創設「孔聖會」，孔聖學會改名為「孔聖會」，會址設中區荷李活道
　　一二四號，……及後，華商李葆葵、李亦梅、陳監波、李幼泉、陳蘭芳、劉毓芸、張瀾洲、楊永
　　康、何理甫、盧國棉等相繼為正副會長，楊會長及陳蘭芳，曾先後捐鉅款，發展及推動會務，並立
　　宗旨為宣傳聖道，救濟人群，會中設辦學，借閱圖書，定期籌辦中樂及西樂的演奏、乒乓，也有舉

六〇年代以後，孔教學院及孔聖堂分開發展。原加路連山道大成中學，於一九五三年易名孔聖堂中學，而大成中學之名則轉寄孔教學院之下。雖然發展不同，但並無衝突，例如黃錫祺先生，曾兼任孔教學院主席及孔聖堂會長（1950-1952），岑才生先生於九十年代曾主事孔教學院及孔聖堂事務等。惟直至現在，孔聖堂仍然強調該機構並非宗教組織。

一九二九年，孔聖堂召開同人大會，當席推舉周壽臣[15]、羅旭和[16]、曹善允、周竣年四位為孔聖堂主席團，葉蘭泉為司理，值理數百名，前後約收捐款八萬餘元。

當時估計，講堂興建費用約二十萬元，施工期間，工人認為須先將地段全盤填築穩固，其後又發現其中約有數十丈圍牆萬分危險，須將該地腳掘至百餘尺深，用英泥石矢填築堅固以厚其基礎，才可興建會堂。其後，待基礎已固，存款只剩不足三千餘元，欲建孔聖大殿而款項無著，幸一眾志士如盧湘父、雷蔭蓀諸君仍努力不懈，又得簡孔昭君承其先君朗山公遺志，獨自出資建築全座孔聖講堂，贈予孔聖堂，共用港幣五萬七千餘元。

孔聖講堂樓高三層，包括樓高兩層之大禮堂，設有藏書樓，其組織分為六部：遊藝部、出版部、圖書部、財政部、文書部、演講部。各部有正副主任及委員多人，分工合作。講堂成立後，座位可容千人，堂外小樓為議事室，講堂之瓦頂雕花皆本山東曲阜孔廟為藍本。民國二十四年（1935）十二月十日，孔聖堂正式開幕，當日華民政務司史美親臨主禮，紳商名流，親歷其盛。

辦桌球、技擊、救傷等體育活動及公益活動，和舉值理，分任各項活動的主持，也曾出版《旬刊》及《會報》，又在中環文武廟及西營盤，辦巡迴演講，藉以正人心而厚風俗，更為中環及大坑為年幼學童籌辦義學，收容貧寒子弟，在晚清時，多辦至三十餘所孔學講習所，由早期孔聖會舉辦的活動所見，其宣教方式既傳承宋明以來的私人講習所，在舉辦的活動上也有如桌球等西式玩意，這既具有香港文藝活動所見「一個新舊過度的混亂」，也有「中西文化交流之新運」的特色，故時人賴連三也認為：「孔教方面，以孔聖會名者，有中學，並孔聖各義學等」，足見其時晚清香江一地以孔聖會弘揚孔教為盛。」〈http://international.confuciusglobal.com/〉，瀏覽日期：2015年10月16日。

15 周壽臣（1861-1959），原名周長齡，香港島黃竹坑新圍人，晚清高級漢族官僚，二十世紀初期香港政商界著名人物，曾於一九一八年參與創立東亞銀行，並長年擔任該銀行之主席達三十多年。周壽臣為香港殖民地時期第一名華人議政局成員，作為政府及民間華人的溝通橋樑。另外，周壽臣亦熱心公益，積極參與慈善活動。曾經於一九二九年創立香港保護兒童會，又先後擔任保良局及東華三院顧問一職。（參考維基百科，瀏覽日期：2015年10月16日）周氏在港極具影響力，被英國封為爵士，日治時期被迫參與「香港善後處理委員會」工作。香港有以他命名的壽臣山、壽區道等，可參考鄭宏泰、周振威：《香港大老——周壽臣》香港：商務印書館，2015年。

16 羅旭和（Sir Robert Hormus Kotewall, 1880-1949），歐亞混血兒，前香港立法局首位華人非官守議員，華人太平紳士，對香港教育及文化事業貢獻不少。一九二五年省港大罷工，出力幹旋，三〇年代香港經濟蕭條，憑其辯才向英國政府借資三千萬，名動一時。日治期間，出任日軍公職，戰後不被重用。

二　孔聖堂對香港的貢獻

（一）宣揚孔學

1　國學演講

自建堂以後，講堂邀請碩學名儒主講，不遺餘力，每次均有數百人參加。後因聽眾增加，演講原擬在孔聖講堂舉行，後為便利聽眾，六十年代以後，乃租賃大會堂演講室舉行。惟至現在，孔聖堂仍每年延請碩學鴻儒到校演講曾到講堂演講者包括錢穆、唐君毅、蘇文擢[17]、牟宗三、何叔惠、饒宗頤、杜維明、金榮華、丁新豹、李金強等著名教授學者。

2　國學研習班

國學研習班自一九七六年十月十七日第一屆開學，至二〇一五年，仍在開辦中。學生於每週末到孔聖堂中學上課，初定一學年為一屆，後改兩學年為一屆，聘國學宿儒主講，課程分為易經、禮記、論語、孟子等，現分基礎班及深造班。

首兩屆老師包括何叔惠、何敬群、溫中行、梁宜生、梁隱盦、蘇文擢、陳耀南、翁一鶴、余照芳、麥友雲、伍永順等。第一屆畢業同學包括現任星加坡大學教授勞悅強、名畫家潘瑞華及名書法家趙炯輝等，研習班的貢獻不可謂不大。

現任（2015年）國學班課程主任是何廣棪教授，何教授曾任臺灣華梵大學研究所所長及樹仁大學教授。何教授改革課程，加入更多普及元素，如文字學、佛學等，令國學班課程涉及整個中國文化系統。

3　出版《孔道專刊》

堂會曾出版《孔道季刊》，其後停辦。自一九七七年始，出版《孔道專刊》，專載有關孔門思想論文，曾刊稿於專刊學者包括陳直夫、蘇文擢、梁宜生、吳天任、溫中行、金耀基、陳志誠、何沛雄等名重一時之學者。

4　舉辦徵文比賽

不定期舉辦徵文比賽，分公開組、大專組、中學組三組，設題以儒家思想為文章重

---

17 蘇文擢先生弟子區永超君告訴筆者，當年錢穆先生在堂演講，是由蘇先生當翻譯，因為錢先生鄉音甚重，恐聽眾難明。

心，如一九七七年公開組題目是「家庭倫理道德之重整」，大專組是「我所認知的孔子」，及中學組的「論求學貴先立志」。二〇一三年，孔聖堂中學六十周年校慶亦舉辦全港中、小學徵文比賽，參賽作品超過一千份。

5　慶祝孔聖誕、孟誕

自五十年代始，每年與孔教團體聯合慶祝孔聖誕及孟誕，惟自一九九一年停辦，典禮改在中學部舉行，並由校長作專題演講。

6　其他

特別重視父親節及母親節，弘揚孝道；中學部每年派發成績，均囑咐同學要向父母敬茶，感謝養育之恩。

（二）推廣教育

孔聖會在大坑書館街十二號的孔聖會小學校址，原由當地熱心居民朱洪銓及刁振雲先生捐獻，後由劉鑄伯會長[18]接收辦理義學，劉氏乃著名慈善家，曾參與東華三院及多個政府部門工作。香港淪陷後，校舍被毀，戰後重建；當時由著名足球員李惠堂先生所撰的碑記，現在是受保護的歷史文物。孔聖會與孔聖堂關係密切，孔聖會會員大都同是孔聖堂會員。其後小學結束，孔聖會亦於二〇一二年申請結束，小學校址於二〇一二年交還政府，現由政府招標活化。

一九五〇年，雷蔭蓀先生於孔聖講堂開辦「大成中學」，又延請講師宣講孔學。一九五三年，「大成中學」遷校後，雷先生復於原加路連山道校址，成立「孔聖堂中學」，附置小學，邀得楊永康先生為首任校監，朱希文為校長。一九六〇年，許讓成先生接掌堂務，著手籌建新校舍，幾經周旋波折，於一九六五年新校舍落成，孔聖堂小學部則於二〇〇三年結束。

孔聖堂中學設有論語課程、每週金句分享、讀經班等。據中文大學盧瑋鑾教授回

18　劉鑄伯，名鶴齡，字守真，鑄伯乃其號，一八六七年六月五日生於香港，原籍新安縣平湖鄉（今屬深圳市平湖街道辦事處）。早年就讀於西營盤馮富義學。十二歲時父亡，母親伍氏含辛茹苦，供其繼續讀書，旋考入官辦的中央書院（今皇仁書院）。由於成績優秀，一八八三年，獲得庇理羅士（Belilios）獎學金。一八八五年，成為第一個獲得史超域（Stewart）獎學金的學生；同年畢業後任職於香港天文臺。一八八八年開始，從事買辦工作；同年，受臺灣巡撫劉銘傳之邀，任淡水西學堂教員（後任總教員）兼洋務委員。一八九〇年，開始經營茶葉生意，由此經商致富。（見蔡惠堯：〈深港聞人劉鑄伯：生平、志業與意義〉，收在《臺灣師大歷史學報》，第50期，2013年12月，頁202）

憶，七〇年代初，金句分享後一天，同學要背默金句。部分同學未能背誦，會稍遲回校，逃避默書，但鄧志強校長主政時，劉仰文老師會執教鞭以待，直至現在，該校仍保留金句分享及背默金句的傳統。

（三）建兒童健康院

雷蔭蓀等人倡設兒童健康院，延請朱汝珍太史[19]為院長，唐應鏗為副院長，免收學費，且供食宿。[20]營辦兩年，直至日本侵華，健康院停辦。

（四）成為香港大型活動及演講中心

三〇年代，香港尚未有大會堂出現，孔聖堂就成為本港大型活動及演講中心。孔聖堂同寅本著學術自由，容納不同文化，以強國利民為目的，容許不同學術思想學者、文人及不同政見之士在講堂演講。最著名的，包括於一九四一年舉辦「魯迅先生六十誕辰紀念會」，紀念這位反對讀經及認為禮教吃人的先哲，當日由香港大學中文系主任許地山先生致開會辭，說明魯迅六十誕辰的意義，並邀請名作家蕭紅報告魯迅的傳略，台上背景，是魯迅先生的大型照片。當天還邀請到李景波即場演出《阿 Q 正傳》，出席者擠滿整個講堂。

孔聖堂也有舉辦歌頌新文學學者的講座，講者包括郭沫若、茅盾等學者文人。最為人稱道的，是一九四八年舉辦紀念五四運動座談會，邀請郭沫若進行演講。一九五〇年，四月八－九日，「港九工會聯合會第三屆代表大會」於在講堂舉行，背景是中國領導人的大型照片。由此可見孔聖堂不獨舉辦研讀傳統四書的研習班及講座，也舉辦有關新文學的活動，以求達致傳播新舊文化的目的。

講堂亦對外開放，在二次大戰前，為本港唯一開放的公眾會堂，充分反映講堂新舊學術並容而不相排斥的開放精神。

---

19 朱汝珍（1870-1942），原名倬冠，字玉堂，號聘三，又號隘園，廣東清遠人，最後一次科舉榜眼，以書法名世。縣試第一，入讀清遠縣學。一八九二年考入廣雅書院，取廣州府閣第一。二十七歲考取拔貢，任刑部江蘇司行走。光緒三十年（1904）為慶祝慈禧太后七旬壽辰特設甲辰恩科，被拔為榜眼，授翰林院編修。民國期間主要從事文化教育事業。創辦香港隘園學院、香港孔教學院，任院長。曾受聘於香港大學，任哲學文詞教習。曾任香港孔聖會會長。抗日戰爭初期，朱汝珍在香港主持清遠公會，從事慈善事業。一九四二年到北京，不久病逝。撰有《陽山縣誌》、《詞林輯略》等。〈http//zh.wikipedia.org/zh-tw/〉，瀏覽日期：2015年3月12日。

20 見關應良手稿：〈孔聖堂中學校史〉，1985年7月19日。

（五）孔聖堂歷任會長

任期	會長姓名	簡介
1935-1946	曹允善博士	（Dr. Ts'o Seen-wan, 1868－1953），CBE，LLD，JP，香港律師、政治家和紳商，一九二九年至一九三七年任立法局非官守議員，另曾任潔淨局議員、團防局紳、香港大學校董、華人公立醫局委員會副主席和港府教育委員會委員等公職。 早年先後在上海和英國受教的曹善允，對香港二十世紀初的教育和醫療發展起重要貢獻，他是香港大學、聖士提反書院、聖士提反女子中學、金文泰中學和民生書院等學府的創校人及籌款人之一，也曾多次為聖保羅書院籌募經費；此外，他又參與創辦雅麗氏紀念產科醫院、何妙齡醫院、以及在一九二二年與歐海倫醫生合作創辦贊育醫院。曹善允在一九一五和一九一六年間在華人社區推動種痘運動，後在一九二五年省港大罷工期間設法維持社會秩序，深獲港府肯定，屢獲殊勳。
1946-1953	黃錫祺先生	曾任東華三院壬申年（1932-1933）總理、「中華總商會」副理事長（1948）及孔教學院主席。
1953-1960	楊永康先生	曾任「鐘聲慈善社」社長（1953），一九五三年接長孔聖堂會長，並於七月接辦大成中學，易名「孔聖堂中學」，出任校監一職。註冊為非牟利中、小學，校舍設於孔聖講堂內。為擴展學舍，楊校監於一九五七年成立建校委員會。因地契問題，擴建校舍每多波折。楊校監多方籌畫勸捐，並撰文推廣。一九六〇年，由許讓成先生接任，繼續與政府斡旋。
1960-1982	許讓成先生	廣東惠陽人。年輕時曾當海員，後投資經商，逐漸致富。六十年代初，其業務多元化，初投資地產及股票，相繼擁有新樂酒店、樂斯酒店及新新百貨公司等。所建百樂酒店，為當時第一流高級大酒店。曾擔任過九龍總商會監事長、香港崇正總會會長及惠陽商會理事長。對推廣儒學，可謂盡心盡力。一九六〇年，任孔聖堂會長，圖建新校，多方奔走，始告解決。一九六四年起，興建新校，並捐資港幣五十萬元以輔。孔聖堂中學之建成，實賴許老先生之捐助及籌措。一九八一年卒於任。
1982-1997	張威麟先生	一九八二年繼任香港孔聖堂會長兼中學校監，乃著名孔學及儒家思想權威。他有感於責無旁貸，曾周遊列國，足跡遍及南北美洲、歐、亞、非及澳洲各地，倡行儒學。首先於一九七九年

任期	會長姓名	簡介
		創辦香港孔學出版社，八五年再開設新加坡孔學出版社及九五年增設加拿大孔學出版社。並出版不同語文儒家經典，以供外國人研究。一九七〇年榮膺十大傑出青年，二〇一四年卒於香港。
1997-2008	岑才生院士	現任香港報業公會名譽主席，世界中文報業協會顧問。曾任《華僑日報》督印人、香港報業公會主席、世界中文報業協會主席及委員。岑才生先生現仍身兼多項公務，包括香港中文大學聯合書院校董會主席、香港公益金副贊助人、香港紅十字會顧問委員會委員、香港四邑工商總會榮譽會長、以及香港賽馬會助學金副主席。 岑先生亦曾任市政局議員及東區區議會主席。他現為華僑置業集團有限公司及華順置業有限公司主席，早年畢業於美國紐約大學，取得經濟學碩士學位。獲太平紳士銜、英帝國官佐勳章（O.B.E.）及香港特別行政區銀紫荊星章。
2008-2013	李金鐘先生	李金鐘先生一九五〇年代在新亞書院及新亞研究所修讀歷史，一九六四年獲香港中文大學頒授文學士學位，成為中大成立後的第一屆畢業生，後於一九八〇年獲香港大學頒授哲學碩士學位。大學畢業後於九龍塘中學任教，一九六九年開辦思明英文中學；一九八四至九一年間，出任香港孔聖堂中學校長；由一九八二年至今，一直擔任香港中文大學校友會聯會教育基金會有限公司主席。李先生曾任多所中、小學及幼稚園校監或校董。李先生對內地教育發展亦非常關注，一九九七至二〇〇〇年，他出任廣東香港人子弟學校的創校校長。一九九三年獲頒港督社區服務獎狀，一九九六年獲頒英女皇榮譽獎章，二〇〇三年獲頒聖約翰員佐勳銜。
2013-2015	許耀君先生	本港傑出企業家，現任讓成置業有限公司永遠董事及許讓成紀念基金有限公司董事總經理。許醫生於加拿大攻讀醫科，並於彼邦懸壺濟世。一九八一年回港主理家族生意。歷年來，許醫生及其家族一直慷慨支持中大及新亞書院，捐助多項建設，包括許氏文化館、新亞會議廳、錢穆圖書館職員閱讀室及新亞網球場等，並資助發展多項獎學金及交流計畫。二〇〇三年起擔任新亞書院校董至今。二〇一三至一五年繼任孔聖堂會長之職。

附錄　孔聖堂記事

年份	重要事件
1928	**創立孔聖堂** 香港乃南北內外出入必經之路，華商雲集之地，曾富君與簡孔昭君認為提倡孔道，以正人心，故設講堂宣揚聖道。簡君慨然捐出加路連山道十二萬平方呎吉地為孔聖堂堂址，發起創立孔聖堂。（1935年12月10日孔聖講堂正式開幕）
1936	**開種樹會** 由各董事手植，樹下木牌，以記年月及種者姓名，稱泮林。
1939	**辦戰前兒童健康院** 由雷蔭蓀等倡辦兒童健康院，朱汝珍太史為院長，唐應鏗副之。兒童健康院免收學費，且供食宿，講求營養，誠能實惠及人，行之二年，後因戰禍而停辦。香港淪陷，講堂被日軍徵用為辦事處。
1941	**舉辦「魯迅先生六十誕辰紀念會」** 主持者包括香港大學中文系主任許地山先生、著名作家蕭紅女士。
1948	**紀念五四運動座談會** 著名學者及新文學倡導者郭沫若先生是演講嘉賓。
1949-50	**戰後辦大成中學** 雷蔭蓀創辦大成中學出任司理，與孔教學院所辦之大成小學相銜接，雷蔭蓀並長兩校，辦理三年，後因年老退休，由楊永康會長接辦。
1950	**「港九工會聯合會第三屆代表大會」** 於四月八至九日在孔聖講堂舉行。
50年代始	**慶祝孔聖誕、孟誕** 自五十年代始，每年與孔教團體聯合慶祝孔聖誕及孟誕，直至一九九一年停辦。惟每年聖誕、孟誕仍有講堂行禮。
1953	**大成中學更名為孔聖堂中學**
1952-1959	**楊永康先生任會長期間之貢獻** 設孔聖堂讀經班、週會講道、週末國學講座、孔道季刊、學生作文比賽： 讀經班：參加學生約四、五十人，多至六十餘人，每週上課兩小時，專人講解，以論語為課本，講解務求淺白，適合一般學生程度，並訂有獎勵計畫，考績八十分以上、操行甲等之首列四名學生，酌給予免費及半免費一學段等。 週會講道：中學週會均由宣道委員輪值主持作專題講話，以加強學子對孔

年份	重要事件
	道之認識，為將來立身處世之基礎。 週末國學講座：每次約有數百人參加，廣聘名儒學者主講，最先原在孔聖講堂舉行，後為便利聽眾，乃租賃大會堂演講室舉行。自此以後，孔聖堂經常邀請碩學名儒演講及授課，至今仍未間斷，曾來堂演講者，包括錢穆先生、吳天任先生、蘇文擢先生、饒宗頤先生、牟宗三先生、何叔惠先生、陳耀南先生、何沛雄先生等，可謂發揚儒家思想之重點地方。 孔道季刊：一九五七年創刊，約二十期，每期貳千伍百本，分別寄贈世界各僑團，以宣聖道，索取者眾，頗受各界歡迎。 發動世界各地尊孔團體召開國際孔學會議，成立「孔學總會」，並申請加入聯合國協會組織，使孔學成為一國際性團體： 一九五八年二月，孔聖堂第五屆第二次常委會議通過林仁超君提議，為喚起世界人士實踐孔道，鼓勵各地熱心孔道之士籌組孔學團體案。此消息在報上發表後，獲各方面響應，其中越南孔學會更與臺灣、日本、韓國孔學團體會晤，主張推進孔道國際化運動。
1961	**制定各項綱要** 制訂香港孔聖堂各股辦事細則、教育委員會組織綱要、宣道委員會組織綱要、孔聖堂中學校董會組織綱要、孔聖堂中學辦事細則。
1965	**新校舍完工啟用** 孔聖堂中學新校舍於一九六四動工，一九六五年正式啟用。
70年代始	**慶祝父母親節** 自七十年代起與孔聖會聯合舉行慶祝父親節和母親節，選舉模範母親，藉以提倡孝道，改善社會風氣，至八十年代末始停辦。惟仍保留學生於節日向父母敬茶傳統。
1976	**設立國學研習班** 自一九七六年十月十七日第一屆國學研習班開學，至一九八八年共辦八屆。國學班停辦多年，其後由讓成教育基金贊助重開，舉辦至今。學生於每週末到孔聖堂中學上課，初定一學年為一屆，後改兩學年為一屆，聘國學宿儒主講，課程分為《易經》、《禮記》、《論語》、《孟子》等。二○一四年始，由何廣棪教授編定課程，內容除傳統儒家經典外，增加文字學、詩詞欣賞、諸子思想等科目，擴闊同學對中國文化的識見。
1977	**舉辦公開徵文詩詞比賽** 為發揚中國傳統文化，提高中文寫作興趣，公開舉辦徵文詩詞比賽。自一九七七年至一九八八年共舉辦十一屆。二○一三年續辦徵文比賽。 十月九日出版首期《孔道專刊》： 以後每年一期，共出版十八期，於一九九六年後停版。

年份	重要事件
1978	**設中英文翻譯班** 自一九七八年至一九八八年共辦七屆中英文翻譯班，學生於每週末在孔聖堂中學上課，聘請著名學者主講，由已退休之港府高級翻譯官沈瑞裕先生等主持，培育翻譯人材，以濟時用。
80年代始	**舉辦國術班、國語班、書畫班** 八十年代，張威麟會長以張觀鳳基金名義撥捐，舉辦國術班、國語班、書畫班，至八十年代末停辦。
1985	**孔聖堂五十周年堂慶** 增建造孔子像、書劍軒、觀鳳亭，並將中英版〈禮運‧大同〉篇刻於碑上。
1991	**孔聖堂中學新翼校舍落成啟用**
2000	**再辦中國書畫班** 由許讓成基金贊助，續辦書畫班。每年學員約有一百多人研習中國書畫和國學。書畫班曾多次假大會堂和中央圖書館舉行書畫展，展出非常成功，深受社會各界讚賞。書畫班至今仍繼續舉辦。
2013	**孔聖堂中學六十周年校慶** 是年舉辦多項慶祝活動，包括啟動禮、全港徵文比賽、小學國學常識問答邀請賽、出版《孔聖堂詩詞集》、名人講座、校友分享、六十周年慶祝晚宴等。 **蘇格蘭第一總理到校訪問** 十一月六日，蘇格蘭第一總理薩蒙德（Alex Salmond）到訪學校，是孔聖堂中學首次有地方首長訪問，香港政府部門亦致電詢問詳情。總理與各校董會面，送贈紀念品，並與學生閒談，更在課堂分享自己的經驗。事後，多份報章均有記錄此盛況。
2013-14	**名人講座** 邀請著名學者及名人作公開演講，包括杜維明教授、丁新豹教授、金榮華教授、李金強教授、著名傳媒人林超榮先生。中學部「中華文化周」亦邀請學者演講，包括周國良博士、趙善軒教授、張萬民教授等。
2015	**孔聖堂八十周年堂慶**

James Legge and Hong Kong Public Education

邱國光 Edmond, K. K. Yau

3-Culture Education Enterprise Ltd

Introduction

James Legge (1815-1897) was one of the most renowned sinologists and a great missionary in the 19ᵗʰ century. His name is still widely known in today's Hong Kong and Mainland China. His fame was partly due to his missionary work; but more importantly, it was his translation of the Chinese texts including the voluminous Confucian Classics that made him an academic guru in the role of bridging the culture between the East and the West.[1] This paper does not seek to add anything to the known history of James Legge, whose fame as a missionary-scholar has already justifiedthe attention of numerous scholars.[2] This paper is designed as a tribute to a man, whose unquestioned influence on the formation of education policy in Hong Kong has never been fully appreciated, and also to present the salient facts of one of the most inspiring, and at the same time least known stories in the colonial history.

This paper begins with the discussions on public education policy in the infant Colony in the first two decades, which was characterized by its unplanned and perfunctory nature. Then the focus will be on James Legge's innovation plan in public education in the Colony, particularly addressing the questions of in what ways Legge's educational plan laid the foundation for public education development in Hong Kong in the 19ᵗʰ century and their significance.

---

[1] James Legge had translated many Chinese texts, including the massive 7 volumes of the *Chinese Classics* published across a decade, from 1861 to 1872. The *Chinese Classics* has passed through at least 10 re-printings or editions. The most recent one, to the best of the writer's knowledge, was in 1991. James Legge, *The Chinese classics / with a translation, critical and exegetical notes, prolegomena, and copious indexes*. Reprinted in1991 from the last editions of the Oxford University Press (Taipei: SMC,1861-1872).

[2] See e.g. Norman Girrardot, *The Victorian Translation of China*: *Victorian translation of China : James Legge's Oriental pilgrimage* (Berkeley: University of California Press, 2002); Lauren L. Pfister, *Striving for* 'the *Whole Duty of Man'*: *James Legge and the Scottish protestant encounter with China*. Scottish Studies International, v. 34. (Frankfurt am Main : Peter Lang, 2004); Man Kong Wong. *James Legge : a pioneer at crossroads of east and west* (Hongkong : Hong Kong Educational Pub. Co., 1996).

Early Development

'I am as dissatisfied as ever with the state of *public education* in the colony.'[3] It was a comment made by Sir John Bowring who was the fourth Governor in the Colony, starting his Governorship at the age of sixty-two from April 1854 until May 1859. Bowring was possibly the first colonial government officer who showed disappointment in a formal government report over the development of education. Unlike his predecessors, Bowring treated education as a public duty of the government. It was in his time that public education policy took shape.

Hong Kong was occupied by the British in 1841 and formally ceded to Britain by the Treaty of Nanking in 1842. Before the coming of the British, there were already several small schools scattered along the southern coast of the island with an average 50 students per annum, occupying less than 0.89% of the entire population.[4] These small Chinese schools were by no means well established in a modern sense. According to a contemporary writer E. J. Eitel, who subsequently became the Inspector of Government Schools, students were taught little positive knowledge; only reading and writing of Chinese were disseminated in these schools.[5] The arrival of the British did not bring much change to the public education. The first batch of three government schools was founded in 1848, seven years after the British occupation of the island; accommodating a total of 95 Chinese boys[6]. In fact, the number of government schools only slightly increased to five in 1854 with 112 students, less than 2% of a total of 8,868 Chinese children in that year.[7]

The inert development of public education was handicapped by the fact that it was controlled by a non-professional department whose members were either missionaries or in

---

[3] A comment made by Governor Sir John Bowring in 1856 in the Hong Kong Bluebooks (Hereafter HKBB). Emphasis is added.

[4] Ernest John Eitel, 'Materials for a History of Education in Hong Kong', *The China Review, or notes & queries on the Far East*,Vol. 19, No. 5, (1891): 308-24, 309.

[5] Ibid. Eitel was originally a Germany missionary. He first came to Hong Kong in 1862 and was sent to a Lutheran Mission station near Canton. He subsequently became the Inspector of Government Schools from 1878 to 1897. He was a well-known Sinologue particularly in the local languages of Cantonese and Hakka. For details of his life and work, see G.B. Endacott, 'A Hong Kong History: Europe in China, by E.J. Eitel: The Man and the Book', *Journal of Oriental Studies*. Volume IV, nos. 1 and 2, (1957 and 1958): 41-65.

[6] Education Report 1849, in House of Common Parliamentary Paper (Here after HoCPP), 1850 [1232].

[7] Education Report 1855, in HKBB 1855.

good relationship with the church,[8] aiming at proselytising rather than educating the Chinese. An Education Committee was first appointed on 6th November 1847 for the purpose of writing a report on the mode of government support to the Chinese schools,[9] resulting in a grant of $10 dollars per month each from the government being given to three Chinese schools. This was the start of public education in the Colony. Yet all the teachers of the government schools 'are all professed Christians'[10] and the curriculum of these village schools, was dominated by the religious element in which half of the day had been devoted to the study of the Scriptures.[11] Rev. W. Lobscheid, a missionary and Inspector of the Government Schools from 1855 to 1857 reasserted this religious feature in his pamphlet that 'the school is open with a prayer in the morning; after that, the teacher explains the Scripture for half an hour. On Sunday only Bible and religious books are instructed.'[12] Public education, in this sense, was to serve the interests of the missionaries rather than the education needs of the Chinese inhabitants.

Public education in the first two decades was also politicised as an instrument to facilitate the colonial administration. The introduction of English teaching in the government schools was the best illustration of this. The English language was first introduced to the government schools in 1853. The Education Committee explained the initiation explicitly in their Report that:

> We think that the study of the English language should in this, an English colony, be encouraged as much as possible, not merely in regard to its utility as a mental exercise and a means of obtaining what is valuable in English literature, but in regard to the effects to be produced by such a knowledge in preventing misunderstanding, and establishing a bond of union between the many thousand Chinese who have made this place their residence and the handful of Europeans by whom they are governed.[13]

---

8 For the personal backgrounds of the members of the Education Committee in the early period, see Edmond Kwok Kwong Yau, 'A Historical Study of the Language Policy Formulation in the Government Schools for Chinese Students in Hong Kong, 1842-1882' (EdD diss., University of Bristol, 2010), 90.

9 For the date of appointment of the Education Committee, see Eitel, 'Materials', 1891, 315-6.

10 Education Report 1850, in HoCPP 1851 [1421].

11 Education Report 1853, in HoCPP 1854-55 [1919].

12 W. Lobscheid, *Few Notices on the Extent of Chinese Education and the Government Schools of Hong kong; with Remarks on the History and Religious Notions of the Inhabitants of the island* (Hong kong: China Mail Office, 1859), 24.

13 Education Report 1853, in HoCPP 1854-55 [1919].

The teaching of English to the Chinese boys was greatly encouraged by the Committee members for two reasons. The first one was about the *means* of learning. The Committee regarded the learning of the target language English as a 'mental exercise' and would contribute to the understanding and learning of English literature. The second motive was about the *end* of learning which seems to be the real reason behind the initiation. The English language learning, according to the members, was only an instrument serving the purpose of 'preventing misunderstanding' between the minority European and the majority Chinese residents. The ultimate aim was to establish 'a bond of union' between the ruled and the rulers. The Committee's sayings expose the tension and hostility between the Chinese and the European in the early colonial period when widespread popular outbursts against missionaries happened in the delta area, including Canton, Hong Kong and Macau.[14]

In short, the public education development in the first two decades in the Colony was at a very rudimentary stage. The government's intervention was weak and the policy was sporadic, temporary and unsystematic. It was not until the 1860s that a real education policy began to take shape. The policy in these years experienced a revolutionary change. It was seen in the change of the role of the colonial government towards public education, which was largely due to the effort of James Legge particularly expressed in his New System.

James Legge and the New System

James Legge's contribution to the development of public education in the Colony was outstanding. Prior to his accession to the Education Committee, the role of the Committee was ambiguous. It was neither a formal government department—evidenced by the part time and non-civil-servant nature of most of the members; nor able to perform the role of educating the public—the main focus of the Committee was to proselytise rather than to educate the Chinese residents. It was under Legge's New System that the colonial government started to put its stamp on education. The following sections will address his New System in detail.

Fermentation of the New System

The New System, which was described by the Board of Education in its 1860 Report as

---

14　For a detailed account of the anti-foreign feeling in Canton and its adjacent areas, see, Immanuel C.Y. Hsu, *The Rise of Modern China*. Sixth Edition (New York: Oxford University Press).

'a new system of management [of the government schools]', was entirely the effort of James Legge who came to the Colony in 1843 and became the first Principal of the Anglo-Chinese College, which was founded in 1818 in Malacca by the London Missionary Society as the result of the labours of Rev. Robert Morrison and Rev. William Milne.[15] The Anglo-Chinese College in the Colony appeared to be a theological school to train church workers. Yet not a single preacher was produced before its closure in 1856.[16]

In 1853, Legge was invited as a member of the Education Committee. Reasons for his invitation were largely unknown. It might be due to the fact that the part time nature of the Education Committee members did not allow them to supervise the Chinese village schools effectively. Looking for new blood to share the responsibility became an urgent agenda. But why was James Legge chosen?There is strong evidence to support the assertion that Legge's selection was in relation to his fame in preaching and educational activities in the Colony. Within a decade of his coming, Legge had become a person of eminence in the Colony. As a Chinese scholar, he had already published significantly on the Chinese religion.[17] As a preacher, he had demonstrated his success by taking three Chinese boys with him to Scotland in 1845, where he had been ordered by a doctor owing to his suffering from illness. The three boys were subsequently baptised in 1847. The baptism created great interest in England and Scotland, and even Queen Victoria expressed a desire to meet the three young men. They were summoned along with James Legge to Buckingham Palace.[18]

Active involvement in the educational activities in the Colony brought James Legge's fame to the highest. Apart from taking the position of the principal of the Anglo-Chinese College, he had produced (possibly at the request of the Education Committee) a translated

---

15 The Anglo-Chinese School was one of the oldest schools in the Colony. The school was founded in 1818 in Malacca and moved to Hong Kong in 1843. It was closed in 1856 and reopened in 1914 with the name changed to Ying Wa College, which still exists in Hong Kong today. For the history of the Anglo-Chinese School, see Carl T. Smith, 'A Sense of history (Part I)', *Journal of the Hong Kong Branch of the Royal Asiatic Society*, Vol. 26 (1986): 144-264.

16 It was possibly due to the market value of the English language. English was normally instructed in the missionary schools. A smattering of English could qualify the scholars a position of a clerk or an interpreter in the mercantile firms where wages were expected to be higher.

17 For the publications of James Legge in the 1850s, see Feng Yue, 'Studies on James Legge's English Translation of Traditional Chinese Classics and Reflections on the Necessity of the Interdisciplinary Approach in Translation studies' [in Chinese], *Journal of Jimei University (Philosophy and Social Sciences)* Vol. 7, No.2: 51-57.

18 Details of Legge's activities at that period and the Baptism of the three Chinese boys, see Smith 'A Sense of History'.

English textbook, *A Circle of Knowledge* for the government village schools.[19] According to his own description, he had made a number of suggestions to the Governors on the educational issue. Two years after his first residency in the Colony in 1845, he had already made a suggestion to the Governor Davis to establish 'a large Free School' for the Chinese in Hong Kong under 'talented mastersfor completing the education of promising pupils, that they might be qualified to act as Interpreters, Clerks and in other responsible situations'.[20] Legge claimed himself the merit of 'having pressed on successive governors the adoption of the present system [the New system], which Sir Hercules [the fifth Hong Kong Governor, 1859-1863] was the first to take up heartily, and gave effect to'.[21] In short, the appointment of James Legge to the Education Committee was a reflection of his ability and enthusiasm in education.

The appointment was greeted with great recognition by Eitel. Legge's accession to the Committee was commented as 'a complete revolution of the Committee's educational policy'.[22] It was a revolution indeed as the education policy after Legge's appointment was significantly different from before. Two days after Legge's assumption to the post, a suggestion of giving half-yearly prizes to the scholars in the government schools was announced by the Committee that cash prizes would be presented to those scholars with greatest proficiency in the following subjects:

Scripture knowledge	$ 1.50
The English language	$ 1.00
The Four Books of Confucianism	$ 1.50
Geography	$ 1.00

As a result, a total of 19 Hong Kong dollarswas given at the prize distribution held at St Paul's College by Bishop Smith on 5th January 1854.[23] Eitel implies that it was the effort of James

---

19 The author of *A Circle of Knowledge*, which is erroneously ascribed to James Legge in Lobscheid's *Few Notices,* is in fact Charles Baker who published the book in 1855 to 'supply a series of elementary lessons suitable for school and home instruction'. The one used in the government school in Hong Kong in the 1850s was a translated edition published in both English and Chinese language, and whose author was James Legge. For details, see James Legge, *Graduated Reading Comprising a Circle of Knowledge, in 200 Lessons, Graduation 1* (Hong Kong: London Missionary Society's Press, 1856), Preface.

20 Colonial Office Record 129/18: 305, National Archives.

21 James Legge, 'The Colony of Hong Kong', *The China Review, or notes & queries on the Far East.* Vol. 1, No. 3, (1872): 173.

22 Eitel, 'Materials', 321.

23 Ibid.

Legge and a remarkable step made by the Committee. The financial expenses involved in the cash prizes seem to be a small amount of money butthey represent 3% of the total expenditure on education in 1854.[24] The total amount is at least 30% more than the monthly salary of a teaching assistant in the Anglo-Chinese College.[25] The colonial government began to take more responsibility in public education.

The differences in the amount of money given in the cash prizes are worth noting. Scripture Knowledge and the Four Books of Confucianism enjoy the highest amount of $1.5 each while the subjects of the English language or Geography were only worth $1. The relatively higher treatment of Scripture Knowledge is understandable and could be explained by the fact that all the Committee members, as mentioned before, were either priests or in good relation with the church. It is also less arguable that Geography, being a newly introduced subject in 1853 and was comparatively less significant than literacy and religious education (at least this was the thought in the 19th Century), was rewarded to a lesser degree. However, why did the Chinese Classics enjoy a higher status than the English language, or why was the English language, the voice of the metropolitan state, was not treated equally and importantly? These questionsare not easily explained since the whole issue was not well documented. However, if we agree with Eitel's opinion that the idea of giving cash prizes was originally from James Legge, then his background of being a sinologist might provide some hints. The higher proportion of cash was possibly a reflection of Legge's enthusiasm and admiration for the Chinese culture.

Eitel's 'revolution comment' also receives support from the innovative suggestions made by the Committee shortly following the appointment. The evidence comes from the Education Committee Reports. Before Legge's accession, a great deal of the Committee Reports were either devoted to day-to-day accounts of school operations, such as numbers of schools and scholars, reports on the course of study, or making complaints on the fluctuation of the number of scholars in each school. Suggestions such as on how to improve the quality of teaching and the whole system were rarely made.[26] With the inclusion of Legge as a member of the

---

24 Incomplete information in public instruction in the infant Colony means that the calculation of the actual educational expenditure is often based on estimation rather than scientific investigation. A random use of the currencies between Hong Kong dollars and sterling pounds in the government reports and an unreliable exchange rate makes the issue even more confusing. For the education expenditure in the years 1853 and 1854, see Lobscheid, *A few Notes*, 50 and Eitel, 'Materials', 168.

25 According to Smith, 'A Sense of History', one of Legges's students was given $12 a month to serve as a teaching assistant in the school (p.168).

26 There are some exceptions, for example, to build more schools was suggested in the 1851 Report (in

Committee,[27] the Committee Reports seemed to put more weight on the betterment of public education in the Colony. The year 1854 was very fruitful for education innovation and quite a few suggestions were seen in the Report, including the building of suitable school houses;the establishment of paid apprentice teachers;the appointment of an assistant master with knowledge of English language in each school and the appointment of an Inspector of Government Schools.[28] In the 1855 Report, the Committee requested to increase the membership of the Committee.[29] Again, in the 1856 Report, the Committee suggested the establishment of schools in the vicinity of Victoria and recommended an appointment of a European Inspector of Government Schools.[30] The series of suggestions finally contributed to a revolutionary innovation in 1860 which was completely the initiation of James Legge.[31]

In 1860, the Education Committee was replaced by the Board of Education when James Legge was re-appointed as one of the members.[32] Following his re-appointment, Legge submitted the New System—a plan with aims at reorganizing the government schools—to the Board of Education and this was unanimously approved by the Board. Subsequently, the

---

HoCPP 1852 [1539]. Another example is that in order to secure a regular attendance of scholars, the 1851 Report suggests that a deduction of salary would be applied to those teachers with fewer than 30 scholars. Yet, all these suggestions were briefly mentioned in the Reports and no subsequent actions were taken. The introduction of the teaching of English in the government schools which was suggested possibly a few months before the appointment of James Legge. However, the question of the initiator(s) of the introduction still awaits a conclusion and the role of James Legge in the issue is unclear. The controversy among scholars in this issue is examined in Yau 'A Historical Study', 86-95.

27　According to Eitel (1891b), Legge forwarded his resignation letter to the Governor on 21st March 1857 (p. 337). The reason for his resignation was unclear. Eitel presents it as a disagreement with the pro-religious policy of the Committee (Ibid.). Bickley (2002: 471), however, suggests that it was equally true to say that it was a pre-planned activity, as Legge went back to Britain for a short period in early 1858.

28　1854 Education Report, in HoCPP 1856 [2050].

29　1855 Education Report, in HKBB 1855.

30　1856 Education Report, in HKBB 1856.

31　It should be noted that Legge had resigned from the Committee on 21st March 1857 due to possibly a pre-planned trip to England or a disagreement with the pro-religious policy of the Committee. For a detailed account of his resignation, see Eitel 'Materials', 337 and Gillian Bickley, *The Development of Education in Hong Kong, 1841-1897: as Revealed by the Early Education Reports of the Hong Kong Government, 1848-1896* (Hong Kong: Proverse, 2002), 471.

32　The replacement was announced in the HKGG, Government Notification No. 11, 21st January, 1860. Reason for the replacement was unclear. It might be the result of a series of administrative reforms initiated by Hercules Robinson, then Hong Kong Governor. For details, see Ngai-ha, Ng Lun, *Interactions of East and West: Development of Public Education in Early Hong Kong* (Hong Kong: The Chinese University Press, 1984), 39 and Eitel, 'Materials', 341.

document was 'forwarded to the Colonial Secretary for submission to the Governor with their cordial recommendation and an earnest request for pecuniary aid in carrying out the plan.' [33] The New System was supported by the Colonial Secretary and the Governor. The Blue Book in 1860 found the following remarks: 'Every attention has been given to *education*, and an improved scheme, designed by Dr. Legge, is about to receive trial.' [34]

In short, the infant colonial government basically left education to the church, and education in this period was characterized by the nature of proselytizing.   The government's role had changed with the recruitment of James Legge as one of the educational policy makers. The government started to take more initiative in public education.   The change was due to the effort of James Legge. It was James Legge that made education in the Colony become a public enterprise. Legge's New System was not only a reflection of his secular thought in education, but also his attitude to the English language education.

The New System

The name 'New System' [35] indicates that James Legge's educational innovation was a response to the 'old system'. Indeed, he was dissatisfied with the 'old system' that 'great results [of government schools] cannot be realised under the present system.' [36] The weaknesses of the 'old system', according to Legge were numerous, such as children's attendance was irregular; the teachers had no particular qualifications; the native English teachers' knowledge of English language was only rudimentary; and the weak supervision of the Inspector of Government Schools over the village schools. [37] It was under these circumstances that Legge proposed his innovative scheme. The aims of the innovation, which has been stated explicitly in the New System, were twofold: 'concerning the management of the Schools' and 'the general promotion of education in this Colony'. [38] These aims were to be

---

33 Eitel, 'Materials', 341.

34 HKBB 1860, Enclosure in No. 20, paragraph 18. Emphasis is original.

35 There is no a formal and uniform name for Legge's re-organization plan. Eitel calls it 'The Great Plan' (Materials, 341) while the 1860 Board of Education Report refers it as the New System.

36 Cited in 'The New System', 1860 Education Report, in HKGG 6th April 1861, No. 33.

37 Ibid.

38 It was James Legge's idea rather than the Board of Education. Regarding the aims of education the Board members seem to put their focus only on the technical aspect of education; and Legge's suggestion was seen as 'a new system of management' (1860 Education Report). To the Board members, public education in the Colony could be improved through an effective innovation in management such as to erect a new

realised 'under the auspices of the Government, which have been revolved by me for many years'. Legge proposed three innovations in the New System:

> First.—That there be erected a building in Victoria, in which the Schools now maintained in T'ae-ping-shan, the upper and central Bazaars, Webster's Crescent, and near the Mosque, shall be concentrated in different rooms.[39]
>
> Second.—That in connect with this building there be provided a residence for a European master, who shall form and conduct English classes; and that only in the Schools concentrated there shall English be taught.
>
> Third.—That this European Master, aided by a Board of Education, constituted like the present, or modified as circumstances may render desirable, exercise a Superintendence over the other Schools in Aberdeen and the villages over the Island.

The above suggestions were basically Legge's answer to his own long term calling to the problems of public education reflected in the Education Reports while he was a member of the Education Committee.[40] The whole idea included management and pedagogical reform on education. Regarding the management, it was a reorganization of the government school management system by merging several village schools into one concentrated school (or some concentrated schools) located in Victoria and placing the headmastership and inspector in the hands of a European master under the direct control of the government. Pedagogically speaking, the proposal made the concentrated schools the only place that English was to be taught and it was instructed by a native English speaker, resulting for a possible more effective English education.

Reading between the lines, the proposal exposed the revolutionary nature of the reform. Legge wanted to build a sizable school that could accommodate at least 250 students, more than one third of the total enrolments in the government schools in the year 1859.[41] It was

---

school building and employ a European Master. Legge, however, would regard the entire innovation as a reform focusing on both management and pedagogical issues.

[39] The latter development of the Central School indicates that ultimately the school was formed by the amalgamation of only the first three of these five proposed schools. See 1862 Education Report, in HKGG 14th March 1863, No. 31.

[40] As noted before, similar comments on the inadequacy of public education in the 1850s have been suggested in the 1854 and 1856 Education Reports.

[41] During the year 1859, 19 government schools were operated in the Colony with 713 daily average attendances. For details, see Education Report, in HKGG 7th April 1860, No. 50.

suggested the school be built in a very densely populated area—Victoria[42] which was also the administrative and commercial centre of the Colony for the entire period and is still the Central Business District in Hong Kong today. The purchase of premises and the erection of an additional building on the same site cost $20000, three times the government's expenditure on education during the year 1860.[43] This sizable school would become a 'Model School to form the centre of the education system of Hong Kong.[44] Legge predicted that the concentrated schools could produce 'real and definite' results for the Colony. He states in the New System that:

> In the first place, the Government would have an officer, himself actively engaged in the work of education.
>
> In the second place, the English education carried on under the Master's eye would be more efficient than it is now, and he would be able to collect into his own classes the pupils whose progress and interest in their studies gave promise of their making real attainments.
>
> In the third place, many young Chinese, well-educated in Schools in China, and connected with Chinese firms and families in the Colony, would be found to enter his English classes.
>
> In the fourth place, an impulse would be given to the Chinese education carried on in the concentrated schools. The teachers under the immediate and daily observation of their superintendent might be expected to be diligent, and earnest to further the progress of their pupils. And an influence would go out from their Schools, which would tell upon those in the villages.

To Legge, the 'real and definite' results could be achieved through the reform of the management system of government schools and the teaching of English by a European Master. Prior to Legge's proposal, public education in the Colony had never been managed by a professional government department. It was not until Legge's proposal in the New System that a specialized government department was established and managed by a full time civil

---

42 According to the 1862 Census report, cited in HKGG 7Th February 1863, No. 12, the numbers of residents in Victoria were 63380, or nearly 84% of the total population.

43 Eitel, 'Materials', 342.

44 Ibid.

servant.[45] A formal government department meant that the inspector could actively engage in the work of education. A better supervision over the village schools would be expected. Furthermore, the Chinese teachers in the concentrated schools and the village schools could benefit from the new management system. Legge's prediction was that the quality of Chinese teachers in the concentrated schools would be enhanced under the supervision of a European master; and these Chinese teachers would become model teachers and bring positive influence to teachers in the village schools.

English language education was another main focus in Legge's New System. According to his proposal, English was only to be taught in the concentrated schools and by a European master. The teaching of English by a native speaker would solve the problems arising from the Chinese English teachers whose language was only rudimentary. Therefore, the conclusion that English education in the Colony 'would be more efficient than it is now' and students could make 'real attainments' would be a natural development.

The advocacy of the teaching of English by a native speaker in the concentrated schools carried two levels of meaning. On the surface level, the policy could achieve one of the aims of the New System 'the general promotion of education in this Colony'. At a deeper level, however, it could make the whole proposal more convincing and more persuasive. The whole issue was rather complicated and hidden; it involved the market value of the learning of English.

The latter development had proved that Legge's plan was unanimously supported by the Board members, agreed by the Governor and met with no objection from the Colonial Office. However, at the time of writing the proposal, the issue of acceptance was definitely an unknown question to Legge. One of the important considerations for the British government, as represented by the colonial Governor and the Colonial Office, would be whether the New System would impose a great financial burden on the Colony. Legge explicitly indicated in his proposal that 'the permanent expenditure for such a system would not be very much larger than that of the present'. How can Legge make such an optimistic comparison? The premises and the building work alone had already cost $20000 Hong Kong dollars, not to mention the regular expense of the salary of a European master. Legge's answer to this was that most of the expenses could be compensated by the subsidy of the school fee from the English classes!

Legge's idea was that 'fees should be charged from pupils attending the English classes,

---

45 Prior to Legge's proposals, the work of education in the Colony was first managed through the Education Committee, then Inspector of Chinese Schools. Neither of them was a professional educational body.

who did not enter from the Government Schools. My own opinion is that those would amount to no inconsiderable sum.'[46] That means a fee would be charged to English class pupils outside the public education stream. Who were these pupils? Residents in the Colony would be Legge's target, but possibly not the main and only one. Having resided in the Colony for nearly two decades, Legge should have an idea of the specific characteristics of the native Chinese at that time. Most Chinese pupils were from poor families involved in lower grade work such as fishery, stone-cutting and agriculture. They were living at a bare subsistence level. Not so many of them could afford to pay fees for the schooling of their own children.

Legge's other target was the young Chinese on the Mainland. Legge foresaw that the predictable successful English teaching in the Colony would attract young Chinese from the Mainland. Many well-educated young Chinese 'would be found to enter his [the European master's] English classes.'[47] The historical development seemed in accordance with Legge's prediction. The Central School was able to attract quite a large number of pupils originally from the Mainland.Stephen Evans, a local educationalist and linguist, rejects the notion that Legge's suggestion on the English language education was a response to the demand from the market. The attraction of the young Chinese to the English classes as predicted by Legge is read by Evans as 'the school would take the initiative in 'finding' students for its English classes' rather than implying 'the existence of a strong demand for the language.'[48] Evans's evidence is based on some descriptions mentioned by Frederick Stewart (Head of the Central School and Inspector of the Government Schools recruited under the New System from Scotland) and Bateson Wright (Stewart's successor to the Head of the Central school) in the latter documents that there was a difficulty in getting students to undertake the study of English in the early stage of the Central School. His conclusion is 'this evidence raises the possibility that in formulating his plan Legge was in fact seeking to create a demand for English-language education rather than attempting to satiate a pre-existing need or interest.'[49] Evan`s thesis is reasonable but not substantiated. What he does miss in his argument is the political development in China during the Second Opium War between the Qing Government and the coalition expedition joined by the British and the French forces.

---

46 'The New System', emphasis is original.

47 Ibid.

48 Stephen Evans, 'The Introduction and Spread of English-language education in Hong Kong (1842-1913): A Study of Language Policies and Practices in British Colonial Education' (PhD diss., University of Edinburgh, 2003), 176.

49 Ibid.

Two years before Legge's proposal, the first phase of the Second Opium War ended and the Treaty of Tientsin was signed between Qing China and Great Britain. The language issue was mentioned in Article 50 of the Treaty. It is argued in this paper that Legge's innovation scheme on the teaching of English in the latter Central School was greatly influenced by this Article. For the sake of illustration, the Article 50in English is reproduced in four continuous segments as follows:

1. All official communications addressed by the Diplomat and Consular Agents of Her Majesty the Queen to the Chinese authorities, shall, henceforth, be written in English. They will for the present be accompanied by a Chinese Version,

2. *Upon China sending selected students to study English, and upon their acquiring proficiency in English, a Chinese version will not be presented anymore.*

3. But it is understood that, in the event of there being any difference of meaning between the English and Chinese text, the English Government will hold the sense as expressed in the English text to be the correct sense.

4. This provision is to apply to the treaty now negotiated, the Chinese text of which has been carefully corrected by the English original.[50]

The Sino-British Treaty of Tientsin appears in two different languages of the signatory countries, as in other international treaties. The texts in the English and Chinese versions are basically the same except in segment 2. It is interesting that the texts '*upon China sending selected students to study English, and upon their acquiring proficiency in English, a Chinese version will not be presented anymore*' only appear in the Chinese version of the Article. The differences are definitely not a normal practice for a foreign policy document. It becomes even more peculiar with the emphasis that 'the Chinese text of which has been carefully corrected by the English original'.

Why are such major flaws allowed to appear in a diplomatic document? The reason for careless mistakes made by red-tape bureaucracy is hardly convincing. It seems reasonable to speculate that the differences are intentional. The motives behind the discrepancies are unclear and are beyond the focus of the present paper. The importance of these additional Chinese

---

[50] Article 50, treaty of Tientsin, 1858 cited in S.W. Williams, *The Chinese Commercial Guide: Containing Treaties, Tariffs, Regulations, Tables, etc., Useful in the Trade to China & Eastern Asia.* Fifth Edition (Hong Kong: A. Shortrede & Co.), 13. Emphasis is added.

texts is that it symbolizes the emergence of an English learning era in China. In response to the language provision of Article 50, the Tung Wen Kwan or Literary Institute together with several foreign language schools in which the English language was the main focus were established in Beijing and other major provinces.[51] Since the Treaty of Tientsin was signed on 26th June 1858[52] and the date Legge submitted his 'New System' to the Board of Education was on 11th July 1860;[53] it is highly possible that as a Sinologue who had profound knowledge in the Chinese language and deep connection with the missionaries in China, Legge had already known the Treaty content whether through the official announcement of the Qing government or the informal news heard from the native Chinese before the writing of his proposal. Then the prediction of appealing to Chinese youth to attend the English classes in the latter Central School would be possibly seen as a response to the call made in Article 50. The response might not be seen as to satiate the *existing demand* of the English language in the Colony and Chinaas argued by Evans; however, there is good reason to believe that the suggestion is an active response to meet the *emerging demand* for the English language in China.

It appears that this emerging demand for the English language focused on the inadequacy of bilingual translators in the political sector in China. This shortage, however, also appeared in the commercial sector in the Colony and China. From the first day of the acquisition in 1841, the British government only treated Hong Kong as a trading port in the Far East. This attitude did not change much at least for the first several decades. As afore-mentioned, the market value of the English language was very high. There was a continuous demand for Chinese clerks in mercantile offices as realised in the flourishing of the entrepôt and the trade with China. Therefore Legge's suggestion on English language reform could be also read as a solution to the rising demand for bilingual clerks in the Colony.

The discussion hitherto on Legge's English language reform suggests that he was motivated by a blend of considerations. Pedagogically, the reform could achieve the aim for 'the general promotion of education in this Colony'. Economically, it could meet the existing and emerging demand for bilingual technocrats in the Colony and China. Fees charged to the predictable growth in number of English language students from China could compensate some expenses of the concentrated schools. At the end of his proposal, Legge, further

---

51 For the historical development of Tung Wen Kwan, see W.A.P. Martin, *Calendar of the Tungwen College* (Peking, 1879).

52 HKGG 15th December 1860: 271.

53 1860 Education Report.

presented that the reform was based on political and religious reasons. He states:

> This plan makes the teaching of English a more prominent part of the education in the Government Schools than it has hitherto been. But I beg to submit to you that it ought to be so. It ought to be so in this Colony, where the administration of Justice is conducted in the English, and according to English law. It ought to be so, that an influence may go forth from the island, which shall be widely felt in China, enlightening and benefiting many of its people.

The language reform, in Legge's words, could 'make the teaching of English a more prominent part of the education in the Government Schools than it has hitherto been'; and the reason was 'it ought to be so' in a British Colony where the administrative language should be in English. The administrative consideration of Legge's language reform could be seen as a continuation of the instrumentalization of the English language by which the language was treated as 'a bond of union' between the ruling British people and the ruled native Chinese 'in preventing misunderstanding.'[54] Finally, his last consideration appears to be a general religious benevolence of a missionary towards the people in the under-developed and uncivilized countries such as China.

Through the New System, the educational thought of James Legge and his attitude towards the teaching of English could be finally realised. By the standards of mid19th Century, the New System was a revolutionary innovation. The revolution, however, was only a blueprint. The composition of the concept was put into real practice first by James Legge through the control of the Board, then his successor—Frederick Stewart, a 'faithful disciple of Dr Legge', in Eitel's words.[55] Legge remained in the Board of Education, first as member, then Acting Chairman in 1862, Chairman in 1863 until 1865 when the Board was abolished and replaced by the Education Department headed by Frederick Stewart.[56]

Conclusion

James Legge, who was a legend in his own lifetime, played an indispensable role in

---

54 1853 Education Report.

55 Eitel, 'Materials', 392. For a detailed account of the role of Frederick Stewart and the development of public education in the Colony, see Yau 'A Historical study' Chapter 5 and 6.

56 For the membership of the Board in this period, see Ng, *Interactions of East,* 45.

developing public education in Hong Kong. His great contribution has been eulogised as the Founder of Education in the Colony. [57] In an address at the funeral service of James Legge, D. D. Fairbairn, the Principal of Mansfield College, summarised the life of James Legge in Hong Kong especially his impressive role as an education policy maker that:

> He was no obscure missionary, no mere Oriental scholar, but a genuine statesman, who left the impress of his mind and character on the infant colony and the men who made it. He loved education, laboured for years to adapt it to the people and their needs, persuaded the Government to adopt his policy; and as one who though associated with him for years was yet in some fundamental respects his very opposite, has said. "He was the presiding spirit of the Board [of Education], and ruled it with the ease and grace of a born bishop". [58]

The admiration of Fairbairn was a proper reflection of James Legge's activities in Hong Kong. He was indeed a statesman in education. Repeatedly emphasised in this paper, his proactive engagement with the Education Committee work brought a drastic change to the development of public education in the Colony. His contributions were crystallized in the projection of a system of education for the Colony. The proposal of the New System resulted in the erection of a new school—the Central School, a concrete building which was located in the convenient central district, with 'two one-storeyed wings joined by a central hall' [59], apparently dwarfed the small and unhealthy village schools which had been described by Lobscheid as a 'horrid den.' [60] The founding of the Central School was an epoch-making event in the Colony. It became the most important government school in the Colony, providing Chinese and English bilingual education to, first the Chinese residents, then all nationalities from 1866 onwards. [61]

Legge's New System also brought about the emergence of the first ever professional Education Department in the Colony. The government gazette on 24th June 1865 announced that:

---

[57] The appreciation was first suggested by Fang in 1975 and echoed by lot of others. See Meixian Fang, *History of Education in Hong Kong 1842-1941* [in Chinese] (Hong Kong: Ling Kee Publishing Co., 1975).

[58] D. D. Fairbairn, *In Memoriam James Legge* (London: Unwin Brothers Printers, 1897), 6-7.

[59] Gwenneth and John Stokes, *Queen's College: Its History 1862-1987* (Hong Kong: the Standard press, 1987), 10.

[60] Lobscheid, *Few Notices*, 37.

[61] 1866 Education Report, in HKGG February 1867, No. 25.

It is hereby notified that the functions of the Board of education, to whom the best thanks of the Government are due, will cease on the 30th Instant; and that from and after that date, the Education Department in this Colony will be placed under the sole supervision of FRETERICK STEWART, Esquire, Head Master of the Central School.[62]

The Education Department in Hong Kong was a pioneer in the British colonial empire where most departments of education in the colonies were established from about the end of the 19th Century onwards.[63] James Legge, the standard bearer of the education reform had completely retreated from the education arena following the abolition of the Board of education. Legge continued his missionary work in the Colony and China, and devoted possibly much of his time in the translation of the Chinese Classics until 1876 when he was appointed the first Professor of Chinese and Literature at Oxford University.[64]

---

[62] HKGG 24th June, 1865, No. 97., emphasis is original.

[63] An observation made by a Colonial Officer. See W. E. F. Ward, 'Education in the Colonies', in *New Fabian Colonial Essays*, ed. Arthur Creech Jones (London: the Hogarth Press, 1959), 190.

[64] James Legge returned home to Scotland to rejoin his wife and children in 1873 after retiring from his missionary work. He accepted a fellowship at Corpus Christi College and was appointed to the newly endowed chair of Chinese at Oxford University, the first nonconformist to achieve a professorship. For details, see Girrardot, *The Victorian Translation of China*.

從述學文體角度論錢穆先生《國史大綱》

李科

北京大學中文系

緒論

　　錢穆先生作為二十世紀中國重要的學者，一生著作等身，但是在其近百種著作中，影響最大的也許莫過於《國史大綱》。根據錢穆先生在《國史大綱》前的〈書成自記〉所言，此書是在抗日戰爭時期，隨西南聯大遷往雲南，在蒙自、宜良以十三月的時間所作的。[1] 雖然在戰亂之中，參考資料無多，且所撰述亦多有疏漏謬誤處，然自問世以來，產生了重大的影響。雖然在上世紀五〇年代到八〇年代一段特殊時期，錢穆先生成為所謂的「反動文人」，其著作在大陸出版發行以及閱讀研究受到限制，但是在改革開放後，尤其是近二十年來，《國史大綱》連同錢穆先生的其他著作在中國學術文化領域又產生了巨大的影響。就筆者的切身經歷而言，同齡人中有志於文史研究或者對中國傳統文化深存敬意者，多是受錢穆先生《國史大綱》所賜。筆者在本科時開始閱讀錢穆先生作品，其中亦以閱讀《國史大綱》而深受震撼。大凡受錢穆先生作品影響之人，多先受《國史大綱》之影響，而受《國史大綱》影響者，多先震懾於書前之長篇〈引論〉。然《國史大綱》及其書前之長篇〈引論〉之所以能夠從抗戰時期以至當下，連續影響兩岸四地數代學者，固然因為錢穆先生史學博邃、多所創見，也與錢穆先生獨特的述學文體分不開。拙文即試著從述學文體的角度去討論錢穆先生的《國史大綱》。

一　溫情與敬意

　　「一生為故國招魂，當時揭纛成塵，未學齋中香不散；萬里曾家山入夢，此日騎鯨渡海，素書樓外月初寒」[2]，這是余英時先生在錢穆先生逝世後所撰的輓聯，算是對錢穆先生一生的生命和學術最恰當的概括。「一生為故國招魂」，可以說是錢先生一生所致力的事業，不管是從事學術還是教育興學，均以此為終極目標。錢穆先生生於一八九五年，正值中日甲午海戰後清政府與日本簽訂〈馬關條約〉，以康有為、梁啟超為代表的

1　詳見錢穆：〈書成自記〉，《國史大綱》北京：商務印書館，1996年，頁1-4。

2　余英時：〈一生為故國招魂──敬悼錢賓四師〉，載沈志佳編：《現代學人與學術》桂林：廣西師範大學出版社，2006年，頁44。

近代維新派開始為救國保種而掀起維新運動。其後，在錢穆成長的青年時期，經歷了辛亥革命、新文化運動、五四運動。而自晚清以來，各種關於中國亡國之論，層出不窮，也不斷成為當時學界乃至社會所討論、探尋、關注的焦點。相應的，來自西方、日本以及中國本土的各種救國救民的理論也是人們熱衷的話題。在這種環境之下成長起來的錢穆，據余英時先生所言，至遲在十六歲時即已萌發了愛國思想和民族文化意識，並開始進入歷史的研究，去尋找中國不會亡的根據[3]，從此走上了一條為故國招魂之路。

在深入中國歷史中去尋求中國不會亡的歷史依據的過程中，錢穆先生始終對本國故有的歷史文化抱有一種「溫情與敬意」，這種溫情與敬意，貫穿了錢先生八十多年的中國歷史、中國思想學術、中國文化等領域的研究的始終，也使得錢穆先生在其八十多年的學術寫作中形成獨特的述學文體。《國史大綱》作為一部自上古石器時代至民國時期，前後貫穿數千年的通史著作，其中浸潤著錢穆先生對中國歷史不盡的溫情與敬意。在《國史大綱》開篇〈凡讀本書請先具以下諸信念〉中，錢穆先生即言「所謂對其本國已往歷史略有所知者，尤必附隨一種對其本國已往歷史之溫情與敬意」，而「所謂對其本國已往歷史有一種溫情與敬意者，至少不會對其本國已往歷史抱一種偏激的虛無主義，亦至少不會感到現在我們是站在已往歷史最高之頂點，而將我們當身種種罪惡與弱點，一切諉卸於古人」[4]。以錢先生之意，如果不對本國已往之歷史抱一種溫情與敬意，那麼對本國歷史之了解，亦僅僅是知道一些外國史罷了。

錢穆先生在撰寫《國史大綱》，其成功在很大程度上亦是得益於這種「溫情與敬意」，因為「溫情者，不熱狂，故和暖而理智；敬意者，不虛矯，故真切而平實」[5]。正是這種「溫情與敬意」，使得錢穆先生在書前〈引論〉中對中國歷史發展大略、諸派史學優劣的論述，既能鞭辟入裡，而又洞澈肺腑，深切感人。也正是因為錢穆先生對中國歷史的溫情與敬意，能夠敏銳洞察到如孔子、司馬遷、司馬光等史家之史學精神，處理好「歷史智識」與「歷史材料」之間的關係，從而以士人的傳統將中國數千年的學術思想內容、政治制度、社會風氣、國家治亂興衰等內容通為一體，在推求治亂盛衰之所由，指陳國家民族精神之作寄中，尋找中國不亡之歷史依據。

就細節而言，錢穆先生《國史大綱》一書對於具體時期的歷史甚至具體歷史事件、具體人物之評價，亦是本著這種溫情和敬意，能夠設身處地，還原歷史本來的場景，去探尋其中深意。比如在第二十三章〈新的統一盛運下之政治機構〉中，錢先生對宰相制的重新確立以及三省六部制的政府組織結構進行了肯定，以為「如此宏大而精密的政治機構，正好象徵當時大一統政府之盛況」[6]。在第二十四章〈新的統一盛運下之社會情

3　同前註引文，頁45。

4　錢穆：〈引論〉，《國史大綱》，頁1。

5　吳振芝：〈讀錢著《國史大綱》〉，《成功大學歷史系歷史學報》，1977年第4號，頁219。

6　錢穆：《國史大綱》上冊，頁398。

態〉中，錢先生對唐代之貢舉制度分析中，也肯定了唐代在科舉制度下，「可以根本消融社會階級之存在，可以促進社會文化之向上，可以培植全國人民對政治之興味而提高其愛國心，可以團結全國各地域於一個中央之統治」，「更活潑、更深廣的透進了社會的內層」。[7]歷來治中國史者，對於唐代的政治制度以及科舉制度多持肯定意見，以為唐代三省六部制建立了高效的政府組織，為唐代的全盛提供了制度保證，而科舉制度打破了南北朝時期的士族門閥制度，實現了階層的流動。然錢穆先生則從整個中國歷史的制度演變、興衰治亂的大勢出發，並非狂熱去推崇唐代政府組織和科舉制度的優點，而是在理智分析其中蘊含的隱憂，故在第二十六章〈盛衰中之衰相下〉，錢先生亦認為唐代政府組織與科舉制度「各有其流弊與缺點」。[8]對於科舉制度，錢先生以為「此制度容易引起士人充斥、官少員多之患」[9]，在「官員有數，入流無限，以有數供無限，人隨歲積」的「情勢之下，政府的用人，遂至於徒循資格，推排祿位」[10]，進而在祿位有限，資格無窮的政海角逐中，「漸漸分成朋黨」。[11]對於唐朝政府組織，錢先生以為在科舉制度下政權無限制解放的情況之下，政府組織亦無限制擴大，從而產生「許多駢拇無用的機關」[12]，進而「造成冗官坐食，不僅有損國帑，同時還妨礙整個政治效能之推進」[13]的結果。錢先生這一鞭辟入裡地分析，正指出了自唐代以來以至晚清的冗官冗員的癥結所在。縱觀錢穆先生的整個分析，字裡行間透露出對國家治亂興衰的危機感，然又非狂熱的推崇或虛矯謾罵，而是和暖而理智，真切而平實，這正是其溫情與敬意的體現。縱觀全本《國史大綱》，亦莫不如是。

　　臺灣學者吳振芝謂錢穆先生對歷史的溫情與敬意，「賦予冷冰冰之知識以生命之活力」。[14]正是錢穆先生在述學中熔鑄這種對中國歷史與文化的溫情與敬意，使得《國史大綱》在誕生八十多年後，在對具體問題、史實之考證更為精細之今天，依然有「生命之活力」，仍能激發人心，引起文化上的共鳴。

二　傳統、革新、科學的協調

　　「溫情與敬意」是錢穆先生述學文體的一大特色。正是這種「溫情與敬意」，使得錢穆先生在述學中更暖和而理智、真切而平實。錢穆先生在面對中國生死存亡關頭，轉

7　同前註引書，頁405-406。

8　同前註引書，頁426。

9　同前註引書。

10　同前註引書，頁427。

11　同前註引書，頁428。

12　同前註引書，頁432。

13　同前註引書，頁434。

14　錢穆：《國史大綱》上冊，吳之振引文。

而去中國歷史中去尋找中國不亡的依據。而是否能從中國歷史中尋找出中國不亡的依據，對於研究中國歷史的態度、史觀、研究方法皆有要求。錢穆先生在研究中國歷史的同時，對同時代的其他重要歷史學家、學派以及相關的著作都進行了理智地分析。錢穆先生對同時代歷史學者以及學派的分析和看法並不是出於門戶之見，為了爭一家之長，而是為了在理智分析之下尋找中國不亡的根據。因此在《國史大綱》書前的〈引論〉，錢穆先生將當時中國史學分為三派，並對其長處與不足進行了分析。

錢穆先生以為，「中國近世之史學，可分三派述之」：一曰傳統派，亦可謂「記誦派」；二曰革新派，亦可謂「宣傳派」；三曰科學派，亦可謂「考訂派」。[15]其中傳統派乃承清代中葉以來西學傳入中國之前的舊規模，此派的長處在於「主於記誦，熟諳典章制度，多識前言往行，亦間為校勘輯補」[16]，其短處則在於「無補於世」。[17]而革新派史學，錢穆先生以為興起於晚清以來現實改革之需要，「為有志功業、急於革新之士所提倡」[18]，其長處在於「其治史為有意義，能具系統，能努力使史學與當身現實相綰合，能求把握全史，能時時注意及於自己民族國家已往文化成績之評價」[19]，其短處在於「急於求智識，而怠於問材料」，最後不但不如「記誦派」所知之廣，亦不如「考訂派」所獲之精，而使其系統變成「空中之樓閣」，使整個中國歷史成為一種「胸中所臆測之全史」，一種「特借歷史口號為其宣傳改革現實之工具」。[20]至於「科學派」，錢先生以為「乃承『以科學方法整理國故』之潮流而起」，其長處在於精密，然其短處則在於缺乏系統，「純為一種書本文字之學，與當身現實無預」，更甚者在於此派「震於『科學方法』之美名，往往割裂史實，為局部窄狹之追究，以活的人事，換為死的材料」，「既無意於成體之全史，亦不論自己民族國家之文化成績也」。[21]

錢穆先生對中國歷史抱有一種「溫情與敬意」，他所要做的不是研究歷史的冷冰冰的學問，而是要撰寫「新通史」，而此種新通史最主要之任務「尤在將國史真態，傳播於國人之前，使曉然了解於我先民對於國家民族所已盡之責任，而油然興起慨想，奮發愛惜保護之摯意也」。[22]因此在對同時代史學各家優劣的理性分析之後，錢先生並沒有對三派史學一概鄙棄，而是捨棄短而取其長。並且認為這種新通史「無疑的將記誦、考訂派之工夫，而達宣傳革新派之目的」。[23]而錢穆先生所提出的「歷史材料」與「歷史

15　錢穆：〈引論〉，《國史大綱》，頁3。
16　同前註引文。
17　同前註引文，頁4。
18　同前註引文，頁3。
19　同前註引文，頁4。
20　同前註引文。
21　同前註引文，頁3-4。
22　同前註引文，頁8。
23　同前註引文。

智識」的史學體系，正好就是對傳統、革新、科學三派史學優點的協調。因為傳統歷史材料「為前人所記錄，前人不知後事，故其所記，未必一一有當於後人之所欲知，然後人欲求歷史智識，必從前人所傳史料中覓取」。[24]那麼從「未必一一有當於後人之所欲知」的歷史材料中去覓取後人欲求之歷史智識，其中就涉及到傳統、科學兩派對歷史材料、典章制度考證梳理之功。當從「歷史材料」中考證梳理出後人所欲求之「歷史智識」後，還必須構成歷史的全體，將國史之真態呈現於國人之前，達到宣傳革命之目的，故需要改革派之系統與結構。因此，在《國史大綱》中，錢穆先生採用了革新派之歷史框架，在〈引論〉中說：「凡近代革新派所注意者有三事：首則曰政治制度，次則曰學術思想，又次則曰社會經濟。此三者，『社會經濟』為其最下層之基礎，『政治制度』為其最上層之結頂，而『學術思想』則為其中層之幹柱。大體言之，歷史事態，要不出此三者之外」。[25]

　　錢穆先生在採用革新派史學的構架的同時，又對其作了一定的變通和細化。所謂的變通，即是並非在每一時代都僵化地使用革新派「政治制度」、「社會經濟」、「學術文化」的結構面面俱到、四平八穩地分析歷史，而是著眼於「變」，「擇取歷代之精要，闡其演變之相承」[26]，從而於「國家民族之內部自身，求得其獨特精神之所在」。[27]因為在錢穆先生看來，「『變』之所在，即歷史精神之所在，亦即民族文化評價之所繫」。[28]因此，錢穆先生在《國史大綱》中對於每一時代的敘述，往往有所偏重，其所偏重者，則為這一時代動態之所在，能見出民族文化之進退之所在。如春秋戰國之時變動之重點在「學術思想」，故錢穆先生偏重於考察春秋戰國之時的學術思想而敘述其如何為變；秦漢之時變動之重點在政治制度，故錢穆先生偏重於考察兩漢之時政治制度而敘述其如何為變；三國魏晉之時變動之重點在「社會經濟」，故錢穆先生偏重於考察三國魏晉之社會經濟而敘述其如何為變。[29]這種對歷史「變動」之考察，則有賴於傳統記誦派與科學考訂派對歷史材料的爬梳、考訂，對典章制度、前言往行的分析、鑒別。

　　所謂細化，就是對「政治制度」、「學術思想」、「社會經濟」的具體內容加以細化，其實也是一種「變」。政治制度方面，有「王室」與「政府」之別，王室又有「宗室」、「外戚」、「宦官」，「政府」有「宰相」、「百官」，不同之時代，政治制度變動之具體領域不一樣，比如西周與先秦政府組織的變化，東漢外戚、宦官與士人政治，隋朝宰相職權之再建與地方政治之整頓等，都是政治制度不同領域之變動。又思想學術領域，春秋

---

24 同前註引文，頁2。

25 同前註引文，頁9。

26 錢穆，《八十憶雙親師友雜憶合刊》臺北：聯經出版公司，1998年，頁176。

27 錢穆：〈引論〉，《國史大綱》，頁11。

28 同前註引文，頁12。

29 同前註引文。

戰國時期有諸子百家，魏晉有清談，南北朝之南北經學、道教、佛教，宋代之新學、關學、洛學、蜀學，乾嘉之考據，不僅不同時代之變動有所不同，即同時代不同之學術變動亦不同。又社會經濟領域，不同之賦稅制度、戶口關係，在不同時代之變動亦往往不同，比如西晉之戶調制與官品占田制，唐之租庸調制等。而在這種細化的變動之中，錢先生亦有所側重，他說「拙著側重上面政治，更重制度方面；下面社會，更重經濟方面；中間注重士人參政，於歷代選舉考試制度及時代士風，頗亦注意」。[30]

　　正是通過對革新派史學架構優點的吸收，以記誦、考訂之功夫深入國家民族歷史內部之自身，於汗牛充棟的歷史材料中關注於國史之「變」，於客觀實證中通覽全史之動態，求得民族獨特精神之所在。換而言之，就是錢穆先生在中國歷史的研究中將傳統、科學、革新加以協調，使各得其所，共同構築其《國史大綱》的「新通史」體系。故傳統、科學、革新之協調，也是錢穆先生《國史大綱》述學文體的又一大特點。

三　「綱目體」與獨到的語言

　　上面說到「溫情與敬意」、「傳統、科學、革新的協調」是錢穆先生《國史大綱》述學文體的兩大特點，而這兩點的實現還在於《國史大綱》的獨特結構與語言敘述。閱讀過錢先生《國史大綱》的人都會發現，其結構的最大特點是「綱目體」，而其語言之最大特點則是語隨境變而蘊含豐富。

（一）傳統與現代融合的獨特「綱目體」

　　《國史大綱》採用綱目體，有錢穆先生主動選擇之原因和不得不然之原因。所謂錢穆先生之主動選擇，可以從兩個方面來說。其一，錢穆先生作文著書極講究，嘗與余英時先生論及撰寫論文之體例，強調「在撰寫論文前，須提挈綱領」，指出余英時先生論文「正文中有許多枝節，轉歸入附注，則正文清通一氣，而附注亦見精華，必使人讀每一條注語，若條條有所得，則愛不釋手，而對正文彌有其勝無窮之感」。[31]可見錢穆先生對於文章著作之結構能否提綱挈領，正文與附注能否相輔相成非常看重。對於撰寫像《國史大綱》這樣一部縱貫數千年的通史而言，尤貴能提綱挈領，正文與附注之間既條理井然而又相得益彰。那麼傳統之「綱目體」則能很好解決這一問題。「綱」舉歷史變遷之動態主線，而「目」注具體史事及附加說明，這樣可使歷史發展大勢條理清晰，「正文清通一氣」，而具體史事、附加說明又能夠讓全史之結構、系統有本可依，不至

30　錢穆：《素書樓餘瀋》臺北：聯經出版公司，1998年，頁391。

31　錢穆：〈錢賓四先生論學書簡〉，載沈志佳編：《現代學人與學術》，頁57-58。

怠於材料而淪為「空中之樓閣」。如此，則能綱舉目張，「歷史智識」與「歷史材料」得以很好協調，互相補充。其二錢穆先生對同時代之史學著作進行了考察和總結。他認為當時之史學著作或「撏拾二十四史、九通，拉雜拼湊，非之無可非，刺之無可刺，無所略亦無所詳，無所失亦無所得，披卷使人睡，熟讀使人愚，竊鄉愿之故智，徒以陳紙相鈔，不以心胸相示」[32]；或「群趨雜碎，以考核相尚，而忽其大節；否則空言史觀，游談無根」。[33]而當時通史創作體例正處於探索階段，多借舊史體例而為之，針對錢穆先生所指出的當時史著諸弊端而言，「綱目體」不失為一種有效的體裁。「綱」與「目」相配合，可以詳也可以略，可以考核細末亦可以言史觀大節。

　　所謂不得不然之原因，則因此書乃錢穆先生在國立北京大學任「中國通史」講席時之《綱要》基礎上撰寫而成。根據錢先生在〈書成自記〉中所述，當時為備諸生筆記之助，而於每一講「必編一綱要，僅具倫脊，悉削游辭，取便總攬」[34]，這便是《國史大綱》「綱」部分之雛形。然錢穆先生當時又「恐諸生久習於此，則事近策括，以謂治史可空腹也」，於是又編選《參考材料》以副之，凡與《綱要》相涉者，「採摘前史陳文或昔人考訂論著為參考」[35]，這便是「目」部分之雛形。其後雖然經過只有《參考資料》到編選《國史讀本》，但到最後於抗戰時期遷往雲南而復以前之《綱目》續撰重修而成今之《國史大綱》。蓋當時攝於抗戰特殊時期，對通史之需緊迫，又「乏參考書籍」，時日不寧，不大可能重新擬定體例框架，故仍續前已成雛形之「綱目體」之舊。

　　雖說錢穆先生《國史大綱》以「綱目體」結撰全書，然於古之「綱目體」史書又不盡相同。中國傳統史學著作中之綱目體脫胎於《春秋》及三傳，乃編年體史書之變體，自南宋朱熹以「綱」「大書以提要」，「目」「分注以備言」，「綱」仿《春秋》，「目」效《左傳》，而撰《資治通鑑綱目》[36]，其後漸成中國史學著作中一種重要的體裁。但不管是《春秋》與三傳還是後來朱熹《資治通鑑綱目》，以及宋明以下如明商輅《續資治通鑑綱目》、清張廷玉《通鑑綱目三編》等，皆為編年史。而《國史大綱》採用綱目體，但卻不同編年史之法，而是採用了當時逐漸興起的新史學編纂框架，尤其是吸收了像夏曾佑《中國古代史》等將中國歷史分期、分段的編纂體例，同時吸收當時革新派史學將中國歷史分為政治制度、學術思想、經濟文化三大方面的史學架構。例如《國史大綱》中，錢穆先生著眼於中國歷史的內在精神和動態，將全書按朝代分為八編，分別是

32　錢穆：〈評《夏曾佑中國古代史》〉，載錢穆編：《中國學術思想史論叢（六）》臺北：聯經出版公司，1998年，頁291。

33　錢穆：《素書樓餘瀋》，頁378。

34　詳見錢穆：〈書成自記〉，《國史大綱》，頁2。

35　同前註引文。

36　朱熹：〈資治通鑑綱目序例〉，載朱傑人、嚴佐之、劉永翔主編：《朱子全書》上海：上海古籍出版社，合肥：安徽教育出版社，2002年，冊8，頁21。

「上古三代之部」、「春秋戰國之部」、「秦漢之部」、「魏晉南北朝之部」、「隋唐五代之部」、「兩宋之部」、「元明之部」、「清代之部」。在八編之下，又根據時代先後及政治制度、學術思想、社會經濟分章，如第二編「春秋戰國之部」分為三章：第四章為「霸政時期」，主要是春秋時期的政治情況；第五章為「軍國鬪爭之新局面」，主要為戰國時期的政治制度；第六章為「民間自由學術之興起」，主要是春秋戰國時期的學術思想。又每章之下再根據具體內容分節，只是不名之為「節」，例如第六章「民間自由學術之興起」又分為六節來敘述先秦諸子之學術思想，即「春秋時代之貴族學」、「儒墨兩家之興起」、「學術路向之轉變」、「士氣高漲」、「貴族養賢」、「平民學者間之反動思想」六節。而每節之具體內容，錢穆先生則以綱目體來結撰敘述。

　　這種獨特的「綱目體」史學體裁，其實是在吸收傳統綱目體史書優點的基礎上，又充分吸收同時代新史學著作體裁的創新，尤其是革新派史學將歷史分為「政治制度」、「學術思想」、「社會經濟」三方面的歷史構架。這樣的獨特歷史著作體裁，一方面能夠將龐雜的歷史條分縷析，有系統、有結構地組織起來，將中國歷史的真實全貌呈現出來，讓中國歷史發展的動態清晰可見。同時具體內容採用綱目體的敘述方式，既可以使「歷史智識」與「歷史材料」相輔相成，不至於使「歷史材料」瑣碎龐雜而泛濫無歸，又不至於使「歷史智識」脫離材料而成臆測之空中樓閣。另一方面，對於講究行文的錢穆先生來說，這種特殊的「綱目體」可以使整部著作提綱挈領，條理清晰，而且能夠很好處理正文與附注的關係。正文作為「綱」，敘述歷史發展的動態，而將枝節問題、原始材料、相關考證作為附注歸入「目」，這樣一來，誠如前引錢穆先生與余英時先生論撰寫論文體例所言「正文清通一氣，而附注亦見精華」，而且「使人讀每一條注語」，皆「條條有所得」，而且「對正文彌有其勝無窮之感。」

（二）語隨境變與蘊含豐富的述學語言

　　錢穆先生述學之語言，在同時代諸大家中，可謂鶴立雞群，歷來為人所稱道。錢穆先生嘗評同時代學人之文，以為「章太炎最有軌轍，言無虛發，絕不枝蔓」；梁任公「文字則長江大河，一氣而下，有生意、有浩氣」；陳援庵之文字則「樸質無華，語語必在題上，不矜才，不使氣，亦是論學文之正軌」；至若王靜庵，雖然「精潔勝於梁，顯朗勝於章，然其病在不盡不實」；陳寅恪則「冗沓而多枝節」，「且多臨深為高，故作搖曳」；「胡適之文本極清朗，又精勁有力，亦無蕪詞，只多尖刻處，則是其病。」[37]於此可見錢穆先生對於學術論文語言行文之講究。根據錢先生之所論，基本可以看出錢先生對於學術文字之看法，主要即言不虛發，不枝蔓，有氣勢，平實而不尖刻。觀《國史

---

37 錢穆：〈錢賓四先生論學書簡〉，載沈志佳編：《現代學人與學術》，頁58-59。

大綱》之行文，可以看出錢穆先生述學之語言實兼上述諸人之長，而其最大的特點在於語隨境變而內涵豐富。

所謂語隨境變，即根據不同的敘述情況、語境與敘述目的而採用不同的語言敘述。比如《國史大綱》書前之〈引論〉，以半文言帶有雄辯之氣勢對當時中國史學現狀、史學流派、關於中國史之諸謬見等方面進行論述與批駁，可謂是既「若大江大河，一氣之下，有生意、有浩氣」，而又「語語必在題上」；既充滿情感與雄辯之力，然又不矜才使氣。蓋作者撰〈引論〉，其目的在於將其「所以為此書之意」以告國人。[38] 為使國人知國史之重要，為撥開歷來關於國史之重重謬見而使國人能知國史之真實情況，既需以氣勢勝，又需以理服人。而錢穆先生在《國史大綱》之正文中，其總體敘述則是質樸無華，言必著題，無甚枝蔓。此蓋因歷史之敘述涉及「歷史智識」與「歷史材料」之運用問題，或者是「識」與「學」配合的問題。若但求語言之氣勢、雄辯，雖然敘寫出之歷史可以以氣勢勝，然所寫之「歷史智識」容易失去材料之支持而失實；而「歷史材料」作為「歷史智識」之證據，本多來自於前代記錄之史料及考證，既繁雜瑣碎而眾家又風格不一，如果依然如〈引論〉之行文，則必以犧牲史料之原貌為代價。故而錢穆先生在正文「綱」與「目」中之行文更顯質樸。

以上就宏觀而言，至於微觀細節，亦復語隨境變。雖然說錢穆先生在《國史大綱》正文中之敘述文字多質樸平實，言必著題，但在具體歷史事件中，亦根據當時之情景或者歷史事件本身在整個歷史中之價值而採用不同之行文風格。例如第三編第七章第二節〈國家民族之摶成〉，錢穆先生論「中國政治制度之創建」、「中國學術思想之奠定」[39]，又如第五編第二十三章第一節〈宰相職權之再建〉論宰相、三省、六部制度[40]，頗有〈引論〉中之雄辯色彩，有氣勢、有生意，又情感充沛。蓋錢穆先生激於當時之政治制度、學術思想對中國國家之形成、民族文化精神之養成以及宰相制度在中國政治制度中之重要作用而沛然有感，故於本來平實簡練之文字轉而充滿氣勢、雄辯。又如全書中穿插之各種士人之精神之敘述，或激於士人群體之引領風潮，或哀士人群體之以仕宦為鵠的與逃避畏禍，皆寄予深厚之情感而使行文頗富感染力與氣勢。雖然錢穆先生《國史大綱》正文述學語言以平和為主，然其間穿插之激感、雄辯、哀歎之文，亦往往既使全書於平實之中復跌宕起伏、迴腸盪氣，又使全書有民族史詩般的氣勢，喚起讀者對國家民族的「溫情與敬意」。

錢穆先生語隨境變的另外表現即為全書文白相間，夾敘夾議。大凡讀《國史大綱》者都能感覺錢穆先生這一行文特點。之所以如此者，也是因為錢穆先生對行文之講究，

---

38 詳見錢穆：〈書成自記〉，《國史大綱》，頁4。

39 錢穆：《國史大綱》上冊，頁117-119。

40 錢穆：《國史大綱》上冊，頁392-399。

為協調敘述與考證、「歷史智識」與「歷史材料」之風格而使然。敘述與考證，其行文風格自然不一樣，且其中還涉及引用他人之原文，古人與今人之風格不一，古今不同人之間之行文風格亦殊。為使行文風格差異減小，錢穆先生往往於引文前後之敘述、按語以相近之文風敘述。比如第四編第十九章第五節〈兵士的身分及待遇〉，錢穆先生於「綱」部分談到「於是有所謂『發奴為兵』」，於「目」部分解釋說：

> 發奴為兵之議，起於刁協、戴淵。刁、戴皆南人，晉元帝依仗以謀抑王氏者也。自後每有征討，往往發奴。庾翼發所統六州奴北伐，庾翼亦晉室外戚，頗欲為強幹弱枝之謀者。可見發奴為兵，正是中央與豪族爭奪民眾之一事。宋武時詔：「先因軍事所發奴僮，各還本主，若死亡及勳勞破免，亦依限還直。」此正以僮奴為豪族私產，故見發而還其直。[41]

從這一例可見，錢穆先生在解釋「發奴為兵」時，於引用宋武帝詔之前後皆以文言敘述，如此則與宋武之詔之行文風格盡可能統一，前後渾然一體。在同一節中，錢穆先生在解釋「綱」部分「那時的衣冠士族，既不受國家課役，自然談不到從軍」時，因未引古文史料，且整部書「綱」的部分皆為白話，故此條「目」的敘述亦為典雅之白話[42]，以保持與所解釋之文風格一致。在整部《國史大綱》中，這一特點非常明顯，處處皆有。又錢穆先生在〈書成自記〉中談到自己在「魏晉以下全稿粗具」後，「還讀三年前東漢以前舊稿，又嫌體例、文氣、詳略之間，均有不類，乃重復改為」。[43]可見，錢穆先生對於全書行文之文氣是否協調渾融，非常看重。這一特點不僅《國史大綱》所見明顯，在錢穆先生其他著作，尤其是《中國近三百年學術史》一書中尤為明顯。

上面還曾提及錢穆先生述學語言的另一特點，即蘊含豐富。所謂蘊含豐富就是語言所含的信息非常大。這主要表現在錢穆先生對行文措辭的講究。這一特點從每章每節的標題即可發現。例如，同為統一國家，第一編第三章稱西周為「封建帝國」[44]，第三編第七章稱秦漢為「大一統政府」[45]，第五編第二十二章稱隋唐之建立為「統一盛運之再臨」[46]，第七編第三十五章稱蒙元之入主為「暴風雨之來臨」[47]，第三十六章稱明王朝之建立為「傳統政治復興下之君主獨裁」[48]，第八編第四十二章稱滿清之建立為「狹義

---

41 錢穆：《國史大綱》上冊，頁326。
42 錢穆：《國史大綱》上冊，頁327。
43 詳見錢穆：〈書成自記〉，《國史大綱》，頁3-4。
44 錢穆：《國史大綱》上冊，頁36。
45 同前註引書，頁113。
46 同前註引書，頁375。
47 同前註引書下冊，頁631。
48 同前註引書，頁663。

的部族政權之再建」。[49]從錢穆先生對於周、秦漢、隋唐、元、明、清之建立所採用之不同措辭來看，一方面是錢穆先生史觀的反應，另一方面錢穆先生也以此凸顯中國歷史發展的動態。錢穆先生之所以稱周為「封建帝國」，是為了突出其「分封建國」的特點，以區別於秦漢以下的「統一政府」，為了突出中國政治制度的演進。之所以稱元朝之建立為「暴風雨之來臨」，按照錢穆先生自己的說法，「蒙古民族入主中國，中國史開始了第一次整個落於非傳統的異族政權的統治。中國的政治社會，隨著有一個激劇的大變動。蒙古入主，對中國正如暴風雨之來臨」。[50]蓋錢穆先生的關注點在蒙古入主中國後對中國政治社會所帶來的劇變。而稱明朝之建立為「傳統政治復興下之君主獨裁」，所謂「復興」，著眼於明朝推翻蒙古，恢復漢人之傳統政權，而所謂「君主獨裁」，則著眼於洪武年間之廢相。錢穆先生在第三十六章第二節《傳統政治之惡化》中說「明代是中國傳統政治之再建，然而惡化了。惡化的主因，便在洪武廢相」。[51]惡化的第二個原因，「在於明代不惜嚴刑酷罰來對待士大夫」。[52]錢穆先生認為傳統中國非專制，以為儒家有其合理之內核，表現在政治上就是「王室」與「政府」的分離，「王室」之代表為君主，而「政府」之代表為宰相，宰相以及相關之士階層往往是國家之實際治理者，也是君權的限制和制約者。洪武廢相，「自秦以來輔佐天子處理國政的相位，至是廢去，遂成絕對君主獨裁的局面」。[53]而以嚴刑酷罰對待士大夫，則導致了士大夫之庸碌與無識，明代政治從此「走上歧途」。[54]稱滿清之建立為「狹義之部族政權之再建」，則著眼於滿洲本身之部族政治以及作為異族之入主中國。除了所舉諸例之外，其正文中措辭，亦多如是，如上面言及明代政治時，錢穆先生多次用了「惡化」一詞即是。觀此，可見錢穆先生在行文措辭方面的講究，多經過深思熟慮，其中既包含了錢穆先生獨特的史觀，也包含了豐富的歷史信息，仔細解讀，能發現其中之無窮意蘊。或者說，這是錢穆先生的「春秋筆法」。

四　小結

通過上面的論述，可以發現錢穆先生在《國史大綱》中的述學特點，包括熔鑄於字裡行間的對中國歷史與文化的「溫情與敬意」，對傳統、科學、改革諸派史學的批評與吸收以及在寫作中的協調，採用「綱目體」與現代通史體例相融合的獨特「綱目體」，

49　同前註引書，頁813。
50　同前註引書，頁631。
51　同前註引書，頁665。
52　同前註引書，頁666。
53　同前註引書。
54　同前註引書，頁669。

以及語隨境變與蘊含豐富的述學語言。對於錢穆先生《國史大綱》述學文體的總體特
點，臺灣學者李淑珍〈二十世紀中國通史寫作的創造與轉化〉中有一段精闢的論述，
說：「錢氏著作也採用『綱目體』，以文言夾敘夾議。……透過雄辯之〈引論〉和立體的
章節結構，以更斬截、更有系統、也更具民族熱情的方式呈現其『士人史觀』。雖然政
治史佔了全書主要篇幅，但是作者以極高之才識將經濟、文化、宗教、社會等發展亦納
入討論，人物、時間、制度穿插交織，生動敘事與深入分析兼顧，使他的作品成為宏偉
的國家史詩，更能喚起讀者對本國歷史的『溫情與敬意』」。[55]李氏之文雖然不為專門論
述錢穆先生《國史大綱》述學文體而作，然此段文字作為《國史大綱》述學文體的整體
特點的表述，可謂恰如其分。鑒於筆者才疏學淺，不足以發錢穆先生述學文體之精微，
姑引此以為結語。

55　李淑珍：〈二十世紀中國通史寫作的創造與轉化〉，《新史學》2008年第2期，頁102。

論唐君毅先生的宗教體驗說

鄭祖基

澳門大學教育學院

一　定義

　　宗教體驗是什麼？宗教體驗有否共同的特徵？若有則這些特徵是什麼？它們的共同內容又是什麼？若宗教的對象是指向超經驗的實在界則人能否憑經驗界的理性知識恰當地描述此超越的實在界抑或人只能以體驗、直觀或某種感受來接近此實在界？宗教體驗必要包含超越的實在界？本文的主旨在於探究唐君毅先生對宗教體驗的描述，凸顯他對宗教體驗特徵的湛深理解。其後，再略述他對具體的宗教組織、制度與內容的看法。

　　唐先生對宗教體驗的描述是什麼？其與西方一神宗教的宗教體驗對比時會呈現何種特色？一般來說，當人類設想神靈是超人間的至高力量或支配人類生活的超自然力量時，人必對此力量有某種依賴感、崇拜感、敬畏感或神秘感，甚至對此神靈有某種密契式的溝通。[1]若以基督新教神學家田立克的說法；宗教是人靈性生活中的一個向度，是人類靈性生活全體的終極關懷（ultimate concern）。宗教的本質是人對終極實在的體會與領悟，這便帶來奧托所謂的深廣奧秘（mysteriumtermendum），使人對之產生敬畏、信仰與皈依，從而加以崇敬和拜祭。[2]西方著名宗教哲學家施萊爾馬赫認為宗教體驗才是宗教的最重要原素。他認為若一個徒具宗教理論而沒有體驗的宗教，則此宗教只是某種形上學或哲學而已，真宗教必須具有深厚的個人宗教體驗為基礎，亦唯有宗教體驗才能使人對宗教有真正的認識與盼望。在施萊爾馬赫看來，宗教雖然也尋找終極實在或萬物的本源，但尋覓不是來自於吾人對萬物存在的「知識論」要求，而是來自作為有限存在的人類或作為德國哲學家海德格所說邁向死亡的「存有」，追求永恆存在或不朽的願望，所以宗教所尋覓的終極存有始終是作為人類的「生存論」需要而有的。於此，施氏把宗教看成是人心靈之虔敬情感與終極實在所建立的本源關係，宗教虔敬的情感是在自我與終極實在相遇時直接在內心中表現出來的驚喜、依賴與皈依，故真實而可能的宗教是一種「心靈的宗教」，對終極實在的直觀、感受、依賴、感悟與虔敬才是宗教的最關鍵特質。[3]宗教學學者王志成和思竹以宗教經驗是經驗者與靈性實在、神、人三大維度

1　呂大吉：《宗教學通論新編》北京：中國社會科學出版社，1998年，頁84。

2　梁燕城：〈終極的關係〉，《香港信報》，2003年3月8日，頁23。

3　鄧安慶：《施萊爾馬赫》臺北：東大圖書公司，1999年，頁71-97。

互動的產物，即宗教經驗可分為三類；對靈性實在的體驗，對神的體驗與對自我的體驗。他們認為不同的宗教會側重於不同的靈性實在體驗，如非有神論傳統及各種泛神論側重於對靈性實在的體驗，有神論傳統側重於對神性的體驗，而在此體驗中人亦能同時真正體驗人性充分成全的喜樂。若按西哲扎納對神秘主義宗教體驗的分類，可分為自然神秘主義、心靈神秘主義和一神論神秘主義。扎納以自然神秘主義是心靈與自然的相融與同一，在此體驗中，自我與萬物合一，更超越善與惡的對立。心靈的神秘主義是自我與實在的統一，但這種統一是非道德性的，因實在是一種缺乏情感的實在。至於一神論的神秘主義是與上帝溝通與統一，體驗到生命的淨化、尊嚴與神聖，感受到與上帝同在的愉快與安寧。[4]總括而言，宗教體驗實是宗教裡的一個很重要構成原素，沒有體驗的宗教只是一具沒有靈魂的軀體而已，至於在唐先生眼中宗教體驗是什麼，它的特質何在，較屬於哪一宗教體驗的類型，茲探討如下。

首先，唐先生認為宗教體驗在於感到上帝或佛菩薩的永恆生命與吾人的生命相通。是時，人感到自己可達於永生或不生不滅之境，精神上有無盡的安慰與寄托，並願意對神愛的體驗引發自我的善心，提升自己的人格與德性，把仁愛施報於世間，故真實的宗教體驗必會引申道德行為。[5]另外，在信仰上帝時，人會感到自己與世界的虛無性，更體證到個人難以自拔的罪。因罪孽深重而生懺悔，承認唯有把自身的靈魂交托上帝，不靠己力，謙卑仰望祂的慈恩，才能蒙恩得救或解脫於罪惡。所以忘我、謙卑、懺悔、信托、祈望，正是在宗教中應有的體驗。[6]換言之，對罪的坦認與謙卑悔改，承認自己不能勝過罪惡而生懺悔，人才能體驗神的真實與神的超越的精神意志力量。[7]

再者，當人感到自我的罪惡不能超拔，唯依客觀神靈之賜恩才能超升時，人自覺靠己力不能自救，同時亦無力使神救助，這時人只感一切唯賴神恩。人只有求神恩與祈禱上蒼之憐憫施恩，但上天對人的懇求是否如願是不具必然性的，所以在真正謙卑的祈禱意識中是包含著祈禱不必有效的意識。祈禱重在承認一己的無力，肯定神靈的意念超過人的意念，非人力所能改造，於是對神靈生出一種敬畏的態度。[8]除了對天神的謙卑、懺悔與敬仰，依賴神靈拯救的宗教體驗外，人亦有敬愛，感恩與虔誠的體驗。唐先生在論述中國古人與天神的關係時，認為若神靈與人的關係密切時，則人在神前不一定只有罪惡意識，人神間會有一種親密與恩福的關係。人對神靈之敬，易與愛相連，不一定與畏懼聯繫[9]，當人自以得神之恩福後，對神同時有感恩的意識；感謝神對己之厚愛與恩

4　王志成、思竹：《神聖的渴望》南京：江蘇人民出版社，2000年，頁121-138。

5　唐君毅：《心物與人生》臺北：臺灣學生書局，1984年全集校訂版，頁206。

6　同上註。

7　唐君毅：《人文精神之重建》臺北：臺灣學生書局，1980年五版，頁35-36。

8　唐君毅：《中華人文與當今世界補編（上）》臺北：臺灣學生書局，1988年全集初版，頁81-82。

9　同上註，頁156。

祐，更願還報神恩。在還報中以吾人的敬與愛直達神靈，以致在此感恩的宗教體驗裡包括對神靈人格的尊重，而自我的人格價值與道德自我也在感恩中創建起來。[10]

此外，人也可在人與人之精神貫通中，感到仁之流行與人我一體和與天心神靈同在；由吾人的仁心對人倫人文之愛至對天心神靈之愛，是一種重要的宗教情緒。不過，中國人對天的虔敬之情，是不同於西方宗教中祈求上帝相救之情，前者的情是與感恩之情為伴，人神間沒有因距離感而造成的張力；天是內在於吾心並通於吾心之仁性之愛之情。天亦是內在於感覺之自然，即在自然變化的生生不息中呈顯天的實在性與至善性。換言之，人可於一花一木、一草一樹的整個大自然與真實的人倫關係中，體驗至善的天道。[11]

最後，唐先生以人在祭祀天地與祖宗聖賢時，會有一種真實的宗教體驗。因人在祭祀時是與所祭祀的超現實存在者有精神上的交相感通；於祭祀時吾之生命精神伸展至已逝的祖宗聖賢及整個天地，此超現實的感通是類似神秘主義的宗教體驗。[12]感通就是「通情成感，以感應成通」，是一種與物同體與疾痛相感的情懷。感通可分對己主觀精神、對人客觀精神與對天命鬼神絕對的精神感通，所以祭祀時與超現實存在者的感通是對絕對的精神感通。[13]在與絕對的精神感通中，人必要超越自身的限制，對人與天開放。這樣才能於萬物發育處見天命的流行；與他人他物的感通中，體驗超現實的存在者。所以與天感通的宗教體驗不一定必然是一種不可與人共語的超自然經歷，而是可於最平凡的人物交流感通中，體認天人的真切合一。[14]

總括而言，唐先生所說的宗教體驗包含對己之罪孽感、懺悔感、無力感、道德感與對神靈之虔誠感、感恩感、敬畏感、情愛感。可見宗教體驗在唐先生眼中沒有被忽略，正如施萊爾馬赫所說沒有體驗的宗教只是某種哲學式的形上學而已，唐先生絕不以人文宗教為一個沒體驗的哲學理論；神靈只是一個乾涸的形上學設定。相反，天人關係中必含有相互間的感通情意在。此感通情意亦不必是一種神秘和超乎人間、不可告人或不能與人共享的密契接觸，卻是可在與人物感通中上達而至的一種境界或關係。所以筆者認為唐先生對宗教體驗的描述較接近「經驗者與靈性實在的存在──神──人三大維度」之類型。[15]

---

10 同上註，頁161。。

11 同上註，頁179-180。

12 唐君毅：《中國人文精神之發展》臺北：臺灣學生書局，1983年六版，頁382-383。

13 唐君毅：《中國哲學原論原道篇一》臺北：臺灣學生書局，1984年五版，頁76。

14 同上註，頁132-133。

15 王志成、思竹：《神聖的渴望》南京：江蘇人民出版社，2000年，頁131。

二　內在宗教外在化

　　至於由內在的宗教體驗外在化的宗教行為，具體表現為祭祀、崇拜、皈依、悟道、報答與謝恩等宗教活動。唐先生以祭祀為重要的宗教行為，祭祀的對象不單是至高神靈，也包括祖宗聖賢。而在祭祀中較不重祈求而更重報恩，所以在祭祀中，人的精神為一無私的精神，其向上伸展以求感通於天地、祖宗與聖賢。此中所祭者不只為一。普遍之神或天地，也是與吾人或吾之文化有特定關係的祖先和聖賢，故在祭祀中，吾人的精神更易於當下充實飽滿於吾與所祭者的關係中。[16]其次，在西方宗教行為中特重的祈禱與懺悔，即類似中國人的存心養性以事天，不過前者必先承認己力不足勝惡，唯以放棄自我掙扎，依賴神恩才能體驗神靈。後者則重反求於心，於禮敬人物中知天事天而與天合德。前者以道德建基於宗教，後者是融宗教於道德。所以，在唐氏眼中宗教行為不可與道德行為截然分開，卻是一體之兩面。[17]進而言之，人在道德實踐中會覺悟到自己的心性是可無限量伸展的，同時無量的事物會展現在自我心性之前。於此人能體認到自我與天地萬物為一體；此心此性能通於天，本心即天心之天人合一境界。換言之，道德實踐乃自盡吾人內在心性之不容己的要求，以達天德、天理、天心而與天地合德和參天地之化育，故道德實踐明顯含有宗教行為的意義或就是某種宗教行為。[18]不過唐先生亦指出，雖然道德與宗教行為的關係密切，但是也不能否定特定宗教行為的價值與意義，只要它們是不違背道德精神時，皆是可以肯定的。吾人身體上禮拜的動作，如呼喚神名、將香花奉獻於神等宗教儀文皆是重要的。若無此儀文，則宗教精神便失去外顯的表現，宗教墮為主觀的宗教心理而已。[19]

　　總的而言，宗教行為的價值在於其是否符合道德精神，所以對西方基督宗教、印度教、原始宗教的某些宗教行為，如巫術和宗教禁忌，唐先生是少有提及或不予重視的。他認為巫術是企圖命令和控制超自然力量。宗教禁忌是對神秘力量和神聖事物的敬拜，以免於觸犯神力和神物，使之不為己害。[20]唐先生較為肯定的宗教行為是祈禱與獻祭，因祈禱與獻祭是人對信仰對象的溝通或感通行為方式，表現了人對神的感情和態度。不過若把祈禱與感恩相比，祈禱難免求神滿足一己在世間的私慾。相反，感恩則是承受天地、祖宗與聖賢之愛與恩德後，謝恩圖報，轉天神之恩我，以推恩於世界，此對天地無

16　唐君毅：《中國人文精神之發展》臺北：臺灣學生書局，1983年六版，頁385-386。

17　唐君毅：《人文精神之重建》臺北：臺灣學生書局，1980年五版，頁94。

18　唐君毅：《中華人文與當今世界（下）》臺北：臺灣學生書局，1980年三版，頁888。

19　同上註，頁601。

20　呂大吉：《宗教學通論新編》北京：中國社會科學出版社，1998年，頁295-332。

所求之報本復始精神，是感恩比祈禱優勝之處。[21]至於獻祭若是意謂用物質性的供品來換取神靈的幫助和恩賜，則與唐先生所謂祭祀的意義相去甚遠。他以祭祀是不重祈求而特重報恩，祭祀時的心靈為一純精神無私的向上超升心靈，伸展通達於天地、祖宗、聖賢，以報本復始，所以絕不同於以祭祀來換取或賄賂神靈的宗教獻祭所可比擬的。[22]

三　宗教組織與制度

最後，關於宗教組織與制度，唐先生對此論述不多。不過他對僵化的教條與自以為高人一等，具文化優越感的宗教制度不能苟同。例如他反對西方基督宗教裡的原教旨主義者，因他們堅持人不通過教會便不能得救或挾西方的政治經濟力量而自居為唯一可拯救東方人靈魂的傲慢教會組織。相反，他認可基督新教新派神學家巴特曼與田立克的某些說法，前者以存在的感受解釋基督教精神，後者以「終極關懷」為宗教的本質，以使人成為「新造的人」才是宗教的歸宿，唐氏更欣賞一些承認於基督宗教有形的教會以外，可有一無形，容不信基督宗教的人參加的教會，人於此無形教會亦能得著拯救的神學家。所以若有形教會的組織，形式或教條阻礙吾心自由地通向天心時，則教會的組織與制度是應被否定的。[23]

至於在宗教信仰中的具體內容，如觀念、意象或圖像，它們只是吾人宗教精神所寄託之形式，是依於宗教精神而有的一種實在，不過它們是不含一般之認知意義。整體而言，宗教信仰的主體精神相比於客體的信仰形式和制度是具優先性的，但若客體的宗教制度與形式是含有真實的宗教精神時，則它們是飽滿豐盛的宗教精神之載體，是有不可或缺的價值，因「宗教非只是一哲學理論的事，而兼是一生活，習慣，及儀節與教條之信仰之事。」[24]據學者李杜先生所說，唐先生對傳統的宗教精神與宗教性的生活甚為重視，家中設有「天地親師的神位」為景仰禮拜的對象。可見他的宗教生活是一個表裡如一，知行貫通的人。[25]

21 唐君毅：《中國文化之精神價值》臺北：正中書局，1981年三版，頁52-53。

22 同上註，頁386-395。

23 唐君毅：《中華人文與當今世界（下）》臺北：臺灣學生書局，1980年三版，頁814-815。

24 唐君毅：《中國人文精神之發展》臺北：臺灣學生書局，1983年六版，頁367-370。

25 李杜：《二十世紀的中國哲學》臺北：藍燈文化公司，1995年，頁41。

從《選堂賦話》看饒宗頤的賦學本源論

何祥榮

香港樹仁大學中文系

一　引論

　　《選堂賦話》全文以傳統詩話、詞話、賦話的形式寫作，屬隨筆性質，其用意尚可進一步引申、開展與深化。故本文旨在對《選堂賦話》作出系統的整理，並闡釋其中的主要含義，挖掘當中的學術價值，以便後學者對此一重要文獻，有更深入的理解，更能掌握饒氏的賦學思想內涵與特徵。

　　「本源論」是指某類事物本質、根源的論證與認知。本文發現饒氏的賦學，特為注重本源的探究，例如賦的起源與定義、《楚辭》的藝術淵源、歷代賦的藝術形式與風格的來源等，都是《選堂賦話》特為注重論述的問題，故本文亦以「賦學本源論」為題，探究饒氏所追溯的本源究竟有何內涵。

二　賦之定義與起源

（一）賦與詩的淵源關係

　　饒師學術，注重正本清源，賦學也不例外。他首先釐清賦與詩的淵源關係，指出賦與詩是同源而異流。《選堂賦話》云：

> 賦者，古詩之流也。詩言志，賦亦道志，故漢人或稱賦為詩。莊夫子〈哀時命〉云：「志憾恨而不逞兮，抒中情而屬詩。」王褒〈九懷〉云：「悲九州兮靡君，撫昔歎兮作詩。」劉向〈九歎〉云：「舒情陳詩，冀以自免兮。」文廷式嘗舉此三例以明賦亦可謂之詩，見《純常子枝語》二十六。余謂屈賦《九歌》已云：「展詩兮會舞。」（見〈少司命〉。洪興祖注：「展詩，猶陳詩也。」）《九章》亦云：「介眇志之所惑兮，竊賦詩之所明。」展詩、賦詩，同以見志。此亦以詩代賦之先例，可補文氏之說。《藝文志》云：「學詩之士，逸在布衣，而賢人失志之賦作矣。」《楚辭》自屈子以下至莊忌、王、劉之流，俱為失志之賦，名雖曰賦，其

旨仍無以異於詩也。[1]

饒師認為賦與詩的共通處，在於其藝術目的與功能，兩者都是以「道志」為目標。他引述文廷式《純常子枝語》中引錄的三段例句，即莊忌、王褒、劉向的賦句，說明漢賦家已將賦的藝術目的與功能等同於詩，因此在賦句中以「詩」借代「賦」。

考文廷式《純常子枝語》云：「屈原楚辭，《漢書・藝文志》名之賦，此人人所知也。余以為亦可謂之詩。嚴夫子〈哀時命〉云：『志憤恨而不逞兮，杼中情而屬詩。』王子淵〈九懷〉云：『悲九州兮靡君，撫軾嘆兮作詩。』劉更生〈九嘆〉云：『舒情陳詩，冀以自免兮』，皆〈楚辭〉稱詩之證。又〈九懷〉內匡機一篇，五言至多，與東漢徐淑古詩同調，此尤楚詞與詩相通之據也。」[2]文廷式是較早主張「辭賦」與「詩」相通的人，他的理據是三位漢賦家均以「詩」字借代為「賦」字。文氏也指出〈九懷〉中有不少五言的句式，與東漢徐淑的古詩相若，是「賦」與「詩」相通的另一明證。於此，也可證《選堂賦話》之語無誤。

饒師也在文廷式的基礎上，補充了《楚辭》中的例句，如〈九歌〉的「展詩兮會舞」及〈九章〉「介眇志之所惑兮，竊賦詩之所明」，點明「詩」與辭賦一樣，可以陳明心中的意志。他又引述《漢書・藝文志》之語，進一步論證了漢人自屈原以後至漢賦家，均為學詩的人同時用「賦」來抒發失志的情懷，故「賦」與「詩」在藝術的目的與功能上是沒有分別的。

（二）《楚辭》源出《詩經》論

饒師又進一步以《詩經》、《楚辭》為例，說明「賦」與「詩」的淵源。他認為《楚辭》的源流之一是出自《詩經》。《選堂賦話》：

> 世之為文學史者，習謂《詩經》為北方文學，《楚辭》為南方文學，強分畛域，然陳良楚產，北學於中國。楚君臣賦詩，見於《左傳》者，其例至夥。宣十二年，楚莊王引〈周頌〉。成二年，子重引〈文王〉。襄二十七年，蘧罷如晉，賦〈既醉〉。昭三年，楚子享子產賦〈吉日〉。昭七年，羋尹無宇引〈北山〉。昭十二年，子革引佚詩〈祈招〉。昭廿三、廿四年，沈尹戌引〈大雅・文王〉及〈桑柔〉：楚人沐詩教者深矣。故屈賦中襲用詩句者不一而足。若《九歌・少司命》「援北斗兮酌桂漿」，此取之詩〈大東〉「惟北有斗，不可以挹酒漿」也。〈哀

1　何沛雄編著：《賦話六種》香港：三聯書店，1982年，頁95。

2　《續修四庫全書》上海：上海古籍出版社，2002年，冊1165，頁400。

郢〉：「忽若去不信兮，至今九年而不復。」此取之詩〈豳風·九罭〉：「鴻飛遵
陸，公歸不復，於女信宿」也。〈九辯〉云：「竊慕詩人之遺風，願託志乎素
飧。」此取〈伐檀〉：「彼君子兮，不素飧兮。」以此足見屈賦上承於詩，故曰：
「賦者受命於詩人，拓宇於楚辭」自靈均唱騷，始廣聲貌。南國之文，雖自創新
局，抑亦詩之流亞也。[3]

　　他首先認為文學不必強分南北，兩者並非完全對立，而是既對立又統一。《楚辭》作家
有明顯學習《詩經》的軌跡。理據有三：第一，陳良是楚國人，但其學術源自北方。第
二，《左傳》中可見楚人於外交場合援引《詩經》的例子有不少；第三，從句法上可
見，《楚辭》的句子中有承襲《詩經》的痕跡。

　　《選堂賦話》中列舉了七個楚人賦詩的例子。一、楚莊王引〈周頌〉；[4]二、子重引
〈文王〉；[5]三、蘧罷賦〈既醉〉；[6]四、楚靈王賦〈吉日〉；[7]五、申無宇引〈北山〉；[8]
六、子革引佚詩〈祈招〉；[9]七、沈尹戍引〈文王〉及〈桑柔〉等。[10]此外又指出《楚
辭》襲用《詩經》的三個例證：一、〈少司命〉「援北斗兮酌桂漿」本自〈大東〉「惟北
有斗，不可以挹酒漿」；二、〈哀郢〉：「至今九年而不復」，本自〈九罭〉：「鴻飛遵陸，
公歸不復」；三、〈九辯〉：「願託素志乎素飧」，本自〈伐檀〉：「不素飧兮」。凡此證據明
確充份，論證了《楚辭》雖屬南方文學，但追本溯源，實自《詩經》始，故曰：「自靈
均唱騷，始廣聲貌。南國之文，雖自創新局，抑亦詩之流亞也。」

3　何沛雄編著：《賦話六種》香港：三聯書店，1982年，頁96。

4　《左傳·宣公十二年》：楚子曰：「夫文，止戈為武。武王克商，作〈頌〉曰：『載戢干戈，載櫜弓
　矢。我求懿德，肆於時夏，允王保之。』」

5　《左傳·成公二年》：故楚令尹子重為陽橋之役以救齊。將起師，子重曰：「君弱，群臣不如先大
　夫，師眾而後可。《詩》曰：『濟濟多士，文王以寧。』」

6　《左傳·襄公二十七年》：「楚蘧罷如晉涖盟，晉侯享之。將出，賦〈既醉〉。」按，〈既醉〉即〈大
　雅〉之什。

7　《左傳·昭公三年》：「十月，鄭伯如楚，子產相。楚子享之，賦〈吉日〉。」按，楚子即楚靈王。
　〈吉日〉蓋〈小雅〉之什。

8　《左傳·昭公七年》：楚子之為令尹也，為王旌以田。芋尹無宇斷之曰：「……故詩曰：『普天之
　下，莫非王土；率土之濱，莫非王臣。』」按：芋尹，楚國官名。無宇，即申無宇，楚國大夫。所
　引之詩，乃〈小雅·北山〉之句。

9　《左傳·昭公十二年》：對曰：「臣嘗問焉。昔穆王欲肆其心，周行天下，將皆必有車轍馬迹焉。祭
　公謀父作〈祈招〉之詩，以止王心。王是以獲沒於祗宮。臣問其詩而不知也。若問遠焉，其焉能知
　之？」王曰：「子能乎？」對曰：「能。其詩曰：『祈招之愔愔，式昭德音。思我王度，式如玉，式
　如金。形民之力，而無醉飽之心。』」

10　《左傳·昭公二十三年》：沈尹戍曰：「子常必亡郢，苟不能衛，城無益也……詩曰：『無念爾祖，
　聿修厥德。』」按，是詩乃〈大雅·文王〉又《左傳·昭公二十四年》：沈尹戍曰：「亡郢之始，於
　此在矣。王一動露亡二姓之師，幾如是而不及郢？詩曰：『誰生厲階，至今為梗。』其王之謂乎？
　按，此詩乃〈大雅·桑柔〉）。

（三）辭賦源出先秦諸子論

　　饒氏又發現辭賦的藝術源流，除了來自《詩經》外，也本自先秦諸子，尤以是莊子。辭賦的藝術風格中，以閎衍為顯著的特色。饒氏指出這種特色是本源於莊子。《選堂賦話》：

> 《詩賦略》云：「漢興，枚乘、司馬相如，下及揚子雲，競為侈麗閎衍之詞。」夫詞之閎衍，實出於莊生之巵言與寓言，故不特一端之觭見，為孟浪之語，相待而兩行，故因以曼衍，而以寓言為廣。〈高唐賦〉李善注：「此蓋假設其事，風諫淫惑也。」「〈登徒子好色賦〉，此假以為辭諷於淫也。」假設其事，即寓言之為用也。〈子虛賦〉之區分其山、其土、其石、其東、其南、其北、其高、其埤、其上、其下，則〈齊物論〉之注者、污者、前者、隨者、導其先路；而〈招魂〉之天地四方，亦其濫觴。自非區其性質方向為言，則其辭何得閎衍而環瑋？巵言之施於賦，而篇幅遂彌富矣。莊生云：「振於無竟，而寓諸無竟。」故終不免於濫。或曰莊生書西漢未盛行，余謂枚乘〈七發〉為太子奏方術之士，舉莊周、魏牟為首，豈得謂賦家未沐其膏澤也哉？[11]

「侈麗閎衍」一詞是《漢書》用以指稱辭賦的藝術形式美，尤以是文辭的華麗繁富和鋪陳恢宏。饒氏認為莊子對辭賦的影響有兩方面：第一是辭賦喜用假設的手法，是源於莊子的寓言假設。《文選‧高唐賦》李善注便指出〈高唐賦〉的特色是「假設其事」。李善也認為〈登徒子好色賦〉的寫作特色是「假設其事」，饒氏則進一步指出原因是「寓言之為用」。第二，是注重鋪陳。辭賦的閎衍，是源出於莊子的「巵言」與「寓言」。《莊子‧天下》：「以巵言為曼衍，以重言為真，以寓言為廣。」莊子的文辭，就是不偏執於一隅，而是採用放浪的言語，因以形成鋪張的風格，再用寓言故事來加強文章的廣度。漢賦的鋪陳，往往以方位或類別劃分，再按各方位及類別鋪寫相關的事物。例如饒氏所引的〈子虛賦〉分為「其山、其土、其石、其東、其南、其西、其北、其高、其埤、其下」等，這種寫法可在《莊子》中找到根源。饒氏引〈齊物論〉便有「洼者、污者、前者、隨者」等，都是促進文辭閎衍繁富的手法。饒氏又補充有人以為西漢之時，《莊子》一書尚未流行，饒氏駁斥從枚乘〈七發〉可知，他為太子奏方術之士時，曾舉莊子、魏牟為例。〈七發〉云：「客曰：『將為太子奏方術之士有資略者，若莊周、魏牟、

11　何沛雄編著：《賦話六種》香港：三聯書店，1982年，頁100。

楊朱、墨翟、便蜎、詹何之倫，使之論天下之釋微，理萬物之是非。』」[12] 具見西漢初年，對莊子並不陌生。

三　《楚辭》學的本源與內涵

（一）《楚辭》學發源的人物與地域

饒師考究了《楚辭》最先發展的狀況，特別注意西漢初年會稽吳郡莊忌對推廣《楚辭》的貢獻：

> 漢志列嚴夫子賦二十四篇，在賈誼之前，即吳人莊忌著〈哀時命〉，嘗為梁孝王客。《史記·司馬相如傳》：「會景帝不好辭賦，是時梁孝王來朝，從游說之士齊人鄒陽、淮陰枚乘，吳莊忌夫子之徒，相如見而說之。」忌子助有賦三十五篇。又常侍郎莊忽奇賦十一篇，其人與枚皋同時。顏師古引〈七略〉云：「忽奇者，或言莊夫子子，或言族家子；莊助昆弟也，從行至茂陵造作賦。」知西漢初年，賦以莊氏一家為最盛。助又薦朱買臣，蓋皆會稽郡吳人，並傳習楚辭。《漢書·朱買臣傳》：「方會邑子嚴（莊）助貴幸，薦買臣召見，說《春秋》，言《楚辭》，（武）帝甚悅之。」又〈地理志〉：「吳有嚴助、朱買臣貴顯，漢朝文辭並發茂，故世傳《楚辭》，其失巧而少信。」是《楚辭》之學出於吳，蓋本自莊忌也。[13]

饒師首先從「目錄學」的角度出發，發現莊忌在《漢書·藝文志》的排列較賈誼為先，說明其對辭賦的貢獻或較賈誼為先，是西漢初期的重要賦家。考莊忌因避漢明帝劉莊諱而改名嚴忌，會稽吳人。又從《史記·司馬相如傳》可知，莊忌為梁孝王門下之徒，與鄒陽、枚乘同時，並得到司馬相如的賞識，對他頗有好感。饒師總括了莊忌對推廣辭賦的貢獻主要有三：第一，莊忌與其他漢賦家在梁孝王門下唱酬，寫詩作賦，對推動辭賦的創作，有一定的貢獻。現今便留傳了〈哀時命〉一篇。第二，莊忌有子莊助，作了三十五篇辭賦。第三，另有常侍郎莊忽奇作了十一篇賦，據顏師古引《七略》可知，這位莊忽奇與莊忌的關係密切，但有幾個說法，一是莊忌的兒子、一是族家子弟、一是莊助的兄弟。不論怎樣，莊忽奇與莊忌都是吳郡人，既傳習《楚辭》及創作辭賦，對《楚辭》學的傳承，有一定的貢獻。第四，從《漢書·朱買臣傳》可知，莊忌的兒子莊助因為得到帝王寵幸，推薦了另一位熟習《楚辭》的吳郡人朱買臣於漢武帝，甚為得到漢武

12　費振剛等輯校：《全漢賦》北京：北京大學出版社，1993年，頁21。

13　何沛雄編著：《賦話六種》香港：三聯書店，1982年，頁97。

帝的歡心，在帝王推動下，使《楚辭》得到更廣泛的推廣，故《漢書‧地理志》說：
「漢朝文辭並發展，故世傳《楚辭》」。凡此均論證了吳郡是《楚辭》的發源地之一，而
莊氏家族的貢獻尤為巨大。這也彌補了辭賦發展史的一點空白。

（二）《楚辭》中的兮字

　　饒氏又考究了《楚辭》中「兮」字與「呵」、「猗」的關係，從而論證了「老子」為
楚人，與楚文化關係密切。《選堂賦話》：

> 《楚辭》以用「兮」為主要語詞，馬王堆三號墓《老子》寫本，所有「兮」字均
> 作「呵」，如「淵呵似萬物之宗」、「與呵元若冬涉川，猶呵其若畏四鄰，嚴呵其
> 若客」。老子為楚苦縣人。漢志苦縣在淮陽國，淮陽都陳，頃襄王自郢徙此，漢
> 初陳涉將葛嬰嘗攻下之。老子以「呵」為「兮」，正用楚言……孔廣森《詩聲
> 類》謂「猗、兮音義相同，猗古讀阿。」今《老子》漢初寫本作「呵」，可證孔
> 說。猗、兮原皆為南音；《呂氏春秋‧音初篇》塗山氏作歌：「候人兮猗，實始作
> 為南音。」此自南疆之舊曲，連用猗、兮兩助詞，異形而實重聲，均宜讀為
> 「呵」，豈所謂聲曲折者非耶？[14]

饒氏指出漢初《老子》寫本出現的「呵」字，實即「兮」字或「猗」字。他引孔廣森
《詩聲類》：「猗、兮音義相同，猗古讀阿。」佐證了《老子》的「呵」字即《楚辭》
「兮」字，從而證明老子是楚苦縣人的說法。饒氏又指出《漢書‧藝文志》記「苦縣」
在「淮陽國」，也是楚地，頃襄王曾自陳遷徙於此，而漢初陳勝的手下將領葛嬰曾攻陷
此地。凡此補充了「老子」與楚文化的關係。

（三）《楚辭》中「月中有兔」的文化本源

　　辭賦中往往出現「月中有兔」的說法。過去多以為自緯書開始，饒氏則辨證此說較
緯書為早。《選堂賦話》：

> 〈天問〉云：「厥利維何？而顧菟在腹。」晉傅玄〈擬天問〉：「月中何有？玉兔
> 搗藥。」〈古詩十九首〉：「三五蟾兔滿」、「四五蟾兔缺」。少室〈石闕銘〉圖像，
> 亦月中有兔與蟾蜍共見。王充〈談日篇〉儒者曰：「日中有三足焉，月中有兔蟾

蜍。」歸其說於儒者。張衡〈靈憲〉：「月者，陰精之宗。積而成獸，象兔、蛤焉，其數偶。」天文家亦以為言。蛤指蟾蜍也。今觀漢初馬王堆蓋棺之圖，月中有蟾、兔俱見，實為二物，知此說淵源甚遠，不始於緯書矣！足正聞一多之說。庾信〈象戲賦〉：「陰翻則顧兔先出，陽變則靈烏獨明。」烏、兔正分指日月也。[15]

〈天問〉最先把月中含兔的說法表述：「厥利維何，而顧菟在腹」。後來晉傅玄有〈擬天問〉：「月中何有？玉兔搗藥」。庾信〈象戲賦〉也有「陰翻則顧兔先出」。饒氏指出一般人以為最早解說月中有蟾、兔二物的是王充。但饒氏借助考古學成果，論證了蟾兔在月之說早見於馬王堆。他發現馬王堆的蓋棺之圖中，其月有兔及蟾，為兩種不同名物。馬王堆反映了西漢初年的文化現象，較之東漢時的王充〈談日篇〉及張衡〈靈憲〉篇更早。這是辨明賦體文化本源的又一貢獻。

四　漢賦的本源與內涵

（一）揚雄〈反離騷〉

　　饒氏也一反前人朱熹之說，特為推崇揚雄〈反離騷〉的藝術成就。朱熹曾對此文加以詆毀，但饒氏引方苞之說，指出此文較諸賈誼的〈弔屈原賦〉有過之而無不及。《選堂賦話》：

> 揚雄〈反騷〉，朱子極加詆諆。方望溪則謂弔屈之文，無若反騷之工者，其隱痛幽憤，祝賈、嚴猶若過焉。知雄之言，雖反而實痛也。[16]

考所謂「朱子極加詆諆」，出自朱熹《楚辭後語·反離騷第十五》云：「反〈離騷〉者，漢給事黃門郎、新莽諸吏中散大夫揚雄之所作也。雄少好詞賦，慕司馬相如之作以為式。又怪屈原文過相如，至不容，作〈離騷〉，自投江而死，悲其文，讀之未書不流涕也。以為君子得時則大行，不得則龍蛇，遇不命，命也，何必湛身哉！迺作書，往往摭〈離騷〉文而反之，自岷山投諸江流以弔屈原云。」[17]朱熹對揚雄頗有微言，揚雄雖然模仿〈離騷〉而作〈反離騷〉，但又對屈原的沉江自盡持相反意見，並未能從精神上與屈原契合，故又曰：「然則雄固為屈原罪人，而此文乃〈離騷〉之讒賊矣，它尚何說哉！」更把此文貶為是損害〈離騷〉之文。

---

15 同上註，頁102。

16 同上註，頁102。

17 〔宋〕朱熹：《楚辭集注》香港：經子研究社，無出版年份，頁236-237。

饒氏卻借助方苞的言論，指出揚雄的〈反離騷〉，其實繼承了屈原的沉痛、抒發了無窮幽憤，成就較賈誼及嚴忌為高。

（二）班固〈兩都賦〉的本源

饒氏也發現班固〈兩都賦〉有襲用《管子》之語。《選堂賦話》：

> 班孟堅之為〈兩都賦〉也，極眾人之所眩耀，折以今之法度。故〈西都〉盡鋪陳之能事，盛誇長安之制，〈東都〉則陳太清之化，述法度之宜。其言曰：「監于太清，以變子之惑志。」李善注引《淮南子》說之。按管子〈內業〉云：「監于太清，視于太明，敬慎無忒，日新其德。」孟堅直用其語。房玄齡注：「太清，道也。」[18]

〈兩都賦〉所言：「監于太清，以變子之惑志」，其中的「太清」，《文選》李善注引《淮南子》以解說之。但饒氏卻指正其出處應為較《淮南子》更早的《管子・內業》篇，「監于太清，視于太明，敬慎無忒，日新其德」，班固完全襲用《管子》「監于太清」之句，沒有變更。考《管子・內業》云：「鑒於大清，視於大明。敬慎無忒，日新其德，徧知天下，窮於四極。敬發其充，是謂內得。然而不反，此生之忒。」[19]確有「鑒於大清」一語，而且廣用四言。〈東都賦〉也提到「玄德」一詞，《選堂賦話》：

> 此太清亦即太素，漢志陰陽家有《黃帝泰素》二十篇。〈東都賦〉云：「昭節儉，示太素，百姓滌瑕盪穢，而鏡至清。」又云：「相與嗟嘆玄德。」善注引《尚書》：「玄德升聞。」按《老子》：「玄德深矣，遠矣，與物反矣，然後乃至大順。」長沙馬王堆三號墓新出《黃帝・經法》中〈大分章〉[20]云：「王天下者有玄德」。蓋謂太清之世，無為之至治也。[21]

饒氏發現「玄德」一詞，除了《文選》李善注所指出於《尚書》外，也有見於《老子》及馬王堆《黃帝・經法》中。《尚書》有「玄德升聞」之句；《老子》有「玄德深矣」之句；《黃帝・經法》則有「王天下玄德」之句，都是〈東都賦〉之所本。

18　何沛雄編著：《賦話六種》香港：三聯書店，1982年，頁103。

19　黎翔鳳撰：《管子校注》北京：中華書局，2004年，頁939。

20　考《馬王堆漢墓帛書・經法》一書，此語在〈六分〉篇。是篇分析國家興衰的原因，認為「六順」、「六逆」是決定國家存亡的界限，強調加強中央集權的重要。見馬王堆漢墓書整理小組編：《馬王堆漢墓帛書・經法》北京：文物出版社，1976年，頁18。

21　何沛雄編著：《賦話六種》香港：三聯書店，1982年，頁103。

五　魏晉賦的本源

（一）徵實的賦學與崇有論

　　饒氏賦學主張質實之學，從其對西晉賦的評論，可見一斑。《選堂賦話》：

> 魏晉尚名理，如裴頠〈崇有論〉，影響所及，賦家亦主數實，左思其例也。思序
> 〈三都〉，謂「美物者貴依其本，讚事宜本其實，匪本匪實，覽者奚信。」而成
> 公綏以為「賦者貴能分賦物理，敷演無方，天地之盛，可以致思矣。」於是〈天
> 地賦〉，「俯盡鑒於有形，仰蔽視於所蓋。」仍取徵實之學。又皇甫謐為左思游
> 揚，亦病「綴文之士，不率典言，並務恢張，其文博誕空類。」摯虞亦以「古詩
> 之賦，以情文為主，以事類為佐。今之賦事形為本，以義正為助。言賦有四過
> （《全晉文》五十三）。西晉之賦，重於事、形，而減於情、義，蓋一反建安以情
> 緯文之旨，亦時代使然。世之言賦評者，多未援成子安之語。子安每與張華受
> 詔，同為詩賦，卒於泰始九年（《晉書·文苑傳》止錄其二賦）。蓋晉開國之文
> 士，宜在太沖之前列，知人論世，有不可不知也。[22]

　　饒氏指後人對西晉賦的評論，多忽略成公綏的言論，是令人遺憾的。成公綏主徵實，其
〈天地賦〉曰：「俯盡鑒於有形，仰蔽視於所蓋。」便有徵實的用意。成公綏的徵實重
在物理，故云：「賦者貴能分賦物理，敷演無方，天地之盛，可以致思矣。」這又深受
裴頠〈崇有論〉的影響。〈崇有論〉鑒於王弼「貴無論」的流弊會導致廢棄禮制，故提
出重實有的哲學理念，提出「宜其以無為辭而皆在全有」。「崇有論」對賦的創作不無影
響。除了成公綏賦論主徵實外，左思的賦論也有類似的說法。饒氏引左思〈三都賦〉
序：「美物者貴依其本，讚事者宜本其實；匪本匪實，覽者奚信。」左思清楚點明本源
與質實的重要，賦學理論及創作也應避免流於空疏之弊。皇甫謐又繼承左思的說法，主
張為文之士，應力求避免空疏的弊病，「綴文之士，不率典言，並務恢張，其文博誕空
類。」若不注重徵實的內容，只求盲目的鋪張語句，便會流於空疏。但饒氏又補充對西
晉賦的評價，徵實之學是必須的，但賦作為文學體裁，也不能離開情義作為藝術內容的
主體。他引用摯虞對當時賦作的評論，指出西晉賦過重外在的事和形，忽略了內在的情
和義，是偏離了古賦的審美理想。綜言之，理想的賦作，應以理、情、義兼備。凡此具
見饒氏對賦的審美標準完備，眼光遠大而獨到。

22　同上註，頁105。

（二）陸機賦的版本淵源

饒氏學術向重版本學，賦學也不例外，《選堂賦話》便引用陸機〈述祖德賦〉中的版本差異，造成謬誤的例子：

> 陸士衡〈述祖德賦〉云：「西夏坦其無塵，帝命赫而大壯。登具瞻於太階，濯長纓乎天漢。解戎衣以高揖，正端冕而大觀。」西夏指蜀，此謂陸遜猇亭之勝。此文見《藝文類聚》，而本有誤作我衣者。「戎」，「我」形近而訛，姜亮夫撰陸機及張華兩年譜，均謂張華解衣推恩及於士衡，蓋為誤本所累，亟宜訂正。雙梧書屋本《歷代賦彙・外集》此賦亦作「戎衣」，不誤。[23]

陸機〈述祖德賦〉中有「解戎衣以高揖」一語，饒氏發現此乃《藝文類聚》所本，但另有不同版本作「解我衣以高揖」，後人姜亮夫撰陸機及張華年譜，便因為採用「解我衣」的版本而產生注解上的謬誤，誤作張華解衣推恩及於士衡。饒氏指出此乃「誤本所累」，而且「亟宜訂正」。饒氏又考究了《歷代賦彙・外集》的版本也作「戎衣」，為另一有力的佐證。考《歷代賦彙》卷二「言志類」收錄晉陸機的〈祖德賦〉，其言曰：「濯鬥纓乎天漢，解戎衣以高揖」[24]確實是用「戎衣」而非「我衣」。此亦一字而謬之千里的例證。於此可見饒氏釐清訂正謬說的貢獻，也見出其讀書的細微，一字也不容有誤。

（三）庾闡賦的字句

饒氏又注意到晉元帝時的零陵太守庾闡入湘川之後，作賦以憑弔賈誼，字句為顏延之的〈弔屈原文〉所承繼，《選堂賦話》：

> 賈誼經長沙，為賦以弔屈原，至晉元帝時，庾闡補零陵太守，入湘川，為文以弔賈誼，其辭若「蘭生而芳，玉產而絜」（見《晉書・六十二・文苑傳》），則又顏延之〈弔屈原文〉「物忌貞芳，人諱明絜」所襲用者矣。[25]

23　同上註，頁109。

24　〔明〕陳元龍輯：《歷代賦彙》上海：上海書店，1987年，頁568。

25　何沛雄編著：《賦話六種》香港：三聯書店，1982年，頁103。

考《晉書・卷九十二・文苑傳》載：「庾闡字仲初，潁川鄢陵人也。祖輝，安北長史。父東，以勇力聞……闡好學，九歲能屬文。少隨舅孫氏過江，母隨兄肇為樂安長史，在項城。永嘉末，為石勒所陷，闡母亦沒。闡不櫛沐，不婚宦，絕酒肉，垂二十年，鄉親稱之。州舉秀才，元帝為晉王，辟之，皆不行。後為太宰、西陽王羕掾，緊遷尚書郎……尋召為散騎侍郎，領大著作。頃之，出補零太守，入湘川，弔賈誼，其辭曰：『……偉哉！蘭生而芳，玉產而潔，陽葩熙冰，寒松負雪，莫邪挺鍔，天驥汗血，苟云其儁，誰與比傑！』」[26] 其中「蘭生而芳，玉產而潔」二語，饒氏指出後來顏延之的〈弔屈原文〉所承襲。[27] 考《全宋文》卷三十八，〈祭屈原文〉：「蘭蕙而摧，玉縝則折。物忌堅芳，人諱明潔。」[28] 用字與庾闡相近。

六　結論

綜言之，饒氏的賦學，特別注重追本溯源，顯示其務本之學。其《選堂賦話》釐清了賦與詩的淵源，論析了兩者同源的本質，並探討了辭賦與先秦諸子的關係。此外，又對中國賦史進行梳理，把歷代賦的本源、特質及個別問題，作了明晰、紮實的探討。《楚辭》學注意了其發源的地域與人物、兮字的運用；月中有兔的文化本源；漢賦中對揚雄的〈反離騷〉提出對朱熹的質疑；班固〈兩都賦〉則指出其用字本源於《管子》、《尚書》、《老子》等；魏晉賦中「徵實」之學，本源自裴頠的「崇有論」；陸機〈述祖德賦〉以「戎衣」的版本為正；庾闡〈弔賈誼賦〉襲用顏延之之賦句；宮體賦本於徐摛、釋氏賦本源於北魏高允；春賦本源於蕭愨；唐賦楊敬之〈華山賦〉本源於《莊子・齊物論》；柳宗元〈牛賦〉本源於揚雄等。

饒氏的論證也頗有色，其難能之處，不僅在於廣徵古籍，以充分的文獻為基礎，更能結合考古學、版本學、目錄學等學術，以多維視覺進行辨證，功底紮實深厚。兼且讀書細微，即使虛字的運用、人物的出處、名物的文化意涵，都能細加辨析。

26　〔唐〕房玄齡：《晉書》北京：中華書局，1993年，頁2385。

27　《全宋文》作〈祭屈原文〉。

28　〔清〕嚴可均輯：《全上古三代秦漢三國六朝文》北京：中華書局，1991年，頁2648。

中國小說的跨媒介域外傳播[*]

——從余華小說《許三觀賣血記》到韓國電影《許三觀》

薛穎

天津財經大學人文學院

余華在接受韓國《世界日報》記者的採訪時曾坦言：「在韓國擁有很多讀者，如果從人口比例來算的話，比在中國的讀者還要多」。¹從一九九七年至今，余華大約有十多部作品被翻譯成韓文（不包括再版）。小說《許三觀賣血記》於一九九五年在國內出版，被一個名叫崔容晚的譯者於一九九九翻譯到韓國，迅速登上了韓國暢銷書排行榜，二〇〇〇年被韓國《中央日報》評為百部必讀書之一。二〇〇二年，韓國國內的美醜劇團又將此小說搬上了戲劇舞臺，演出受到了廣泛的好評。二〇一五年一月十四日，在韓國強大的明星陣容參演下，電影《許三觀》在韓國上映。從小說到電影，從中國到韓國，形成了中國小說的跨媒介域外傳播，這是一個非常有趣的現象。從情節設定、人物塑造、主題提煉到藝術特質發生了全方位的變異，筆者認為應該從傳播學的視角出發，運用接受美學的原理，全面分析其發生變異的原因，從傳播主體、傳播媒介、傳播受眾等方面切入，似乎是一個切實可行的路徑。

一 從小說到電影的全方位變異 —— 傳播內容分析（Says What）

小說改編為電影，變異是不可避免的，主要體現在情節設定、人物塑造、主題提煉和藝術特質等方面。

---

* 本文為2012年度天津市藝術科學規劃項目「中國古典小說的影視劇傳播研究」的階段成果，項目編號：B12041；天津市2015年度哲學社會科學規劃項目「中國古代敘事文學影像闡釋的變異研究」的階段性研究成果，項目編號：TJZW15005。

1 余華：「許三觀的韓國之旅」〈http://www.qlweekly.com/Reading/Study/201502/0710741.html〉

（一）情節設定

　　余華小說《許三觀賣血記》，以許三觀一生賣血的經歷為線索，以賣血作為度過家庭難關的唯一手段進行中國社會的底層敘事。許三觀是城裡絲廠的送繭工，第一次賣血是為了證明自己身體健康，並用賣血的錢娶了油條西施許玉蘭；第二次是大兒子許一樂打傷了方鐵匠的兒子，為了償付醫療費而賣血；第三次為斷了腿的林芬芬（僅有一次肌膚相親的情人）買營養品而賣血；第四次是趕上了一九五八年「大躍進」、「大煉鋼鐵」、「大食堂」之後的全民饑餓，為了全家能吃上一頓麵條而賣血；第五次是因為下鄉當知青的一樂生病了，並將賣血的錢直接給了一樂；第六次賣血是為了招待二樂所在隊的生產隊長。第七次是為了救一樂的命，沿途數次賣血到上海，幾乎要了他的命。四十年過去了，家裡不再缺錢，許三觀卻突發奇想，想為自己賣一次血，卻被人告知他的血已經沒有人要了，許三觀哭了，精神陷入了無邊的絕望之中，因為他不知道將來有難關的時候，他將如何度過？圍繞幾次賣血，通過許三觀的家庭生活勾連了社會生活，以小見大，真實可感。小說從許三觀尚未娶妻的壯年寫到了頭髮花白、牙齒掉了七顆的老年，時間跨度很大。

　　韓國電影《許三觀》節選了許三觀第一次、第二次、第三次、第四次和第七次賣血的部分經歷，並構築了一個全家圍坐享受美食的大團圓溫情結局。刪節了小說與社會發生勾連的許多情節，縮短了小說的故事時間，一樂的病治好了，但三個孩子依然處於孩童時代。電影的重點在於講述作為父親的許三觀如何通過賣血來擔當家庭重任的。

（二）人物塑造

　　小說中的許三觀及其所敘寫的中國社會底層人物是集愚昧無知、粗俗不堪、自私狹隘卻又真誠可愛、樸實勤勞、勇於擔當於一身，精準的反映了當時中國社會底層小人物的性格特點。如許三觀判定一樂是否為自己的親生子，完全是靠長相；與林芬芬發生關係，有報復妻子的齷齪心理；許玉蘭則是一個潑婦，一旦家裡發生事情，就會坐在門檻上嚎啕，讓所有人都知道他們家的秘密。同時她也勤勞能幹，能將家裡打理得井井有條，用許三觀發的勞保手套給全家織毛衣就是典型。總之，小說中的人物是複雜而真實的。

　　電影中的人物性格則顯得單一，河正宇飾演的外型上帥氣逼人的許三觀，穩重誠實，勇於擔當家庭重任，為林芬芬買營養品完全是出於同情，而並沒有與之發生不正當關係。幾乎是一個完美的丈夫兼父親形象。河智苑飾演的許玉蘭在外型上清純可人，內在又顯得隱忍克制，最後賣腎救子。典型的賢妻良母形象。三個兒子更是沒有經歷長大的過程，永遠地定格在了孩童時代。

（三）主題提煉

小說《許三觀賣血記》，雖然敘述的是許三觀的家庭故事，絲廠工人和油條西施踏實肯幹，既懂開源，也知節流，卻沒錢支付醫療費、下鄉的兒子沒錢、沒錢招待隊長、沒錢治病。每一次遇到家庭難關的時候，只能靠賣血度過。作者批判的鋒芒是指向社會的。因此，小說的主題是通過小人物批判大社會，有其深刻性的。新中國成立後，「大躍進」、「文革」等不健康的社會政治生活是導致許三觀家庭生活沈重的根源。如「沒過兩天，一群戴著紅袖章的人來到許三觀家，把許玉蘭帶走了。他們要在城裡最大的廣場上開一個萬人批鬥大會，他們已經找到了地主，找到了富農，找到了右派，找到了反革命，找到了走資本主義道路的當權派，什麼樣的人都找到了，就是差一個妓女，現在離批鬥大會召開只有半個小時，他們終於找到了，他們說：『許玉蘭，快跟著我們走，救急如救火。』」[2] 平靜的敘述中折射的是深刻的社會批判性。

電影則將故事的背景鎖定在朝鮮戰爭後一九五三至一九六四年的韓國，顯示出被美軍佔領後的一些特點，如一些西洋物件香水等。此時韓國人民一度遭受到了生存的艱難，很多人賣血度日。所謂外敵佔領，民不聊生。但電影並沒有將目光聚焦於社會，而是聚焦於許三觀的家庭故事，是一個有擔當的父親引領家庭度過難關的故事。歌頌了小人物的偉大品格，沒有任何社會批判性。

（四）藝術特質

余華小說以冷靜簡潔而富有幽默感的語言，對現實社會進行了富有理性的嘲諷。電影的敘事則充滿了溫情，典型的韓國式煽情催淚劇。

綜上所述，小說故事時間長，情節豐富，人物性格複雜，主題上更側重於批判社會，藝術特質上更趨冷峻；電影則選取片段情節進行改編，人物性格單一，主題側重於表現家庭中小人物的堅韌與偉大，藝術上顯得溫情脈脈。從小說到電影發生的諸多變異，究其原因，與傳播主體有關、與傳播媒介有關，與面對的傳播受眾有關。當然，由中國到韓國，中韓兩國的文化差異也會滲透到改編傳播的各個環節中。

2　余華：《許三觀賣血記》北京：作家出版社，2012年，頁165。

二　小說作者與電影主創團隊在文化認知及藝術追求方面的不同──傳播主體分析（Who）

　　余華小說《許三觀賣血記》立足於上個世紀中國社會跌宕起伏的社會政治背景，通過小人物在生命線上的掙扎，用簡潔冷峻幽默的筆鋒直指現實，批判社會。顯示了余華對這個世界的文化認知和藝術追求。余華說：「這是一本關於平等的書。」（一九九八年韓文版自序）彰顯了余華的嚴肅和認真。內容是沈重的，表達方式卻是輕鬆幽默的，所謂的黑色幽默。而韓國人喜歡余華小說的根本原因正在於此，有媒體評論說：「韓國讀者喜愛余華作品的原因，很大程度上是由於作品的色彩和內容與韓國人的感情基調有很大的相似之處，能夠產生共鳴。韓國人特有的文化心理特徵，可以理解為苦難、內心的憤怒和憂鬱。這種感情基調的形成與韓國特有的地理和歷史文化背景有很大的關係。黑色幽默的表達方式也深受韓國人喜愛。」[3]也就是說，由於余華的文化認知和藝術追求在某種程度上與韓國人的文化心理特點相契合，成為小說被改編的理由。但在具體改編和再創作的過程中，由於中韓文化背景的差異、小說作者和電影主創在文化認知和藝術追求上的大不同，致使從小說到電影，從情節設定、人物設置、主題提煉和藝術特質等方面發生了全面的變異。由於包括導演兼主演河正宇在內的主創團隊並不熟悉余華作品中的大歷史和厚重的人文情懷，於是只挑自己熟悉的拍攝，正如電影在上映前業內人士已有評論說：「河導演的掌控力還只侷限於自己熟悉的情境。」[4]電影避重就輕亦屬必然。河正宇說：「對（被）許三觀這個人物的魅力所吸引。以前的父親形象首先想到的是大男子主義無法溝通，所有的苦與痛苦，都會獨自承擔的那樣子來刻畫。但許三觀這個人物不是那樣，所以非常有魅力。與其說是父親與子女的談話，倒不如說是朋友之間的談話，鬧別扭、生氣、發火的點，對於人物本身也是一種魅力所在。在最近這個時代也是一個非常理想的父親形象。」[5]影片將發力點聚焦於家庭，聚焦於父親許三觀面對家庭苦難的形象塑造。

　　這部電影是韓國人拍攝，自然要進行接近韓國本土化的改編：例如許三觀通過血型檢查確認一樂並非親生，然後逼許玉蘭承認事實；一樂為生父何小勇喊魂的情節，在電影中添加了請神巫主持巫術的內容；原作中許三觀賣血後吃的「一盤炒豬肝，二兩黃酒」，在電影裡改成了「一盤血腸，一瓶米酒」；原作中許三觀被「戴綠帽子」，被罵做「做烏龜」，在電影裡改為「做雲雀」。

3　〔環球財經連線〕中國故事「許三觀賣血記」成韓國電影〈http://jingji.cntv.cn/2015/01/15/VIDE1421
　　299080167810.shtml〉

4　韓《許三觀》電影避「重」就「輕」明星受商業訴求制約〈http://www.ah.xinhuanet.com/2015-
　　01/30/c_1114198648_3.htm〉

5　《許三觀》中文制作特輯　悉心打造還原小說細節〈http://www.1905.com/video/play/847671.shtml〉

三　小說與電影兩種媒介屬性的差異——傳播媒介分析
（In which channel）

　　小說和電影是兩種媒介，在屬性上有相交叉的地方，因而，小說的電影改編從電影誕生之初就開始出現；然而，交叉之後，又向各自的方向延伸。正如美國學者喬治布魯斯東所說：「小說與電影像兩條相交叉的直線，在某一點上會合，然後向不同的方向延伸。在相交叉的那一點上，小說和電影劇本幾乎沒有什麼區別，可是當兩條線分開以後，它們就不僅僅能彼此轉換，而且失去了一切相似之點。在相距最遠時，小說與電影，像一切供觀賞的藝術一樣，在一個特定的讀者（觀眾）所能理解的程序範圍內，最大限度地利用他們的素材。在這相距最遠的地方，最電影化的東西和最小說化的東西，除非各自遭到徹底的毀壞，是不可能彼此轉換的。」[6]因此，小說改編成電影後，有些變化是可以從媒介屬性上去尋找理由的。

首先，與小說相比，電影情節簡單，人物性格單一

　　由於要把原作中跨度三十年的坎坷人生壓縮到兩小時的電影裡，電影必然要對原作內容進行大量砍削，並將許三觀一生為度過家庭難關而賣血的經歷有選擇地做片段式處理。電影前半部分，主要是賣血娶妻、賣血償禍、賣血酬情，後半部分主要是賣血救子，最後全家團圓。刪去了許三觀家庭生活以外的大部分情節，如徐玉蘭遭受批鬥、為招待二樂所在的生產隊長而賣血，趕往上海沿途賣血過程中與來喜、來順兄弟的友情，文革結束後，生活趨於正規等。電影在治好許一樂的病之後，於享受美味的大團圓中結尾。與小說可以塑造較為豐富的人物性格相比，電影媒介的具象化特點使其在人物塑造上基本是具象而明晰的，人物性格顯得單一。小說中作為中國底層老百姓的許三觀和徐玉蘭集多種性格特點於一身，而電影則捨棄了粗鄙的一面，顯得頗具傲嬌的小資情調和文藝形象。「小說允許冗長，而電影卻必須精煉。」[7]

其次，電影在主題上重視家庭溫情而不重社會批判

　　小說是私人化的創作，在小眾化範圍內閱讀並傳播，作家的所思所想所感盡可以淋漓盡致的表達。而電影屬於大眾文化的範疇，要受多種社會力量所組成的程式的制約，

6　〔美〕喬治・布魯斯東著，高駿千譯：《從小說到電影》北京：中國電影出版社，1981年，頁69。
7　同上註，頁54。

正如喬治・布魯斯東訴說：「在電影中，社會力量在最終的成品中留下的痕跡，比在其他任何藝術中更為明顯。」[8]各種社會力量的合力決定了電影的存在形態。家庭親情比社會批判要穩妥的多，同時也更受普通大眾的歡迎。能夠抓住不同年齡不同階層不同品位的觀眾的基本手段，因而也成為電影大眾文化商業法則的需要。電影《許三觀》從小說《許三觀賣血記》中抽離出親情的成分，對「父愛妻賢子孝」進行濃塗重抹也有這方面因素的考量。同時，韓國影視劇在煽情方面積累了較為成功的經驗，也是該部電視劇大打煽情牌的必然選擇。

再次，最小說化和最電影化的元素是不能彼此轉換的

小說中那種由荒誕帶來的深度隱喻，無疑會使讀者想的更多、更深。小人物身上折射的大歷史的厚重感也由此產生。但電影因為鏡頭語言對虛無和荒誕表達的無力，將余華一部算得上有深度的作品消解到平常，故事很完整，卻也更平庸。這就是文字語言與視聽語言的分野之處，彼此不能轉化。文字能將讀者引向高度抽象的哲思，而視聽只能帶來平庸。這是一切由文學作品改編來的影視作品的共同宿命。

四　電影觀眾與小說讀者反映批評的不同 —— 傳播受眾和傳播效果（To whom and with what effects）

小說的傳播受眾稱為讀者，電影的傳播受眾稱為觀眾，讀者和觀眾雖然沒有嚴格的分界線，但兩者也存在著明顯的不同，正如喬治・布魯斯東所說：「可以想像，康拉德的人數較少的中產階級讀者群所能理解的那些結構、象徵、傳說、隱義，在格里菲斯的人數多得多的觀眾看來也許完全不能理解。反過來，能夠使格里菲斯的觀眾的後代傷心落淚的地方，在康拉德的『妳們』的子孫看來，也許竟是荒謬可笑。」[9]可見，讀者和觀眾從數量上，從審美趣味上是有區別的。而且，就余華小說改編成韓國電影問題上，還存在著中韓讀者與中韓觀眾的區別問題。因此，從小說到電影的全方位變異，也與電影對自己的（主要是韓國觀眾）受眾期待分析有關。

影片在韓國上映後，從票房來看，《許三觀》最終在韓國吸引到九十五萬觀影人次，徘徊在七分上下的觀眾和專家評分（據韓國最大門戶網站 NAVER 和韓國最大的電影網站 MAXMOVIE），足以說明電影本身的品質不差，傳播效果尚可。

中國觀眾呢？其中一部分觀眾是在韓國影院收看的。影片雖然沒有在中國影院上

8　同上註，頁38。

9　同上註，頁2。另外，康拉德是英國作家，所著小說大多描寫航海生活；大衛・格里菲斯是美國早期大師級導演。

線，但另一部分觀眾通過網絡是很容易收看到的。筆者通過百度搜索引擎分析了「豆瓣電影」四十四篇（截止到二〇一五年六月十八日全部影評）關於《許三觀》的影評[10]，分析結果如下：

第一，觀眾數量四十四人；即是觀眾也是讀者的數量三十五人，沒有讀過原著的九人。（即四十四人都是觀眾，其中三十五人還兼有讀者的身分）

第二，四十四位觀眾中完全正面評價的六人；帶有負面評價的三十三人；五人沒有明確的態度。觀眾的正面評價主要表現在：溫暖的家庭片；很好的完成了戲劇衝突的搭建和執行；比小說棒。觀眾負面評價主要表現在抽離時代內涵、抽空歷史、避重就輕、是抽乾歷史感的韓式煽情家庭劇。

第三，既是觀眾又是讀者的三十五人中，正面三評價人，負面評價三十人，有兩人沒有明確態度。既是觀眾又是讀者的人群，負面評價居多，體現了原著支持者對電影改編的不滿情緒，主要意思是：電影很好，如敘事流暢，結構清晰，演員演技很高，典型的韓式溫情家庭劇，但不是我們想要的許三觀。正面評價認為電影比小說棒，顯得空洞沒有說服力。

筆者在一百六十名大學生中組織了余華小說《許三觀賣血記》的閱讀和韓國電影《許三觀》的觀看，持續時間為一個月。根據反饋情況大致統計：約有一百一十名左右的同學認為電影拍成了韓國式悲喜劇，弱化了余華小說的時代背景，他們更喜歡小說；約二十名左右的同學認為電影比文字更生動，更容易為人所接受，更喜歡電影；約二十名左右的同學只是進行電影和小說的比較，沒有明確的態度。看來，大學生們的反應和豆瓣電影那些寫影評的觀眾的傾向性差不多。

以上分析可以看出，韓國國內對影片評價尚可。而中國觀眾，尤其是那些既是觀眾又是讀者的原著支持者們，很大程度上並不認可電影的改編。他們並不否定電影是成功的，但論改編的話，則是不成功的。他們大多數的人都在期待小說《許三觀賣血記》的本土電影改編。

文學的電影改編，從學術研究的角度講，單純地進行文學與電影的比較，得出小說好還是電影好的結論，似乎沒有太大的意義。正如喬治‧布魯斯東所說：「說某部影片比小說好或者壞，就等於說瑞特的約翰生蠟廠大樓比柴可夫斯基的《天鵝湖》好或者壞一樣，都是毫無意義的。他們歸根結柢各自都是獨立的，都有著各自的獨特本性。」[11]從學術角度來看，兩者之間的轉換也是一個極為複雜的現象，正如有學者這樣論述影視與文學改編的關係：「僅僅原著的某些要素就表明了它是可以被改編的。而可以改變也就意味著它與新的圖像媒體之間相互影響；同樣，它與文化和社會環境之間也相互影

10　〈http://movie.douban.com/review/7378844/〉
11　〔美〕喬治‧布魯斯東著，高駿千譯：《從小說到電影》北京：中國電影出版社，1981年，頁6。

響；文化與社會環境下複製品工業生產的擴張體系，將會決定它們被改編的可能性大小。同時，這些改編也引起了一些最為常見的變化，而這些變化則影響了改編中原始要素間的相互關係。」[12]其中的這些關係往往是值得研究的。

12 〔法〕莫尼克・卡爾科-馬塞爾、讓娜-瑪麗・克萊爾著，劉芳譯：《電影與文學改編》北京：文化藝術出版社，2005年，頁2。

尊父與審父

——朱文早期詩歌與後期小說之差異

李小杰

明愛專上學院語文及通識學系

緒論

中國是以血緣宗法為中心的父權社會。其倫理關係以父子為「主軸」，此倫常關係下，人的行為都以父子關係為準則。「所謂百姓孝為先」，孔子曾對「孝」做出規定：一、敬養父母；二、順從父母，且父母在不遠遊；三、埋葬和祭祀父母都要合乎禮節；四、為人孝悌，不好犯上。[1]《論語》：「君君、臣臣、父父、子子」，在這個父權社會，以「父」為主，父親是一家之長，享有最高權力。中華民族的「父親」對於「兒子」來言，是不可逾越的。「父親」不僅是一個人，同時也是一種象徵。這種傳統文化所蘊含的，代代相傳思維方式、價值觀念、行為準則、價值取向作為「集體無意識」經由歷史凝聚、傳承下來，向來「弒父」或反抗權威容易引來非議。

中國當代文學作家，敢於對抗權威的不多，有勇氣對「父權」亮劍的作家更少，南京作家群無疑是反抗權威的先鋒，作家群中的朱文更是其中佼佼者。可是，不少評論家對朱文小說之恣意任誕頗有微言，認為他肆意破壞文壇座次，挑釁權威，特別朱文是與「父輩」斷裂之後[2]，不少論者斷言其人品有問題。陳曉明認為朱文小說的主體主要是「性」[3]；常譯月認為這是道德敘事的背離[4]；方維保說朱文是「與人民倫理斷裂」[5]；查一路認為「與主流文學史的斷裂不過是刻意為之的弒父式的成年儀式，他們先天就是

1　張立文：《傳統學引論》北京：中國人民大學出版社，1989年，頁178。

2　一九九八年，朱文與韓東發起「斷裂」事件。他們以一個作家向另一個作家提問的方式，設計了一份有十三個問題的問卷。問卷的問題和回饋的答案，以一種有進攻色彩的方式，明確了一代作家對過去十數年來文壇上建立既定秩序的否定。附上兩個問卷問題：一、你是否以魯迅作為自己寫作的楷模？二、你認為作為思想權威的魯迅對當代中國文學有無指導意義？

3　陳曉明：〈異類的尖叫斷裂與新的符號秩序〉收於《大家》，1999年5月，頁197。

4　常譯月：〈行走在時代邊緣的朱文〉收於《大眾文藝》，2015年5月，30。

5　方維保：〈新生代敘事的創作的個體自由倫理敘事〉收於《安徽師範大學學報》，2007年4月，頁472。

無父的一代」。[6]這些研究雖然有其貢獻，但因對朱文早期的詩作及成長經歷認識不足，對朱文「審父」的評價只是對了一半，而朱文「尊父」的一面並沒有提及，並不公允，實為遺憾。

一　早期作品：崇父

同為南京作家，朱文童年、少年生活在江蘇寶應縣度過，並沒有經過文革下鄉的時代洗禮，故此作品中根本就沒有文革生活的生活資料，更遑論這方面的情結。他早期的經驗更多來自生活。朱文說：「每個人性格的形成與成長的環境密切相關，我父母提供給我一個很寬鬆的氛圍。」[7]迴異於文革下鄉那種變形的家庭環境，朱文寬鬆的家庭環境養成了他愛好自由的性格。朱文八五年至八九年在南京讀書期間，雖是先鋒文學勃興之時，可是他從到他早期充滿情感原始性的詩作和反映社會現實的作品〈美國，美國〉、〈我負責的一宗案件〉看來，他的作品雖與回憶有關，卻和宏大敘事和先鋒文學關係不大。

朱文曾提到寫作與個人回憶的關係：「我自己做過一個回憶的遊戲……一直往前伐，記憶大概到三四歲……就是邊想邊寫。當時我正好在父母家，有時候借助一下我父母他們的回憶來肯定核實一下……這個遊戲跟寫作有某種內在的共同的東西，寫作就是回憶嘛。」[8]

朱文的爸爸是一位中學校長，所以中學的生活對他來說，不僅僅是上學與放學，而是生活中很大的一部分，所以朱文童年的記憶還有學校，比如作品〈幼兒師範學校〉。俗話說：嬰兒聽父母的，小／中學學生聽老師的，所以朱文小時候崇拜具有知識和威權的父親也很正常。韓東說：「朱文是一個心目中有父親形象的人。這話從何說起？小時候，一天朱文看見他的父親站在打麥場上和人聊天，小朱文就想：『我是這個人的兒子，這可真好啊。』……比如他的父親在水渠裡游泳，兩條腿竟然夾住過一條穿梭而過的魚。一次公廁的頂上垂下一條大蛇，嚇得女同學嘰哇亂叫，男生在一邊起哄，這時身為校長的朱文的父親走了過來，用一根樹枝很輕巧地就把那條蛇引下來了。這些，屬於朱文父親的『英勇事蹟』。」[9]朱文的父親不僅僅是個知識份子，而且聰明、勇敢，充滿力量，讓小孩崇拜的人，不難想像這是朱文童年時期主要的回憶，在朱文早期的作品裡，父親和家人是重要的形象。

6　查一路：〈朱文小說的性意識與反叛姿態〉收於《棗莊師範專科學院學報》，2003年6月，頁28。

7　吳文光：〈朱文訪問〉收於《現場》天津：天津社會科學出版，2000年，頁106。

8　同上註，頁107。

9　從〈我愛美圓〉到〈雲的南方〉，見韓東博客，http://blog.sina.com.cn/hdytmw

一九七〇年的一家[10]

父親是多麼有力。肩上馱著弟弟

背上背著我，雙手抱著生病的姐姐

十里長的灌溉河堤，只有父親

在走。灰色的天空被撕開一條口子

遠在閩南的母親，像光線落下

照在父親的前額

逆著河流的方向。我感到

父親走得越快，水流得越急

　　該詩描繪了一幅家庭之樂的圖景，雖然生活在物質貧乏的農村，氣氛卻是溫馨感人，父親的形象猶如不可撼動的大山，他強壯的身軀擔任著全家的重量，在一天辛苦的勞作之後，還能抱著、馱著我，弟弟和生病的姐姐回家，步履輕快，可見父親在朱文心中的高大的形象。「父親」成了朱文詩歌中最重要的辭彙，詩集中單在題目中出現「父親」的就有〈父親〉、〈十二隻小獸的父親〉、〈我感覺到父親六十年代觸摸到的那份無聊〉以及〈父母在，不遠遊〉，而「父親「頻繁現身的詩歌為數極多，如〈一九七〇的一家〉、〈晨歌〉、〈如歌的行板〉、〈掃雪的日子〉、〈一九八七，泉州〉、〈她們不是我的孩子〉等。如朱文在〈父親四〉所說：「父親──我選定的一個詞語／孤立的一個詞，已是／這午後時光的全部」[11]，父親的重要性由此可見一斑。

　　　　父母在，不遠遊

　　　　　　一

就是這麼一棵樹。在一大塊

窗玻璃上只占

這麼一小塊

樹苗在玻璃之外藉陽光雨露長成樹

我在玻璃之內藉父母關懷長成人

日照短暫的上午，發光的

不是太陽，而是樹。我是

一道暗淡的光線，透過玻璃

不為人知，在樹的光圈裡

---

10 朱文：〈父親〉收於《他們不得不從河堤上走回去》石家莊：河北教育出版社，2002年，頁10。

11 朱文：〈他們不得不從河堤上走回去〉，同上註，頁74。

　　　斷斷續續地存在

　　　樹的青春令我感動

　　　它在生長，不因我的注視而停頓

　　　我改變站立的位置，向後

　　　向後，再墊上磚塊，讓

　　　那棵樹撐滿我的視角

　　　　　　　三

　　　一個房間分成兩半

　　　一半屬於父母，一半是妻子和我

　　　我一定要在這個房間裡生出我的兒子

　　　二十四年前父母在這生下了我

　　　我還要把我的房間分成兩半

　　　讓我的兒子在這生出我的孫子

　　　總之，人丁興旺。

　　　房間裡有人叫：兒子！

　　　我們一起答應[12]

　　第一首詩歌作者刻意用一些很陳舊卻永恆的比喻把父母比喻成陽光雨露，自己比喻成樹苗，樹苗在陽光雨露的照耀下茁壯成長，我也在「玻璃」圈成的溫室內，在父母的關懷下長大成人，「發光的不是太陽，而是樹」，樹得到了陽光成長，應該想到要反哺，頗有古人「誰言寸草心，報得三春暉」之意。詩的下半闋，從「我是一道暗淡的光線」開始轉換了視角，換成陽光的視角，敘述者換成了陽光，即是從父母的角度來看事物，如和〈父母在，不遠遊三〉對看，也可視作朱文把自己想像將來成為父親（因為他日後總會成為父親的），兒子的青春成長是那麼令人感動，那麼的自然，繁衍的自然規律是那麼不可抗拒，然後兒子的成長會佔據父母的全部身心，為人子女的，應該認識到這一份無私的父母之情，所以說「父母在，不遠遊」。

　　〈父母在，不遠遊三〉一詩的時態，由過去式、現在式和將來式組成，畫出一幅綿延不斷的場景。現在的日子可能也並不富裕，一個房間要分成兩半，可是不要緊，就像二十四年前的父母一樣，有了妻子，將來生了兒子，人生就有希望了。然後兒子生孫子，孫子再生兒子，代代繁衍下去，祖祖輩輩連綿不息，生於斯，長於斯，死於斯，人丁興旺，家庭熱鬧才是真正的生活。

---

12 朱文：〈父母在，不遠遊〉，同上註，頁33。

　　朱文筆下父親的形象是肩負重責，家庭的形象是人丁興旺、生生不息、一家和睦。朱文如此強調家庭的重要性，除了父親高大的形象外，可能與朱文小時候幸福的家庭生活有關，朱文如此評價自己的家庭：「應該說是一個很溫暖的家。開始沒有這樣去想問題，沒有覺得自己生在這個家裡多幸福，但慢慢地，我認識到了。每個人性格的形成與成長的環境密切相關，我父母提供給我一個很寬鬆的氛圍。」[13]

二　後期作品：疑父

　　朱文在九三年第六輯的《他們》寫了四首叫〈父親〉的組詩。其中第一首，除了與之前的一樣尊敬父親，為自己擁有一個能幹的父親感到驕傲之外，還開始想像和懷疑自己的父親：

父親

一

父親靠在土牆上，看著打穀場上

聊天的人。他們袖著手，用臂彎

向灌溉河方向，指指點點。

勞作了一整天，現在他想起

他並不是一個農民。

越是知道這一點，他越是賣力地

幹活，越是想聽那一群人恭維他

說他真是種莊稼的好手，又懂得

科學種田。小腿上的泥巴乾成

盛開的黴斑，他站著，交替地

用腳搓來搓去。但他不走過去，

只是沖他們笑著，只是讓他們

感到他臉上，流動緩慢的陽光

讓我，他的兒子

看到他像一桿最高的麥穗，

金黃、飽滿，讓我一下子明白

我是一個幸運的人

是他的孩子，而不是他們的。

---

13 吳文光：〈朱文訪問〉收於《現場》天津：天津社會科學出版，2000年，頁106。

> 父親靠著土牆站著，勞累是個秘密
> 沒人注意到，此刻他對牆的依賴

　　韓東在《從〈我愛美元〉到〈雲的南方〉》說：「這些，屬於朱文父親的『英勇事蹟』」。朱文的年紀稍長後，性欲萌動，帶著這樣的一種感覺和心理去觀察父親……直到朱文開始寫作，這種對父親的「窺視變成了某種想像。」上面這首詩雖然也寫父親的卓爾不群，不過敘述的底色卻多了幾分懷疑。首先敘述者「我」與被敘述者父親的關係：父親靠在土牆上隔著一段距離旁觀其他村民，而敘述者「我」也在一旁猜想他的心理和舉動，並帶著懷疑，審視的目光。作者猜想父親幹活幹得賣力是因為要得到恭維，「種莊稼的好手，又懂得科學種田」不但比一般農民會的做得更好，就算是更先近的，一般農民不會的勞作方法，父親這個知識份子也掌握了其中的訣竅。一天勞作之後，農民都在休息聊天，父親也在休息，可是他並不走過去和他們待在一起，反而只是待在一旁聽人恭維，身為知識份子的父親多少有點想製造出一種鶴立雞群的身分，「像一桿最高的麥穗」。「勞累是個秘密」這句話有意思，如果一個一般農民賣力幹活，那麼疲態盡現是很自然，也是很應該的，可是爸爸偏偏不讓人知道，爸爸通過賣力幹活在別人顯示出自己是種莊稼的好手，可是同時又不想讓別人看到自己的疲態，怕被戳穿自己的能幹很大原因是因為自己幹得賣力，過於愛好面子的父親的形象了落在「我」這個窺視的視角中。

　　常立說：「另一方面，朱文小說中挑釁的敘述姿態在詩歌中蹤影全無，小說中針對傳統倫理道德、家庭關係、親情、友情、愛情都予以無所不用其極的顛覆，但在詩歌中，朱文卻真心誠意地維護著傳統的倫理道德，父親、母親、妻子等家庭成員經常出現在朱文的多數詩歌中，他深沉而又熱烈地反覆吟唱著親情、友情、愛情之歌，並對萍水相逢的生活中的小人物都寄予深切的同情，這是一個把多愁善感發揮到了極至的『朱文』，這是一個敏銳、誠摯、天真、親切的抒情者。」[14]

　　對於這樣的概括筆者深表認同，卻發現這個現象很難用現代詩歌善於抒情，小說長於言志／事來解釋，也許朱文自己也未必明白，他也只能說：「我覺得寫作這件事情是件非常自然的事情，其中不但有一個作家可以把握的主觀的因素在起作用，還有一些他無法擺脫的，和他有著血肉聯繫的所有自然性因素在這個過程中起著自然的作用，那些不是我們可以把握的。」[15]

　　對筆者來說，朱文的小說和詩歌完全給人以不同的感覺的原因並不是很重要（且很難確證），重要的是，我們可以從長大後的朱文早期詩歌中的「父親」的形象看到一方面是那麼的尊敬，另一方面又看到他對這個高大化的「父親」的懷疑，循著這條線，可

14　常平：《「他們」作家研究：韓東・魯羊・朱文》上海：復旦大學出版社，2004年，頁56。
15　王幹：《王幹文學對話錄》桂林：灕江出版社，2004年，頁183。

以看到朱文出來社會之後看到一個外面更大的，權威化父權社會時，埋藏在他的「血肉」下的因素起著「自然的作用」，他創作了〈我愛美元〉這類「弒父」的小說。上面這首詩可以說是解讀兩種聯繫的鑰匙，這首詩穿越了朱文詩歌和小說的縫隙，提供了一條通往他未來的小說的路。

三　結論：反抗的只是父權

總而言之，無論是外證和內證都說明父親在朱文心中崇高的形象，文壇如簡平的〈你是流氓，誰怕你〉，就〈我愛美元〉這篇小說，對朱文的道德攻擊在編讀朱文的作品後不攻自潰，因為他們不了解朱文的創作的歷程，容易借題發揮。據韓東所回憶，當時朱文想著天津的《小說家》發行量小，離江蘇天高地遠的，誰知〈我愛美元〉在該雜誌發表後，一天朱文的媽媽給朱文打電話，說：「你父親正在看《小說家》上你的那篇小說。」聽聞此言朱文不禁汗如雨下。朱文低估了自己。不僅他的父母看見了，據說在當地朱文父母曾經工作過的單位裡人手一本《小說家》。」讀後大家不免紛紛議論：「老朱啊老朱，沒想到竟然是這樣的一個人，真是知人知面不知心！」老朱便是朱文的父親，當時朱文的父親，早從中學校長的位置上退了下來，後當縣委書記，那時擔任當地政協的副主席，名譽想必毀於一旦。因為這件事，朱文有半年沒敢回家。後來春節過年熬不住了，這才回去。如果朱文的道德有問題，存心想詆毀他的父親，為何如此慚愧呢？當然韓東從小時候就敢於懷疑他的父親，稍大就敢於審父，這是個性使然，這在同齡人來說，特別是六〇年代出生，紅旗下的蛋那一代來說，是少有膽大、獨立和較早擁有自我意識，並付諸實行的人而已。

其實除了詩歌之外，朱文的小說也可作為寫作的參考，在他最早期的其中一篇小說〈我負責調查的一宗案件〉（1991年），跟他後來一些小說給人嘻笑、戲謔的感覺不同，從這篇小說中可以看出朱文對於社會責任感的寫作。這和他的童年經驗乍看似乎聯繫不大，可是和他後來反抗權威的小說一起看，就知道他是一個具社會責任感，並會在寫作中流露的人。這是一篇很傳統的寫實作品，沒有炫目的寫作技巧，情節也談不上多麼曲折新鮮，朱文想表達的就是其中青年寡婦被辱，自殺，其子驚嚇過度變成癡呆，其女遂喝樂果自殺的一家悲慘的遭遇。整個故事說來簡單，在文學史上並不罕見，可是寫這樣的故事，作者心裡必須裝著對社會不公的關懷，這是一種牽動「血肉」的寫作，他必須擁有高度的社會責任心和憐憫之心。另外〈美國，美國〉其中美國所代表的那種自由的精神和美好的生活，可是這種生活是需要「頭懸樑，錐刺骨」的努力通過考試才有機會換取的。主角老五與考試的關係，與珍妮的關係，與可望不可及的美國的關係，折射出一種當時社會的生存的境況。無論是〈美國，美國〉、〈我負責調查的一宗案件〉，還是隨後的〈兩隻兔子〉，都與宏大的場景無關，與先鋒敘事所追求的超驗和技巧無關，給

人深刻的反而是作者所流出的人性的拷問和對現實的關懷。

　　可以想像當時大學畢業踏入社會才兩年，年僅二十三歲的朱文，心裡面還有一種對現實的不平想鳴的思想，所以後來他又寫了〈把窮人通通打暈〉、〈人民到底需不需要桑拿〉等批判社會的篇什。這種對現實社會的責任感和自小形成的內在的懷疑反抗精神，在不久的將來就借助作品和「斷裂」文學事件給當時的文壇帶來了不小的衝擊。

《新亞論叢》文章體例

一、每篇論文需包括如下各項：

（一）題目（正副標題）

（二）作者姓名、服務單位、職務簡介

（三）正文

（四）註腳

二、各級標題按「一、」、「（一）」、「1.」、「（1）」順序表示，儘量不超過四級標題.

三、標點

1. 書名號用《》，篇名號用〈〉，書名和篇名連用時，省略篇名號，如《莊子・逍遙遊》。

2. 中文引文用「」，引文內引文用『』；英文引文用" "，引文內引文用' '。

3. 正文或引文中的內加說明，用全型括弧（）。

　　例：哥白尼的大體模型與第谷大體模型只是同一現象模型用不同的（動態）坐標系統的表示，兩者之間根本毫無衝突，無須爭執。

四、所有標題為新細明體、黑體、12號；正文新細明體、12號、2倍行高；引文為標楷體、12

五、漢譯外國人名、書名、篇名後須附外文名。書名斜體；英文論文篇名加引號" "，所有英文字體用 Times New Roman。

　　例：此一圖式是根據亞伯拉姆斯（M. H. Abrams）在《鏡與燈》（*The Mirror and The Lamps*）一書中所設計的四個要素。

六、註解採腳註（footnote）方式。

1. 如為對整句的引用或說明，註解符號用阿拉伯數字上標標示，寫在標點符號後。如屬獨立引文，整段縮排三個字位；若需特別引用之外文，也依中文方式處理。

七、註腳體例

（一）中文註腳

1. 專書、譯著

　　例：莫洛亞著，張愛珠、樹君譯：《生活的智慧》北京：西苑出版社，2004年，頁106。

2. 期刊論文

　　例：陳小紅：〈汕頭大學學生通識教育的調查及分析〉，《汕頭大學學報（人文社會科學版）》，2005年第4期，頁20。

3. 論文集論文

　　例（1）：唐君毅：〈人之學問與人之存在〉，收入《中華人文與當今世界》台北：學生書局，1975年，頁65–109。

4. 再次引用

　　（1）緊接上註，用「同上註」，或「同上註，頁4」。

　　（2）如非緊接上註，則舉作者名、書名或篇名和頁碼，無需再列出版資料。

　　例：唐君毅：〈人之學問與人之存在〉，頁80。

5. 徵引資料來自網頁者，需加註網址以及所引資料的瀏覽日期。網址用〈 〉括起。

　　例：〈www.cuhk.edu.hk/oge/rcge〉，瀏覽日期：2007 年 5 月 14 日。

（二）英文註腳

　　所有英文人名，只需姓氏全拼，其他簡寫為名字 Initial 的大寫字母。如多於一位作者，按代表名字的字母排序。

1. 專書

例（1）：J. S. Stark and L. R. Lattuca, *Shaping the College Curriculum: Academic Plans in Action* (Boston: Allyn and Bacon, 1997), 194–195.

例（2）：R. C. Reardon, J. G. Lenz, J. P. Sampon, J. S. Jonston, and G. L. Kramer, *The "Demand Side" of General Education—A Review of the Literature: Technical Report Number 11* (Education Resources InformationCentre,1990),www. career.fsu. edu/documents/technicalreports.

2. 會議文章

例：J. M. Petrosko, "Measuring First-Year College Students on Attitudes towards General Education Outcomes," paper presented at the annual meeting of the Mid-South Educational Research Association, Knoxville, TN, 1992.

3. 期刊論文

例：D. A. Nickles, "The Impact of Explicit Instruction about the Nature of Personal Learning Style on First-Year Students' Perceptions 259 of Successful Learning," *The Journal of General Education* 52.2 (2003): 108–144.

4. 論文集文章

例：G. Gorer, "The Pornography of Death," in Death: Current Perspective, 4th ed., eds. J. B. Williamson and E. S. Shneidman (Palo Alto: Mayfield, 1995), 18–22.

5. 再次引用

（1）緊接上註，用「同上註」，或「同上註，頁4」。

（2）舉作者名、書名或篇名和頁碼，無需再列出版資料。

例：G. Gorer, "The Pornography of Death," 23.

大學叢書·新亞論叢 1703002

新亞論叢　第十六期

主　　編	《新亞論叢》編輯委員會
責任編輯	蔡雅如
發 行 人	陳滿銘
總 經 理	梁錦興
總 編 輯	陳滿銘
副總編輯	張晏瑞
編 輯 所	萬卷樓圖書股份有限公司
排　　版	林曉敏
印　　刷	百通科技股份有限公司
封面設計	斐類設計工作室
發　　行	萬卷樓圖書股份有限公司
	地址　臺北市羅斯福路二段 41 號 6 樓之 3
	電話　(02)23216565
	傳真　(02)23218698
	電郵　SERVICE@WANJUAN.COM.TW
大陸經銷	廈門外圖臺灣書店有限公司
	電郵　JKB188@188.COM
香港經銷	香港聯合書刊物流有限公司
	電話　(852)21502100
	傳真　(852)23560735

ISBN 978-957-739-984-7（臺灣發行）

ISSN 1682-3494（香港發行）

2015 年 12 月初版一刷

定價：新臺幣 640 元

如何購買本書：

1. 劃撥購書，請透過以下郵政劃撥帳號：
   帳號：15624015
   戶名：萬卷樓圖書股份有限公司

2. 轉帳購書，請透過以下帳戶
   合作金庫銀行　古亭分行
   戶名：萬卷樓圖書股份有限公司
   帳號：0877717092596

3. 網路購書，請透過萬卷樓網站
   網址　WWW.WANJUAN.COM.TW

大量購書，請直接聯繫我們，將有專人為您服務。客服：(02)23216565 分機 10

如有缺頁、破損或裝訂錯誤，請寄回更換

版權所有·翻印必究

Copyright©2014 by WanJuanLou Books CO., Ltd.

All Right Reserved　　　　Printed in Taiwan

國家圖書館出版品預行編目資料

新亞論叢. 第十六期 / 《新亞論叢》編輯委員會主編. -- 初版. -- 臺北市：萬卷樓，2015.12

面；　公分. -- (大學叢書. 新亞論叢)

年刊

ISBN 978-957-739-984-7(平裝)

1.期刊

051　　　　　　　　　　　　104028854